UNE PAIX ROYALE

Collection Espace Nord

Ce volume de la collection Espace Nord
est publié avec l'aide de la Communauté française de Belgique.

© Éditions du Seuil, coll. Fiction & Cie, 1995.
© Éditions Labor, 2006, pour la présente édition.

Illustration de couverture : © Didier Bauweraerts / Van Parys Média

Éditions Labor
Chaussée de Philippeville, 140C
6280 Loverval
www.labor.be
labor@labor.be
ISBN 2-8040-2110-6
D/2006/258/110

Pierre Mertens

Une paix royale

roman

Préface de Guy Scarpetta

ESPACE NORD

UN ROMAN MAJEUR

Guy Scarpetta

Il est arrivé à Pierre Mertens, lorsque le roman que vous avez entre les mains fut publié pour la première fois, l'une des pires choses que puisse subir un écrivain : un procès, aussi odieux que ridicule, lui fut intenté, visant à censurer cette œuvre, à n'en autoriser qu'une version tronquée, et corollairement à discréditer son auteur, en lui réclamant, ainsi qu'à son éditeur, un considérable « dédommagement ». Du coup, et c'est cela le pire, il ne fut question de ce livre, un peu partout, et notamment dans la presse, qu'en fonction de cette péripétie juridique. Réduit au seul statut de « corps du délit », le roman de Pierre Mertens ne fut plus guère traité que dans les chroniques judiciaires, au détriment de la place qu'il aurait dû normalement occuper dans les rubriques littéraires des journaux. Le procès, en somme, avait fait disparaître ce roman en tant que roman : il était devenu une « affaire ».

Pierre Mertens, donc, publie un livre, en septembre 1995, explicitement désigné comme un roman, où il entrelace un récit à la première personne (ce qui ne suffit pas, bien entendu, à en faire une œuvre autobiographique)[1] de réflexions sur un certain nombre de personnages réels, historiques, que la vie du narrateur a croisés. Parmi ceux-ci, le roi Léopold III – ce souverain belge, on le sait, accusé d'avoir un peu trop vite, lors de la dernière guerre mondiale, capitulé devant les armées nazies, et amené par la suite, pour cela

---

1. Faut-il rappeler que *Les Mémoires d'un âne*, livre écrit à la première personne, N'EST PAS une autobiographie de la Comtesse de Ségur... ?

même, à abdiquer. Le narrateur du roman de Mertens, à contre-
courant du préjugé commun[2], est conduit à jeter sur un tel destin
un regard nuancé, compréhensif, presque compassionnel, parfois, et
à en suggérer toute la complexité, toutes les ambiguïtés – en laissant,
du reste, comme il se doit dans tout authentique roman, le lecteur
libre de son jugement. Il s'est trouvé que Mertens, pour mener à
bien son projet, a commencé par faire une enquête, en particulier
auprès de la seconde épouse du roi Léopold, la princesse Lilian de
Belgique, qui, parfaitement instruite de l'entreprise, et de son carac-
tère ouvertement romanesque, lui a accordé plusieurs entretiens au
sujet de son mari. Or, dès la parution du livre, changement radical
d'attitude : la princesse Lilian, et son fils Alexandre, décident d'as-
signer Pierre Mertens et son éditeur en référé, pour obtenir, dans un
premier temps, la suppression de passages considérés par eux comme
« inexacts » ou « compromettants » ; pour exiger (et pour un temps
obtenir) l'amputation pure et simple du livre, au nom d'une vérité
dont ils prétendent être les seuls à pouvoir décider...

Supposons un instant que l'une des femmes qui ont servi de
modèle à Picasso, après avoir accepté de poser pour lui, ait décidé
d'intenter un procès au peintre, sous prétexte que son portrait ne
lui paraissait pas ressemblant. Tout le monde, bien évidemment,
aurait trouvé cela grotesque, absurde, scandaleux – et l'on peut dou-
ter que la justice, en ce cas, eût même estimé que la plainte était
recevable. Or c'est, mutatis mutandis, *ce qui est arrivé à Pierre*
Mertens, le jour où la plainte en référé de la princesse Lilian lui
a été signifiée. Comme si ce qui est généralement reconnu pour la
peinture (le droit de « déformer la réalité » pour des raisons esthéti-
ques) était refusé à la littérature. C'est-à-dire comme si, en définitive,
un roman n'était pas une œuvre d'art, et devait se soumettre aux

---

2. Tel que le condense, par exemple, un opuscule de Roger Vailland, *Léopold III*
devant la conscience belge, Paris, Éditions du Chêne, 1945 – repris dans le
tome X des *Œuvres Complètes* de Vailland, Éditions Rencontre, Lausanne,
1967-1968.

règles de « respect de la vérité historique » comme n'importe quel reportage.

Que ce procès, au terme d'une longue procédure, pleine de rebondissements, se soit plutôt bien terminé pour Pierre Mertens, finalement lavé de ces accusations, ce n'est, si je puis dire, que justice. Mais quant à la réception du roman, le mal était fait...

Il est inutile, je crois, dix ans après, de revenir sur les détails et les péripéties de cette « affaire » judiciaire – au terme de laquelle Mertens et son éditeur n'ont été condamnés qu'au franc symbolique de dommages et intérêts (façon courante d'annuler un jugement antérieur sans pour autant débouter officiellement les plaignants), et qu'à inclure dans les éditions postérieures une mention attestant le caractère partiellement inventé, ou fictif, des faits et propos rapportés. Ce qui est sans doute beaucoup plus intéressant, aujourd'hui, c'est de saisir ce que cette affaire a révélé sur l'oubli, dans nos sociétés, des valeurs liées à l'art du roman ; ou pire encore, sur l'étrange climat de procès, au sens large, auquel cet art du roman est désormais soumis.

Car il ne s'agit pas seulement, ici, d'une question touchant à la « liberté d'expression ». Il faut sans cesse le rappeler : lorsque Rabelais fut condamné à mort (et ses livres invités à être brûlés) par la Sorbonne, la toute-puissante Faculté de Théologie de son époque, il s'est trouvé un roi, François Ier, pour le protéger. Était-ce au nom de la liberté d'expression ? Cette notion, alors, était loin d'être une valeur incontestée. Des Droits de l'Homme ? Le concept n'en avait pas même été formulé... Non, c'était tout simplement parce que François Ier aimait le romancier Rabelais, et qu'il considérait que les valeurs consubstancielles à cet art du roman (valeurs d'ironie, d'irrespect, de relativisation des vérités, de triomphe de l'imagination, de moquerie envers tout dogmatisme et toute orthodoxie) ne devaient pas être entravées par une instance supérieure, fût-ce celle de la religion officielle du royaume. Or c'est précisément cela, qui situe l'art du roman au cœur d'une civilisation, dont on peut redouter, aujourd'hui, la *disparition. Et l'on peut se demander ce qu'il en serait d'une société, la nôtre, où l'on commencerait à s'habituer à ce que ces valeurs, présentes depuis l'aube des Temps Modernes, soient ouvertement bafouées.*

Car le cas de Mertens n'est pas isolé...

Il y a dix ans, lorsque cette affaire a éclaté, cela faisait déjà plusieurs années que la tête de Salman Rushdie avait été mise à prix par le pouvoir théocratique iranien, pour le seul crime d'avoir écrit un roman, une œuvre de fiction, d'imagination – et il a fallu tout un combat, difficile, obstiné, pour que l'on commence enfin à situer Les Versets sataniques *dans le panorama du roman moderne, c'est-à-dire en tant qu'œuvre d'art, et non comme le simple objet d'une infraction aux Droits de l'Homme.*

Au moment même où Pierre Mertens était mis en accusation, Carlos Fuentes, de son côté, devait affronter un tribunal de son pays, le Mexique, accusé par un obscur plumitif de lui avoir « volé une intrigue » – poursuite d'autant plus ridicule que le roman incriminé, Diane ou la chasseresse solitaire, *était le plus ouvertement auto-biographique de tous ceux que Fuentes a écrits – l'intrigue, c'était sa propre vie qui la lui avait fournie...*

Günter Grass, quant à lui, toujours dans cette même période, subissait un ahurissant lynchage médiatique, d'une violence inouïe, pour avoir osé suggérer, dans un roman, un point de vue sur la réu-nification de l'Allemagne passablement plus sceptique que celui qui était propagé par la doxa officielle.

Rien de tout cela, du reste, n'est terminé. À l'heure où j'écris ces lignes, c'est le plus grand romancier turc vivant, le merveilleux Orhan Pamuk, qui est traîné devant les tribunaux de son pays, pour avoir évoqué les massacres dont les Turcs se sont rendus coupables à l'égard des Arméniens et des Kurdes – ce qui, à Ankara, n'est apparemment pas considéré comme une réalité avérée, mais comme une insulte à la Nation...

Tous ces cas, certes, n'ont pas le même degré de gravité. Mais ils n'en sont pas moins significatifs d'une même tendance à la censure. Cela, au demeurant, pourrait sembler bien paradoxal, en une époque où l'on ne cesse de nous répéter, sur tous les tons, que le triomphe de l'audio-visuel a définitivement relégué au second plan la civilisation de l'écrit, que le poids des écrivains sur l'opinion est désormais dérisoire, et que la littérature, somme toute, est devenue une activité marginale, inoffensive. Et pourtant, ce sont bien des écrivains sur qui l'on s'acharne. Comme si cette dernière poche de résistance, ou d'exercice d'une parole libre, si minoritaire qu'elle soit, était encore trop pour la norme triomphante, pour le consensus planétaire uniformisé. Comme s'il était de toute première importance, pour ceux qui sont à la fois les maîtres du monde et ceux de sa représentation, de restreindre chaque jour un peu plus cette insolente insoumission.

Pour en revenir au cas de Pierre Mertens, et de la censure qui a frappé Une paix royale, *il n'est pas superflu, à mon sens, de rappeler ceci, qui concerne justement l'art du roman.*

Depuis que la littérature existe, il s'est toujours trouvé des écrivains pour donner une vision subjective de personnages ou d'événements historiques – de Dante à Hemingway, de Chateaubriand à Malraux, de Saint-Simon à Aragon. Qu'il s'agisse de Mémoires, de Chroniques, où il va de soi que les « portraits » comportent un certain coefficient de subjectivité (ou de transposition « romanesque », dans le cas des Antimémoires *de Malraux), dont nul n'a jamais songé à contester la validité littéraire – ou qu'il s'agisse de ces romans du* XXe *siècle qui mêlent délibérément le « référent fictif » au « référent vrai ». On pourrait, d'évidence, multiplier les exemples à l'infini (tout récemment encore : la vision de l'affaire Clinton-Lewinsky dans* La Tache *de Philip Roth, ou le saisissant portrait intérieur de*

Trujillo, le dictateur de Saint-Domingue, dans La Fête au bouc *de Mario Vargas Llosa). Il va de soi que si le principe d'une telle liberté de transposition était bafoué, non seulement ce serait la porte ouverte à tous les abus (n'importe qui pourrait faire interdire un livre au motif que l'image donnée de lui, ou de ses ascendants, ne soit pas conforme à ses souhaits) — mais encore cela signifierait qu'un droit fondamental et immémorial de la littérature est en train de disparaître.*

Le roman de Pierre Mertens, en l'occurrence, ne se présente ni comme une pure et simple autobiographie (même si le narrateur peut emprunter à l'auteur certains éléments de sa vie), ni, encore moins, comme une chronique ou un témoignage, dont l'objectif affiché serait l'exactitude des faits rapportés. Que l'accusation portée contre lui ait pu porter sur des détails parfaitement dérisoires (la marque de l'automobile attribuée au roi !), que les attendus de la première ordonnance de référé aient pu évoquer un « procédé fautif » (sic) : tout cela indique surtout une radicale méconnaissance de ce qu'est un roman.

Cela ne signifie évidemment pas qu'un romancier puisse avoir, en tant que tel, tous les droits — ni que la littérature puisse dire n'importe quoi en toute impunité. On peut parfaitement admettre, par exemple, qu'un roman qui comporterait des appels au meurtre explicites, ou des diffamations caractérisées, puisse être sanctionné. Or, et c'est sans doute là le plus extravagant de cette affaire, tout lecteur de bonne foi du roman de Pierre Mertens peut vérifier qu'il n'y a, dans son livre, aucune intention diffamatoire. Que le roi Léopold III, dont Mertens s'attache surtout à montrer comment, après avoir abdiqué, il s'est en quelque sorte « racheté » par une « seconde vie », en sort plutôt grandi, en regard du discrédit quasi général qui s'était attaché à lui. Que la princesse Lilian elle-même, en tant que personnage de roman, est traitée de façon tout à fait bienveillante. Ce livre, en bref, est tout sauf un règlement de compte...

Plus généralement, on peut souligner que Mertens, dans Une paix royale, *ne se donne pas pour tâche de juger ses personnages, ni d'imposer une thèse à leur sujet – mais plutôt d'explorer, à travers eux, des zones de paradoxe, d'incertitude, d'ambiguïtés jusqu'alors insoupçonnées – l'Histoire n'étant là que pour les éclairer. Autrement dit, un tel roman n'a pas l'Histoire pour objet, mais il se sert d'elle pour révéler certains aspects de l'expérience humaine, méconnus par les grands systèmes d'interprétation ou de représentation constitués. C'est même par là, précisément, que Mertens rejoint les plus grands romanciers[3].*

Pierre Mertens, je l'ai dit, est sorti la tête haute de cette épreuve. La justice a tranché. La volonté de censure a échoué.

Est-ce à dire qu'il n'a pas été meurtri par cette affaire ?

Ce serait difficile à imaginer. Car il n'a pu que constater, autour de lui, à cette occasion, certaines bassesses, certaines lâchetés, dont il est peu probable qu'il les ait oubliées. Je songe à ceux, littéralement ignobles, qui ricanaient d'un tel procès, et ironisaient sur la « publicité » que cela faisait à l'auteur (ce même type d'ignominie s'était aussi manifesté à propos de Rushdie). Je me souviendrai toujours, pour ma part, de cette responsable belge d'une institution internationale dont la mission officielle est de défendre et de soutenir les écrivains persécutés, et qui a préféré, en arguant de ses bonnes relations avec la famille royale, se dérober à sa tâche, et « lâcher » délibérément Mertens au moment où il aurait eu le plus besoin d'elle. Passons sur ces comportements méprisables. « Toute l'eau de

---

3. Il est à noter qu'un certain nombre de romans récents, parmi les plus importants, relèvent aussi de cette conception de l'Histoire comme « éclairage révélateur » : *La Tache* de Philip Roth ; *La Fête au bouc* de Mario Vargas Llosa, *En Crabe* de Günter Grass, *Disgrâce*, de J.-M. Coetzee. Voir aussi les pages lumineuses que Milan Kundera consacre à cette question dans son dernier essai, *Le Rideau* (Gallimard, Paris, 2005).

la mer ne suffirait pas à laver une tache de sang intellectuelle. »
(Lautréamont)

Mais Pierre Mertens a pu éprouver, aussi, certaines solidarités, essentielles. N'oublions pas qu'au cœur de ce procès, où tant de belles âmes, promptes par ailleurs à s'enflammer pour des causes morales gagnées d'avance, s'esquivaient lamentablement, il s'est trouvé un certain nombre d'écrivains, et non des moindres, dont certains avaient été, dans leur propre vie, persécutés en raison de ce qu'ils écrivaient, pour signer une pétition de soutien à Mertens, au nom des valeurs de l'art du roman[4].

Ce qui est, en somme, à la fois encourageant et préoccupant. Encourageant, car cela montre qu'il existe une véritable fraternité à distance entre les écrivains, et que quelques-uns d'entre eux, même les plus réfractaires à l'« engagement » au sens classique (ni Claude Simon, ni Robbe-Grillet, ni Kundera ne passent précisément pour les adeptes d'une littérature militante), n'hésitent pas à se mobiliser dès lors que ces valeurs sont menacées. Préoccupant, car cela ne semble plus guère concerner, justement, que des écrivains, comme si la défense de cet « esprit du roman » dont parle Kundera ne dépendait plus, désormais, pour l'essentiel, que de ses praticiens, certes solidaires, mais de plus en plus isolés...

Quoi qu'il en soit, une telle manifestation de soutien fut, au milieu de la tourmente où Pierre Mertens était plongé, un réconfort non négligeable. Et peut-être cela n'a-t-il pas été sans effet sur l'heureuse issue du procès...

---

4. Cette pétition, parue dans *Le Monde* du 24 janvier 1996, était signée par Carlos Fuentes, Juan Goytisolo, Milan Kundera, Bernard-Henri Lévy, Alain Robbe-Grillet, Salman Rushdie, Guy Scarpetta, Jorge Semprun, Claude Simon, Philippe Sollers, Vassilis Vassilikos. On en retrouvera le texte complet dans l'essai de Pierre Mertens, *Une seconde Patrie*, Éditions Arléa, Paris, 1997 (p. 45-46).

Mais le pire, encore une fois, dans toute cette histoire, c'est qu'elle ait pu gravement nuire à la réception même du livre. Et qu'aujourd'hui encore, dix ans après, alors que Mertens a été disculpé, il se trouve encore bon nombre de gens, sans même avoir lu Une paix royale, *pour être persuadés qu'il ne s'agit dans ce roman que d'un douteux règlement de compte avec la famille royale de Belgique – alors que son propos est d'une tout autre ampleur, et que les passages incriminés, sur lesquels la rumeur s'est focalisée, sont, de fait, parfaitement marginaux en regard de la richesse thématique qu'il développe. Si bien que l'odieux procès dont je viens de parler a d'une certaine façon nui au livre deux fois : d'abord, en le menaçant, pendant quelques mois, dans son existence même ; ensuite, et à bien plus long terme, en interdisant qu'il puisse être apprécié pour ce qu'il est : non l'objet d'un litige, ou d'une polémique, mais un roman à part entière – et sans doute l'un des plus éblouissants de notre époque.*

Ce qui est le plus saisissant, d'emblée, c'est l'extraordinaire virtuosité avec laquelle Mertens entrelace, dans son récit, une double quête, ou une double enquête. Celle, d'abord, qui pourrait se qualifier d'autobiographique, même si le narrateur, comme je l'ai indiqué, ne coïncide pas exactement avec l'auteur tel qu'on peut le connaître (mais de nombreux indices laissent deviner une identité rapprochée) : elle concerne son enfance, sa généalogie, son « roman familial » mouvementé, sa recherche de secrets enfouis, son éducation sentimentale, etc. L'autre enquête, qui s'articule à la première par un simple incident (ou plutôt un accident), porte donc sur un personnage historique, le roi des Belges Léopold III : elle évoque ce souverain maudit, condamné par l'Histoire, accusé d'avoir fait le lit de l'occupation de la Belgique par l'Allemagne nazie, finalement conduit à abdiquer. Et cette enquête aboutit, sinon à le réhabiliter, du moins à relativiser cet opprobre, à suggérer que les choses furent plus complexes, plus nuancées, et que Léopold pourrait bien, en ces circonstances, avoir servi de bouc émissaire (destin « royal » par excellence) ; elle porte, en outre, sur ce qui a suivi cette abdication, cette période où le roi, comme délivré du fardeau d'un pouvoir trop lourd pour lui, devient une sorte de voyageur, d'explorateur, crédité même (par Michel Leiris en personne) d'un certain statut d'ethnologue : ce qui permet d'introduire le thème de la seconde chance, qui semble être l'un des grands thèmes obsédants des romans de Mertens[5], et presque, pour reprendre les termes de Charles Mauron, un véritable « mythe personnel ». Or, le plus admirable, ici, c'est la façon dont Mertens a su créer, entre ces deux enquêtes, la personnelle et l'historique, tout un réseau de corrélations souterraines, d'échos et de contrastes, de segments identificatoires, de transferts affectifs – comme si la quête subjective (le « roman familial ») et la quête objective (celle qui porte sur le roi) s'éclairaient réciproquement, se télescopaient, et comme s'il fallait cette confrontation pour faire surgir (à propos, par exemple, de l'absence d'innocence qui caractérise l'enfance, de la consistance des figures paternelles, de la souveraineté fatidique des femmes, etc) des vérités subtiles, paradoxales, ambivalentes, aux antipodes de tous les lieux communs.

Ce qui est fascinant, aussi, dans ce roman, c'est la manière dont, au-delà de cette double quête, qui oriente la narration, surgissent toutes sortes de motifs secondaires, qui s'articulent certes aux grands thèmes centraux, mais qui prennent de l'envergure, s'étendent, prolifèrent, comme autant d'excroissances proprement baroques venant « envelopper » l'axe principal. Je pense, par exemple, à ce que Mertens introduit à propos du tourisme de masse, dans la première partie du roman, et qui est probablement ce que l'on aura écrit de plus lucide et de plus violent à propos des ravages inéluctables d'un tel phénomène. À cette évocation inattendue du cyclisme, qui prend son origine dans une anecdote précise (enfant, le narrateur, à vélo, a été renversé par l'automobile royale), mais qui prend une ampleur exceptionnelle – et

---

5. On le retrouve dans *Terre d'asile* à propos de Moralès ; dans *Les Bons Offices* à propos de Paul Sanchottel ; dans *Les Éblouissements* à propos de Gottfried Benn. Et c'est aussi, d'une certaine façon, le thème majeur de *Perdre*.

amène même ce narrateur à entreprendre une enquête annexe, à aller interviewer quelques champions cyclistes autrefois célèbres : où l'on peut certes repérer un effet de contrepoint par rapport au sujet central (il s'agit aussi de « rois déchus », de personnages légendaires qui ont dû, à un moment, « abdiquer », et s'inventer, tant bien que mal, une « seconde vie »), mais cela n'empêche pas ces séquences d'exister aussi pour elles-mêmes, de posséder leur propre centre d'intérêt. Je pense, aussi, à cette hallucinante évocation finale d'un cataclysme, d'une inondation destructrice, que l'on pourrait lire comme une allégorie terminale ironique (« après moi le déluge »), mais qui, là aussi, prend une valeur presque autonome – où se manifeste, comme dans les ultimes romans de Céline, ou comme dans Christophe et son œuf *de Carlos Fuentes, un prodigieux imaginaire apocalyptique. Plus généralement, on ne peut qu'être ébloui par l'art avec lequel Mertens fait foisonner, dans* Une paix royale, *des dizaines de micro-récits, d'anecdotes dérivées, dans une composition arborescente, luxuriante, où la part purement fonctionnelle du récit ne cesse d'engendrer une profusion d'éléments divergents, ramifiés, expansifs, comme mus par une étonnante prodigalité de l'énergie narrative – qui n'est sans doute, comme chez Proust ou chez Faulkner, qu'une façon de restituer la vie dans toute son inextricable multiplicité.*

Il faudrait insister, aussi, sur les « effets de vérité » qu'un tel roman peut susciter. Et notamment quant à la Belgique, qui est ici tout autre chose qu'un décor. Il est assez rare, à ma connaissance, qu'un écrivain belge ose utiliser l'histoire de son pays comme un matériau – et qui plus est, en vrai romancier, en s'attachant à faire émerger le non-dit de l'historiographie officielle, l'envers des légendes consensuelles qui constituent l'image simplifiée, ou idéalisée, d'une nation ou d'une communauté. Car si Mertens, encore une fois, ne se donne pas l'Histoire comme objet de son roman, il n'en fait pas moins apparaître, indirectement, une vision très inhabituelle (du moins pour un lecteur étranger) de cette part finalement assez énigmatique de l'Europe qu'est la Belgique. Un pays, à le lire, dont on devine qu'il est habité par une sorte d'incertitude, d'hésitation, qui peut parfois frôler la haine de soi, la tendance à rapetisser tout ce qu'il peut avoir de plus grand (et qui n'est pas rien) – mais ce n'est peut-être, en définitive, que la contrepartie, dans sa culture ou son imaginaire collectif, d'une défiance fondamentale envers l'épopée (à l'exception de celle qui s'attache aux champions cyclistes...), d'une réticence aux illusions lyriques ; d'où la présence, en lui, de destins tout à la fois tragiques et dérisoires (les plus intéressants pour un romancier digne de ce nom). En tout cas, il me semble bien que Mertens a fait de la Belgique, dans ce livre, l'équivalent de ce qu'était la Cacanie dans L'Homme sans qualités de Musil : un microcosme révélateur, d'autant plus universel que parfaitement singulier. C'est, je crois, la première chose que j'ai dite à Pierre Mertens, aussitôt après avoir lu ce livre : « avec un tel roman, enfin, la Belgique est devenue un pays d'Europe Centrale... » Il a ri, du rire tonitruant qu'on lui connaît, mais il ne m'a pas démenti...

Il est un dernier point, à propos de ce roman, que je voudrais souligner : c'est la très surprenante conjonction, en lui, de deux registres (ou de deux tonalités) que notre culture, généralement, nous invite à opposer : le pathos et l'ironie. Car il y a dans Une paix royale (mais cela vaut pratiquement pour tous les romans de Mertens) une évidente part d'emportement émotionnel, de vertige affectif et passionnel, d'abandon délibéré à ce que Barthes nommait l'« impudeur des sentiments » ; mais en même temps, sans que cela soit contradictoire, une distance, une lucidité amusée, parfois presque sarcastique, dans la façon d'en parler (car dans l'art de Mertens, comme dans celui de Proust ou de Musil, les situations se doivent d'être pensées autant que racontées). Et ce paradoxe-là, qui fait coïncider le maximum de romantisme dans la fiction avec le maximum d'anti-romantisme dans l'énonciation, il tient pour l'essentiel, me semble-t-il, au prodigieux sens de la formule, du « bonheur d'expression », qui irrigue chacune de ces pages – et qui n'est pas la simple « forme » de cette lucidité, mais plutôt ce dont elle procède...

Il y aurait mille autres choses à dire sur les richesses d'un tel roman — que je laisse maintenant au lecteur le soin (et le bonheur) de découvrir directement... Puisse cette réédition, en tout cas, laisser espérer qu'on portera sur ce livre un regard neuf, sans préjugé, enfin débarrassé de cette actualité parasitaire qui a pu, il y a dix ans, en altérer la réception (et la compréhension). Tel est, en ce qui me concerne, mon souhait le plus profond : un roman d'une telle envergure mérite bien, comme les personnages dont il évoque le destin, de se voir accorder une seconde chance.

Pour ma mère au fil du temps trouvée.

Assieds-toi au soleil. Abdique
Et sois roi de toi-même.

Ricardo Reis

1

Le sens de la famille

Quand je vins au monde, mes parents perdirent la foi.

À combien de reprises n'ai-je pas récrit cette phrase liminaire d'un livre de Mémoires qui, au fil du temps, s'avéra de plus en plus difficile à concevoir, car je ne voulais l'envisager qu'en ayant perdu toute mémoire, justement, afin de me concentrer sur cet unique « souvenir » – si j'ose ainsi m'exprimer –, lequel invitait plutôt à l'amnésie !

Une autobiographie tournant court puisque, pour la poursuivre, et raconter les prolongements de cette incrédulité des autres qui, d'entrée de jeu, m'entoura, il m'eût fallu, à défaut de réminiscences, un peu de cette imagination dont je me crois tout à fait dépourvu.

Il m'arrivait d'introduire une variante. Au lieu de : « parents », je disais : « géniteurs ». Cela faisait plus chic. Se voulait ironique. Et je remplaçais : « Je vins au monde » (quelle histoire !) par : « Je naquis. » C'était plus modeste.

Déjà l'embarras du choix… On aurait pu pousser un peu : « Mes étourdis d'ancêtres n'attendirent que mon entrée en scène pour tourner le dos à Dieu ! » Mais cela n'eût rien changé quant au fond de cette petite affaire. Seule importait cette « infidélité » – ainsi qu'eussent professé Croisés ou Sarrasins – qui accueillit et, dans un sens, sanctionna ma naissance.

(Je pourrais même supposer que, lorsqu'ils me conçurent, ils croyaient encore. Mais je n'étais même pas né que, déjà, ils ne croyaient plus !)

Vous parlez d'un « heureux événement »... Considérez plutôt ce deuil qui l'accompagna. Je ne jurerais pas qu'il y eût une relation de cause à effet – ce serait me prêter beaucoup d'importance – mais au moins une coïncidence malheureuse... Quelle déplorable synchronisation !

J'étais né *décoiffé*.

Bref, je n'entendis parler de Dieu qu'assez tard dans ma vie – trop tard pour faire un excellent usage de l'information. Dieu peut ressembler, pour le mieux, à l'enfance. Pour le pire, il se confond souvent avec la vieillesse, l'affaissement, le crépuscule. Il ne surgit plus alors que pour profiter de la politique des restes.

Une enfance sans métaphysique : voilà ce qui m'a valu de devenir, très tôt, un jeune vieillard. On ne m'avait pas laissé le soin, le cas échéant, de perdre la foi par moi-même, tout seul, comme un grand. C'était déjà fait, sur des fonts non baptismaux. Absurdement, j'ai quelquefois pensé que m'éloigner ainsi de Dieu – même si, par mégarde, Il n'existait pas –, ce fut un crime. Oh ! peut-être n'aurais-je jamais été « à tu et à toi » avec Lui... Ce qui me tient éloigné aujourd'hui, ce seraient plutôt ses mauvaises fréquentations.

J'ignorai donc tout, dans ma jeunesse, de l'atmosphère des églises, de leur rituel tour à tour puéril et majestueux, des grand-messes et des messes basses, des fortes odeurs de l'encens et de celle des bougies qui se consument, du flot tempétueux de l'orgue comme des rengaines de l'harmonium, des crécelles et clochettes et répons des fidèles, de la dureté des chaises de paille, des saints bariolés, chaires de vérité, colonnes, vitraux, confessionnaux, bénitiers, fleurs, napperons, ex-voto... Je fus élevé comme un païen.

Certes, je me consolerais malgré tout en pensant que Rebecca, qui en dépit de son nom n'était pas juive, déciderait à mon contact de se faire baptiser et de pratiquer ardemment la religion catholique… Allez savoir pourquoi ? Les vases communicants ? Mes parents avaient perdu une croyance à mon immédiat contact, une femme l'acquit. Rebecca était du genre radical : elle aurait voulu se faire curé. Ne le pouvant, elle finit par me quitter. Ou elle se laissa quitter par moi, ce qui revient au même. Nous en reparlerons. Elle aurait tout de même cru en Dieu le temps de notre mariage. Je devrais m'en satisfaire. M'en amuser ou m'en réjouir. M'en féliciter ou m'en divertir. Pauvre Rebecca, je n'ai pas le cœur à en rire. Dans les grandes circonstances, je manque parfois d'humour.

C'est à peu près vers la même époque – en fait le jour même de ma naissance, le 9 octobre 1939, je n'y puis rien – que le Führer démocratiquement élu au sein d'une grande nation voisine signa un *mémorandum* et une *directive* programmant l'invasion à court terme de notre petit pays. (Cela, bien sûr, je ne le découvris que de nombreuses années après, lorsque j'accédai à l'âge où on lit des livres sur l'histoire des guerres.)

Je surgis à l'heure du laitier, et on peut donc supposer que le funeste chancelier ne scella notre sort que plus tard, dans le courant de la même journée.

Encore une fois, la coïncidence me frappa… Un malheur n'arrive jamais seul. Mon entourage n'allait-il pas s'en aviser et se poser des questions sur cette double calamité ? L'Histoire ne faisait-elle pas de moi le contemporain absolu de nos futures misères, et donc, jusqu'à un certain point, l'*allié objectif* de Hitler ? Ah ! Pourquoi n'être pas né au Nigeria, au Brésil ou en Chine, plutôt qu'entre Ostende et Arlon ? Mais, pour en revenir aux raisons qui avaient bien pu décider le Führer à violer la neutralité de notre étroite patrie le jour même où ma mère se délivrait du fardeau qu'en elle je représentais alors, je me jurai de ne pas leur attribuer une signification qui me ferait passer volontiers pour mégalomane !

D'autant plus qu'en raison d'un incident dérisoire : la chute et l'éclatement d'un marron sur le pare-brise de la traction avant que pilotait, le 8 octobre, un peu avant minuit, mon père, sur la route d'Anvers à Bruxelles, et qui effrayèrent ma mère, celle-ci ressentit, dès les premiers faubourgs de la capitale, d'insistantes contractions. Elle en profita pour abréger la lourde procédure de sa gésine, et me propulser, deux mois avant terme, sur le lit du monde. (Non, non ! Je ne me dépêchai donc pas de survenir ! Mais, à l'échéance initialement prévue, aurais-je été prêt davantage ?)

J'apparus étranglé par le cordon ombilical. La main, m'a-t-on dit, du chirurgien tremblait. Je n'ai poussé qu'un seul cri, mais qui fit trembler les vitres. Je fus placé aussitôt en couveuse, le même jour, sous la protection de saint Denis, cet homme magnifique à qui on avait coupé la tête et qui la porta fièrement depuis Montmartre jusqu'au lieu qui porte désormais son nom.

Par ailleurs, comment ne persisterait-on pas à témoigner de l'effroi devant les conspirations du calendrier quand la barbarie s'en mêle, et que le décret d'un tyran qui va mettre la planète à feu et à sang, et en cendres, fait – plus modestement – irruption dans notre destinée individuelle, pour la déterminer ? Il est bien malaisé, certains jours, de ne pas ressentir l'univers comme un œuf bourré de sa propre matière, mais aussi dévoré par elle, et où le tissu des cellules semble si serré, si implacable, que nous y suffoquons, dans la joie comme dans le malheur, sous le poids du hasard et de la fatalité !

Parfois je me dis que « qui n'a pas connu les années avant moi ne peut savoir ce qu'est la douceur de la vie ». (Ha ! Ha ! Ha !)

Mes parents furent jetés dans la guerre. Ils devinrent proches des communistes. Les années ont passé, ils ont oublié Dieu, et ils ont découvert presque aussitôt la nature du communisme réel.

Ça ne paraît plus fort les tracasser aujourd'hui. Moi, si. Ils ont, sans doute, minimisé l'incidence que cela eût pu avoir pour moi, leur foi en Dieu ou dans le communisme, donc Dieu Lui-même ou le communisme en soi. (Les incroyants ne sont pas tant ceux qui refusent l'assistance de Dieu que ceux qui ne se soucient pas de son importance.) Étrange. C'est, en fin de compte, à moi que ce à quoi ils n'ont plus cru, à un moment donné, va manquer le plus...

Comme si j'avais pu devenir en naissant un compagnon de route des communistes ou un sympathisant de Dieu ! Au lieu de naître sans foi ni loi, comme on naît bossu ou bègue.

Ainsi ne pas rendre l'écho précoce d'une foi, ou d'une autre, aurait pu me remplir de rancune. J'en ferais plutôt une raison de vivre. Et tenterais de reconquérir autrement tout ce terrain aussitôt perdu.

La même année 1939, où Staline et Hitler se partagèrent la Pologne, Otto Hahn et Fritz Strassmann élaborèrent la théorie de la fission de l'uranium, Chagall peignit *Les Mariés de la Tour Eiffel* et Klee *Extase*, et James Agee publia *Louons maintenant les grands hommes* ; Hindemith composa *Nobilissima visione*. Notre gouvernement tomba sur la question flamande. Sylvère Maes remporta le Tour de France pour la deuxième fois. Un séisme raya de la carte une ville au Chili, un autre fit des dizaines de milliers de morts en Turquie. Le couturier Lanvin présenta un sac pour masque à gaz assorti au manteau. Sigmund Freud s'éteignit, mais aussi Pie XI et la stigmatisée Thérèse Neumann. C'est encore en 1939, bien que la date fût moins sûre, qu'une blanche Brésilienne fut enlevée par les Indiens yanoama auprès desquels elle allait vivre plus de dix années... Moi aussi, j'avais été *enlevé*, mais au ventre de ma mère. Cela se passait au 20, square du Bois-Profond, et ce alors que des vaches et des chèvres paissaient encore l'herbe des prairies avoisinantes. J'arrivais juste à temps pour assister à une guerre qui, jusque-là, n'avait été que « drôle ».

La carte du ciel qu'établit pour moi une astrologue de renom distingue la forte imprégnation du signe de la Balance, dont la planète maîtresse est Vénus. Aucun signe d'eau. Une dominante mercurienne. Les planètes se disputent le désir de plaire. Une allergie au dogmatisme, une impression de rejet maternel, un dévorant souci d'introspection, une légère tendance à la paranoïa. La Maison 9 ouvre ses portes sur les paysages lointains et révèle le goût du nomadisme en même temps qu'une totale absence de curiosité touristique.

De fait, si je suis devenu guide assermenté, c'est en dépit de mon aversion pour les voyages organisés et de ma haine pour les monuments historiques. (Quant aux serments, en général je m'en méfie, et en particulier des miens.)

J'éprouve souvent de la peine à rameuter les souvenirs de ma prime enfance. Puisque, en raison des circonstances, nous vivions sous le régime de la censure, il me paraît que mes premières années se sont déroulées, et refermées, autour d'un secret dramatique et cuisant, mais qui tenait moins à l'état du monde, à cette heure-là, qu'au rôle minuscule, infinitésimal, et bien sûr encore inconscient, qu'on me demandait d'y jouer. Qui fait sa première entrée en scène à l'instant où le théâtre lui-même risque de flamber, comment ne ressentirait-il pas qu'il a décidément mal « choisi son moment », et qu'il est mal tombé ? Cet intrus ignorera-t-il longtemps, et oubliera-t-il, un jour, qu'il était de trop ?

Je pourrais toujours, évidemment, recenser les quelques épaves arrachées au naufrage de ma débutante existence, mais elles se sont noyées sous l'amoncellement des objets rapportés, au fil des années, de mes voyages aux quatre coins du monde. Le bric-à-brac de toute une vie...

Une petite locomotive à vapeur en cuivre rouge, un enregistrement en soixante-dix-huit tours de *Jardins sous la pluie* par Alfred Cortot, un poste à galène, une mappemonde creuse en verre dépoli et colorié, une corde à sauter, un coq portugais, une rose de sable, une bouteille de marinier hambourgeois contenant un Christ en croix et un rouge-gorge, la peau d'un léopard avec son crâne et toutes ses dents, une édition originale des *Éblouissements* par la princesse Anna de Noailles, une poignée de coquillages du genre « buccin » ou « trompette », des stylographes crevés dont je n'ai pas eu le cœur de me défaire... Une chicote coloniale, un keffieh palestinien, un maillot de trapéziste écaillé comme la queue d'une sirène, et si étroit qu'aucune élue de mon cœur ne réussit jamais à s'y glisser... (Peut-être avait-il appartenu à l'une de ces jeunes filles qui se balançaient dans les airs, au début des années cinquante, sous le chapiteau du cirque Mikkenie ? Je tombais amoureux de toutes.) Et toutes ces robes de danseuses, ces saris ou ces djellabas, qu'au dernier instant je renonçais à offrir à telle ou telle femme de mes pensées, dans l'attente d'une autre que j'aimerais encore davantage. (À la fin, il s'en comptait plus dans la penderie que de paires de pantalons.) Une selle de cheval mongole. Une bouteille de mescal mexicain avec une chenille dans le fond conservée dans son alcool. Un placard du Vatican annonçant l'excommunication, en 1958, de tout membre du Parti communiste italien. Beaucoup de pierres, très banales, mais aucun fragment du mur de Berlin (trop vulgaire). Un kriss malais, une navaja, une machette, un cimeterre, les deux lames nécessaires à l'accomplissement du *sepukku*. (Moi qui suis si pacifiste et à peine suicidaire.) Un fusil belge de type Herstal offert par un rebelle kurde. Un samovar afghan. La jupe plissée d'un evzone athénien marchandée dans un bazar d'Ankara. Un oignon en or de la marque Patek-Philip, datant de 1870, muni d'une sonnerie à cloche et d'une double cuvette. Il avait appartenu à mon grand-père maternel. À sa mort, ma grand-mère constata qu'il avait fait graver sur le boîtier intérieur les prénoms de ses maîtresses successives, qui, par ailleurs, jouaient volontiers avec elle au bridge. Elle préféra me l'offrir que la mettre au clou. « Pour que tu n'imites jamais ton aïeul… », me dit-elle. Elle valait bien un oignon, la leçon de morale.

Je me demande parfois, avec mélancolie : me ressemble-t-elle, cette collection d'hurluberlu ?

Longtemps, j'ai cru dur comme fer que saint Christophe, le patron des voyageurs, n'était autre que Christophe Colomb béatifié. Cela m'étonnait naturellement un peu qu'on eût élu, pour grand bénisseur de toute croisière, un marin égaré… Pourtant, lorsque je m'avisai de ma méprise, je fus plutôt déçu. Cela n'avait-il pas tout son sens, au fond, qu'on eût choisi, pour porter chance aux pèlerins, celui qui, grâce à son fourvoiement, découvrit un monde ? Quand on arrive effectivement là où on devait se rendre, on n'est déjà plus un voyageur, mais un simple touriste.

Lorsque j'eus atteint l'âge de dix-huit ans et que je pus envisager mon premier grand voyage, je n'achetai pas une valise neuve dans une bagagerie mais, dans un surplus américain, une petite cantine fatiguée que cent périples d'un inconnu avaient déjà mise à l'épreuve : elle était couverte d'étiquettes de toutes couleurs renvoyant à plusieurs destinations. Dans les pensions et les *albergos* où je descendis, à Rome, à Florence, à Venise, tout le monde put croire que j'avais déjà fait le tour du monde.

Je découvre ceci, dans le recueil de chroniques que mon père écrivit naguère, sous le titre *Choses non vues* :

Je n'ai nul besoin de l'expérience naturaliste pour connaître les choses et, à celui qui me demanderait si je connais Innsbruck, je serais tenté de répondre que oui, alors que je n'y fus jamais, et que je serais bien embarrassé de dire où se trouve exactement cette ville. Pourtant, si j'assure que j'y ai séjourné, ou que je l'ai traversée pour me rendre à N., il n'y a dans cette affirmation ni hâblerie, ni complaisance, ni mensonge. C'est que je sais que de voir Innsbruck n'y changerait rien, que je connais déjà cette ville par une sorte d'intuition, de science innée propre au roman et au rêve. Je serais impuissant à la décrire, inapte à l'évoquer, mais si, quelque jour, je dois y être, j'y recevrai sans aucun doute confirmation de ce que je sais. Ainsi de tous mes voyages et aussi, sur un autre point, des confidences que l'on me livre. Je doute enfin que les maîtres à qui l'on reconnaît une pénétration particulière, une information peu commune du cœur, des passions et de leurs mouvements, procèdent autrement. Il doit être parfaitement vain de rechercher les expériences, d'attendre la leçon des années. Ce ne sont pas les mêmes hommes qui vivent les passions ou qui les racontent.

Mon Dieu, que cela lui ressemble ! N'est-il pas là tout entier ? Tirant vanité de je ne sais quelle aventure immobile, de quel baroud casanier, assurant de loin toute sa vision. Et n'est-ce pas là ce qui déçut et bientôt exaspéra ma mère ? Et explique qu'elle se soit jetée avec fougue, aussitôt le divorce intervenu, à la fin de la guerre, dans les bras d'un aventureux glaciologue doublé d'un expert en désertologie ? (Celui-ci l'entraîna à sa suite dans toutes les contrées où les conditions de vie n'apparaissaient pas inhumaines, d'Anchorage à Tbilissi, d'une Laponie infestée de moustiques au désert d'Australie. Ce durent être autant de lunes de miel agrémentées d'un zeste d'équipée. Mais n'anticipons pas.)

Entre ces modèles, lequel irais-je élire ? À mesurer l'agacement, mâtiné de tendresse, où me plonge, aujourd'hui encore, la prose paternelle, on serait tenté de croire que mon choix dut être vite fait. (D'autant plus que, par une bizarrerie dont Manuel Raymond ne s'expliqua jamais à moi qu'avec un peu de désinvolture, il avait pris pour nom de plume, assorti de notre commun patronyme, mon propre prénom – Pierre –, ce pourquoi je lui garde une ombre de rancune. Ne pouvait-on mieux exclure l'hypothèse que je puisse, un jour, devenir, moi aussi, un écrivain ?)

Ma vie durant, ne fus-je pas de ceux qui ne se lassent pas de se rendre à Innsbruck, et d'y retourner encore et encore ? Et pour ne pas trouver, à destination, deux fois la même ville ?

Qui dira, cependant, la mélancolie de cette sorte de pèlerinage ? On se donne de magnifiques raisons de partir là-bas, mais on ne transporte, le plus souvent, avec soi que l'homme qui aurait aussi bien pu rester ici. C'est un pari toujours un peu perdu d'avance : on sait dès le premier pas qu'on ne trouvera pas à l'arrivée ce pourquoi on s'était prétendument embarqué, et la déception peut être cruelle. Lancé sur la piste d'un grand conquérant, ou d'un illustre exilé, ou d'un artiste parti pour fuir le monde et ses pompes : Stevenson à Samoa, Gauguin à Tahiti, Napoléon à Sainte-Hélène, ou tout simplement Alain Gerbault…, on ne recueille presque aucune trace de leur passage. Rien qu'on ne sût au départ, dirait Pierre Raymond. (Pas moi… L'écrivain.) Et pourtant… Et pourtant il fallait y aller. Comme pour vérifier qu'il n'y avait précisément rien à voir de ce qu'on eût pu s'attendre à découvrir. L'essentiel résidait dans cette randonnée nostalgique : c'est soi qu'on est allé chercher au bout du chemin, mais un soi qu'on n'eût jamais rencontré, sans doute, en demeurant sur place. La face cachée de sa propre vie, c'est en portant ses pas au-devant d'un autre, ou de son ombre, ou d'un pays lointain ou, qui sait ?, à Innsbruck, qu'on peut en avoir la révélation.

Je confesse, toutefois, une certaine indifférence à l'endroit des résidences de maîtres à penser (je veux dire ceux qui furent déjà maîtres de leur vivant : Gœthe à Weimar, Tolstoi à Iasnaïa-Poliana, Thomas Mann à Munich, etc.). L'immense confort, l'embourgeoisement de ces lieux où toute difficulté paraît avoir été facilement vaincue, tout obstacle aisément surmonté, tout rival défait, où aucune malédiction ne semble avoir pointé son museau de belette, où nulle ombre ne s'attarda plus qu'il ne convient, ne nous confinent-ils pas dans un rôle de visiteurs déférents auxquels on accorde, le temps d'une tasse de thé ou d'un apéro, une hospitalité de bon aloi ? Cela tourne aussitôt à la réunion de famille autour d'un digne ancêtre, et cela m'assomme autant que si, enfant, j'avais été traîné là quand j'aurais eu tellement mieux à faire de mon dimanche ! On est ici trop évidemment condamné à la révérence pour le génie du lieu. On est honoré plutôt qu'ému.

Rien de pareil pour ceux qui n'ont « réussi », si j'ose dire, qu'à titre posthume. Or ceux-ci ne laissent, la plupart du temps, derrière eux, c'est évident, guère de maison-musée à inspecter à heures fixes… Tout s'est passé pour eux comme s'ils n'habitaient qu'à peine leur demeure, ou si mal…

La masure d'Edgar Poe, miraculeusement préservée dans un petit parc, en plein cœur du Bronx, et qu'on ne visite que sur rendez-vous, vaut le déplacement parce qu'elle donne à voir le minuscule abîme qu'un immense esprit hanta.

On est accueilli par une sorte de cow-boy rigolard, à 10 h 10 (car il a pris dix minutes de retard), on gravit deux marches à sa suite, on pénètre dans la blanche maison de bois, on fait trois pas vers la gauche, deux vers la droite, et voilà : on a déjà tout vu. Le guide semble dire : « Vous voyez : ce n'était que ça… », il sourit d'un air un peu navré, vous propose d'acheter, reproduits sur diverses cartes postales, les vers du *Corbeau, Ulalume, Les Cloches* ou *Annabel Lee*. On achète *Annabel Lee*, on le relit là sur le seuil, avant de prendre congé, et le brave homme a l'air contrit que vous ayez, soudain, l'air bouleversé pour si peu : vous n'êtes pas exigeant ! Pour un rien, il s'en voudrait de vous avoir fait de la peine, et son regard se détourne avec pudeur de votre main qui tient le poème – imprimé au recto de la carte timbrée d'avance – et qui tremble un peu. Pour sûr, il le racontera tout à l'heure à sa femme, après avoir chassé les négrillons au sourire étincelant de blancheur qui vous ont repéré à l'entrée du parc et vous entourent, et vous proposent de cirer vos chaussures, là, à la sortie de la maison d'Edgar Poe. (En même temps, ils glissent un regard furtif à l'intérieur, se demandant ce sur quoi on peut bien se rincer l'œil dans cette foutue baraque oubliée de Dieu et des hommes.)

Eh bien ! précisément cela : cet oubli même, cet absolu dénuement.

Ce qu'on est allé *vérifier*, c'est cette absence de traces et de vestiges. Dans sa nudité, son amnésie, le lieu « où cela s'est passé » et qui n'en dit rien parle plus que tous les sanctuaires, les mémoriaux, les panthéons monoplaces où l'on célèbre un culte officiel. On savait bien, au départ, qu'il n'y avait rien à voir : on vous l'avait dit, et même Pierre Raymond vous aurait prévenu. Encore fallait-il le voir *de ses yeux*. Et à chaque fois c'est poignant, et ça ne se déroule jamais deux fois de la même façon.

Il n'est donc point morbide de visiter ces espaces où ne comparaît plus qu'un fantôme : c'est-à-dire la mémoire qu'on a apportée avec soi dans sa valise. Comme ces auberges où l'on ne mangera que ce qu'on y aura amené dans sa musette. À moins de supposer qu'il ne faille fleurir que les cimetières ?

C'est rendre hommage à la vie que de choisir pour but de promenade un de ces lieux qu'on ne préserve que par sa seule présence, justement – comme certains entretiennent la tombe d'un être cher. Ici, ni fleurs ni couronnes : on est là, seulement pour trois minutes, ou pour une heure. On est venu. Et on ne le regrette pas. On était attendu. Il y avait un rendez-vous de pris. Même s'il s'agit de cette sorte de rendez-vous que pensait pouvoir manquer mon père, Pierre Raymond l'écrivain, qui fut le cher confrère de l'un ou l'autre de ces spectres perdus dans les rues d'Innsbruck ou d'ailleurs.

Et pourtant, cette farouche sédentarité de mon père, puis-je jurer qu'aucune part de moi n'y participe et n'y souscrit, quand je sais bien, allez, qu'elle suivrait plus ma pente naturelle si je ne m'étais tant fait violence et battu les flancs en me déplaçant sans cesse comme pour me prouver que j'en étais capable ? Cette agitation, ce vibrionnement, cette logorrhée de déplacements dans l'espace ne masquaient-ils pas une paralysie fascinée, une contemplation fourvoyée ?

Alors, voilà… Entre un père méditatif, une mère prête à suivre partout, ou à peu près, celui qui lui révéla quelques lointains : Nathan Husseini, son amant féru d'escapades, je n'ai pas vraiment opté… Ne m'identifiant à aucun d'eux, je me suis peut-être infiltré entre leurs silhouettes respectives sans trouver ma place.

Et cependant, ce patronyme : Raymond (Raimundo, Ramuntcho…), cela ne veut-il pas dire « roi du monde » ? Monde pour quel roi ? Et roi de quel monde ?

On ne naît pas guide : on le devient. Je ne le suis qu'à peine devenu, peu à peu, malgré moi, et quasi sans le savoir.

Guide assermenté, comme on dit : « ramoneur juré ». Leurs activités ne se ressemblent-elles pas ? L'attaché de presse des cultures et des civilisations – de l'espace et du temps – ne ramone-t-il pas l'interminable cheminée de l'histoire des hommes, tout empoissée de cendres, d'une suie souillée de sang, pour qu'à nouveau elle tire convenablement et que les flammes y bondissent ? (Le sujet appelle le lyrisme.)

« Tout est dans tout... », avait dit à mon père, désespéré par ma modeste ambition, le directeur de l'Institut de guidance polyvalente Pierre-Loti, où on finit par m'inscrire aux cours du soir.

« Et chaque partie se reconstruit en chacune de ses composantes... fis-je remarquer finement, à tout hasard.

– Vous ne croyez pas si bien dire, jeune homme ! Alors que l'apprentissage de toutes les activités humaines proscrit l'amateurisme, l'essence de la nôtre nous y condamne... Mais dans son sens le plus noble ! » ajouta-t-il. C'était un visionnaire.

Cela me convenait à merveille.

Touche-à-tout, n'approfondissant rien. Pénétrer tous les milieux, mais rien que les milieux. Un peu d'histoire de l'art, un recyclage en archéologie, quelques heures pour plancher sur l'architecture des villes, un cours élémentaire d'hydrographie, l'anglais des banques, l'espagnol des plages, le néerlandais des campings, une option sur les civilisations extrême-orientales...

« Nous supposons que vous ne vous intéressez pas trop aux problèmes du transport et aux aspects logistiques de l'hébergement hôtelier ? Ne perdez pourtant pas de vue, monsieur, que le tourisme est avant tout une *industrie*. Une industrie de la science et du loisir... »

Mais voyons ! Sans connaissance, il n'y a pas de plaisir. Et réciproquement. Sans industrie, pas de commerce. Sans commerce, pas de voyages. Sans voyages, pas de pays.

« Vous avez déjà compris qu'on ne devient guide que *sur le terrain* ? Sous peine de devenir un imposteur... »

Sur tous les terrains ? Mais *rien que* les sentiers battus. Et même rossés, au point qu'ils en pleurent. On s'avise bientôt que la planète, ainsi envisagée, ressemble à un jeu de l'Oye ou de Monopoly avec leurs petites cases, ou un parcours de golf qui, aussi étendu soit-il, ne comporte que dix-huit trous. J'avais envie de rétorquer qu'on pouvait se conduire en escroc aussi sur le tas.

Bref, j'accomplis d'humbles débuts. Je suivis un stage au cœur d'une agence spécialisée dans les « contrées insolites ». (Il se vérifia bientôt qu'elles l'étaient toutes, par définition, ce qui n'était pas mal observé.) Je remplaçai au pied levé la titulaire d'un cours de géographie humaine qui attendait famille, dans une école qui n'était pas trop regardante sur la qualité des diplômes. (Mais je centrai tout mon propos sur le problème de la faim dans le monde, ce qui me valut quelques ennuis auprès de la direction. « Ne noircissez tout de même pas le tableau… me fit-on remarquer, d'autres s'en chargeront bien assez vite… ») Je fis mes premiers pas de guide en accompagnant un couple de jeunes mariés originaires du Wisconsin qui effectuaient leur voyage de noces à Bruges, à Delft, à la Gaichelle, à Vianden. (Je m'étonnai qu'ils n'aspirent pas à plus d'intimité dans le cadre de leur lune de miel mais ils m'expliquèrent que, pour la solitude, ils avaient leur vie devant eux.)

J'étais « accompagnateur », comme si le monde, autour de moi, donnait de la voix et que j'épousais son chant…

J'étais aussi un « assermenté »… Qu'est-ce à dire ? Bien sûr, aucun guide n'a prêté serment sur la Bible ! Il ne pourrait jurer de rien… Peut-être ne doit-il pas révéler les coulisses de l'exploit, et raconter sur tous les toits ce qu'il a vu, ce qui s'est déroulé de plus odieux, de plus ridicule ou de plus émouvant chez ceux qu'il visitait. Ou la vulgarité des visiteurs – afin qu'on ne désespère pas de l'engeance.

À Jogjakarta, ils sont tous venus parce qu'ils collectionnaient quelque chose : des oiseaux sculptés, des papillons épinglés, des paquets de thé, des mètres de soie batik, ou parfois des putes, rien que des putes.

« Mais regarde-toi donc, disait ce jeune marié à son épouse, qui s'enroulait désespérément dans des soies magnifiques, face à un miroir en pied, tu es grosse, tu manges trop, vois comme tu es fagotée ! »

Et puis, ce sacrifice de soixante buffles sur une place de village, à Sumatra : je crois que je n'ai réussi à me protéger de la cruauté du spectacle qu'en le filmant avec la caméra d'un voyageur qui n'arrivait pas à la mettre au point… Cet œil de Dieu, au moins, maintenait une distance.

« Et que va-t-on voir demain, monsieur ? » Ils sont comme des enfants qu'épouvante la seule perspective d'un temps mort. Et pourtant, après avoir vu un temple restauré à Prambanan, cohabité avec des morts corsetés par leur suaire, au milieu de pleureuses, et s'être rendus sur l'île des crémations, ou traversé le lac Toba, croisé les lépreux sur l'île de Lombok, escaladé un peu les pentes du volcan Agung, pris le sillage des pèlerins de Borobudur, il leur en fallait encore, toujours plus, de la mort ou de la vie, je ne sais, hébétés qu'ils étaient de fatigue, n'ayant plus d'yeux pour voir, ni de jambes pour marcher, forçats volontaires retombés en enfance, n'éprouvant plus rien par aucun sens, frappés de léthargie, mus par la seule intention cannibale de bouffer du paysage et de l'événement à tout prix…

Et aussi l'Inde, au pas de course, puisque, à cause d'une grève des transports à Bombay, on prend un jour de retard – qu'on n'a jamais vraiment réussi à rattraper. Le petit prof d'anglais qui entre en méditation, et prend la pose du lotus sur une banquette, sans perdre une minute, à l'escale de Francfort. La culturiste qui se livre à une séance d'aqua-gym, dans un monokini fluorescent, au bord d'une piscine à Cochin.

Pour ne pas manquer l'arrivée au paradis des îles Laquedives, on doit affréter des pousse-pousse à moteur, des pédalos terrestres, des autocars à l'agonie, des taxis Ambassador aux roues si lisses qu'on aurait pu s'y mirer, et jusqu'à un avion deux fois trop petit, dont on ne sait jamais s'il a rasé par plaisir, ou entraîné par son propre poids, « les récifs de corail en dentelles, la mer de jade » – comme dit un dépliant –, encore un effort, camarades, une ultime pirogue sur une onde houleuse – l'éden est en vue, à la portée de la main –, on danse, on danse, et l'île aussi, sur l'horizon – mais tout a l'air de reculer, par bonds, comme un mirage –, je ne veux pourtant pas être malade, je ne puis dégueuler, de quoi aurais-je l'air ? Mais cela valait la peine : on vous passe à l'arrivée un collier de fleurs autour du cou, bientôt vous boirez votre premier cocktail, à l'ombre des palmiers. (Certains, prévoyants, se coifferont d'un casque en cuir de coureur cycliste, les noix de coco n'ayant pas perdu le sens de la gravitation universelle.) Et puis, déjà, l'heure du retour. À nouveau : les levers nocturnes et les interminables attentes dans les gares routières, dans les aéroports poisseux. Et dire qu'encore un peu on manquait Madurai, Tiruchirapalli, Tanjore. Et les hommes chiant côte à côte, fraternellement, sur la plage à Mahabalipuram. La misère, on avait failli l'oublier, et on la redécouvre grâce à cette journée perdue, sans doute. C'est là qu'elle se sera massivement engouffrée ? Deux heures pour voir Madurai, et gagner, de nuit, le temple de Trichy, deviner, dans l'ombre pisseuse, les contours des bas-reliefs, en marchant dans vingt centimètres d'eau. Comme il est donc admirable, l'ashram de Sri Aurobindo, à Pondichéry ! Des fleurs encore, pas les mêmes qu'aux Laquedives. Et toujours ce peuple fou de faim, qui chie dans la mer, en même temps, à l'aube du premier matin du monde. Et les cochons qui passent ensuite, et qui tiennent lieu d'éboueurs.

On va faire escale à Koweït City. Et alors, là – ce n'était pas prévu au programme de l'agence –, ces Cachemiris enrôlés pour casser des pierres sur les routes d'Arabie Saoudite et, surtout, ces Indiennes sans bagages, un matricule épinglé sur la gorge. À l'arrivée, même les Koweitis qui les ont achetées paraissent, un instant, les oublier alors qu'elles tremblent de froid, de terreur, sur le tarmac verglacé. À bord du Jumbo-Jet bondé, ils s'en souviennent tout de même : ils disposent brutalement, sur les genoux de leurs futures esclaves, leur plateau-repas où ils ont grappillé, avant de se curer les dents.

Cette fois-là, je n'étais pas guide sur le voyage, non. Je voulais seulement voir comment procédait la concurrence. Mais il n'y avait pas non plus à bord d'accompagnateur de l'agence Touristes sans frontières, s'il y avait bien un pilote dans l'avion.

Je me rappelle qu'une autre fois je suis allé, sous une pluie battante, rendre au linga de Shiva mes dévotions. Trois jours de marche pour adorer un phallus comme surpris par le gel dans son ineffable érection.

Et puis ce séjour en Iran, qu'on n'a pas annulé alors que le shah vit les derniers jours de son règne, et que tout un peuple habillé et masqué de noir descend dans les rues de Téhéran. Je me souviens d'un jardinier, tout seul, derrière les grilles d'un parc, qui continue de couper les mauvaises herbes avec une paire de ciseaux minuscules, et n'accorde pas un regard aux centaines de milliers de manifestants qui défilent, en vociférant, dans son dos. Un hélicoptère survole le défilé. Il appartient au roi qui, de là, peut prendre l'exacte mesure de son impopularité. De là, aussi, il voit l'un de ses palais devenir la proie des flammes.

Les touristes décident cependant de passer un week-end au bord de la mer Caspienne. « Nous ne sommes tout de même pas venus ici pour rien... » Ils descendent à l'hôtel Beau-Rivage de Ziba-Kenar, qui appartient à un bourreau parmi les plus sanguinaires du pouvoir Pahlavi, et qu'on vient d'exproprier. Sur le menu, aucun mets n'a été biffé, mais on ne sert plus qu'un brouet de mouton. Le chiendent envahit déjà la piste de danse, mais on peut encore jouer au football de table dans les sous-sols. Les voyageurs ont rempli de whisky, ou de vodka, leur thermos d'excursionnistes, et leur gamelle de caviar rouge. Coucher de soleil sur les vagues saturées de sel où cabotent des canards et des oies.

Nous ne pûmes repartir que sous escorte militaire. Nous étions tout juste venus voir un roi tomber, comme au théâtre. Nous n'avions pas perdu notre temps. Néanmoins, quelques participants voulurent se faire rembourser le spectacle, qu'ils jugeaient compromis. Alors que ce qu'ils venaient de voir resterait incomparable… Quelle ingratitude.

Quelque temps après, à Santiago du Chili, un autre peuple descend dans les rues Agustinas, Huerfanos, Miraflores, pour proclamer : « *Va a caer !* » (Il va tomber !) C'est encore le dictateur local qui est en cause. (Porterais-je la guigne aux despotes dans tous les pays où je passe ?)

Des jeunes gens défilent en posant la question : « *Si ? No ?* » Et ils répondent : « *No !* »

Car le tyran d'ici voudrait bien devenir enfin légitime, sur le tard, et constitutionnel. Ce serait magique. Il paraît que la résidence du dirigeant qu'il a assassiné naguère, et qui se trouvait rue Thomas More, près du parc Forestal, abrite maintenant un asile de vieillards. On pourrait y enfermer le dictateur d'aujourd'hui devenu sénile : juste retour des choses.

Sur une estrade, les comédiens d'un théâtre des rues brandissent, en mimant, les mains vides, des étendards imaginaires. « Ils représentent ceux qui sont morts sous ce régime… », me souffle-t-on.

Ce n'est donc pas la maison d'Allende que nous irons admirer, mais celle du poète national. Ni « goethéen », Neruda, ni maudit… Cette maison est aussi célèbre que celle de Dickens, à Londres, ou celle de Pouchkine, à Saint-Pétersbourg. Tout le monde l'a vue, qui est passé par Santiago. Pourtant, elle n'appartient pas à la sorte de celles que je n'aime pas. Même s'il n'y eut pas poète moins officiel que Neruda, cette maison-ci, il y venait pour se cacher. Et c'est dans la mesure où il était déjà couvert de gloire qu'il devait se dissimuler ainsi. Voilà sans doute pourquoi il l'a peinte avec des couleurs si gaies : celles d'une allégresse d'enfant. Non pas le repaire d'un grand homme, d'un poète magistral, mais la cachette d'un bambin joyeux. Oui, ce qui me touche, c'est qu'il s'agit de la garçonnière, de la bonbonnière où il planquait ses amours avec celle qui allait devenir sa seconde femme. Une grande maison de poupées, remplie de testacés aux couleurs de dragées de baptême, pêchés au fond de tous les océans. On dirait la confiserie nacrée dont se serait entouré un petit garçon gourmand.

Excursion, ensuite, à l'île de Pâques toute proche, à la grâce d'un équipage complètement bourré de *pisco capel*, mais qui réussit à guider le bateau à la main, au moyen d'une perche, dans le chas des aiguilles rocheuses, en éloignant la coque des récifs, tantôt à bâbord, tantôt à tribord… L'île a cinquante kilomètres de largeur, et les indigènes un alphabet de quatorze lettres. On s'était heurté à l'énigme que représentait l'édification des énormes statues qu'on y avait plantées ; à défaut d'avoir découvert le matériau de base dont elles étaient faites, on crut longtemps qu'elles furent acheminées jusqu'ici à partir d'un autre littoral.

L'exercice de mon métier implique un monde en paix, et même en ordre, qu'on s'attache à conserver, voire à restaurer, tandis qu'autour de soi on s'acharne à le détruire.

On pourrait espérer une démocratie dans l'ancien royaume des Incas. Une Acropole d'Athènes que la pollution atmosphérique ne raboterait plus. Une île de Chypre que n'envahiraient pas les personnes déplacées… Mais la plupart de nos ouailles ne se font pas trop de bile. Est-ce fatalisme ou indifférence ? Quand on parcourt plutôt les péristyles des temples que les couloirs des prisons, on peut se payer le luxe d'ignorer les tyrans aussi bien que leurs victimes. L'ambre solaire et le vernis de culture se marient bien. Interdire aux visiteurs d'un pays, même martyrisé, l'accès à ses splendeurs, ce serait tout de même choquant – et inutile ? De quoi je me plains, moi, un des enfants gâtés de ce monde où certaines schizophrénies ne sont pas (seulement) interdites mais (même) recommandées ? Depuis que l'île d'Aphrodite est coupée en deux, crucifiée, on n'a jamais vu affluer sur son sol autant de touristes... libanais ! Mais pourquoi ne pas imaginer aussi bien des Chypriotes en goguette à Beyrouth-Ouest ? Des Kurdes parcourant, un *Baedeker* à la main, la Palestine ? Des bourgeois, veux-je dire, mais originaires de ces patries manquées… Pour eux, l'enfer, ce serait toujours : chez soi, et le paradis : ailleurs. Seul le peuple est condamné à rester sur place, et à y subir son sort : l'Histoire, elle, ne prend jamais de vacances et n'octroie surtout pas de congés payés. Pour le tourisme, ce devrait être une catastrophe. Il ne s'en remet que trop bien.

« Et si on plaçait le Parthénon sous cloche ? » me demanda un globe-trotter. Avec aplomb, je prétendis que l'Unesco y avait déjà songé. Que cela s'était avéré impossible. Dommage !

« Depuis cette nuit de 1964 où mon mari n'est pas rentré à la maison – les Turcs l'avaient pris ! –, me confie cette doctoresse de Famagouste (elle dit cela comme si elle disait : ils l'ont dévoré), je ne puis plus décrocher le téléphone, et j'éprouve une agonie pour un rien… »

Tiens ! À Famagouste, justement, on a reproduit en maquette la cathédrale de Reims, avec un minaret par-dessus.

Ce soir-là, j'ai invité le groupe dont j'avais la charge à manger un « spaghetti polonaise » et une « tarte catin » au bar de l'hôtel

Cleopatra, 8 rue Florinis, avant d'assister à une « dancing competition », plutôt que de déguster une brochette dans une « Greek tavern » en écoutant de l'« authentic bouzouki » chez Arkontissi, Grivas Dijighenis Avenue. La ville fleurait davantage le gingembre que le jasmin. Alphabet byzantin, syllabes sifflantes, mais match de polo prévu pour le samedi suivant, sur le terrain d'une base militaire britannique. Mes « protégés » ne discutèrent pas le changement de programme. On passait *Frustrated Wives* en version originale au ciné Olympic. Sur la terrasse, je fus fasciné par un chien hydropique dont les mâchoires happaient désespérément le vide.

Toi, Rebecca, qui fus ma compagne d'infortune sur cette terre ingrate, qui as surgi dans ma vie comme une canonnière au milieu d'une mare aux canards, si tu me demandais ce que fut pour moi la solitude, je te répondrais : « Va donc à Nicosie… » Remarque, on y est en accord avec sa propre douleur, comme dans toutes les nations ou les villes divisées.

J'ai même conservé une certaine tendresse pour ces curistes américaines qui, après avoir pris victorieusement les eaux à Buda ou Pest, fêtaient la fin de leurs rhumatismes, de leurs courbatures, en signant un témoignage de gratitude qu'elle gravaient dans la pierre même des thermes où elles ressuscitèrent. Autour d'elles, l'Europe s'écroulait.

« C'est curieux : vous considérez tout événement par le petit bout de la lorgnette… Pourquoi diable avoir choisi cette profession ? » me demanda un jeune notaire autrichien que ma dialectique n'enchantait guère.

À Moscou, au moins, on ne pouvait alors guider personne – mais seulement passer le relais, dès l'aéroport, à l'Intourist qui comblait tous vos vœux. On avait sans plus le droit d'*accom-*

pagner l'accompagnatrice. Première déception, de taille : celle qu'on m'avait promise, que je connaissais déjà, que je pensais revoir, « était tombée gravement malade ». Par malchance, je revis Olga dès le deuxième jour de ma visite, au Bolchoï, à l'entracte d'une représentation de *Russlan et Ludmila*. En m'apercevant, elle pâlit, me fit signe de ne pas faire un pas de plus vers elle, se détourna. Je ne la revis jamais plus. Sans doute avait-elle, au terme de ma précédente visite, émis un commentaire suspectement flatteur sur cet Occidental en rupture de ban avec le marxisme-léninisme. Génia, sa remplaçante, qui avait les yeux pers, me signala qu'il régnait sur tout le pays un climat « tortide », et me demanda si j'exigeais du beurre et un « morceau de tartre » pour tous les « convoyés » au repas du soir.

Réception, le premier jour, par « votre homologue », qui n'entend laisser planer aucun mystère sur les retentissants succès remportés par la production socialiste, dans les kolkhozes de Rostov-sur-le-Don, ni sur le bonheur qui règne au sein du prolétariat à Volgograd, ni sur le « roman de véritable anticipation qu'est occupé d'écrire la centrale électrique de Jigouli ». En prime, nous aurions même droit à un concert de la chorale des ouvriers de Kazan et à un exposé collectif – et en canon, sans doute ? – des élèves d'une école d'Oulianovsk sur « les premières années de Lénine ». Car le camarade Vladimir Ilitch Oulianov eut donc droit à une enfance et – même – se l'autorisa ? Avait-il donc du temps à perdre ? Que n'a-t-il brûlé cette étape traditionnellement, et même foncièrement, bourgeoise ?

J'ai beaucoup de peine à expliquer qu'il doit y avoir maldonne, que j'accompagne ici une association d'écrivains belges soucieux de rendre une visite de politesse à Fiodor Dostoïevski, l'ennemi prioritaire du tsar, dans sa demeure moscovite, et puis de déposer leurs hommages aux pieds d'Alexandre Pouchkine, le grand comploteur décabriste, non loin de la perspective Nevski, à Leningrad, de s'acheminer ensuite jusque dans l'aura dorée de Boulgakov, cet adversaire implacable des bureaucrates réformistes, à Kiev, pour conclure et culminer dans une rencontre – forcément bouleversante –, à Yalta, avec le si progressiste Anton Tchekhov, cet humble – comme il convient – prophète de la Révolution…

Notre interlocuteur fronce les sourcils… Son office de renseignements aurait-il été mal informé ? C'était tout de même peu probable… grommelle-t-il, avec un sourire de caïman blessé. J'acquiesce. Insinué-je qu'on s'est mépris, en haut lieu, sur la spécificité de notre mission ? Mais non : il peut être rassuré. (Son visage s'éclaire.) Mais des écrivains ne sont-ils pas censés s'intéresser, avant tout, au monde *tel qu'il est*, et donc aussi à son *mouvement*, à la *marche* des événements ? Alors, il ne faut pas s'en faire ! On nous a concocté – moyennant certains aménagements – un fameux programme culturel ! Nous n'allons pas être déçus ! Génia, notre guide, éclate d'un rire hystérique et heureux. Nous l'avons échappé belle.

Mais on prévoit quelques « aménagements ». Et, pour commencer, une visite ne s'impose-t-elle pas au musée Lénine de littérature, où sont exposés seulement *Les Jugements de Lénine sur les écrivains russes*. Ainsi Dostoïevski s'en tire-t-il de justesse, en dépit de ses tendances fâcheusement réactionnaires, car il a diagnostiqué tout de même les psychoses de la société de son temps. Voilà qui nous dispenserait d'une visite désormais inutile au musée dédié à l'auteur des *Possédés* ! Tout n'a-t-il pas été dit à son sujet par Lénine ? Nous nous inclinons sportivement. D'autant qu'on peut faire une petit crochet par chez Maïakovski, qui le remplace avantageusement. Oh ! là non plus, tout n'est pas parfait ! Le suicide d'un poète socialiste est toujours un contresens, une défaillance inexplicable. Un acte de narcissisme conformiste. Notre guide déplore cet *ego* qui s'est drapé dans les oripeaux du réformisme : comment cela aurait-il bien tourné ? « Même le futurisme, pense tout haut Génia, peut être régressif… » Pourquoi pas, en effet ?

Nous visitons la toute petite pièce où il s'est donné la mort. La fenêtre qui donne sur une arrière-cour est fendue, comme si ce bris datait d'alors, ou de la veille… J'ai l'impression que nous marchons sur des éclats de verre, que nous risquons d'en garder l'un ou l'autre fiché dans la plante du pied. Il y a là une canne, et le chapeau mou du poète, accroché à la patère. Une malle en osier repoussée dans le coin de la chambre. Le berceau géorgien où le monde l'avait accueilli. Quelques-uns de ses slogans versifiés, épinglés dans la tapisserie, avec l'affirmation pathétique que la vie, la poésie et la révolution sont une seule et même affaire. On peut même écouter sa voix enregistrée dans l'écouteur d'un faux téléphone. Aucune photo de Lili Brik, sa compagne.

Cela valait bien le détour.

Chez Tolstoï, nous devons chausser des kroumirs de feutre, pour ne pas griffer le parquet. On est prié d'admirer son vélo, ses haltères, sa bouillotte. Un certificat d'affiliation à une société d'amateurs cyclistes, ce qui me le rend drôlement sympathique. On est invité à déposer sa carte de visite entre les pattes d'un ours empaillé. (Comme je comprends, soudain, qu'il ait choisi, pour dernière demeure, une petite gare enneigée, à l'écart de tout taxidermisme !)

Sur la porte de Pouchkine, cet avis épinglé quelques heures après son duel fatal : « Le poète se trouve dans un état très alarmant. » On peut croire que c'est de naissance. On n'a plus même envie d'entrer. Tout n'était-il pas joué dès alors ?

« Boulgakov ?… vous croyez vraiment ? Le grand auteur de Kiev, c'est la poétesse Oukraïnka, qui n'est jamais allée à l'école, avait des mains difformes, fut "creusée" par la tuberculose, mais publia son premier poème à l'âge de neuf ans – c'est une verve encore "balbuchiante" – et apprit douze langues ! À la fin, elle partit en Égypte, évoqua les Pyramides. Ce fut "sa chanson du cygne"… » Comment ne pas le comprendre ?

À Yalta, Tchekhov, quant à lui, est mis aux abonnés absents. « Sa maison n'est plus visible depuis des années… Imaginez-vous : le plancher de son cabinet de travail s'est écroulé sous le poids de ses admirateurs ! En compensation, vous pourrez manger, nous annonce Génia triomphante, un poisson rouge arrosé d'un muscat blanc ! »

En Syrie, nous eûmes droit à une éclipse de lune alors que, mon groupe et moi, nous revenions à pied de la vallée des Tombeaux, à Palmyre. C'était jour de ramadan et aucun guide local n'avait entendu nous accompagner : on nous avait tout bonnement remis les clés des sépultures. L'obscurité nous surprit alors que nous contemplions, dans ces ruches de la mort, les bas-reliefs que les Araméens disputèrent aux Parthes, les Arabes aux Romains et au souvenir des Grecs, et les femmes aux hommes. D'un coup, l'étendue désertique s'était noyée au fond d'une nuit totale. Je me suis dit : ce serait trop bête de nous perdre ici, car j'ai le sentiment d'avoir déjà vécu cent fois cette situation, en rêve… On partit à notre recherche et on nous retrouva grâce à des voitures nanties de phares rotatifs et balayeurs. Mes compagnons de route considérèrent, non sans raison, que j'avais pris des risques bien inutiles, et que je les avais exposés pour rien. Mais nul n'avait, tout simplement, songé à nous prévenir de l'éclipse…

De retour à l'hôtel de la Reine Zénobie, nous tombâmes sur un groupe d'excursionnistes français qui, fort peu attentif aux phénomènes célestes, se scandalisait plutôt que, sur la carte du restaurant, ne figurassent ni camembert ni beaujolais village. Mais on les vit se consoler assez vite lorsqu'en compensation on leur offrit une danse du ventre, et une autre des sept voiles, exécutées par un androgyne coulé dans un maillot à paillettes, tandis que l'orchestre des Desert Stars l'accompagnait avec de sanglotantes trémulations de cordes. Les voiles ne furent ôtés, comme pelures d'oignons, qu'au prix de vrais arrachés d'haltérophile pris de démangeaisons. En *bis*, une goualante fut même chantée en gaulois par une divette en costume de matelote. Les syllabes se découpèrent un peu au hasard, et les accents toniques se distribuèrent comme ils purent : « Commèje – envide – twa… Commèje – tèèème ! »

Ah ! qui saura vanter la saveur aigre-douce des produits frelatés ? Ces instits de banlieue et ces jeunes cadres dans une agence de pub, avec leurs familles, que je pilotai, un jour, en Libye, et que fascinèrent tant les tours d'un charmeur de serpents, comment se seraient-ils doutés que les transes initiatiques auxquelles se livrèrent à leur intention des bédouins, ceux-ci ne les accomplirent que cuités avec de l'eau de batterie, dérobée sous le capot des jeeps que conduisaient de faux pétroliers italiens en mission d'espionnage industriel à la frontière tunisienne ? Mais, au fond, pourquoi se formaliser puisque tout le monde s'y retrouvait ?

Tiens ! La question du vrai et du faux, du crédible et de l'invraisemblable, voilà un bel os à ronger, qui faisait saliver, par contre, à l'envi ceux qui m'emboîtaient le pas en Irak…
Au musée archéologique de Ctésiphon, ces maquettes de palais et de temples presque plus belles que les originaux. Ce puits et ce campement de nomades reconstitués, dans une oasis artificielle, à quelques kilomètres des véridiques, que nous faillîmes, du coup, ne pas aller voir. Au musée des voitures, ce furent bien les propres bagnoles de Hitler, de Faïçal, de Nouri Saïd Ghazi, une Mercedes 1936, une Rolls-Royce 1938, une Scania-Vabis non datée, que nous pûmes contempler, et non de monstrueux jouets, même si elles en avaient tout l'air !
À Babylone, où il ne subsiste guère que des dunes de briquettes ébréchées, il n'y a plus de présentables que quelques copies de lions apparemment assoupis, le museau entre les pattes, par le soporifique passage du temps, et tous les authentiques doivent sans doute se réveiller en sursaut, de ce songe d'éternité,

en rugissant en silence, quelque part dans une salle du musée de Berlin-Dahlem ou du British Museum. La prestigieuse cité mésopotamienne a dû s'affaisser comme une baleine crevée, éperonnée par un récif, suffoquant sous son propre poids. Le parti au pouvoir dans le pays veut sans doute l'achever, lui porter le coup de grâce, en reconstruisant sur place du faux vrai plaqué sur le vrai faux, la tour de Babel et les jardins suspendus. Les enfants des écoles acheminés de Bagdad défilent en rangs serrés. Assis sur une borne, un lycéen m'apostrophe au passage pour me demander si je puis lui envoyer des livres du pays d'où je viens… Assurément ! Et quoi d'autre ?

« Une poupée gonflable ! Et puis aussi…

– Quoi donc ?

– Allez donc dire à Brigitte Bardot que j'existe. »

Super flumina Babylonis… On voit plus d'autoroute ici que de fleuve ! Il y a bien matière à s'asseoir au bord, et pleurer.

Livre d'or des visiteurs, à Ur, où sont venus signer : un ingénieur bulgare, un électronicien français, un géologue de Varsovie, un instructeur de gymnastique à Stamboul ; Vancas Marjan, de Zagreb ; Ilse Campbell, de Glasgow ; Teresa de Monte, de Valence ; et puis Mister Tanabe, *curator in* Tokyo.

« Enchantée de ce pèlerinage au royaume d'Ournamour. »

« It was simply fascinating ! »

« Formidable pique-nique au sommet d'une ziggourat ! »

« Very exciting ruins. »

Je me rappelle cet ethnologue qui avait voué toute sa vie à l'analyse des masques dogons. À la fin, pour lui complaire, les Dogons s'étaient mis à fabriquer, en série, des masques qui se conformaient à ses thèses.

Ce télégramme envoyé d'Athènes par un helléniste distingué à sa femme : « M'aimes-tu toujours ? Stop. Sinon ai occasion ici Stop. »

Cet arabisant se précipitant au Caire, dès que fut connue la mort de Sadate. Le temps d'acheter une BMW aux vitres fumées et pneus renforcés, qui fût à même de supporter la traversée du désert. Il pensait être le successeur désigné du dernier raïs. Il s'est égaré, le premier dimanche qui suivit son retour, entre Sakkara et Gizeh. À ce jour, on ne l'a pas retrouvé.

Ce sinologue qui avait reconstitué un intérieur tout à fait chinois dans le village de Tervueren, à la périphérie de Bruxelles. C'est là que le président Mao, le Grand Timonier, lui fit signifier son exclusion du parti maoïste belge (quelques dizaines de membres) pour déviationnisme petit-bourgeois. Il mourut peu de temps après.

Ce mégalomane de petite taille qui s'était spécialisé dans l'histoire romaine, mais supportait mal la Ville Éternelle « car elle était décidément trop grande pour lui », reconnaissait-il sportivement. « Elle ne cesse de me *taquiner*... », expliquait-il.

Ce télégramme reçu de New Delhi, d'un ami très épris de la descendance de Rajputana, du dieu Krishna à l'âge d'enfance, et pour qui l'annonce du mariage de Rama et de Sita était la meilleure nouvelle qu'il eût sans doute jamais reçue : « Dear, *Stop*. Like Malraux *Stop*. Please send me five hundred dollars urgently for a caution *Stop*. »

« Tu comprends », m'expliqua-t-il, une fois libéré et revenu en Europe. « J'avais dérobé une miniature du XVIIᵉ siècle peinte au moyen d'un pinceau à un seul poil... » Certes : je pensai par-devers moi que ce n'était pas cher payé.

Tout de même, pensé-je, ma plus mémorable rencontre, ce fut celle de ces deux aveugles, frère et sœur, qui avaient résolu de parcourir l'Indonésie. Ils avaient ainsi déjà fait un peu le tour du monde ensemble. Ils avaient préparé ce voyage-ci durant des semaines. S'étaient fait projeter des films dont ils écoutaient attentivement la bande-son. S'étaient fait expliquer, dans le détail, ce qu'on pouvait voir sur des diapositives rapportées, par d'autres voyageurs, de Sulawesi et de Rantepao. Se faisaient raconter les marchés de Bali. Sur place, il n'y eut pas plus affable, plus patient, plus exigeant qu'eux. Fallait tout leur décrire, n'omettre aucune précision. C'est que, par l'oreille, ils avaient souvent perçu d'infimes détails qui nous avaient échappé à tous. Je fus obligé de voir et d'écouter autrement les paysages d'Indonésie. Jamais je n'en appris autant sur un pays qu'à leur contact.

Je suis sûr qu'à l'audition des récitals de gamelan, à l'écoute des chiens et des coqs, à Tanah-Toraja, dans les Célèbes, ou du simple froissement des étoffes, du glissement des soies les unes sur les autres, ils en surent davantage que nous tous réunis sur les secrets du Bouddha et ses vies successives, à Borobudur, sur l'énigme des hommes-fleuves, le clan des Sakudei, dans l'archipel des Mentawi, au large de Sumatra. Ils virent aussi, comme personne, les avenues sans terme et sans issue de Surabaya et jusqu'aux chats équeutés rampant dans la poussière au bord des rivières boueuses. Ils virent la mousse exubérante qui mangeait les bas-reliefs des temples sous le ciel inexorable. Ils connurent la verticalité de ce monde, et sa lente ascension vers la lumière immobile. Ceux-là n'avaient qu'à peine besoin d'un guide : ils étaient d'avance guidés. Grâce leur en soit rendue !

« Moi, ce que j'ai vu en fin de compte de plus beau », me dit ce vieil ouvrier mécanicien qui avait économisé sa vie durant pour s'accorder deux ou trois grandes expéditions (« deux, trois virées dans le grand-somptueux bordel », disait-il), une fois la retraite arrivée, « ce qui m'a le plus ébloui, c'est nous ! Je veux dire : *moi et ma femme. Nous* au pied du volcan Fuji-San. Vous vous rendez compte ! Qui l'aurait cru ? *Ma femme et moi* à Cuba. Vous auriez dû voir ça, monsieur ! Avec la lumière et la musique tout autour. Même qu'on remarquait que nos meilleurs copains, c'étaient toujours des Noirs – du bagagiste jusqu'à la danseuse au night-club –, à croire qu'il n'en restait plus assez pour figurer, d'aventure, sur les affiches électorales... Pourtant, le *lider maximo* leur devait tout de même bien ça, non ? Au fond, ces gens-là étaient comme nous : tout juste bons pour la bagarre, si vous voyez ce que je veux dire. Et encore : une bagarre dont on leur avait caché la vraie raison, en quelque sorte…, « le mobile secret » comme disent les journaux. Moi, ce que j'ai vu de plus beau – Marie-José, je te présente M. Raymond ; je vous présente Marie-José ; et je crois que Marie-José vous dirait la même chose que moi, n'est-ce pas Marie-José ? –, c'est Madère, les fleurs en hiver, la broderie toute la journée, comme il y a des siècles, sans doute… ?

– Moi, dit Marie-José, ce serait plutôt la Puszta, en Hongrie…

– … Et où nous sommes tombés en panne…, dit son mari.

– Justement, fait Marie-José, c'était une bonne panne… D'autant, ajoute-t-elle en se tournant vers moi, qu'avec un mécanicien, on peut être tranquille… Ça finit toujours au bout du compte par s'arranger…

– *Ma femme et moi* à Anchorage, insiste son mari, en transit pour Tokyo. Ne croyez pas qu'il s'agisse seulement d'une escale, ce serait trop simple. Ce n'est pas qu'un bled glacé. Les crabes, là-bas, ont des pinces de la dimension d'un cric. Seulement, je vais vous dire… nous avions, moi et ma femme, commencé par l'Égypte, évidemment. Ce pays où on habite chez les morts, vous savez bien, où la mort n'est qu'une péripétie, un tremplin, quoi ! Ça nous intéressait, ma femme et moi, à l'âge que nous avions, d'aller voir ça de près. Ce n'est tout de même pas un hasard si c'est le seul pays où les enfants qui mendient parlent toutes les langues, non ? Ils ne portent sur eux que des loques, ils ont dix ans, et ils sont polyglottes par nécessité vitale – Vous parlez d'un pays ! C'était bien le foutu endroit qu'il fallait voir en premier, n'est-ce pas, Marie-José ? Ces cimetières, partout, le long des boulevards où autrefois, on vous enterrait avec vos domestiques, votre concierge, votre mobilier, et tout le toutim. Histoire de vivre une éternité dans l'aisance. Pensaient à tout ! Prévoyants qu'ils étaient ! Mais les voleurs les retrouvaient toujours, allaient rafler tout le butin. Je suis revenu de là tout tremblant. Sans mentir… Le problème, avec l'Égypte, c'est qu'elle vous écrase. Too much ! Mais ça met en appétit : après avoir vu ça, et avant de disparaître, on a soudain envie de voir tout le reste, on est prêt alors à chercher, à traquer partout, sur la carte, le montreur de marionnettes qui, derrière le guignol, tire sur autant de ficelles pourries, afin de nous agiter de cette façon… On ferait bien le tour de la terre pour trouver une réponse, vous ne pensez pas ? »

Certes.

Seulement, voilà ! Par où commencer ? Où s'arrêter ?

Un beau jour – peu à peu, quoique aussitôt : la crise. Ça m'a frappé, ça m'a rejoint, comme ça, d'un coup : contrairement au mécano qui pensait qu'il n'en aurait jamais assez vu, qu'il n'aurait jamais assez couru de lièvres, quant à moi (mais, au fond, pour des raisons analogues), plus aucun attrait pour la bougeotte… J'éprouve un peu de peine à le confesser, mais j'en suis arrivé à me déprendre de toute idée de voyage. Le moindre déplacement me donnerait presque le vertige – pour ne pas dire : la nausée.

Je vais d'ailleurs faire un aveu de plus, qui me coûte : je n'ai jamais été un voyageur particulièrement doué, ni très convaincu. Je n'ai jamais été en rien ni pour personne un « guide » au sens où on l'entend. D'ailleurs, il s'agit d'une profession qui, à vrai dire, n'existe qu'à peine… Ou alors elle est en voie de disparition. Peu importe : il n'est pas de sot métier, même imaginaire. Il y a bien des rois…, n'est-ce pas ? Pour autant, je n'ai pas menti, ni triché, ni usurpé. Guide, je l'étais tout de même, à ma façon, mais *dans ma tête*.

Longtemps, donc, j'ai paru me déplacer. (Dans le temps comme dans l'espace : ne confondons pas.) Mais alors, déjà, je ne voyageais pas, à proprement parler : en fait, j'étais en cavale. Il y avait toujours quelque chose à fuir. Une évasion à arranger.

Le directeur de l'agence Touristes sans frontières, Max Bonboire – un père spirituel qu'aucun fils putatif n'envisagerait d'occire – m'avait prévenu : « Au bout d'un temps, vous verrez, l'usure agit, une lassitude s'installe… Comment y échapperait-on ? On devient la première victime de sa propre boulimie : tout à coup, on sature… Alors, il faut faire le vide, sans honte. Affecter de croire que le monde n'existe plus ! L'appétit ne tarde pas à revenir, vous savez… »

Ah ! le brave homme ! Son indécrottable optimisme ! Il me croyait seulement sujet à un accès de mauvaise fièvre. Quand j'étais déjà incurable. Condamné.

Je songe à mes parents. Je les comprends mieux. Mon père, Manuel Raymond, et ses préjugés retentissants contre le voyage. Somme toute, la seule fois que je l'avais vu se mettre en route, c'était pour quitter le domicile conjugal, où il n'était plus revenu. Comme s'il n'y avait que le premier pas qui lui avait coûté, et que tout départ entraînait pour lui un divorce… La cohérence même.

Lorsque mes parents s'étaient ouverts à moi de leur intention de se séparer, le petit garçon prit son air le plus futé et s'étonna : « Ah ? vous étiez donc ensemble ? »

Et, quelque temps encore après la fin de la guerre, s'il arrivait à l'un ou l'autre de mes petits camarades de s'inquiéter de l'absence de mon père, ou de l'éloignement de ma mère, je répondais invariablement : « Ils sont dans la résistance… (Comme si la guerre n'était pas finie. Ou comme s'ils étaient les seuls à encore la faire… Et puis aussi : comme s'ils *résistaient* même à ma présence dans leur vie.)

Je pense à ma mère aujourd'hui qui, depuis quelque temps, ne sort quasiment plus de chez elle, et dont je me suis tant rapproché : la moindre course en ville, un rendez-vous pris chez sa coiffeuse lui paraissent autant d'expéditions périlleuses.

Mais alors… Allais-je, à mon tour, et si tôt, m'effaroucher à l'idée de toute initiative à prendre, du moindre mouvement à accomplir ? Allais-je devenir timoré, frileusement me replier, faire retraite ? J'avais le sentiment de, précocement, me désaguerrir. Quelque chose – mais quoi donc ? – m'apeurait. Allais-je vieillir à toute allure et bien avant l'heure ? De la jeunesse, avais-je déjà perdu la labilité et renoncé aux foucades ?

Eh bien, non ! Je pressentis qu'au contraire c'était une confuse et tardive jeunesse qui remuait en moi, que je n'avais pas encore vécue, qui réclamait voracement sa part. Et c'était elle qui m'invitait pourtant à ralentir ainsi le pas, à m'arrêter enfin. Ce n'était pas tant l'inappétence qui me menaçait, mais plutôt une obscure et secrète convoitise qui me tenaillait – et dont j'ignorais encore l'objet.

Pas manque de conscience professionnelle… Subitement, il n'y avait plus *ailleurs* de forêt assez touffue, de jungle assez serrée, de désert assez aride, de mer assez houleuse, d'océan assez pacifique, de sable assez fin, de feuilles assez vertes, de montagne assez escarpée. De cap d'assez bonne espérance.

J'avais pris en grippe les sujets généraux, les grands phénomènes, les valeurs universelles, les événements qu'il ne fallait manquer à aucun prix. Et en horreur les restaurants fins, les hôtels quatre étoiles, tous les festivals, les premières à la Scala, les processions en Espagne, le carnaval de Rio, les safaris-photos, les rallyes de toute nature, les concours de beauté, de patinage artistique, de piano et de violon, le bal des débutantes, le ski nautique à Acapulco, les vernissages de peintres célèbres, la cérémonie d'ouverture des jeux olympiques, les champs de tulipes en Hollande, les concerts de rock – même à prétexte humanitaire – dans les stades de football, le choc des civilisations, la politique des loisirs forcés…

Comment pourrais-je me justifier ? Expliquer cela à l'agence ? J'aurais dû rendre mon tablier pour moins que ça.

Cela me frappait, à présent, comment, au cours de mes dernières escapades, je glanais de moins en moins de renseignements, ou même d'émotions. Les reportages que je continuais de publier dans les colonnes du *Monde est à vous*, l'organe officiel de Touristes sans frontières, s'alimentaient à des sources de plus en plus taries. J'évoquais Alep en quatre paragraphes, Samarra en deux, je me débarrassais de Buenos Aires en moins d'un feuillet, j'exécutais Caracas en sept lignes et bâclais Mexico… (J'avais pensé un temps les signer du nom de mon père – Manuel Raymond – puisqu'il m'avait chipé le mien… Histoire de lui faire un chien de ma chienne. J'avais transigé, et opté pour le pseudonyme de Raymond Emmanuel…)

Au retour, je peinais à relire mes notes prises à la sauvette sur des serviettes en papier, des sous-bocks, des programmes de cinéma. L'écriture en avait tremblé, comme si je les avais jetées là en état d'ébriété. Quel parti en tirer ? L'essentiel était omis, s'était toujours déroulé autrement.

Je développais des phobies nouvelles pour moi. Désormais, je redoutais l'avion. Lorsqu'il atterrissait, je me disais : « Allons ! Ce n'était pas encore pour cette fois-ci… »

Aurais-je quelque chose à perdre, de si précieux ? Je n'avais jamais jusqu'ici eu peur pour ma vie. À présent, c'était elle, et elle seule, qui m'apparaissait « sans frontières », transatlantique, transcontinentale, transsaharienne, transalpine, transsibérienne… Transcendantale. Transitive. Bien que si transie et transitoire !

Je me réjouissais de retrouver le pays comme si j'avais pu craindre qu'il profitât de mon absence pour s'évanouir dans la nuée. C'était lui, curieusement, qui m'inspirait, depuis peu, mes comptes rendus les moins laconiques. Un dimanche d'hiver dans les Fagnes. L'inauguration d'une nouvelle malle Ostende-Douvres. Une rétrospective Van de Woestijne à Gand. Autrefois, les mêmes sujets m'auraient fait tirer à la ligne en pleurant d'ennui.

Là résidait peut-être la clé de mon avenir ? Une *reconversion* de mes intérêts. Oh ! Je n'allais pas annoncer à Max Bonboire : « Dorénavant, j'aimerais me consacrer davantage à *ici* et *maintenant*... Tel aménagement d'un site entre Louvain et Aerschot. Tel congrès sur Charles le Téméraire au château de Namur. Telle visite guidée d'Anvers en mutation... » Cela lui aurait paru suspect. Un tantinet régressif. Une solution de facilité, une paresse... Je l'entendais déjà d'ici : « Tu ne vas tout de même pas nous servir le couplet du petit Liré qu'on préfère au Tibre latin ? Cela ne te ressemblerait pas ! »

Non, mais je pourrais y aller pas à pas et, m'ouvrant à lui de mes scrupules, lui proposer quelques thèmes charmants, croquignolets et d'une originalité particulière : « Réflexions sur une écologie des milieux saumâtres de la Corse », ou « Une nouvelle édition du Guide des gens du monde et des ébénistes », par Chippendale, ou mieux encore : « Note sur quelques pointes de flèches à pédoncule semi-losangique du chalcolithique de Saintonge », et pour suivre : « Petite contribution à l'étude de cinq pots à encensoir flamminés de l'église de Sarcelles figurant dans les collections de la Société versaillaise des sciences naturelles et autres », et encore : « De la résistance de l'acier dans l'ascenseur Eiffel à Lisbonne ».

La modestie de ces propositions, mais aussi ce souci inédit d'une érudition aussi contestable que récemment acquise, feraient peut-être forte impression sur Max. Une occasion de relever le niveau culturel de la revue ? Bien sûr, il n'y aurait pas matière à briguer le prix annuel du meilleur reportage touristique. Mais j'ai toujours manqué d'ambition.

Après quoi, augmentant la mise, je hasarderais un « Panorama actuel des micro-États ». Du reste, notre pays n'en faisait-il pas désormais partie, d'autant que songeant encore à se diviser en deux ou trois lopins, et le royaume s'en allant alors à vau-l'eau, de quel terme faudrait-il demain user pour qualifier une mini-monarchie bananière privée de bananes ?

J'ai assisté naguère à l'investiture de deux capitaines-régents à Saint-Marin – deux pour qu'ils fussent à même de se neutraliser l'un l'autre –, cérémonie qui faillit être compromise par une grève générale et la manifestation violente d'une ligue féministe locale. N'importe : voir le représentant officiel de la République populaire de Chine s'incliner humblement devant les nouveaux seigneurs qui régnaient sur cette nation confetti donnait à rêver. Cela se passait au printemps, mais les arbres croulaient sous trente centimètres de neige. (En fait, je me rappelle que je n'ai même pas assisté à cette cérémonie – la prestation de serment, à la basilique et en latin, la remise solennelle des clés de la cité, le défilé militaire – parce que Rebecca et moi nous sommes disputés, durant tout le week-end, dans notre chambre à l'hôtel Titano. Les échos cuivrés de la fanfare couvraient, à peine, les hurlements hystériques de mon épouse. Cela, je ne le raconterai pas à Max.)

Mais je lui dirai, par exemple : « Imagine-toi que Hitler, alors qu'il envahissait l'Autriche, n'a pas voulu se rendre maître du Liechtenstein. Par peur du ridicule ! C'est la petitesse dérisoire du pays qui a sauvé celui-ci ! Ah, quelle leçon ! Si on pouvait s'en inspirer plus souvent… Mais quel indomptable culot, aussi : Andorre a exigé de battre un pavillon distinct de celui de la France à l'Exposition universelle de 1958, à Bruxelles. La guerre d'Algérie faisait rage : la France s'est inclinée, elle avait d'autres chats à fouetter. Tout en menaçant la principauté de lui couper son électricité. Assister au triomphe d'une idée fixe, quel bonheur ! Et puis, appartenir à un pays dont l'industrie principale, sinon la seule, est la fabrication de timbres-poste et de médailles portant blason : quel luxe !

Bien sûr, l'Histoire ne reste pas volontiers drôle très longtemps. Très vite oubliés, les massacres aux Comores, aux Seychelles, à Timor… Et quant aux indigènes de l'île de Nauru, ils ne vivent ni dans le folklore, ni dans la tragédie. Ils se sont seulement un jour retrouvés millionnaires à trois mille, sur vingt-cinq kilomètres carrés et quelques mines de phosphate. Les mines vont s'épuiser à la longue, mais l'octroi d'une rente perpétuelle, plus quelques investissements dans l'immobilier australien vouent la population au plus torpide désœuvrement. Un théâtre anglais, un autre chinois. Un restaurant italien. Un club de femmes. Un club de golf. Cinq pompiers. Trois policiers. Un autobus. On peut abandonner sans angoisse, au bord de la mer, le lundi matin, la limousine achetée le samedi pour le week-end. Du reste, on ne peut même pas faire de la vitesse : rien que des tournants, aucune ligne droite, et l'avion qui doit traverser la route pour décoller ! On fait le tour de l'île en un quart d'heure. Comme on n'a rien à faire, on ne bouge plus, on n'arrête pas de manger du cochon, du poisson cru et des noix de coco ; on grossit à vue d'œil, à l'ombre des bougainvilliers. Mais qui se lamenterait sur le sort d'indigènes obèses, de rentiers énormes, d'un éden où ne règne que l'ennui ? C'est peut-être injuste mais on n'y peut rien.

Que pensera Max si je conclus, encore une fois, sur une note tristounette mon feuilleton sur Lilliput ?

Je finis par lui proposer seulement, pour la revue, une « chronique » à l'usage des promeneurs, solitaires ou en groupe, qui voudraient redécouvrir le charme des « promenades pédestres balisées » sur toute l'étendue du royaume.

« Je souhaite me consacrer durant un certain temps, ajoutai-je, aux sujets régionaux, locaux, municipaux… À la vie de quartier… » Je me sentis rougir. Comme si j'avais plutôt annoncé que j'entendais déballer, dans les colonnes de sa revue, ma vie privée, mes problèmes intimes, je ne sais quelles grivoiseries… Des visites de boxons. D'ailleurs, il demanda, avec une tendre ironie : « Un gros caprice, ou un petit phantasme ? On peut se perdre aussi dans la forêt de Soignes, enchaîna-t-il, si on veut vraiment s'égarer. »

Il avait l'air étonné. Dans un sens, il ne l'était pas autant que moi.

« *Small is beautiful* ? demanda-t-il encore.

— Mais ce qui m'arrive n'est pas "small" du tout… », balbutiai-je. Et c'est sans doute beaucoup plus que seulement *beautiful* ! aurais-je voulu ajouter. Mais je dis plutôt :

« C'est seulement *en bonne voie…*

— Ah ? » fit-il. Il ne comprenait pas du tout ce que cela signifiait.

Moi non plus. J'étais au bord des larmes.

Ça passe ou ça casse… me dis-je aussi. Comme si je m'acharnais à enfermer le sens d'une énigme dans un collier de slogans.

L'étau se resserre… pensai-je. Quel étau, donc ? Il ne s'agissait pourtant pas d'une menace, plutôt d'un bonheur. On n'allait plus s'éloigner de soi-même. Fini l'éparpillement de soi, avant la dispersion des cendres !

Tu brûles… me dis-je, comme à un enfant qu'on aide à se rapprocher du trésor qu'on a caché pour lui dans une pièce.

Je crois que je deviens enfin guide de moi. Pas trop tôt !

Et maintenant, je me retrouve en Égypte. J'ai accepté, inconsidérément, il y a plusieurs mois, de participer à cette croisière sur le Nil, organisée par l'Association internationale de guidance. C'était avant d'être effleuré par le doute. Bien avant mon effondrement. Trop tard pour me dérober.

« Vous ne pouvez pas me refuser ça ! me prévint Bonboire. Un congrès *flottant*, qu'en pensez-vous ? Nous alternerons visites et séances de travail. Venez donc : ça vous changera les idées ! » Et il avait ajouté, superbe : « Vous savez, de vous à moi : c'est qu'il s'agit de faire vite ! Ça ne doit pas trop s'ébruiter, mais l'Égypte – comme du reste la Grèce – va bientôt mourir du tourisme... Victime de son succès ! Encore dix ans, et tant d'yeux gloutons, mais caves, se seront posés sur l'Acropole, les colonnes d'Abou Simbel ou la muraille de Chine, qu'ils auront limé jusqu'à la trame du paysage. Alors, si vous souhaitez figurer parmi les ultimes élus admis au spectacle, il ne faut pas traîner !... Et puis, il y a les intégristes : vous n'ignorez pas qu'ils commencent à s'en prendre aux voyageurs. On peut imaginer que demain ils tireront, des rives du fleuve, sur les bateaux de la Compagnie du Nil. Néanmoins, rassurons-nous : à l'heure qu'il est, il n'y a pas de danger. Mais l'avenir est incertain. Qui sait ? Peut-être appartenons-nous à la dernière génération qui aura pu profiter, dans de bonnes conditions, des splendeurs de Thèbes ! »

Cette perspective semblait l'affrioler, Max.

« Le Nil, je l'ai déjà descendu et remonté trois ou quatre fois... ai-je insinué.

– Oui, mais sans moi ! » s'est alors exclamé le directeur de Touristes sans frontières. Et, à bout d'arguments : « Les *son et lumière* n'étaient pas encore au point... Et puis, il y aura même à bord un bal costumé. À propos, n'oubliez pas de vous munir d'un travestissement. Ou au moins d'un masque... N'est-ce pas ? au moins un masque... »

Deux jours à tirer – à tuer, ou à être tué – au Caire, avant l'embarquement. Visite de courtoisie aux trois gangsters de vaste envergure qui se sont approprié le petit désert local, les trois mousquetaires du funérarium, auteurs ensemble d'un génocide immobilier, assassins de tout un peuple lapidé : lapidé sous l'accumulation de sa charge, écrasé par son propre fardeau. Les maîtres d'alors et de toujours devaient manquer drôlement de sens métaphysique, et il devait leur tenir particulièrement à cœur de survivre, en leurs momies claquemurées, au sein de ces Fort-Chabrol qui ont, de fait, défié les millénaires… On a beau être à moitié dieu, on ne prend jamais assez de précautions. D'où celle de dissimuler sa dépouille au fin fond d'un entrelacs labyrinthique et inexpugnable. Puisqu'il convenait pour ces trois-là, comme pour leurs semblables, de rester entre soi, en famille, couverts des mêmes fabuleux oripeaux que durant la première et terrestre vie. Et le corps conservé tant bien que mal. En sorte que la mort ne s'avérât en fin de compte qu'une péripétie anecdotique, une syncope, un « évanouissement de l'âme ». Pour eux du moins. Quant aux autres… (Observons comme on trouve vulgaires, et kitsch, ceux de nos contemporains qui font, aujourd'hui encore, procéder à leur propre embaumement, ou à celui de leur chien… C'est sûrement moins impressionnant à contempler mais, en revanche, la dépense est moindre, et cette taxidermique survie ne se réalise pas sur le dos des deux cent mille esclaves membres du lumpen-prolétariat, ahanant par 50° Celsius à l'ombre, en tirant les étranges luges qui acheminaient, sur une banquise torride, jusqu'à Gizeh, le matériau de la survie prétendue de funestes escrocs.) Le calcul s'avéra aussi inavisé que l'ambition était démesurée puisque, c'est bien connu, ce sont les coffres-forts les mieux gardés qui attirent le plus l'attention, la perverse curiosité des maraudeurs. D'éminents archéologues en furent, bien plus tard, pour leurs frais, lorsque, à la recherche des trésors, ils firent le plus souvent chou blanc et découvrirent que des pillards intuitifs et téméraires les avaient presque partout précédés. La plupart des pharaons furent dépouillés par moins mégalo mais plus roublard qu'eux ; et à chaque Petrie, chaque Belzoni, chaque Carter, correspondit un malin et demi, qui mit autant de ténacité à emporter la mise que les despotes, puis les savants… Il y a des Schliemann de la rapine, et des Champollion du larcin. Et ils arrivent souvent à

Assouan avec un métro d'avance sur tout le monde ! (C'est un peu comme si Amundsen avait été devancé, au pôle Sud, par un vulgaire chercheur d'or, ou La Pérouse, à Hawaï, par un fleuriste spécialisé en couronnes mortuaires.)

Seul le Sphinx, avec son museau mutilé, martelé, sa joue partie, ses flancs blessés, sa crinière en lambeaux, vieux matou qui se serait bagarré durant toute la nuit du monde, peut encore nous toucher, parce qu'il n'y a rien de plus lourd à porter que l'énigme qu'on pose… Il toise à jamais, dans le blanc des yeux, la féroce banalité des hommes. Il ne lui manque que la parole : il y a depuis longtemps renoncé, même si, tout à l'heure, on voudra encore lui en prêter une. Du haut de ces Pyramides, la caravane des siècles nous ignore superbement. Regarde-t-on ces pierres ou les blessures qu'elles portent ? Une vieille femme qui tourne le dos au site épouille une petite fille, un Italien la photographie au passage, elle se relève brusquement pour lui demander l'aumône. Rois au désert dormant et envahi. La bande dessinée des hiéroglyphes relate les séquences d'un sinistre feuilleton familial.

Comme je le faisais déjà, enfant, lors des voyages scolaires, je m'éloigne instinctivement de la voix monotone et caquetante du guide. Celui-ci raconte la mort, encore la mort, en ne s'avisant pas qu'il ne parle que d'elle sous son parasol rose fané. Et je me rapproche d'un autre, parce que je ne reconnais même pas la langue qu'il parle.

On voyage mal parce qu'on vit mal.

Le soir, on revient dans l'espoir de voir tout cela s'allumer comme au music-hall. Pour un rien, même la pleine lune aurait l'air artificielle, peinte sur la nuit d'Égypte. Miracle : les pierres se mettent à jacter. Soliloque anthropomorphique. On prête aux ruines la voix de leurs maîtres. Sur un tapis de musique d'aéroport – ou de fanfares militaires, aux accents mussoliniens, lorsqu'on veut souligner les instants où le Siècle prend ses virages à la corde. On dirait la langue de bois de l'Histoire, qui n'aurait plus qu'à peine besoin d'une traduction simultanée. Pour lui répondre, dans le lointain, quelques chiens errants, qui se piquent au jeu – ou qu'on aurait dressés pour la circonstance ? Cela dit la Terreur qu'inspire aux hommes le Temps ; mais si le Temps, à son tour, redoutait la concurrence déloyale des Pyramides ? Cela veut nous convaincre, aussi, que nous ne devrions pas éprouver de pitié, mais du respect, pour les humbles bâtisseurs, car ils croyaient encore en quelque chose… Cause toujours. De cette foi-là, de ce rituel morbide, et barnumesque, ceux-ci eurent-ils une chance de s'affranchir ?

Je frissonne sous mon plaid de location. Le discours n'y est pour rien, mais la chute brutale de la température.

Des projecteurs éclaboussent les édifices d'une lueur orangée puis écarlate : cela correspond à l'idée qu'on doit se faire de l'éternité, dans ce Luna Park !

Je suis hors de moi. Demain, je sécherai Memphis, et le musée du Caire. Considérons que je ne suis décidément pas à la hauteur de la situation. Je suis lassé, à l'avance, par ces forêts de colonnes et d'obélisques, ces érections infatigables, et ces sites que sillonnent, à longueur d'années, des cohortes d'andouilles babélisées.

Ah ! ces commentaires sublimes sur la lutte acharnée que livrèrent, contre le néant, les propriétaires de mastabas – s'empressant d'égorger, une fois le travail fini, les ouvriers détenteurs du secret ! Allons-nous donc regretter les colosses du bon vieux temps ? Un pharaon chassant l'autre, bâtissant mieux et plus haut, et frappant plus fort ses rivaux potentiels : massacre des innocents toujours à reconduire, chaque dynastie martelant, dès son accession au pouvoir, les cartouches et les hiéroglyphes de son prédécesseur, sur pilastres et frontons. Peuples de tous les pays, oblitérez-vous les uns les autres, comme je vous ai effacés. Révisionnistes perpétuels, édifiant leur héneaurme postérité.

À la gloire d'eux-mêmes, dieux anthropophages, mais jamais rassasiés de rapines, à qui ne passait pas le goût du sang.

Seul le vertigineux recul du temps, en effet, explique qu'on célèbre, et blanchisse de leurs boucheries successives, ces brutes insensées, ces Gullivers fascistes, ces *barbudos* mégalomanes, seulement soucieux de figurer en bonne place dans le *Guiness-Book* des records idiots, pour avoir cimenté de gros cailloux avec du sang.

Et qu'il m'assomme donc, ce Ramsès II, qu'on affuble des pectoraux de Johnny Weissmuller, pour jouer son Tarzan dans l'oasis, fêtant son jubilé tous les deux ou trois ans, pour mieux s'enfoncer dans son éternité – sorte de check-up pseudo-religieux, de contrôle technique – avec ses cinquante-deux épouses et ses quatre-vingt-sept mômes, centenaire guilleret et ingambe, toujours bien conservé, représenté en jeune homme, faisant célébrer outre-tombe le culte de sa personnalité prêtorifiée… Plus stalinien que ça, inconnu au bataillon. De quoi bâiller de haine, autant que d'ennui. Atterré par l'idée que les hommes se font, à ce prix, de leur propre grandeur. Ah ! ces bergers intersidéraux traitant même les étoiles comme de simples brebis !

Au moins Champollion, avant de venir ici pleurnicher sur le génie épuisé de Lilliput, s'était, à ce qu'on sait, meurtri les yeux sur des tablettes de la dimension d'un timbre-poste, ou quasi ! Et ce ne fut pas sans humour qu'à douze ans, pour s'y retrouver un peu dans le calendrier, il conçut une *Chronologie depuis Adam jusqu'à Champollion Le Jeune*… Donnez-nous donc plus souvent des merveilles du monde à échelle infra-humaine ou, je ne sais, qui ne seraient même pas visibles à l'œil nu, qu'on devrait découvrir au microscope !

Donc je m'enferme, pour tout le week-end, dans ma chambre au Sémiramis, devenu Intercontinental. La diète des ruines !

Régime ! Ai-je pris au moins de la lecture ? Outre un catalogue raisonné de *La Collection égyptologique du docteur Sigmund Freud (à Vienne, puis à Londres)*, je m'aperçois que j'ai emporté, comme à chacun de mes voyages depuis quelques années, ces petits carnets d'écolier toilés où j'ai consigné, de mes quinze à mes vingt ans – très précisément du jour où j'ai quitté le foyer maternel, jusqu'au lendemain de mon mariage –, des réflexion sibyllines, mangées des mites, codées, au cas où elles viendraient à tomber en d'autres mains, sur les « divers mouvements » – comme disait la religieuse portugaise – de ma chère âme. D'une excursion l'autre, je les remisais toujours à la cave, dans l'idée, l'espoir, que je n'irais plus les déterrer. Serment d'ivrogne. Barbe-Bleue, confondu par soi-même, trouverait, plus tard, le courage – ou le trouble attrait – d'y retourner encore et encore, comme à son vomi. Histoire, sans doute, de renouer avec ma propre dérisoire préhistoire personnelle, dans le minuscule désert morne d'une chambre d'hôtel.

À chaque fois, je les entrouvre et ils me soufflent au visage leur haleine chargée. L'âcre parfum d'une enfance mal aimée. Ah ! l'odeur rancie de l'introspection ! Pouah ! Certains souvenirs, tapis dans l'ombre de ces pages, je les sens encore prêts à me bondir dessus comme des chats enragés. On peut enterrer la hache de guerre, mais pas sa mémoire. Comme on fait son deuil, on se couche.

À chaque fois, je demeure pantois, incrédule, devant ces informes et balbutiantes confessions, je suis assourdi par cette cacophonie de sentiments, ce tintamarre d'émotions, je me bouche les oreilles et me couvre les yeux, je crains d'être piétiné par ce carnaval autobiographique. Dolorisme épais. Saveur de sang. Le jeu de l'Oye de l'enfance, comme jeu de massacre de toute la vie. Carte de l'Angoisse comme il y a carte du Tendre. Y laisser plus de plumes qu'il n'y a en soi d'oiseau. Comment remonter de l'enfance sans devenir un spéléologue de l'enfer ? Un peu de *maudlin self-pity*, que ne rachèterait pas un excès d'ironie. J'invoquais la vie même comme circonstance atténuante ? De quel crime, bon Dieu ? De ne pas exister ? Hormis comme plaie ouverte, vilaine plaie, saleté d'ecchymose…

À me relire, une migraine me serrait les tempes comme une couronne de fer rouillé. Pourtant, nombre de pages avaient été composées comme je l'ai dit dans un code de ma fabrication, pour que leur sens échappât à la lecture de tout tiers intrus. Mais, du coup, elles m'étaient devenues parfois à moi-même inintelligibles.

Et aujourd'hui, comme chaque fois, je les referme avec un haut-le-cœur. Différant, une fois de plus, une stérile confrontation avec ce passé insoluble, et son relent de cadavre d'enfant, ses pestilences, cette certitude pourrie « qu'avec les années ça ne s'arrangerait pas »… Ah ! ici, au moins, la conviction qu'on est mort, qu'on est mort depuis longtemps, à l'insu de tous et même de soi, ne désarme jamais ! À quoi bon me grever, partout où je vais, de ce petit fantôme qui s'accroche à moi comme pour me noyer ? Je fuis dans le sommeil ses agrippements d'algues femelles, de tentacules spongieux.

Quand j'ai ouvert les tentures, ce dimanche, mon regard, en bondissant par-dessus le Nil, qui avait la blancheur d'une coulée d'avalanche, *les* a aussitôt devinées au fond du paysage. Mais Chéops et Chéphrèn – de la terrasse, je ne peux distinguer Mykérinos – ne se dégagent cependant d'un brouillard lumineux qu'au fil des heures, entre deux immeubles-tours. De temps en temps, je jette un coup d'œil sur elles, et je me surprends à les aimer là-bas, au loin, déposées sur l'horizon comme des jouets fragiles. Je pourrais les prendre dans la paume de ma main et réchauffer celle-ci à leur contact…

Je crois me souvenir que le docteur Freud n'a jamais traversé la Méditerranée – s'il s'est rendu sur l'Acropole, dans une grande

appréhension, trouvant que « c'était trop beau pour être vrai » !
(Et se sentant coupable, aussi, à l'égard de son père d'avoir « voulu
aller plus loin que lui ».) Mais je me rappelle qu'il s'est entouré,
à Vienne puis à Londres, d'une multitude de statuettes, de terres
cuites, d'objets iconiques, de miniatures : un luminaire en argile,
une barque mortuaire avec baldaquin et rameurs, une paire de
menues couilles... (N'étaient-ce pas les précieux soldats de plomb
avec lesquels, docte vieillard, il s'amusait ?) En Égypte, il n'avait
jamais dû aller qu'en rêve – grande spécialité du docteur...

Mais là, j'ai des doutes : il faudra que j'aille vérifier dans le
Catalogue...

Je viens d'ouvrir celui-ci : on y trouve un plan de son appartement viennois, précis comme celui d'un tombeau pharaonique.
Et puis, je vois qu'on y parle de son trouble devant le sourire de
la Joconde. La Joconde et le Sphinx : quel couple cela fait, quelle
tête-bêche, quel affrontement ! Au fond, plus l'Égypte était lointaine, enfouie, miniaturisée, muette, plus elle le fascinait.

Mais ici, aujourd'hui, plus le temps passe, plus les Pyramides
rosissent, plus l'heure de midi qui approche ressemble à une aube.
Hier encore, je considérais que venir en ces lieux n'avait aucun
sens. Je commence tout doucement à me réjouir...

Je me demande soudain ce que j'aurais fait au pays, à la
minute présente, si j'y étais resté. C'est ainsi : je ne me suis jamais
éloigné d'un lieu pour un autre sans demeurer un peu en imagination dans l'espace délaissé. M'évertuant à reconstituer, comme
je le puis, en détail, mon emploi du temps dans cette autre vie.
Histoire de ne rien perdre... Fichue manie. Crainte maladive
d'avoir fait le mauvais choix. Mais alors, infernale comptabilité
des occasions manquées, des opportunités perdues ? Ou avidité
d'occuper deux terrains à la fois, de jouer sur tous les tableaux ?
Mais que j'évoque les étapes du périple que j'ai décliné, ou mon
existence, chez moi, si je me suis laissé convaincre de partir,
mon humeur s'assombrit, et à tous les coups je me sens porté au

spleen. Depuis l'enfance, déjà, cette peur de toute séparation. (Et dire que j'ai choisi le métier qui m'y expose en permanence !) Je regrette d'être parti de chez moi. J'ai envie d'y revenir aussitôt. Puis je suis navré de quitter le pays de villégiature… C'est un tourment sans fin… À cela s'ajoute cette certitude de vivre dans un pays ainsi fait qu'il suffirait de lui tourner le dos pour qu'aussitôt il s'y passe quelque chose. Ne serait-ce que sa mise à mort.

Un jour que je me baladais à Khabarovsk, tout à l'est de la Sibérie orientale, une indigène me demanda, intriguée, d'où je venais ainsi. Quand je le lui eus expliqué, elle s'exclama : « Mais c'est au bout du monde ! » Bien sûr, en y réfléchissant un peu, elle eût dû convenir qu'à mon point de vue, c'était elle qui, au bout du monde, vaquait à ses affaires. Je ne le lui fis pas observer. Et même, j'acquiesçai : « Oui, c'est vraiment au bout du monde que je vis… » De nous deux, j'en étais le plus surpris.

Une autre fois, la même question m'étant posée à Cœur-d'Alène, dans l'Idaho, mon interlocuteur manifesta plutôt une sorte d'incrédulité amusée, qui s'accrut encore lorsqu'il alla jeter un coup d'œil au planisphère. Lui montrant du doigt le lieu qu'il ne s'était pas fort donné la peine de découvrir – comme si celui qu'il habitait emplissait le monde –, je lui dis qu'il pouvait advenir des événements très importants dans des lieux qui ne figuraient qu'à peine sur la carte. Il haussa les épaules et me dit qu'à Cœur-d'Alène, non plus, il ne se passait jamais rien. Il voulait sans doute me consoler.

Je jette encore un coup d'œil à Chéops, à Chéphrèn. Je me sens de plus en plus joyeux. Bien qu'un peu éberlué. Je trouve de plus en plus émouvantes ces Pyramides que, le nez dessus, je n'ai qu'à peine regardées… Parce qu'elles étaient alors si proches ? Non : parce que j'avais l'esprit ailleurs. Avais-je été atteint du syndrome dit « de Stendhal » ?

Stendhal est à Florence (ou n'importe où ailleurs en Italie). Il trouve la ville si belle qu'il doit s'asseoir sur un banc. Il se sent subitement en proie à un excès de chocs esthétiques. Il est débordé. C'est l'overdose. Il suffoque, il se pâme, il se tient le cœur. (N'était-ce pas Freud, du reste, qui avait fait cette trouvaille à propos de l'émoi de Stendhal ? Cela lui ressemblait bien, et à cet état analogue éprouvé par lui devant la beauté d'Athènes, alors qu'il avait, « parce que c'était trop beau », pensé à la mort – celle de son père, la sienne, et senti passer près de sa tempe le vent du boulet…) Cela me serait-il arrivé, à moi, au pied des Pyramides ?

Non : cela vient de se passer à l'instant même, dans ma chambre, à l'hôtel Sémiramis. Parce qu'il y a tant de beauté en face de moi : le Nil à l'avant-plan, les Pyramides à l'arrière, étincelant, à présent. Mais il y en a surtout autour de moi, dans cette chambre même : je viens de m'asseoir sur le lit, je commence à nager dans une tendre ébriété, je suis lessivé par le spectacle de cette splendeur. Et elle s'amoncelle, elle s'agglutine autour du téléphone, par exemple, et même autour des trois carnets d'écolier qui m'ont, un temps plus tôt, paru si rébarbatifs, pour ne pas dire patibulaires… Récapitulons : je suis occupé de me figurer ce que j'aurais fait chez moi, « au bout du monde », donc à Bruxelles, à la même heure… Voilà. Il y a pourtant une bizarrerie : au lieu de me voir marcher, à l'orée de la forêt de Soignes, comme j'en ai l'habitude le dimanche – sans tenir compte évidemment du décalage horaire – ou ralliant avec ma voiture les bureaux de Touristes sans frontières, avenue de la Toison-d'Or, je fais une halte au square du Bois-Profond – à l'endroit précis où je suis né, il y a plus de cinquante ans, d'où je suis parti, il y en a plus de trente, où je ne suis pratiquement jamais plus repassé depuis.

Pourquoi donc, me demandé-je, ne me revois-je donc pas chez moi, mettant mes pas dans les miens, mais à l'endroit où tout cela s'est autrefois déclenché ? Il y a si longtemps ? Comme si tout était à recommencer, à refaire à partir de là ?

Et, pour une fois, de me figurer dans un autre lieu où je pourrais être (au lieu d'ici où je suis à l'heure même) ne me fait pas de mal. Mais me plonge, au contraire, dans une joyeuse confusion : oui, une allégresse un peu désordonnée, malicieuse. Pour la première fois, il s'est passé quelque chose d'heureux au square du Bois-Profond. Et même : *cela vient de s'y passer!*

La chose me revient à présent… Michel David, un de mes collègues à l'agence Touristes sans frontières, devait se rendre à Berlin. Il se rappelait que j'y avais séjourné alors que la ville était encore divisée et souhaitait m'en entendre parler. Je lui dis que cela ne m'étonnait pas, que j'avais été à l'agence le spécialiste des lieux coupés en deux – ou dédoublés, ce qui revenait au même. (Je pensai : dans ces « ailleurs », aussitôt déposées mes valises, je me sentais chez moi. Je l'étais. J'étais désormais là-bas et ici. Je savais que c'était une maladie et que, même, on lui donnait un nom.) Il rit, poliment.

« Berlin, Jérusalem, Nicosie… expliquai-je, dans un sens, il n'y a que dans ces villes que je me sois senti à l'aise, jusqu'au tréfonds du malaise même. Du moins, la situation était claire. C'est pour ça que je me sentais là-bas chez moi. Comme ici…

– Ici, il n'y a pas de mur de la honte, que je sache ?

– Oh ! Il y est peut-être, et nous ne le voyons pas ? Il peut encore venir, aussi… » Il dut croire à une boutade.

« Mais je n'aperçois pas le rapport que vous faites entre les situations, entre les trois villes que vous citiez ?

– D'abord, c'est parce qu'*ils* ont dû fuir Berlin que nous fûmes à Jérusalem… », dis-je. (J'avais dans l'idée que Michel devait être juif mais, ne l'aurait-il pas été, je ne me serais sans doute pas exprimé autrement.) « Mais l'été nous entoure, fis-je. Si nous poursuivions cette conversation à la terrasse d'un café ?

— Vous connaissez un endroit ?

— Je ne sais pas, moi... Peut-être au square du Bois-Profond ? Ce n'est pas très loin...

— Ce n'est pas tout près, non plus... »

Il avait raison. Pourquoi avais-je proposé cette placette où ne me portaient plus jamais mes pas ?

Nous nous sommes attablés à la terrasse de La Petite Coupole. Un bref orage nous avait précédés et il fallut essuyer, avant de s'y asseoir, les fauteuils de plastique.

« C'est curieux, remarqua Michel, que vous n'évoquiez jamais votre séjour à Jérusalem.

— Difficile de parler d'un lieu où le sacré se répartit et se dispute, où les conflits qu'il déchaîne occupent toute la place, où les transcendances jouent à saute-mouton... Si on raconte autre chose, on a aussitôt l'air futile...

— Et Nicosie ? Le mysticisme ne doit pas y être aussi envahissant ?

— Il est vrai que même l'archevêque jouait, très matérialistement, un rôle politique. Une ville où il n'y avait rien à voir, hormis les réfugiés. Les palaces n'étaient plus occupés que par des casques bleus canadiens et danois, dont le poil blond ou rouge devait rappeler aux indigènes les colons d'autrefois. Tel-Aviv sans les juifs, Bagdad sans le Tigre, la banlieue de Brighton. Le samedi soir, on pouvait toujours aller danser au premier étage d'une HLM, Prodiromos Street... Les ponts n'enjambaient que des terrains vagues ou des déversoirs d'ordures. Certains soirs, même le coucher de soleil semblait fantomatique.

— Mais vous me disiez que vous y aviez été heureux ?

— J'y étais seul. Quand la solitude touche à l'extravagance, elle peut devenir une sorte de drogue, et même une passion : la voir s'interrompre est plus insupportable alors que de s'y consumer. »

« Au début, me souvins-je tout haut, je m'étais lié d'amitié avec le facteur, qui était philatéliste, et que je pourvoyais en timbres étrangers. Mais, au bout d'un temps, le courrier se fit plus rare : Rebecca, ma femme, était à nouveau occupée à rompre. (C'était son sport favori.) Alors que j'avais cessé de fumer, je m'y remis pour que la chambre parût un peu plus habitée… Un dimanche soir, une odeur de crêpes monta jusqu'à moi par la cage d'escalier de la pension où je logeais. Cela me rappela mon enfance, les dimanches chez ma grand-mère. Puis je m'aperçus que c'étaient les concierges coréens qui faisaient frire des beignets de poisson… L'odorat perçoit ce qu'il veut bien. « Si tu me demandes, écrivis-je à Rebecca, de dire ce que c'est que l'abandon, la patrie même d'une vie orpheline, ce que c'est que de perdre père et mère, je te parlerai de Nicosie. »

De Berlin, nous tardions à nous entretenir, Michel David et moi. J'hésitais à aborder le sujet, car je serais forcé de lui avouer que, là-bas, j'écoutais tous les soirs, sur les ondes de Radio-Cologne, l'émission destinée aux immigrés, et que je m'identifiais presque à un ouvrier grec ou chypriote. Pourquoi, en effet, ne pas être parti plutôt pour la Grèce, où le soleil, au moins, eût réchauffé ma caboche pourrie de sinusite ? Mais, tel un diplomate, un agent touristique n'a pas toujours le choix de son poste. N'étais-je pas en service commandé pour préparer une excursion originale *inter-* et *extra-muros* ? Michel finissait par se demander si je n'étais pas affecté d'un redoutable esprit de contradiction, et porté à vivre le voyage comme d'autres un amour transi…

Je me retournai et portai sur la place un coup d'œil circulaire.
« C'est bien ici… fis-je.
– Que vous vouliez m'entraîner ? demanda Michel.
– Non. C'est ici que je suis né. »
Stupéfait, Michel David avisa l'entrée de la taverne. « À La Petite Coupole ? »

– Non ! répondis-je en riant. Mais dans ce square. Devant vous, à droite, là où le tramway sort du virage pour filer vers l'université. Pour sûr, la masure la plus moche de toutes ! Au troisième étage. Ça n'a pas tellement changé... Mais, avant la guerre, au-delà du square du Bois-Profond, il y avait encore des champs, des vaches et des chèvres... Du balcon de l'appartement, je pouvais échanger des signaux lumineux, au moyen d'un miroir de poche, avec une petite fille qui habitait en face et dont j'étais un peu amoureux... À l'époque – car tout à présent est bâti –, aucun obstacle n'empêchait ce dialogue étincelant... Ce café même n'existait pas. À la place, on trouvait une mercerie qui s'appelait, en toute humilité, Le Petit Bénéfice... Mais vous voyez les bustes de ces deux briscards, là, au centre du jardin, sur leurs socles respectifs ? Ils y étaient déjà à la Libération ! Enfin : l'un est arrivé après l'autre, qui devait s'ennuyer tout seul... Deux coloniaux de l'époque héroïque ! L'un a fait partie de la première expédition belge en Afrique centrale, à la fin du XIXe siècle. Mais il a été emporté par la dysenterie avant même de poser le pied sur le continent noir et d'apercevoir son premier rhinocéros blanc. Quant à l'autre, je crois bien qu'il a remonté le Lomami, en massacrant sous prétexte de "représailles" quelques sujets de Tippo-Tip... Tous deux croyaient à la mission civilisatrice de notre chère patrie, mais reconnaissaient volontiers que l'indigène n'était pas une brute, et même qu'il avait de la décence et du sentiment... Voyez donc le regard fixe, un peu bigle de l'un, et, de l'autre, les moustaches en crocs de boucherie... Il a été donné à ces deux conquérants locaux de toiser sévèrement mes premiers pas sur cette terre. Au début du siècle, on voyait encore partout, ici, des étangs et des pêcheries... Des prairies d'où s'envolaient, les jours de fête, des montgolfières...

» On pouvait jouer à la balle pelote, boire de la bière bavaro-belge à la ferme Jour et Nuit, à la laiterie du Vieux Tilleul ou au café de l'Aubette, rue du Tram. Je devrais faire l'inventaire : cela formerait un beau sujet de chronique pour

Le monde est à vous… C'est Bonboire qui en ferait une tête ! Mais je dois vous barber avec mon petit pèlerinage aux sources…

– Du tout… Néanmoins, Berlin, tout de même, si vous pouviez m'en dire un mot… Tracer quelques pistes…

– Cher ami, le Berlin que vous allez rencontrer diffère sans doute autant de celui que j'ai connu que celui-ci de la même ville au temps de la république de Weimar ! Enfin, je pousse un peu, mais il y a du vrai… »

Je ne pus poursuivre dans cette voie car, à ce moment, nous eûmes l'attention attirée par une frégate qui dérivait droit sur nous, toutes voiles dehors, en filant bien trois nœuds… Dans un instant, nous ne pourrions plus rien tenter pour éviter l'abordage ! Si j'usais d'une métaphore, je dirais volontiers que cette corvette – ou ce brick – ressemblait furieusement à une jeune femme qui eût traversé le square en diagonale en prenant pour cible, pour destination ultime de sa croisière, notre table, ne déviant pas d'un pouce de sa route, sa robe s'enroulant autour d'elle à chaque pas, puis se déroulant, se déployant aux environs de son corps, valsant avec elle, accompagnant sa course, ceignant sa silhouette balinaise, un ensemble en point d'interrogation. Un chapeau de paille aux larges rebords couronnait sa chevelure fauve. Mais, en fait, elle ne courait pas, non, elle dansait sur le pavé en chaloupant un peu, comme si elle venait de s'arracher à une toile de Klimt ou de Khnopff, mais antidatée, hors de toute époque. Sous son pas, la placette, la ville, la terre entière devenait un théâtre et recouvrait un fragile équilibre.

(Un refrain errait dans ma mémoire : « Vous avez un beau chapeau, madame ! » N'était-ce pas une chanson de Pol Clark, censurée durant la guerre par l'occupant parce que ses paroles étaient à double sens ? J'aurais ainsi, sur-le-champ, pu en composer une autre dont toutes les phrases, elles aussi, seraient équivoques et qui feraient rougir quiconque passerait à notre portée…)

Déborah, eus-je encore le temps de parier, elle s'appelle Déborah, ou Debrah, ou Mona, à moins que Scarlett, ou Sandra, ou Sarah, ou Abigaël ? ou plutôt Selma, ou même : Reine… Mais je ne pus la baptiser, la collectionner davantage, car elle fut comme une sprinteuse qui irait, tête en avant, coiffer sur le fil toutes ses rivales… Et puis, non : au dernier moment, elle redevint frégate, brick, corvette, elle vira lof pour lof et alla jeter l'ancre à une table voisine… Nous l'entendîmes jurer parce qu'elle venait de mouiller sa robe, ses fesses, sur le siège inondé par l'averse récente – elle se réduisit à une jeune femme qui avait seulement le cul trempé, nous ne pûmes réprimer un sourire –, et puis, tout de même, de là où elle était, elle m'apostropha, que dis-je ! elle me héla…

« Vous êtes bien Pierre Raymond, n'est-ce pas ? »

Je me dépêchai de dire : « Oui ! », de peur que, l'instant d'après, ce ne fût déjà plus vrai, et que je ne me réveille dans la peau d'un usurpateur. Jamais comme à cette seconde, je ne me réjouis autant de porter ce nom.

Elle se releva et vint vers notre table.

« J'ai une bonne nouvelle à vous apprendre… », dit-elle.

Je pensai que c'était l'évidence même.

« Moi aussi… », dis-je, par étourderie sans doute – ou pour gagner du temps ?

Mais elle ne parut pas surprise.

« Alors, annoncez la vôtre d'abord…

– Non, vous avez la priorité…

– D'accord, mais n'oubliez pas de me la dire tout à l'heure.

– Je vous la dirai sans faute.

– Je m'appelle Joy Strassberg… Je désirais depuis longtemps organiser une exposition sur "Le suicide culturel de l'Autriche"… J'ai rencontré beaucoup d'obstacles. Je viens de recevoir un coup de téléphone me signifiant qu'ils étaient tous levés. J'avais envie de le raconter aussitôt à quelqu'un. J'habite là, vous savez, juste en face… Je suis allée vers la fenêtre. Je vous ai aperçu à la terrasse de La Petite Coupole et je me suis dit : Je vais aller de ce pas annoncer la bonne nouvelle à Pierre Raymond… Ça vous intrigue ? Vous vous demandez pourquoi ?

— Pas du tout… », fis-je distraitement. Elle s'appelle Joy… pensais-je. Joy, bien sûr. La bonne nouvelle, c'est ça. J'avais envie de lui dire : C'est curieux, vous habitez ici en face, mais *moi j'habite en face de chez vous*… De vos fenê-tres, votre regard doit plonger dans mon appartement… (Je divaguais.)

« Bien sûr, je compte sur vous…

— Bien sûr, vous comptez sur moi.

— Je ne vous surprends pas ?

— Vous ne me surprenez pas du tout », dis-je. (J'écoutais à peine, et j'acquiesçais à tout.)

« Je vais tout de même vous expliquer pourquoi… Je vous ai entendu, un jour, faire une conférence sur "Le crépuscule autri-chien". C'était dans un cercle assez mondain, un club qui avait programmé, je crois, une série d'exposés sous le titre général : "Le tour des pays d'Europe en quatre-vingts minutes." Vous avez bien déçu vos auditeurs. Vous racontiez que l'Autriche s'était perdue de s'être haïe, d'avoir détesté tous ses artistes. Eux-mêmes n'assuraient une éphémère rémission à la grande malade déjà condamnée qu'en répétant inlassablement qu'elle était à l'ago-nie, mais qu'elle préférait encore nier l'évidence de son mal… Et qu'elle traitait, à son tour, de "morbides" ses médecins mêmes. Parce qu'"ils faisaient de leur angoisse quelque chose". Vous con-cluiez que l'anorexie de l'impératrice Sissi n'était que la métaphore de l'Autriche. Que le bel empire avait pris en aversion sa chair même et renoncé à la nourrir, et qu'elle était allée au-devant du couteau qui pouvait le plus sûrement l'achever…, qu'à la fin Hitler avait joué le rôle du poignard, sous les applaudissements de la victime. Un de mes voisins remuait fort sur sa chaise et poussait de gros soupirs de désappointement. "Si c'est cela, une conférence sur le tourisme en Autriche, grommelait-il, on repassera !" Le brave homme qui espérait certainement des conseils sur le meilleur itinéraire à suivre pour se rendre du Salzburgerland à Seefeld ! »

Il voulait plutôt des renseignements sur Innsbruck, pensai-je. Un simple amateur de « *Reisegruppen mit Führer* »… Mon père eût été ravi… Et qui se souvient encore que Hitler se présentait comme *guide* de la nation ? Il avait raison, cet auditeur : j'avais trahi mon mandat. L'organisation aurait dû rembourser les mécontents. C'est étrange : quand on me raconte, après coup, mes débondages, je ne les reconnais jamais. Je me sens presque contraint de réfuter : « Je n'ai pas dit cela, vous devez me confondre avec un autre… mais je pense comme lui ! » Ce n'était pas moi, chère Joy, ai-je eu envie de lui dire, absurdement, mais je suis heureux que vous ayez été là !

« J'ai pensé, dit-elle, que vous pourriez peut-être refaire cet exposé pour inaugurer mon exposition ? Décrire ce crépuscule, cette funeste haine de soi et, à la fin, ce suicide maquillé… »

Michel regarda sa montre, prit un air navré, se leva et déclara qu'il prenait congé.

« Excuse-moi, lui dis-je : Berlin, tu sais, je ne suis plus dans le coup. Je ne connais bien que *la récente préhistoire* de la ville… Mais surtout, n'oublie pas d'aller jeter un coup d'œil sur Néfertiti, à Charlottenburg : elle mérite le déplacement. » Il dut croire que je me payais sa tête.

« C'est toi qui pars en Égypte, non ?

– C'est encore ce qu'il y a de plus remarquable à Berlin, insistai-je. Avec les radeaux polynésiens qu'on peut voir au musée de Dahlem. À moins que le mur ne se soit écroulé en travers ? »

« Je regrette pour votre ami, dit Joy lorsqu'il fut parti, je me suis imposée… Il doit m'en vouloir, n'est-ce pas ?

– Non sans raison, mademoiselle…

– Madame. Je suis mère d'un petit Samuel de neuf ans.

– Et il va bien ?

– Il est allé en voyage scolaire aux grottes de Han. Tout le long de la route, dans le car, il n'a pas arrêté de vomir son déjeuner.

Quand il est rentré, le soir, il m'a dit : "Tout de même, ça valait la peine d'y aller !" Bientôt, il devra préparer un exposé sur la jungle. Vous n'avez pas un tuyau ?

— Sur les jungles, je suis imbattable. Prévenez-le que, des jungles, j'en ai connu des vertes et des pas mûres, et que je le ferais volontiers bénéficier de mon expérience…

— Vous passerez nous voir ? »

Je pensai : c'est cela, je n'aurai qu'à traverser le square. En faisant attention à bien regarder d'abord à gauche, puis à droite, car l'endroit est dangereux. C'est qu'on en a déjà vu des accidents, à cet endroit !

« Dites à Samuel que j'aimerais avoir l'honneur d'appartenir désormais au cercle de ses amis.

— Vous permettez que je m'assoie ? » demanda-t-elle.

Car j'avais omis jusque-là de l'en prier. Quel mufle je faisais ! Mais je n'en avais même pas honte. Je n'avais presque rien bu, cependant je devais être fin saoul.

« Mon père était lui-même autrichien, vous savez… Juif autrichien. Ma mère est d'origine britannique. Bien avant la guerre, ils se sont mis à détester si fort l'Autriche qu'ils l'ont fuie et ont changé de nationalité. Et à ma naissance j'ai reçu un prénom anglais… Plus tard, si je me suis intéressée à l'Autriche, c'est comme une fille bâtarde se mettant en quête du père qui s'est gravement méconduit à son égard et l'a abandonnée…

— Ces histoires-là s'arrangent rarement…

— J'aime les histoires qui s'arrangent difficilement… Ou qui ne s'arrangent pas, si elles ne doivent pas s'arranger.

— Vous n'êtes pas une perdante, hein ? »

Elle éclata de rire.

« Non, pas précisément ! La haine de soi, ce n'est pas mon truc. »

Tout cela se mettait décidément à ressembler à une histoire pour enfants que quelqu'un aurait pris la peine de raconter à un adulte. (Une histoire qu'on raconterait à un enfant pour l'endormir, à un adulte pour le réveiller.)

« Vous oubliez votre promesse… dit-elle.

– Laquelle ?

– Ne deviez-vous pas, vous aussi, m'apprendre une bonne nouvelle ? »

Mais c'est déjà fait…, murmurai-je *sotto vocce*, pour moi-même. Voyant qu'elle attendait, je lançai d'un ton léger :

« Oh, non ! Ce sera pour la prochaine fois.

– Vous trichez !

– C'est pour m'assurer qu'il y en aura bien une…

– Mais cela pourrait être tout de suite « une autre fois » ! Il ne tient qu'à vous… Sinon, vous pourriez venir à une soirée dansante que j'organise pour fêter mon petit triomphe…

– Un bal ! Très autrichien !… » Autrichien par défaut ? Juif par compensation ? Par consolation ? « Bon, et quand cela ?

– Dans trois semaines… On dansera de tout : rock, charleston, slow, tango… Et, pourquoi pas ?, valse et mazurka.

– Dans trois semaines, je descends le Nil ! »

Mais il y avait bal, là, à la minute même, dans le square du Bois-Profond. Une minute dansante.

Je me suis encore dit que d'être né à l'endroit où Joy Strassberg était apparue, cette après-midi, m'avait sans doute permis d'en apprendre très long sur elle en peu de temps. Par osmose. Que j'aurais pu, au fond, avoir occupé toute ma vie l'appartement en face du sien, rien que pour la voir naître, faire ses premiers pas et grandir « à vue d'œil ». De mon balcon ! Je délirais doucement.

En quelle année était-elle arrivée ici ? Avais-je seulement croisé, une seule fois, l'enfant, la petite fille, avant de m'éloigner ? Je m'efforçais d'imaginer son appartement, je la voyais déambuler de long en large dans des pièces très lumineuses, s'asseoir à sa coiffeuse, arroser des bruyères ou un chèvrefeuille sur sa terrasse, se pelotonner au fond d'un canapé, le téléphone entre ses cuisses, pour annoncer de « bonnes nouvelles » à ses amis… Allongée sur son lit, sans avoir pris la peine d'enlever la courtepointe de dentelle blanche ou de batik, toujours avec le combiné du téléphone en main, et riant de pur contentement… Les tentures à moitié tirées se gonflent et palpitent doucement devant la croisée entrouverte.

Ne pas visiter cet appartement qu'on voyait d'ici, de cette terrasse de café, avant de s'embarquer pour l'Égypte me semblait un réel contresens.

Je regardais de nouveau le square. J'avais décidément envie de reconstituer son histoire, de me souvenir de tout ce qui s'y était déroulé – précipité comme au fond d'un entonnoir –, d'y faire des relevés d'arpenteur, de le cartographier depuis le temps où il s'ouvrait, comme une sorte d'estuaire, au bout d'un sentier marécageux. De préciser quand avaient cessé d'exister l'avenue des vaches, la chèvrerie du Bois et la bergerie Raymond – qui portait mon nom ! Comme si tout cela avait appartenu à un autre monde, et pas seulement à une histoire ancienne. D'où venait à ce point précis de l'Univers le nom qu'il portait ? Si profond, le bois, jadis ? Oui, il fallait se pencher sur tout cela, scientifiquement – sans état d'âme. Quel détour il m'avait fallu donc faire pour revenir ici !

« Eh bien ! me dit Joy, nous nous reverrons peut-être à votre retour d'Afrique ? Vraiment, j'ai dû vous paraître très exaltée, tout à l'heure ! J'étais *hors de moi*, mais dans un bon sens, vous voyez ? En fait, je reviens de loin…

– Mais, je sais. » (Il fallait être hors de soi et revenir de loin, en effet, pour arriver jusqu'à moi.)

Cette après-midi s'était révélée si ductile : elle s'étirait de bien-être et semblait ne jamais devoir finir. Et puis, si, tout de même. (Mais si vous avez savouré, apprécié à sa valeur cette heure de votre vie, si elle vous a paru incomparablement belle, dépêchez-vous donc d'en commander une autre !)

Je tins cependant à m'attarder à La Petite Coupole jusqu'à ce que le soir tombe. Pour vérifier si les lampadaires du square s'allumaient comme autrefois : lueur bleue, d'abord, en veilleuse ; blanche clarté ensuite. (Mais n'y mêlais-je pas une réminiscence de couvre-feu, à la fin de la guerre ?) Et si un marchand de glaces ne passait pas par là, comme naguère, les soirs d'été, ou même au début de la nuit les jours de canicule. Mais une serveuse vint m'avertir que l'établissement allait fermer.

Je ne pus distinguer s'il y avait de la lumière au quatrième étage du 30 square du Bois-Profond, là où je présumais que vivait Joy Strassberg. Sans doute, à cette heure-ci, lisait-elle au petit Samuel une histoire de chasse au tigre qui ne finissait pas trop mal (pour le tigre).

Un jour où je demandais ma route à une fermière, dans le Brabant wallon, parce qu'il y faisait noir comme dans un four, elle m'indiqua évasivement l'horizon et me dit : « Allez voir par là, *où il y a de la lampe...* »

C'est ce que je faisais, ici même.

Quittant le square en me retournant une dernière fois – comme si j'avais à refermer une porte derrière moi –, je me dis : C'est curieux, jusqu'ici seul le malheur m'avait l'air vrai.

Fameux coup de semonce adressé à l'ordinaire ineptie des choses !

Et me voici – j'allais dire : *remonté à bord* du Sémiramis, comme si je naviguais déjà sur le Nil, le père des fleuves, dont l'Égypte est le don, alors que je suis toujours à l'hôtel, assis, immobile, sur l'immense double lit qui emplit la chambre 777, en prise au syndrome de Stendhal, pétrifié, oui : investi de toute la beauté du monde, le paysage devant, et cette femme derrière moi, dont je me souviens, avec sa crinière de sable. La beauté, jusqu'à aujourd'hui, je ne l'avais jamais appréciée pleinement que trahie, compromise, violée, en disgrâce. Parce que la nature se mettait à ressembler à l'homme qui la blessait, à la destinée de l'homme qui souffrait des blessures qu'elle portait ; et c'était cette confusion, cette identification qui me la rendait déchirante, et me serrait la gorge : les marais bombardés dans le sud irakien, les villes crevassées qui ne s'étaient jamais remises d'un tremblement de terre, qu'on n'avait jamais couturées, ou les plages d'immondices au bord de l'Hudson River, le Gange sacré quand tous les miséreux y défèquent ensemble... Pas très stendhalien, tout ça. Je devais avoir l'esprit mal tourné. Seules me touchaient les images de touchants désastres... Tandis que, cette fois, je n'étais plus en proie qu'au symptôme dit « de Pierre Raymond » qui, sous peu, c'est certain, serait répertorié par les psychologues avertis.

Ainsi, Joy Strassberg, je vous vois, à cette heure même, préparant votre bal autrichien... Et je vous vois aussi à ce bal comme si j'y étais... Pour mourir de jalousie, je ne perds pas une minute !

Après tout, n'avez-vous pas pris à peine le temps de me laisser au fond de l'œil le reflet d'une démarche gambadante, du pli d'une robe, d'une traînure de lumière ? Rémanence de ces images. Il faudra bien m'en contenter, le temps d'une croisière sur un bout de fleuve, et de la traversée d'une langue de désert. Tenter celle du square du Bois-Profond m'aura pris bien plus de temps. Eh bien, donc, chère ! Vous dansez aujourd'hui, vous avez dansé hier, ou danserez demain : je n'en suis pas fort aise. Mais chantez pour moi, après-demain, si le Sphinx me prête vie jusque-là et ne m'a pas, entre-temps, posé une question de trop !

Si bien que tout, désormais, de ce qui devrait me blesser, au contraire, se réconcilie avec moi.

Alors : ces trois cahiers d'écolier, à couverture toilée, que j'avais emportés ici par mégarde, me retombent sous les yeux – qui comptabilisent un passé antédiluvien, mais encore acéré…

Je sais que je puis les relire, à présent – c'est-à-dire : les affronter, et leurs tabous, leurs secrets de polichinelle. Je me souviens de tout ce qu'ils disent et surtout, enfin, de ce qu'ils cachent.

Livrons-nous donc à l'expérience. Ouvrons-les au hasard :

« *Ils étaient tous déjà un peu morts, et j'étais – pour peu de temps – déjà trop vivant* » ;

« *J'ai cassé une fenêtre, à dessein, dans le petit hôtel où je me sentais triste* » ;

« *Volonté éperdue de tous les comprendre, mais quelle importance pour eux ?* » ;

« *Une fille me caresse dans le chiendent du terrain vague. Elle pelote les flancs humides du temps, du temps qu'il me reste à vivre* » ;

« *Le sang des règles d'Isabelle sèche sur ses cuisses au soleil* » ;

« *À une femme, au moins, on peut faire un enfant. Mais à moi, qui le ferait ? Et que pourrait-on me faire d'autre ?* » ;

« *Je n'aide personne à vivre. Comme tout le monde. D'où vient-il donc que cela me préoccupe encore ?* »

Etc., etc.

Quel sirop. Ma parole : me prenais-je alors pour mon père ? (Je n'aurais plus eu qu'à me faire un prénom – à condition, si j'ose dire, que celui-ci ne fût pas déjà le mien !) Mais non : je ne pensais pas devenir écrivain, comme lui. Je me croyais – Dieu sait pourquoi voué à une mort précoce. Je bénéficiais d'une simple rémission. Je n'ouvrais ce journal que pour y coucher des propos de sursitaire.

Je pense que si je puis relire cela, aujourd'hui, tout de sang-froid, au bord du Nil, c'est grâce au petit Samuel, à l'enfance de Samuel, à Samuel dans la jungle et que je pourrai, désormais, avec lui, m'aventurer dans ce maquis de souvenirs hystériques, enragés, toutes griffes dehors.

En relisant ces vieux cahiers, ce soir, à l'hôtel Sémiramis, je n'arrêtais pas de soupirer, je comprenais soudain le sens de l'expression « avoir le cœur gros ». (« Cœur qui soupire n'a pas ce qu'il désire », proclamait ma grand-mère.) Or je soupirais de soulagement. J'arrivais, enfin, à admettre ce qui s'était passé naguère pour moi au square du Bois-Profond.

Pouvoir enfin se relire. Ah ! la douceur de ce chagrin ! Ces phrases de l'enfant mort en moi ne peuvent plus rien contre celui qui leur a survécu.

Transfert en avion du Caire à Louxor et embarquement à bord de l'*Aménophis IV*. Bonboire me reproche de l'avoir snobé durant tout un dimanche et d'avoir manqué une sensationnelle équipée de lèche-vitrines au bazar Khan-El-Khalili : « J'ai acheté une momie en peluche pour ma fille. C'est d'un goût ! Savez-vous que nous partageons le rafiot avec une trentaine de médecins réunis pour discuter de "questions d'éthique médicale" ? Pratique, si l'un de nous vient à éprouver un malaise : nous avons le SAMU sous la main ! »

Il y a un trafic insensé sur le fleuve, bateaux et felouques se frôlent presque, et les mariniers n'arrêtent pas de se héler ou de s'insulter d'une poupe à une autre. (Si on voulait communier d'emblée avec le Grand Tout, il faudrait repasser.) Aussitôt installés, on redescend pour « visiter », avant que la canicule ne vienne s'échouer sur les sites.

Regardais-je l'Égypte avec d'autres yeux ? J'ai bien failli me laisser gagner par l'émotion sous le ventre potelé de Néfertari, et le pied désespérément tendu vers le ciel de quelque Icare noyé dans la pierre… Et aussi, plus tard, devant la minuscule effigie de la reine Mout, « bien-aimée », sans doute, mais dérisoire, qui figure modestement entre les orteils du dieu Amon, sorte de King-Kong épris d'une femme-jouet. Le sentiment de l'humain, et d'une solidarité possible, nous était restitué *in extremis* par ces compagnes « insignifiantes ».

Pour le reste, on venait d'excaver trois statues d'Aménophis III, mais le chantier n'était pas encore ouvert au public et nous risquâmes seulement un œil entre deux palissades disjointes, comme si nous nous étions payé une séance de voyeurisme dans un boxon ou que, resquilleurs, nous voulions suivre pour rien les péripéties d'un match de foot. On n'en aurait donc jamais fini de déterrer des macchabées, pour que nous puissions dessus, génération après génération, nous rincer l'œil ? Vestiges qui viendraient ensuite, une nécropole chassant l'autre, user après les nôtres les regards de millions d'imbéciles heureux ? Il n'est pas jusqu'au marchand de souvenirs qui, au bout de l'allée des sphinx, à Louxor, n'affiche : « Ali casse les prix ! » Ah ! K-arnaque !

Je me réfugie dans ma cabine pour relire mes carnets et renouer avec ces amertumes de l'enfance qu'une nouvelle enfance en moi venait d'apprivoiser.

Mais cela vient-il de ce que je me retrouve à bord d'un bateau ? Et qu'au demeurant il soit encore au mouillage ? Celui-ci me fait me souvenir d'un autre, encore…

Je revois d'abord un bateau blanc, tellement immobile qu'il a l'air faux, qu'il ressemble à un immense jouet : il est à quai depuis plusieurs jours, mais il paraît avoir jeté l'ancre pour l'éternité, il doit avoir pris racine dans l'eau du port. Mon grand-père maternel, Augustin Vidalie, qui me tient par la main, là, au quai 203, à Anvers, ce dimanche matin d'été, m'explique que c'est un « navire-école » et que nous allons monter à bord pour le visiter. J'imagine aussitôt qu'à l'entrepont on va trouver des classes avec des tableaux noirs et des pupitres, des morceaux de craie et des éponges ; que tout cela aura l'odeur aigrelette d'un jardin d'enfants. Je me raidis, je refuse de mettre un pied sur la passerelle… Mon grand-père rit, il croit que c'est le mot « école » qui me fait peur. Je ne le détrompe pas. Mais ce qui m'épouvante, en fait, c'est qu'il s'agisse d'un bateau qui ne bouge pas, d'un bateau « pour du semblant », un guignol flottant qui fait relâche pour toujours et ne prendra plus jamais la mer… Mon grand-père se demande qui a pu me mettre cette idée dans la tête, il se fâche : « Ce navire finira bien par partir ! » m'assure-t-il, mais je sais, moi, que ce n'est pas vrai, et je ne prétends pas m'embarquer à bord d'une prison… Mon grand-père s'attriste mais n'insiste pas. Il s'assied sur une bitte d'amarrage, sort un petit calepin de sa poche et se met à dessiner le bateau. Cela l'apaise. Je veux me rapprocher de lui pour admirer son travail, mais il me chasse d'un signe de la main, comme s'il voulait ainsi me punir.

Chez lui, derrière les portières vitrées de sa bibliothèque et sur la tablette de son scriban à volet, il y a beaucoup de petits carnets semblables, où il a croqué galions et steamers, galères et transatlantiques : aucune légende ne précise ce que c'est. Il n'y a jamais aucun marin à bord : on dirait des vaisseaux fantômes qu'aucun phare ne guiderait, qui ne seraient attendus dans aucun port, nul *pier* désolé… Mon grand-père est daltonien. Il est aussi sujet au mal de mer. Il a dû renoncer à une vie de marin, il est devenu conseiller d'une grande compagnie d'assurances maritimes. Maman m'a dit qu'il avait instauré, dans le Congo profond, « la navigation en flèche avec allèges » (Dieu seul sait ce que c'est !). À ses moments perdus, il dessine. C'est sa consolation. Il étudie aussi, au moyen de formules mathématiques, le mouvement du navire sur l'eau. Il a entrepris la réforme d'un code des lois maritimes, mais il ne l'achèvera pas. Il m'explique le sens des expressions techniques : auloffée, caillebotis, accastillage, boire le mou, coup de mer, délaissement, détresse, morte eau, dérive… La plupart du temps, ces mots racontent des drames, et parfois des catastrophes. Dans son cabinet de travail, il y a un tableau qui représente une salle du Lloyd's de Londres, où une cloche se met, paraît-il, à sonner chaque fois qu'il y a un naufrage quelque part dans le monde.

Pourtant, le bateau auquel je songe n'est pas celui qui se trouvait amarré, enraciné, au quai 203 à Anvers, entre le *Copacabana* et l'*Alex Van Opstael*, et qui me faisait tellement de peine... Celui auquel je pense était aussi blanc que l'autre et il mouillait, en juin ou juillet 40, au quai des Chartreux, dans l'estuaire de la Gironde ; il s'appelait le *Baudouinville*, du nom de notre futur souverain. Nous y avons été recueillis, ma mère et moi, et nous y sommes restés trente jours, en même temps que le gouvernement belge en exil : l'un des ministres m'avait pris en affection et me faisait volontiers danser sur ses genoux. « Il te trouvait *charmant* », me dit ma mère. « J'atteste qu'à cette époque tu l'étais encore... » Il arrivait, paraît-il, à nos gouvernants en chômage technique de prendre des bains de soleil sur le pont. À ce détail près, ils avaient l'air inconsolables.

De tout cela, bien sûr, je ne conserve aucun souvenir – j'avais moins d'un an –, mais ma mère me l'a raconté cent fois, et mon grand-père m'a contraint à mémoriser les caractéristiques du bâtiment : 13 517 tonneaux, 165 mètres de long, 20 mètres de large au maître-coupe, 11 mètres de creux, 8 mètres de tirant d'eau. Il pouvait filer 17 nœuds, poussé par 9 000 chevaux. Il aurait pu. Parce qu'il ne le fit pas. Il aurait dû appareiller pour l'Afrique, mais les autorités françaises refusèrent de le laisser partir. (Sans quoi, j'aurais peut-être fait ma vie quelque part au Congo ou, qui sait ?, en Égypte, comme guide assermenté, expert en mastabas... Si j'étais arrivé à destination car, à ce qu'on apprit, un autre navire qui brava le blocus fut torpillé par un sous-marin allemand à la sortie de l'estuaire.)

Que tout cela se soit joué sur un coup de dés me remplit, aujourd'hui encore, de vague à l'âme. De là, sans doute, ma difficulté devant toute alternative. Et mon désespoir claustrophobique à l'idée des bateaux qui paraissent ne pas pouvoir prendre la mer… (Un peu plus tard, la chanson « Il était un petit navire, qui n'avait ja-ja-jamais navigué », me faisait, à tous les coups, éclater en sanglots.)

Pour mon grand-père Vidalie, il importait bien plus que le paquebot, à la finition duquel avaient contribué des charpentiers et des bronziers d'art, des boisseliers, des carreleurs et des maîtres ès vitraux, apparût pour ce qu'il était vraiment : un palace luxueux, dont il fallait au fond se réjouir qu'il eût été soustrait aux risques après tout superflus de la navigation… La cuisine n'y était-elle pas de premier ordre ?

Et quelle trêve après qu'on eut été brutalement jeté sur les routes un mois plus tôt ! Car tout cela se déroule au terme d'une odyssée dont j'appris qu'elle portait le beau nom biblique d'Exode. Le Führer ayant mis à exécution le diabolique plan ourdi le jour même de ma naissance, notre armée fut enfoncée de toutes parts et notre patrie investie. Le roi jugea inutile de poursuivre une lutte pour l'honneur qui tournait au sacrifice collectif et rituel. Pourtant, à la veille de l'invasion, on y croyait tellement peu que des soldats en permission se promenaient encore en barque sur le lac du bois de la Cambre et allaient se rafraîchir au chalet Robinson…

Fuyant devant l'ennemi, ma mère, moi-même et quelques innombrables autres eûmes la désagréable surprise de constater que la France ne nous recevait pas à bras ouverts. Partis en traction avant ou à bicyclette, traînant derrière soi des charrettes bâchées où s'amoncelaient en vrac d'hétéroclites trésors, et beaucoup de fraises qui continuaient de mûrir au soleil, nous tombions à l'entrée d'un restaurant sur un écriteau : « Rien pour les Belges ! » Certains nous traitaient de traîtres (enfin, pas moi, bien sûr, mais mes aînés…) parce que notre roi avait « capitulé en rase campagne ». (Eût-il dû donc prendre la précaution de le faire plutôt au carrefour d'une ville ou sur une mer démontée ou sous le chapiteau d'un cirque ?)

Il arriva que des paysans peu amènes fissent mine de nous poursuivre en brandissant des fourches : ils nous prenaient pour des espions quoique, pour ce qui me concerne, il devait y avoir au moins le bénéfice du doute, non ? Au cours d'une seule et même journée, on se heurtait dix fois à la guerre, on traversait des bourgades incendiées, et des avions rasaient la cohorte des réfugiés qui, quelquefois, avaient à peine le temps de plonger dans un fossé au bord de la route pour échapper aux mitrailleuses ; dix fois, on retrouvait la paix et l'insouciance de villages où se fêtaient une noce campagnarde, une première communion ou l'arrivée d'une course cycliste de kermesse – parce que, dans ces lieux préservés, on ne voulait être au courant de rien, ni rien changer à ses habitudes : le soleil dardait avec une telle force ses rayons sur l'été fructivore ! On retrouvait ici des amis, des voisins, des membres de sa famille ; là on les reperdait…

Un mois après notre roi, le maréchal qui veillait aux destinées de la France fit, lui, mieux que de se rendre et, par étapes, proposa aux Allemands de collaborer avec eux à l'édification de l'Europe future. Il n'y avait plus pour nous qu'à retourner au pays, à rentrer au square du Bois-Profond… Ce fut une drôle de vraie guerre !

Ma mère a beau me répéter que je n'ai pu vivre tous ces événements que dans l'inconscience éberluée de la prime enfance, l'hébétude extasiée propre à cet âge de l'éveil initial – « Il est vrai que, sur les photos, tu fronces partout les sourcils, comme si tu t'interrogeais et réfléchissais beaucoup… ». Pardi ! C'est qu'il y avait bien matière à réflexion ! –, je me revois poupon babillant, comme grisé par l'excitation, tentant de se redresser sans cesse à la proue d'un landau qui avait quelque chose de naval, ou au moins d'amphibie, barbotant dans un bonheur confus et jactant sa ferme intention, une brouillonne résolution de vivre, de vivre encore et encore, lorsqu'on aurait traversé ce monde de ruines, le long d'une mer en flammes...

Ce que je préfère, au square où nous sommes revenus, c'est le couvre-feu. L'extinction des réverbères. Les phares des voitures recouverts de transparents bleuâtres. Les carreaux occultés. Et aussi les alertes, quand il faut descendre dans la cave – et que c'est à nouveau la nuit en plein jour, et que les voisins redeviennent plus doux, et qu'ils parlent à voix basse comme s'ils craignaient, en haussant le ton, d'attirer l'attention des avions ennemis et des bombes. Et surtout, les pannes d'électricité, quand maman doit changer un fusible et m'adresse, tendrement, pour une fois, la parole dans le noir.

Elle a collé sur le store de papier noir qui aveugle les fenêtres de la cuisine, une lune et des étoiles découpées dans du papier. Si bien qu'un ciel en remplace seulement un autre. Le faux ciel est même plus beau que le vrai parce que, dans notre pays, ce n'est pas tous les jours qu'on peut distinguer les constellations.

Les mains blanches de ma mère pétrissent du pain : noir aussi. Quand elle passe à proximité du petit poêle de Louvain – dont le pot de fonte se colore comme un potiron –, elle y brûle parfois les volants de ses jupes.

Plus tard, elle m'a raconté que j'avais souffert de deux maladies graves en même temps : une crise d'appendicite et des poussées de fièvre typhoïde. L'une empirait lorsqu'on soignait l'autre. Le vieux médecin qui me traita à la clinique passa des nuits à maintenir en équilibre les deux affections. Jusqu'à ce qu'un jour la fièvre se décourage, et qu'il put m'opérer. Je ne devais plus le revoir que lorsqu'il dut me circoncire. Il avait la tête de Johannes Brahms, dont un portrait surplombait le piano dans le salon. Plus tard, pensais-je, je serais « réaccordeur de piano » (je pensais réaccordeur car accordeur, je n'aurais pas compris ce que cela voulait dire).

J'avais eu bien raison de profiter de l'Exode pour tant papoter – même si je ne proférais sans doute encore aucun mot intelligible – car, lorsque nous fûmes contraints de rentrer au square du Bois-Profond, il fallut aussitôt que j'apprenne à garder des secrets.

On accueillait beaucoup de monde dans le petit appartement, des inconnus qui s'exprimaient dans toutes les langues, qui allaient et venaient, parfois pour quelques heures et, quelquefois, pour plusieurs semaines ou des mois. La plupart, maman ne les comprenait pas plus que moi. Elle devait leur parler par gestes.

Beaucoup plus tard, elle me révéla que des membres de la Gestapo s'étaient installés au rez-de-chaussée de l'immeuble et que d'autres, qui appartenaient à la Feldgendarmerie, habitaient au premier étage. Avec des femmes qu'on appelait des « souris grises », à cause de leur uniforme et de leur museau pointu, et qui, de temps à autre, venaient emprunter une poêle pour y frire des *Reibekuchen* – prétexte, sans doute, à jeter un regard circulaire sur l'espace où nous étions censés vivre seulement en famille. Il fallait alors, en hâte, enfermer nos hôtes dans la chambre à coucher et la salle de bains. Ils étaient en danger, m'expliquait-on tant bien que mal, mais moins ici que là d'où ils venaient : Ukraine, Serbie, Lombardie. Et si on les cachait sous notre toit, c'était au nez et à la barbe des autres occupants de l'immeuble, qui, jamais, n'auraient pu croire à tant d'audace. Tout cela, qui était si mystérieux et confus, compliqué à comprendre, on ne put naturellement me l'expliquer que peu à peu, au fil du temps, en sorte que j'en sache assez long mais pas trop. Si bien que j'apprenais à me taire en même temps que j'apprenais à parler. Lorsque maman me confiait certaines choses à propos de ces visiteurs que nous recevions, c'était aussitôt pour me conjurer de ne jamais rien en dire à personne. Aussitôt donné un mot, on me le reprenait. Il venait toujours un moment où je n'osais plus rien dire puisque toute confidence pouvait, à tout moment, receler un vital secret, à ne trahir sous aucun prétexte ni en aucune circonstance. Énoncer la phrase la plus anodine apparaissait hasardeux, risqué, chargé d'une sourde menace. Je devais oublier, au fur et à mesure, le plus possible de ce qui m'était révélé. Je me demande parfois, aujourd'hui encore, si j'ai jamais pu me défaire de l'idée que le langage avait partie liée avec la terreur… Et la langue avec la censure. Je ne souhaite à personne de vivre cette contradiction.

Les locataires du rez-de-chaussée et du premier étage m'adressaient la parole lorsque je passais à côté d'eux dans l'escalier ; ils me souriaient gentiment, ils me promettaient parfois une orange ou une douille de fusil. Je commençais de parler, mais j'affectais toujours d'en savoir moins, de ne pas même très bien comprendre, je prenais l'air un peu ahuri. En même temps, j'acceptais toujours le cadeau offert, je m'arrangeais pour qu'on me l'offre d'abord, et je ne répondais qu'ensuite par monosyllabes : il m'était d'autant plus facile de faire la bête que j'avais déjà obtenu ce que je souhaitais. (Parfois, quand on oubliait de tenir sa promesse, j'allais jusqu'à réclamer – par gestes, ou au moyen d'un ou deux mots, pas plus – le petit présent annoncé. Mais je ne livrai jamais aucun renseignement utile. Je devais fort les décevoir. Et j'avais honte pour les Allemands qu'il faille ainsi leur mentir. Je ne mesurai qu'à la longue l'angoisse où cette situation me mettait. Je craignais qu'à force d'en dire le moins possible aux ennemis, je devienne un jour incapable de parler encore avec qui que ce soit, et que je m'enfonce dans un mutisme définitif.)

Le jour de la libération de la ville, le chef de la Gestapo qui vivait au rez-de-chaussée – il s'appelait Herr Konrad Parasie – voulut se suicider au square en se jetant sous un tram. Mais, au dernier moment, il dut vouloir se raviser, il s'y prit mal et n'eut qu'une jambe coupée.

Le même jour, je reçus d'un soldat noir mon premier chocolat blanc. Et la Libération fut aussi pour moi celle de l'expression. Mais la guerre, un enfant, comment saurait-il quand elle finit, quand elle a vraiment commencé ? C'est bien pourquoi il y voit plus clair que tout autre car, de fait, les guerres ne débutent pas du jour au lendemain et la paix tarde toujours à s'installer pour de bon.

Par exemple, ces trois femmes qu'on tondit sous mes yeux, après les avoir forcées à s'asseoir sur des chaises au centre d'une place située entre notre square et l'hippodrome, tandis que les gens qui s'étaient attroupés les applaudissaient et les conspuaient en même temps, comment n'aurais-je pas supposé qu'elles subissaient ce châtiment parce que la guerre n'était pas finie ? Confusion qui s'accentua encore dans mon esprit lorsque parurent dans les journaux des photos de déportées : il fallut m'expliquer que ces tondues-ci n'avaient rien à voir avec les autres, que celles-là étaient même les pires ennemies de celles-ci. J'eus cependant toujours de la peine à départager les martyres des camps et ces victimes d'une sorte de danse du scalp revancharde. Scandaleuse ressemblance ! (J'ai conçu, à partir de là, une tenace répulsion devant le traitement clinique du cancer et les baptêmes estudiantins…)

Pourquoi, du reste, ne rasait-on pas aussi les hommes qui avaient basculé dans le mauvais camp ?

J'ai longtemps cru, également, qu'on ne tuait à la guerre que les « soldats inconnus », et je me demandais pourquoi une telle discrimination…

Lorsque, bien après l'armistice, un parti populiste lâcha d'un avion sur toute la ville des tracts portant les mots « Ne vous laissez pas faire ! » – papiers que je collectionnais car ils étaient de toutes les couleurs –, je supposai qu'on nous mettait encore en garde contre les Allemands.

Je montais souvent à la mansarde pour y contempler des objets que la guerre m'avait rendus familiers, et qu'on avait seulement remisés là, comme s'ils pouvaient encore servir : une marmite norvégienne, un petit poste émetteur que je gardai toute ma vie, de déménagements en déménagements, des cartes d'état-major, une épée scabinale ayant appartenu à mon arrière-grand-père (et qui disparut je ne sais où), un drapeau rouge des étudiants marxistes…

Maman, ô Maman, pourquoi donc, la paix revenue, n'avez-vous pas continué de pétrir, de vos blanches mains, ce pain noir et aigrelet que j'aimais tant ?

La guerre, elle, continuait de se manifester, longtemps après son prétendu dénouement. Comme ces mines qui explosèrent de temps à autre, sur des plages, jusqu'au milieu des années cinquante, lorsqu'un enfant avait le malheur de les désensabler au creux des dunes ou au fond d'un bunker oublié…

Le beau-frère de maman, l'oncle Edmond, que l'on soup-çonnait d'avoir « fait des affaires » avec l'ennemi, lui avait offert – délicate attention – un paillasson de crin pour son anniver-saire. Celui-ci pourrit peu à peu sur la terrasse. Quand il se fut désagrégé sous les pluies, nous crûmes voir, non sans horreur, enroulés autour de la trame, des cheveux humains. De longs cheveux blonds. Des cheveux de femmes.

Rien ne me chagrinait autant, après la Libération, que l'expres-sion « entre deux guerres ». Comme si la paix ne devait durer que le temps d'une récréation à l'école ou d'un repos au milieu d'une partie de football. Cela n'irait donc pas plus loin ?

Mais la paix n'avait-elle pas coïncidé avec le départ de mon père ? Avant cela, déjà, il se faisait de plus en plus rare. J'ai longtemps cru qu'il avait fait toute la guerre à vélo, car il était enrégimenté aux carabiniers cyclistes. (Je me le figurais fonçant, sabre au clair, à la tête d'une cavalerie d'acier…) Mais on finit même par lui piquer sa monture dans le garage, lors d'une permission.

Ma mère m'expliqua qu'ensuite elle et lui s'étaient mis à « résister ». Force était de constater qu'ils résistaient de moins en moins ensemble. D'après ce que maman me fit comprendre, papa résistait plutôt ailleurs – et, surtout, il ne résistait pas aux autres femmes. Il y en avait tellement autour de lui que maman se disait incapable de se montrer jalouse de l'une ou l'autre en particulier.

Sa vie durant, il allait assouvir deux passions, entre autres : celle du mariage (mais aussi du divorce) et la rédaction des notices nécrologiques. Il excellait dans les deux genres. (Parfois, je le soupçonne d'avoir divorcé plus de fois qu'il n'a contracté de mariages.)

Ma mère devait me raconter à plusieurs reprises les circonstances de leur nuit de noces, en avril 1937, dans une chambre de l'hôtel Palace, au centre de la ville. Comme si, déjà, leur séparation allait découler de là. Manuel Raymond souffrait alors d'une torturante crise d'eczéma. Il devait s'enduire les mains de goudron et les ganter de filoselle. Dans la soirée, des rumeurs d'émeute parvinrent jusqu'à eux, après la dislocation d'une manifestation dirigée par le Premier ministre Van Zeeland contre la montée du fascisme rexiste. Du balcon de la chambre, ils virent des gens se taper sur la figure. La lune de miel se décolora ensuite, jour après jour, à Echternach sous la pluie luxembourgeoise. Ils marchaient durant des heures dans les bois. Ils devisaient sans se regarder sous leurs capuchons. (Elle avait encore dans l'oreille le bruit de succion des bottes dans la boue spongieuse des sentiers.) Elle se disait : c'est terrible. J'aime bien cet homme, c'est un charmant garçon, mais je ne l'aime pas réellement. Comment ne l'ai-je pas su plus tôt ? Je voulais fuir ma famille et lui la sienne, c'est tout. Rentrés à l'auberge, ils buvaient un grand bol de lait chaud. Elle n'était pas vraiment malheureuse. Après tout, on ne pensait pas qu'une guerre éclaterait bientôt.

Au retour d'Echternach, ils commencèrent d'envisager l'éventualité d'une séparation. Avec une compréhension réciproque, une complicité presque tendre. C'était tout juste un peu triste.

Puis cela parut s'arranger. Du reste, ils mirent encore près de deux ans à me concevoir. Elle pouvait dire quand. « C'était lors d'un court séjour à Paris, au printemps 1939, peu après la conclusion des accords de Munich. Il faisait incroyablement beau. Nous étions descendus dans un petit hôtel de la rue Bergère. Des soldats en uniforme bleu horizon partaient pour la ligne Siegfried. Je me revois une heure toute seule sur la place de la Concorde déserte. J'ai senti que j'étais enceinte. Au fond, nous avions vécu notre voyage de noces avec un peu de retard… »

Je pense qu'elle devait se sentir heureuse et triste à la fois. Je me dis que l'époque qui précéda juste ma naissance, ce devait être un peu l'âge d'or, non ? Et la guerre éclata. Ils attendraient qu'elle se terminât pour divorcer.

Je crois que mon père était léger, mais avec gravité. Frivole, mais avec profondeur. Séducteur, mais avec conviction. Il exerçait, semble-t-il, un charme que, par moments, on aurait, en vain, aimé haïr. Une grâce qu'on aurait souhaité mettre hors la loi.

Bref, il aimait la vie. Par vocation, ou par vice. lorsqu'il n'avait pas de raison de se réjouir, il trouvait un prétexte. Il était – animalement – doué pour le bonheur, comme d'autres pour la nage ou le saut à la perche. Il ne serait parvenu à de la peine qu'en s'y consacrant laborieusement.

Il avait donc le divorce dans le sang. D'ailleurs, dans la famille, on divorçait de père en fils. Mon grand-père paternel – Gustave Raymond – avait lui-même planté là sa femme – Sarah Raymond, née Cardin – entre deux danses, au cours d'un bal qui prêtait à l'événement quelque solennité. Il était toujours en représentation. Il prisait par-dessus tout le style Empire, les particules, les distinctions honorifiques, les chevrons et les croix, les armes anciennes, les coussins fourrés de duvet de cygne, les lumières tamisées, Barbey d'Aurevilly et les déguisements. Le dimanche, il lui arrivait de paraître à la table du petit déjeuner travesti en cheikh d'Arabie ou en officier vétérinaire sous le Second Empire. Il adorait dire des platitudes sur un ton pénétré, accoudé à la tablette de la cheminée, dans son salon, et il calquait la plupart de ses attitudes sur celles de personnages figurés dans des estampes ou des lithographies du début du XIXᵉ siècle. Il ne se couchait jamais sans avoir glissé sous son oreiller un pistolet poivrière à canon court et nanti d'une crosse d'ivoire, préalablement chargé. Chaque matin, ma grand-mère se réveillait en s'émerveillant d'être encore en vie. En vacances, il ne se séparait d'aucune des décorations que lui avait seulement values la longévité de sa carrière dans la fonction publique et il accrochait sa fourragère de l'ordre de Léopold au coton de sa chemise Lacoste, tandis qu'il laissait courir son fils avec des pantalons à basanes de cuir.

Il avait mis tant de détermination dans le mépris qu'il vouait à ce dernier que, à la veille du mariage de Manuel Raymond avec ma future mère, il avait demandé à la fiancée : « Comment une fille aussi racée que vous peut-elle épouser ce crétin ! » Ses rêves de grandeur ne le protégèrent donc pas de la conviction paradoxale que sa belle-fille commettait une effroyable mésalliance. De celle-ci, il ne voulut même pas connaître le fruit et fit savoir clairement qu'il ne me rencontrerait jamais.

Mais revenons au bal où ma grand-mère Sarah apprit la répudiation dont elle faisait l'objet. Entre une valse et une polka, il lui annonça donc son intention de divorcer d'elle et il lui fit, à cet occasion, lecture de tous les griefs qu'il avait accumulés contre elle au fil du temps et qu'il avait griffonnés sur les manchettes de sa chemise, traitées comme des « antisèches », de peur d'en omettre un seul. Plutôt soulagée, Sarah Cardin s'empressa de prendre tous les torts à sa charge, de peur, elle, qu'il changeât d'avis. Sur les marches du palais de justice, au terme de l'ultime comparution, il se tourna vers elle et lui déclara : « Adieu, madame ! Nous ne nous reverrons plus… » Comme, à présent, il ne lui inspirait plus de crainte, elle pouffa de rire et répliqua : « Ne sois pas ridicule, Gustave, et, un instant au moins dans ta vie, consens à descendre de l'estrade et à abandonner les tréteaux ! »

Un car de touristes passa sur le corps de l'énergumène, quelque dix années plus tard, entre Saint-Aygulf et Juan-les-Pins : on ne sut jamais s'il s'était agi d'un accident ou d'un suicide, tant avait été majestueux (comme tout en lui : pose et dégaine), et retentissant, l'échec de sa vie.

Il existe de joyeux pervers qui sacrifieraient volontiers père et mère pour le plaisir d'un bon mot ou d'un calembour. Mon père eût plutôt cédé à la tentation inverse et voluptueusement béatifié qui lui avait fait le plus grand tort. Poussant au-delà de toute vraisemblance la mansuétude, il consacra à l'auteur de ses jours une de ses « nécros » parmi les plus émouvantes, où il évoqua « un cœur charitable et la qualité d'une conversation qui ne roulait que sur des sujets élevés », concluant que le disparu avait mené sa vie à vive allure « non pour en avoir plus vite terminé mais pour s'y accomplir pleinement ».

Pareil dédain pour la vérité eût pu passer pour une suprême ironie, quand l'hommage ainsi rendu l'était à un grippe-sou et un cabotin notoires… On ne pouvait pourtant s'y tromper : j'incline à penser que Manuel Raymond, par cet acte de révisionnisme privé, s'est plutôt offert le père dont il rêvait. Je serai bien le dernier à lui jeter la pierre.

Sacré grand-père Gustave : en voilà un, au moins, qui ne s'est pas contenté de perdre la foi à ma naissance. Il avait préféré nier celle-ci, tout simplement.

Quelque temps plus tôt – je devais avoir seize ou dix-sept ans –, la curiosité l'ayant emporté chez moi sur la crainte d'une grave déception, sans le prévenir, je m'étais rendu chez le monstre qui avait prétendu ne jamais me connaître… Il pleuvait à verse et je me revois, tout trempé, dans l'antichambre de son petit hôtel de maître, avenue Michel-Ange (j'avais trouvé son adresse en consultant l'annuaire). Un domestique vint m'ouvrir et, lorsque j'eus décliné mon identité, il me pria d'attendre. On ne m'avait pas invité à ôter mon manteau. Je fus reçu par un petit homme sec, assis derrière un bureau Empire, et qui me dit seulement : « Mon petit, j'avoue ne pas très bien saisir l'utilité ni même le sens de votre démarche… ? » Après quoi il ajouta que je pourrais, avant de repartir, boire une tasse de chocolat chaud à l'office. Je décampai sans demander mon reste. Je compris que l'élan qui m'avait porté à sa rencontre se fondait sur l'espoir insensé de découvrir un admirable patriarche : on l'avait égratigné ou brocardé, donc calomnié, dans ma famille, mais j'allais rendre justice à ce grand méconnu et le réhabiliter ! Le réveil avait été brutal.

À la réflexion, l'hypothèse du suicide me paraît la plus vraisemblable.

Alors donc… Quand, au juste, le mariage de Manuel Raymond et d'Aurélia Vidalie fut-il donc déconsommé ? Quand le désenchantement de ma mère, l'absence de mon père, finirent-ils par porter le nom de « divorce » ? Comme pour la fin de la guerre, j'ai l'impression d'en avoir été prévenu avec retard, mais qu'en même temps ce fut comme si je l'avais toujours su, ou plus exactement comme si mes parents eussent été de tout temps divorcés.

Je crois me souvenir d'une randonnée, sur la plage d'Ostende, un soir d'été ; il fait encore clair ; ils se parlent, je trottine derrière eux ; ils ne souhaitent pas trop que je remonte à leur hauteur, puisqu'ils ont des choses à se dire, qu'ils s'adressent la parole sans doute pour la dernière fois. Comment le saurais-je ? Comment ne m'en douterais-je pas ? Je fais semblant de collectionner des coquillages, de m'intéresser au coucher de soleil. Que faire d'autre ?

Quand on me l'expliqua, je dus prendre néanmoins fort mal la chose. Sans humour, en quelque sorte. Encore une fois : je n'aime pas le changement, c'est tout… Je me montrai mauvais perdant. N'échapperait-on donc jamais au dédoublement des choses ? Fallait-il être chassé derechef du vert paradis de l'unité ? Infernal paso doble !

Mon père emménagea rue de la Malle-Poste. Il me recevait du samedi midi au lendemain soir. Je contractai la haine des semaines, languissantes, et des dimanches, trop fugaces, trop brutaux pour qu'on eût le temps de s'y habituer, d'y entrer vraiment comme chez soi. En même temps qu'une aversion pour les mots « garde » et « visite » : ne pouvait-on être, donc, que prisonnier ou de passage ? (Longtemps, je crus d'ailleurs que le droit de visite, c'était à moi qu'il était dévolu puisque j'allais vers mon père, et non l'inverse. Je l'éprouvais même de façon métonymique, comme un droit de visite *au monde en général*, qu'il me faudrait assumer, revendiquer, défendre à travers tout, si j'espérais me faire une « vie décente », m'assurer un « minimum vital ». Un peu misérabiliste, tout cela, j'en conviens, et j'avais déjà le goût du mélo, mais le point de vue, aujourd'hui encore, me paraît juste. Qui sait si ma vocation touristique n'est pas née de là ?)

Comme elle a pu naître aussi, et pour de meilleures raisons, de la lecture que me fit mon père d'un livre sur la découverte de l'océan Pacifique oriental. Le héros de l'histoire, un débiteur insolvable, s'était roulé en boule dans un tonneau en partance pour le Nouveau Monde. Petite cause, grands effets. Le passager clandestin comprit que, pour échapper à ses créanciers, et à la justice de son pays, il était condamné à réaliser un coup fumant. Dans sa recherche de l'or, voici que Balboa – c'est son nom – accède au point de la côte où l'isthme de Panama est le plus étroit, se réduit à un goulet ; il gravit seul une dernière montagne, dans sa lourde armure et gonfalon au vent ; ses yeux s'écarquillent devant l'immensité vierge d'une mer qui recouvre un tiers de l'univers… Être le premier homme du vieux monde qui se fût empli les yeux avec *deux océans réunis en un seul* me sembla la plus haute ambition à laquelle on pût consacrer et sacrifier sa vie – même si je fus un rien troublé qu'il lui fallût, pour cela, supprimer quelques autres vies autour de soi, en livrant à ses chiens quiconque tenta d'entraver sa marche… Mon exaltation fit un peu peur à mon père, qui craignit pour ma sensibilité, sinon mon intelligence. « Tu as tout de même saisi que ce conquérant était une sanguinaire crapule ? » me demanda-t-il. Oh oui ! j'avais bien un peu compris, mais j'étais alors loin de plaindre très fort, comme je venais de le faire ici même, en Égypte, à l'hôtel Sémiramis, les *petites mains* et les seconds couteaux qu'immolent allégrement ceux qui caressent un rêve d'immortalité !

Mais peut-être aussi la mer me paraissait-elle mériter déjà plus de considération, et valoir davantage le déplacement que le désert ?

Je nourris depuis l'enfance certaines préventions contre le désert, et ne puis guère en parler sans quelque mauvaise foi.

J'ai déjà dit que maman, en courant de grands risques, passa la guerre à cacher sous son toit des hommes que l'occupant persécutait. Un soir, une rafle eut lieu dans le quartier de l'Université. Un homme put s'y soustraire en venant sonner à notre porte. J'ai parfois imaginé qu'il fut poussé vers le perron de l'immeuble où nous habitions par une bourrasque, peut-être un début d'orage, et qu'il souhaita seulement s'abriter pour un instant. Il aperçoit de la lumière au troisième étage, il sonne, ma mère lui ouvre, lui accorde l'hospitalité… En fait, il avait mémorisé l'adresse qu'un groupe de résistants lui avait signalée. Car il *résistait*, lui aussi. Il se réfugia chez nous comme beaucoup l'avaient fait avant lui.

(Je me dis qu'au fond j'ai eu de la chance : enfant, je n'ai connu que des héros !)

Nathan Husseini dut être pour ma mère d'abord comme un second fils – ou plutôt un premier enfant qu'elle aurait reconnu avec retard –, puis il devint peu à peu pour elle un réfugié *à part entière*. À force de recueillir, de cacher des juifs, elle finit par cacher celui-ci jusque dans son lit. Comme je la comprenais ! Il était si sombrement beau ! Je crois que je suis tombé amoureux de lui en même temps qu'elle. Je fus seulement surpris de voir un demi-frère se muer en demi-père.

Aujourd'hui encore, je ne connais rien qui soit apparu plus violent et splendide que la passion de ma mère pour cet homme : Nathan Husseini. Il venait de si loin. Italien, mais d'Alexandrie. On lui fit des papiers d'identité au nom de Gaétan Delfosse, né à Baisy-Thy.

Oui : cet amour était vraiment la huitième merveille du monde. À un détail près : je m'en trouvais exclu.

Ma mère me dit un jour « que Nathan éprouvait beaucoup de peine à parler avec un enfant ». Quant à moi, je perdais devant lui toute spontanéité. Entre nous deux, maman ne savait que faire…

À force de cacher des inconnus, je me dis qu'elle finit par me cacher moi aussi, mais d'une autre façon : elle me cacha à elle-même. (Comment, après cela, ne pas désirer être juif ? Je me dis que, plus tard, je le deviendrais…)

Il y a peu, Aurélia Vidalie m'a confié : « Je me demandais si ça pouvait durer entre lui et moi ? Si ça tient huit jours, tant mieux : ce seront déjà huit beaux jours de pris. Après, on verra. Je ne savais pas que ce serait le seul homme de ma vie… » Il faillit bien être le seul homme de la mienne ! Qui sait ? Peut-être a-t-elle connu ce qu'elle pouvait espérer de mieux ? Comme je le lui souhaite, à présent !

En attendant, la guerre finie, on assistait aux débuts de « la guerre froide », comme disaient les journaux. Mon père parti, elle avait lieu aussi sous notre toit. Le divorce est la continuation de la guerre par d'autres moyens, et sur un autre plan…

Le froid, Nathan, il connaissait bien. Il entreprit des études de glaciologie. Mais, en même temps, il était vulcanologue. Et aussi désertologue. Car nous y voilà : telle est l'origine de mon tenace préjugé contre les étendues arides.

Il devait aimer les « chauds et froids ». Le torride et le frigorifique. Certains jours, parti sous des cieux caniculaires, des terres tropicales et pourrissantes, ou des caillasses que le soleil, là-bas, boxait et martelait, il s'évadait aussi parfois sur des mers gelées. Cela me semblait tellement incompréhensible que je l'en admirai davantage.

Pourquoi ne m'a-t-il pas expliqué ?

Et pourquoi ma mère ne s'est-elle jamais doutée que je trouvais aussi captivante que les livres que je commençais de lire son étrange histoire d'amour ?

Le temps avait passé pour tout le monde. Mon père et sa nouvelle femme, Mathilde Grimard, quittèrent la rue de la Malle-Poste (une adresse qui me faisait rêver parce qu'elle était d'une autre époque et que tout anachronisme serait désormais pour moi le bienvenu) et ils s'établirent à la campagne. Cela ne manquait pas de charme non plus. Après tout, cela rendait ferroviaire et plus aventureux l'exercice, dès lors, du droit de visite.

Je montais toujours dans les compartiments où j'avais distingué, au moment où le train entrait en gare, un jeune visage féminin. Quand je repérais une fille jolie, je tentais, durant le voyage, d'attirer son attention en exhibant nonchalamment la couverture d'un livre ou la pochette d'un disque susceptible de lui accrocher l'œil. Je guettais sa réaction dans le reflet de la vitre.

Cela n'a jamais mené à rien. Les plus ravissants visages que j'aie jamais entrevus, d'ailleurs, fleurissaient toujours les vitres des trains qui venaient en sens inverse, et ils me serraient le cœur le temps que je les croise…

On traversait des villages entiers de serres où tentait de mûrir le gros raisin d'ici. Plus loin, les cheminées d'une papeterie crachotaient sur la vallée une vapeur oxydée et pestilentielle. Je ne pensais pas que le papier pût sentir aussi mauvais, quand les livres sentaient si bon !

Chez mon père, je m'inquiétais des taches d'humidité qui couvraient de leur moisissure la tapisserie de la chambre mansardée où je logeais. En deux alexandrins, il brocarda ma nature chagrine :

Des ronds et des ovales sur les murs de la chambre
Où daigne reposer cet orgueilleux Sicambre…

Il aimait la vie, lui ! Il avait, pour mettre en tranches le gigot dominical ou découper le poulet, des gestes de matador à l'heure de l'estocade. Et il cirait ses chaussures en sifflant de mémoire l'ouverture de *Tannhäuser*. Il n'y a pas à dire : cela mettait de l'ambiance.

Parfois, il me demandait à brûle-pourpoint : « non mais tu te rends compte de la chance que tu as ? » De quoi ? D'être né ? D'être son fils ? Dans le doute, j'acquiesçais volontiers. Et, même, j'en remettais : « Pour moi, la vie sera sûrement magnifique ! » assurais-je. À son tour perplexe, il calmait aussitôt le jeu : « Mais oui, mais oui, naturellement. » Et si, grisé de présomption, je m'écriais : « Je crois que, plus tard, j'accomplirai de grandes choses ! », il m'invitait raisonnablement à conserver mon sang-froid : « Ne nous emballons pas ! » Il trouvait que j'avais une fâcheuse tendance à me rendre intéressant, que je faisais, plus souvent qu'à mon tour, dans le genre ténébreux. Mon sérieux l'agaçait, et ma propension à la mélancolie lui soulevait le cœur. Mais plus encore l'exaspérait le caractère factice de mes rares euphories.

Un dernier mot sur mon père. Il envisageait d'écrire, sous peu, un *opus magnum* dont le titre était modifié à un rythme hebdomadaire. Je me souviens de quelques intentions, toutes prometteuses : *Les Fleuves de Babylone, Contre toute espérance, Nécropolis, Les Souvenirs de demain, L'heure où la sauterelle devient pesante*… Cette heure, pour lui, n'a pas encore sonné. Je le regrette sincèrement. Pourquoi m'avoir dérobé mon nom si ce n'était pas pour en faire un plus ample usage ?

Garde et visite se partageaient, scandaient, je l'ai dit, mon emploi du temps. Rentré chez ma mère, un dimanche soir, un peu plus tôt qu'à l'accoutumée, je me dirigeai aussitôt vers ma chambre et j'eus la surprise d'y trouver une femme dans mon lit. Elle en émergea quasi nue et, prise au dépourvu, balbutia quelques mots dans une langue étrangère, tout en me souriant gentiment. Elle me tendit la main. J'allai machinalement vers elle, comme un somnambule, et touchai ses seins du bout des doigts. Elle ne parut pas vraiment embarrassée. Plus encore que par sa fluviale chevelure acajou, je fus frappé par son parfum dont elle m'apprit, plus tard, que c'étaient son collier et ses bracelets en eucalyptus qui le dégageaient.

Elle s'excusa et me dit qu'il ne lui faudrait que cinq minutes pour me restituer ma chambre : le temps de sauter dans ses vêtements. Elle me rejoignit en effet quelques instants après à la cuisine et se fit du café. Elle me dit que Nathan l'avait accueillie en ne pensant pas que je serais de retour avant le soir. Elle était allemande et s'appelait Dolorès. Je n'étais pas au bout de mes surprises puisque, pour moi, toutes les Allemandes étaient blondes et d'anciennes ennemies, et toutes les Dolorès espagnoles…

Elle me dit qu'elle avait, par curiosité, jeté un coup d'œil sur mes lectures. Elle avait constaté que je lisais la série des *Winnetou*, de Karl May, où on découvrait un Peau-Rouge « qui ne ressemblait pas à l'idée qu'on se faisait d'habitude des Indiens, *nicht wahr ?* ». Si bien, m'expliqua-t-elle, que ces livres-là, on pouvait encore les relire avec plaisir lorsqu'on était devenu adulte.

Dolorès était – indiscutablement – une adulte : toute cette flamboyante chevelure, cette peau si odorante. Cette douce pesanteur de son être qu'on se découvrait si étrangement heureux de rencontrer, de vérifier, dans l'étroit espace de la cuisine. Je me demandai combien de temps mon lit conserverait l'odeur de son passage et formai le vœu que ce fût pour toujours…

Puis Nathan rentra et invita Dolorès à venir boire son café dans le salon. Je crus voir qu'ils s'embrassaient.

Je revis Dolorès encore une fois ou deux, toujours avec le même bizarre contentement, et lorsque j'appris qu'elle allait bientôt repartir – pour Bonn, Cologne ou Stuttgart - et donc « sortir de ma vie », je lui confiai, tout à trac, que plus tard, sûrement, je m'intéresserais aux Indiens, et que j'irais jusqu'en Amérique pour les voir de près. Elle sembla trouver que c'était une idée formidable et me donna un rapide mais tendre baiser.

Je me surpris à regretter la fin de la guerre – et même de l'après-guerre : j'aurais voulu que durât cette époque où, sans crier gare, des réfugiés vous rencontraient sous votre toit, et même des femmes se retrouvaient dans votre lit. (Avec cette propension, hélas, à le quitter dès que je survenais.) J'aurais apprécié que ce foutu plumard devînt une sorte de carrefour, un lieu de passage.

Et pourtant, je n'admettais pas trop la licence de ceux qui m'entouraient, et que je ne pouvais partager. Les enfants sont souvent puritains.

Profitant d'une de mes visites dominicales, mon père – sans doute soucieux de me former le caractère et de m'ouvrir au monde – voulut me soumettre à un test décisif. Il invita en même temps que moi une fillette de mon âge. Elle était infirme, immobilisée au fond d'un fauteuil roulant, mais elle arborait un clair sourire.

Recommandation me fut faite (à moi, « valide, gâté par la vie, et presque un homme déjà ! ») de ne pas laisser un instant seule la petite handicapée, de ne pas l'abandonner à ses états d'âme, mais de converser avec elle (« comme si de rien n'était »), de lui poser mille questions (bref, de la harceler, au besoin, sans relâche…).

Or, le jeune homme (« presque un homme, déjà ») n'a guère, de tout l'après-midi, desserré les dents, il n'a adressé la parole à Yvonne, la petite invalide, qu'à quatre ou cinq reprises, du bout des lèvres. C'est qu'aussitôt il comprit dans quel piège, inexorablement, on cherchait à le faire tomber, et le sens de la leçon qu'on voulait lui donner. N'était-il pas, en effet, requis pour une sorte de confrontation ? Ne souhaitait-on pas le confondre comme un imposteur ? « Ma parole, lui dira plus tard son père, tu faisais la gueule, tu manquais terriblement de naturel et de simplicité ! » Qu'eût-ce donc été de n'en pas manquer, de naturel ? Qu'eût-il pu invoquer pour sa défense, le jeune homme ? Que c'étaient, précisément, le courage affiché par la petite Yvonne, sa bonne humeur, son exubérance, qui l'avaient désarçonné ? À quoi s'était-il donc attendu ? (« Qu'avais-tu espéré ? L'exhibition tragique du malheur, de la disgrâce, dans toute sa crudité, sa cruelle évidence ? »)

Mon Dieu, aurait-il été déçu, frustré ?

Non, mais il avoua que de devoir s'adresser à cette jeune fille rieuse, parfois joviale, si douée pour la vie (elle que la vie avait si durement frappée), si pleine de santé (cela dont elle avait été privée), l'avait laissé, lui, sans voix. Plus le temps passait, et plus elle s'animait, laissait éclater une sorte d'entrain farouche, une inexplicable vitalité, plus lui, le jeune homme (« presque un homme, déjà ») s'assombrissait. Il n'arrivait pas à se mettre à la place de la petite Yvonne, il ne pouvait mesurer que sa propre infirmité (mais de cette sorte qui ne pouvait attirer ni compassion, ni sympathie). Donc il aggravait encore son cas ! Qui lui demandait de se mettre à la place de la petite handicapée (que sa gaieté même rendait inaccessible), quand il ne fut même pas capable de rester à la sienne (celle d'un solide garçon jouissant de toutes ses facultés), et d'occuper cette place avec un peu de décence et de générosité ? Ah ! Si encore il s'était effacé dans l'ombre, s'il s'était fait oublier pour de bon, au lieu de demeurer là, sous tous les regards, bras ballants, muet et boudeur ! Face à la lumineuse petite Yvonne, et ne répondant que par son hébétude au sourire rayonnant qui ne quittait plus les lèvres de celle-ci… (« À quelle invisible corde prétendais-tu donc te balancer, lui dirait son père, dans la maison d'une vraie pendue ? »)

Mais parce qu'il a compris cela, le fils (« presque un homme, déjà »), et que c'était là qu'il fallait en arriver – car eût-on agi ainsi si on ne voulait lui inspirer l'horreur de lui-même ?, si bien qu'il ne pouvait plus éprouver, en restant un instant de plus, que sa propre obscénité – alors il a commis le plus incroyable : il a pris la fuite.

Il se revoit quittant la maison de son père et courant d'une traite jusqu'à la petite gare de campagne pour attraper le premier train qui passerait sans être lui-même rejoint par d'éventuels poursuivants.

Comme il y avait vingt bonnes minutes d'attente, il a voulu appeler son père du téléphone public qui jouxte les guichets. À l'autre bout du fil, on (son père, sûrement) demeurait silencieux, mais le fils entendait une respiration haletante, comme de quelqu'un d'atterré… Alors, à la fin, les voyageurs qui attendaient l'omnibus de 18 h 31 dans la salle des pas perdus virent le jeune homme rejeter loin de lui le combiné du téléphone, comme s'il s'agissait d'une arme braquée sur sa tempe dont il voulait désespérément détourner le tir, et il n'y eut plus que ce cri (qu'il a encore aujourd'hui dans l'oreille, comme si un autre que lui eût crié), oui, il n'y eut plus que ce cri qu'il poussa, d'autant plus inhumain, inqualifiable, qu'il ne remplaçait plus aucune parole intelligible, oui, il n'y eut plus, littéralement, que ce cri à entendre.

Rentré au square du Bois-Profond, je raconte toute l'affaire.

« Pour une fois, je comprends ton père… me dit maman. Tu ne dois pas être très fier de toi, n'est-ce pas ? Que cela te serve de leçon : tu n'aimerais pas mieux vivre chez lui, tu vois bien. Allons ! tu m'as encore gâché ma soirée ! Des choses t'échappent, c'est certain. À force de lire des livres qui ne sont pas de ton âge. Plus tard, peut-être, tu verras clair. Et pratique donc un peu de sport, pour maigrir. »

Étrange navette ferroviaire. Le train menait donc de *ceci* à *cela*, et retour.

Oui, parfois, quand je rentrais le dimanche soir de la campagne pour me retrouver au square du Bois-Profond, j'attendais que ma mère et Nathan fussent partis au cinéma pour m'introduire dans l'appartement.

Je pensais quelquefois qu'un assassin devait m'y attendre, tapi dans l'ombre. Je lui adressais la parole, pour lui montrer qu'il était découvert et le dissuader de passer à l'action. J'arrivais toujours à le convaincre. En secret, j'espérais vaguement ne le convaincre pas.

Mais le train – même le train du divorce – pouvait aussi devenir le lieu de toutes les rêveries. Je suis sur le quai. Le train entre en gare. Le visage d'une femme qui lit se découpe derrière la fenêtre d'un compartiment. Histoire de ne manquer aucune occasion, je vais m'asseoir en face d'elle. Elle lit une partition musicale que je déchiffre à l'envers : un chef-d'œuvre classique.

Je me mets à lire un roman : un autre chef-d'œuvre tout aussi classique. Je sens qu'elle m'observe à la dérobée. Pour sûr, je l'intrigue. Je me mets à écrire des phrases sur un calepin. Je la décris, elle. Elle s'en aperçoit. J'écris qu'elle m'aime. Elle s'en aperçoit, et elle est déçue. J'écris qu'elle est déçue : elle m'aime à nouveau. J'écris qu'elle m'aime à nouveau : elle est à nouveau irritée. J'écris, j'écris… Mon cœur bat plus vite. La vérité, c'est que j'ai écrit tout cela sous ses yeux, mais qu'elle se contente de regarder par la fenêtre la douceur du paysage pommelé… J'écris que je descends du train, qu'elle va soudain tout comprendre, qu'elle va me suivre. Mais cela, elle le lit à l'envers. Je ne puis, après cela, descendre à la prochaine station, celle où je dois descendre, où je descends d'habitude. Cela aurait l'air de quoi ? Je n'ai pas le choix : cette fois, il faut que je saute du train en marche. Tout à trac, je tire le signal d'alarme. Le train ralentit et je plonge dans une prairie. Je roule dans l'herbe. Je brise sur mon passage les carreaux d'une serre, mais ne suis qu'à peine blessé. Le train s'est arrêté derrière moi et un contrôleur me montre le poing. Des enfants agitent leurs mouchoirs et m'envoient des baisers. Les parents les laissent faire et me regardent m'éloigner sans rancune, presque avec regret. Ils apprécient l'impromptu, écoutent avec délices la rumeur de la campagne. Je gravis une montagne et déboule sur l'autre versant. J'entends que, dans mon dos, le train se remet en marche. Je devine que la jeune femme a repris la lecture de sa partition, mais qu'elle s'en détache, un instant, pour dire à l'adresse de ses compagnons de voyage : « Ne vous en faites pas… Moi qui le connais bien… » Elle arrête là son propos plein de sous-entendus. J'éclate d'un rire victorieux.

Des années après, voilà qu'un beau jour j'entre, élégant, désinvolte, dans le hall d'une gare. La femme est là. Elle tient encore sa partition à la main, elle tourne vers moi son visage purifié par le rire. Je pose ma main sur son épaule et nous passons, dans un poudroiement de soleil, sous la verrière. Nos anciens compagnons de voyage sont tous là, eux aussi. Ils n'ont pas changé. Ils nous sourient. Ils sont heureux de nous connaître. « Quel train de vie ! » dis-je. Je raffole des mauvais jeux de mots. « À présent, tu vas tout de même te reposer un peu ?... », demande la jeune femme. Elle est au bord des larmes, comme si elle me savait à la veille de repartir pour un très long voyage.

Certains dimanches, à présent, je fuyais la garde, je me dérobais à la visite. J'assurais à ma mère que je me rendais chez mon père. Je prévenais mon père que je restais chez ma mère. À ce moment, ils ne se parlaient plus guère : cela aidait.

Je me réfugiais chez ma grand-mère Cardin – Sarah Cardin – qui, elle, avait fui la famille, le monde entier, avec une roulotte.

Après le départ de son ex-mari, elle avait encore eu des malheurs. Avec sa sœur, divorcée comme elle – eh oui ! –, elle avait ouvert un atelier de couture qu'elle baptisa avec esprit : « Au bonheur des drames »... Spécialité : modèles en crêpe georgette et crêpe de Chine pour bals des débutantes. Une faillite presque immédiate la transforma en marchande de café en sachets, mais la poussière de moka lui tapissait les bronches jusqu'à la faire suffoquer. Devenue laborantine dans une clinique, elle se lassa vite de prélever et d'analyser les urines d'une petite bourgeoisie guettée par le cholestérol. Elle fit l'acquisition d'une caravane jaune qu'elle attela à un break Vauxhall d'occasion, prit la route dans la direction de Louvain, roula moins d'une heure. Elle rencontra un paysage de bruyères qu'elle trouva à son goût. Elle acheta un terrain, le jour même, à un paysan, y parqua la voiture, détacha la roulotte, dévissa les roues de celle-ci et déposa les essieux sur des socles de béton. La voiture ne devait pas avoir parcouru plus de quarante à cinquante kilomètres, mais, en ce temps-là, on pouvait encore, à cette distance de la capitale, découvrir des landes fleuries, des pêchers, des bouleaux, des rideaux de peupliers d'Italie, des marais farouches, des bouquets d'ajoncs et des « vues imprenables ». La roulotte ne devait plus jamais bouger de là où ma grand-mère l'avait plantée pour la première fois. La nomade d'un jour s'était sédentarisée.

C'est là que j'allais retrouver la propriétaire, clandestinement, comme d'autres vont à un rendez-vous amoureux.

Il avait donc fallu venir jusqu'ici, sur le Nil, pour remuer tout cela, touiller dans cette bouillabaisse d'afflictions diverses, de chagrins poisseux. On avait dû faire le détour de l'Égypte immémoriale pour endurer le retour aux sources arides du malheur d'enfance. Et trouver le courage de rouvrir les cahiers d'écolier, comme on entrouvrirait le couvercle d'une boîte de Pandore d'où ne pourrait s'échapper qu'une connaissance triste.

Non : il avait fallu, tout de même, autre chose encore. Qu'une femme, qui ne savait même pas qu'elle m'attendait peut-être, eût rouvert les portes du square du Bois-Profond comme on libère une écluse, ou qu'on offre à un conquérant les clés d'une ville. Trouver à mon tour une guide, et même une sibylle, qui permît d'accéder sans souffrance au rappel d'une préhistoire malencontreuse.

Ce soir, nous avons droit au bal travesti, ou plutôt à la *Gallabya party* qui me paraît devoir prêter à notre croisière l'insouciance qui fut celle, à la veille de la catastrophe, des passagers du *Titanic*. Plus près de toi, Aménophis !

Les médecins-congressistes ont demandé à en être, et nos conversations vont donc se panacher. Un Lawrence d'Arabie s'en vient au bras d'une Salomé lourdaude, aux incisives écartées, qui s'est entraînée à la danse du ventre. Un chirurgien assis auprès de moi me fait observer : « Elle a encore son appendice… » Et, un peu plus tard : « Elle a eu des enfants… » Au moins, la concupiscence ne brouille-t-elle pas son regard professionnel… Autour de nous, les caméras super-huit sortent de leurs gaines et on zoome à l'envi sur le nombril de la dame.

Comme je portais la saharienne qui ne m'a pas quitté depuis le départ, Bonboire me gourmande : « Cher ami, vous croyez encore vous distinguer en ne jouant pas le jeu ! Savez-vous que vous n'avez aucune *dimension ludique* ? Que c'est très grave ?

— OK, Max ! Je vais prier un de ces toubibs de me prescrire un traitement ! Mais, en fait, vous vous trompez : je suis bel et bien déguisé…

— Vraiment ?

— Oui : en fonctionnaire du commissariat des Nations unies pour les réfugiés du Proche-Orient… Couleur muraille !

— Vous êtes incorrigible… Dites, vous avez remarqué comme le groupe est clairsemé ?

— Des défections ?

— Les premiers ravages de la *turista* : classique ! »

L'épidémie allait au moins donner aux rescapés un sujet de conversation qui les rapprocherait, les rendrait plus complices. Mais c'était, paradoxalement, le corps médical qui était le plus touché… Qu'allions-nous devenir si les guérisseurs flanchaient les premiers ?

Trois anniversaires furent fêtés au cours de la soirée, avec l'orchestre arabe qui enchaîna chaque fois en jouant *Ce n'est qu'un au revoir* ! Un quarante-cinq tours des tubes de circonstance devait tourner mentalement dans la tête des musiciens et ils s'étaient sans doute trompés de face.

On naviguait si près de la rive qu'on pouvait entendre, par les baies ouvertes, des rires d'enfants.

Mon voisin, que n'abandonnaient pas un instant ses préoccupations professionnelles, m'entreprenait sur divers thèmes, mais comme je n'arrivais pas à me concentrer sur la logique de son discours, seules des bribes arrivaient, par intermittence, à mon entendement, distillant peu à peu mélancolie et effroi : « On peut opter pour la voie œsophagienne ou pour la pose d'une prothèse...

— C'est l'évidence... dis-je.

— Et alors, vous imaginez cette carotide éclatée ?

— Quelle horreur !

— Le plus difficile, c'est de se convaincre qu'on ne devient pas un objet de répulsion pour autrui, comprenez-vous ?

— Si je comprends ! »

Et de nouveau nous eûmes droit à *Ce n'est qu'un au revoir*... On fêtait l'anniversaire d'un roi Farouk, après avoir célébré la promotion d'une reine de Saba.

« Et puis, cette angoisse invincible lorsque la mort se rapproche... Que voulez-vous faire ? Le médecin n'est pas mieux armé...

— Il l'est moins... dis-je distraitement.

— Que voulez-vous dire ? »

Je dus me justifier, en catastrophe : « Eh bien ! Il sait, lui, que c'est inéluctable.

— Par chance, monsieur, il ne le sait pas toujours. Et ses facultés d'aveuglement, dans ces cas-là, valent bien les vôtres !... »

Merci quand même, pensai-je. Je ne sais pourquoi cette remarque m'avait vexé... Je me sentais devenir morose. Mais le « bip » que mon voisin portait à la boutonnière retentit. (D'où l'appelait-on ? Et où devait-il se rendre ? Allait-on devoir l'enlever en hélicoptère et le rapatrier d'urgence ?)

Je saisis le prétexte de l'incident pour prendre congé, saluant au passage l'émir Fayçal, Haroun Al-Rachid, Bethsabée, une Cléopâtre naine et un Arafat démesuré. (Comme mon peu regretté grand-père Gaston Raymond – qui aimait tant se travestir, je crois l'avoir dit – se fût ici senti dans son élément !) Je trouvai sur ma route une créature que je ne « remis pas »...

« Mᵐᵉ Putiphar...

— Mais voyons, où ai-je la tête ! »

Elle me tendit sa main à baiser.

Je regagnai ma cabine. Elle se situait sous la piste de danse et, toute la nuit, je me sentis piétiné. J'écoutai, jusqu'à en devenir tout tremblant d'idiotie, les rocks et les slows que relayaient aussi des danses de bazar oriental.

Même le muezzin qui me réveilla à l'aube, d'une berge d'où nous nous étions peu éloignés, me parut n'être qu'un mauvais imitateur de plus.

La voie était libre pour retrouver ma grand-mère chaque fois que je le désirerais. Avec l'impatience d'un juvénile amant courant vers son initiatrice. Ai-je jamais retrouvé semblable élan ?

Elle m'avait offert, pour mon douzième anniversaire, une bicyclette Alcyon au cadre bleu métallisé et munie d'un changement de vitesse Sturmey-Archer. Comme si elle avait entendu me fournir le moyen même de mes fugues. Une maîtresse aurait, pareillement, confié l'adresse et la clé d'une garçonnière.

Quelque temps plus tard, elle m'offrit un arc et des flèches et, une autre fois encore, une paire d'échasses. « Pour grandir, et dominer la situation, me dit-elle. Pour abattre tes ennemis. Pour te précipiter ici, en vainqueur, chaque fois que tu le souhaiteras... »

Je pouvais arriver sans prévenir : c'était un luxe. Les « caravanes », en ce temps-là, ne pouvaient être reliées au réseau du téléphone, et le facteur ne passait qu'une fois par semaine dans ce trou perdu de W. Pas de routes macadamisées : rien que des chemins de terre à peine carrossables. Pistes d'un désert qu'à vélo, mon carquois en bandoulière, je ne me lassais pas de sillonner. Passé l'église, dont les cloches, depuis longtemps, ne carillonnaient plus que pour elles-mêmes, soliloquantes, rêveuses, radotantes, toute rencontre devenait accidentelle. On perdait ses repères. Tout pouvait arriver, et advenait calmement. Les miroitements d'ardoises d'un village lointain ne faisaient qu'à peine partie de cette vie-ci.

Un laboureur passe sur la ligne d'horizon comme pour la tracer, l'inaugurer. En deçà, la corne d'un bois luit comme le flanc d'un cheval après la course. Parfois, un chien vient à vous et vous accompagne jusqu'au sommet d'une côte, de peur que vous vous égariez.

En été, les poules grises, pour échapper à la cour bouillante, vont se jucher sur les basses branches des arbres. Une pond férocement son œuf. Acariâtre. L'avoine est échevelée après l'orage. Quand les vaches se relèvent, au fond de leur noire pâture, l'herbe écrasée sous elles fume. Dans les ruches, les abeilles rissolent. Le soleil vibre sur la carrosserie des tracteurs. Et puis, l'Ennui, le vieil or de l'automne. Les cavaliers qui s'en viennent du haras, sur le chemin roux et poudreux, se voient sortir d'une légende. Un paysan saoul joue du bugle dans un fenil, comme pour échapper magnifiquement au spleen du dimanche. Sous les nuages caillés, une vieille femme dérange la terre de son potager d'un râteau paisible. En hiver, l'ample sommeil des bêtes. Un enfant malade regarde derrière une vitre sale l'affiche du cirque Medrano, sur laquelle une femme lutte à mains nues avec des crocodiles. La terre crépite sous le gel, enthousiasmante. On roulera, tout à l'heure, jusqu'au château d'eau, on poussera jusqu'au gazomètre, on tirera quelques flèches dans le tronc des arbres innocents, rien que pour voir filer le trait dans la transparence de l'air. Plus tard, dans la roulotte, avec la grand-mère, on jouera aux dés, aux dominos ou au valet de pique. Elle fera semblant de perdre et je me réjouirai de gagner. Le canari se sera assoupi dans sa volière recouverte d'un voile de tulle, le bec fiché dans un os de seiche. La grand-mère aura bu un peu de liqueur de quetsche et, au début, celle-ci lui laissera sur la langue des épithètes comme « dantesque » ou « homérique ». Grignotant des bonbons anglais ou suçant des « boules » au cassis, elle triomphera : « Ça ne doit rien à personne ! » ou : « Ce n'est peut-être que la poire pour la soif, mais le roi n'est pas mon cousin ! »

Puis une ombre passera sur ses propos : « Ah ! soupirera-t-elle, tu ne crois pas si bien dire… », « Tu ne peux t'imaginer… » ou : « Ne me prends pas le mot de la bouche », ou : « Ah ! tu verras plus tard ! La vie… », ou bien encore : « À ce sujet, je pourrais t'en apprendre ! » Toujours, elle conclura : « Tu comprends, mon petit, les livres ne peuvent plus rien m'apprendre : j'ai tant vécu ! » (Je saurai qu'elle dit vrai, et je serai un peu triste.)

Au milieu de la nuit, elle sombrera dans une humeur plus noire encore, une sorte de chagrin infini : « Ah ! Je suis bien *au-dessous de mes affaires*… gémira-t-elle. C'est parce que je suis trop sensible, je le sais… J'ai besoin qu'on m'aime… disais-je déjà lorsque j'étais petite ; mais maintenant, je dis plutôt : Il faut faire de son cœur une pierre ! Je m'en irai avec un immense bagage de sentiments inemployés… Ah ! quand je disparaîtrai, que ne diront-ils pas ! Mais il sera trop tard. Tu comprends, ils m'ont tous *reléguée* ici… »

Une fois endormie, elle rêvera peut-être tout haut, elle pleurera dans ses rêves, mais je tenterai de leur donner la réplique, je dialoguerai avec ses cauchemars, peu à peu elle s'apaisera, se mettra à ronfler. Au réveil, elle me montrera sa chemise de nuit trempée, elle dira : « Excuse-moi, mon petit : j'ai sué, j'ai bavé…

— Mais non, grand-mère, lui dirai-je, tu as, encore une fois, pleuré… »

Alors, elle se fera menaçante : « Cette roulotte, d'ailleurs, je vais la revendre, pour une pomme et un œuf… Et puis j'irai m'établir au Canada ! »

Mais je ne me ferai pas trop de mauvais sang. J'attendrai le moment où elle ouvrira, dans le jardin, le parasol blanc à pois rouges qu'elle a rapporté d'un voyage en Suisse, qu'elle se tourne vers la lande de bruyères qui dégringole jusqu'au Démer, qu'on voit luire au fond du paysage, et qu'elle lance, un bras balayant l'espace : « Dis-moi si ce n'est pas dantesque ? Je dirais même : homérique ? »

Après cela, j'irai lire, au faîte de la colline, une histoire de gentilhomme corsaire ou de flibustier d'honneur. N'étais-je pas l'explorateur sans bagage de W., un bandit de petit chemin, et déjà un voyageur en mouchoir de poche, un conquérant du très local ? Futur capitaine courageux, partant à l'assaut des brisants du quotidien ? Conquistador du microscopique ? (Pas pour rien né dans un si petit pays, et captif heureux de mes modestes origines.)

Pour épater ma grand-mère Sarah Raymond, née Cardin, je roulais de plus en plus vite sur les sentiers qui délimitaient son terrain et que je me figurais comme l'anneau d'un vélodrome. Vélodrome d'hiver d'un perpétuel été. Virages à la corde. (Jamais emballage ne fut plus déballé, ni roue plus libre.) J'adoptais la position en selle du champion cycliste que je révérais le plus et qui – ô miraculeuse coïncidence, je l'avais appris par les journaux – vivait à H., un village voisin, si bien qu'on l'avait surnommé l'« Empereur d'H. »…

Il n'était donc pas impensable de le croiser un jour à l'improviste, venant ici parfaire son entraînement en vue de l'accomplissement de quelque épopée routière sur les pavés bombés de l'« enfer du Nord », entre Paris et Roubaix, ou au Tour des Flandres… Il pouvait, aussi bien, surgir là-bas, au bout de la ligne droite, entre les meules sombres, les pâtures humides, les labours anguleux et violets ; ou bien il pouvait aussi déboucher dans le virage, le long du calvaire désaffecté, des marais asséchés, se redressant à ce moment-là sur ses pédales et changeant de braquet pour aborder le faux plat, avec cet inimitable coup de rein, ce mouvement du buste qui le jetaient sur l'obstacle et lui permettaient de l'avaler, de l'effacer aussitôt, de l'oublier, et à ce moment-là, il pouvait facilement rencontrer sur sa route celui qu'il remarquerait au passage, le temps de tourner la tête vers lui, celui d'un battement de paupières, distinguant en celui-ci son possible dauphin, un successeur inespéré… Bien sûr, il ne fallait pas se le figurer saisi, stupéfait, mettant pied à terre et décidant aussitôt de rebrousser chemin pour partir à la poursuite du petit inconnu, remonter à sa hauteur et lui révéler son destin, sa vocation, en ne prenant qu'à peine le temps de poser, sur l'épaule gauche de l'élu, son impériale dextre, et de la sorte l'adouber, avant de l'inviter à interrompre là son effort, à écouter les conseils du maître !

On sait bien que cela ne se passera pas ainsi, même si on se vit comme une sorte d'orphelin à guérir de toute urgence de n'importe quel deuil, et qu'il ne faut pas nourrir l'illusion que deux roues à rayons d'argent sauraient vous transporter, vous catapulter triomphalement en première position jusqu'à la ligne chaulée de toutes les arrivées.

À San Remo, à Roubaix, à Tours, à Bruxelles, à Liège, au Parc des Princes, aux Champs-Élysées, ou sur la Via Roma, au Nürburgring, ces lignes blanches ne traçaient-elles pas le terme de l'enfer, justement, de tous les enfers ? Pas seulement « celui du Nord » mais aussi la frontière terminale de toutes les enfances – car une fois qu'on l'aurait franchie, la vie changerait enfin, et on pourrait laisser là toute idiote et inutile désespérance ?

Or, ce ne devait pas être l'Empereur que je rencontrerais, mais le Roi. Ou plutôt : deux Rois, à la place d'un seul. Là où un seul, ma foi, aurait suffi.

Ce jour-là, je m'étais levé de très bonne heure. J'avais bientôt délaissé mes devoirs : déclinaisons latines, problèmes de trains partant, à des heures différentes, à la rencontre l'un de l'autre, exercices de dictée qu'un grammairien belge avait sadiquement concoctés à mon bon usage, en se montrant aussi friand d'un lexique savant et inutile qu'il paraissait dédaigneux du sens même des phrases – comme si, chez nous, les mots constituaient une sorte de fin en soi, qu'aucune signification ne devait obligatoirement relayer, conforter, ce qui, soit dit en passant, expliquerait plus d'une mésaventure historique qu'a connue notre chère Patrie – mais n'anticipons pas –, oui, j'avais tourné le dos à tout cela pour me mettre en selle, avec une rage de vaincre que n'entamait pas, curieusement, l'absence de tout concurrent visible à des centaines de mètres à la ronde : ne m'imposais-je pas, littéralement, de courir plus vite que mon ombre ?

Bien en jambes, je démarrai en trombe, le front baissé : j'aurais pu mordre mon guidon. Eussé-je dû mieux regarder cette petite route devant moi quand, presque jamais, je n'y faisais nulle rencontre ?

Je n'allai pas loin. Au bout d'un tour, je tombai sur le roi. Sur les Rois. Le père du roi (nouveau) ; le fils du roi (ancien). (Encore une fois ce dédoublement, comme toujours dans ma vie, comme toujours aussi dans mon pays où rien ne va, si tout va par deux. Mais, à nouveau, n'anticipons pas.)

Quand je dis que je *tombai* sur Eux, c'est au sens propre qu'il faut l'entendre. Puisque je fus, dans un virage en épingle à cheveux, accroché par leur coupé sport Ferrari de couleur noire. Je sus aussitôt que je courais le risque de ne pas être cru sur parole. D'autant plus que, par malchance, la collision eut lieu à l'ombre du rideau de bouleaux qui, à cet endroit, dressait un écran entre la route et la caravane d'où ma grand-mère eût pu suivre le déroulement de la scène.

Je n'avais pas vu venir la voiture droit sur moi, j'éprouvai à peine l'impact, et le matelas élastique des bruyères, au bord du chemin, amortit ma chute.

Le temps de me relever, de ramasser ma bécane chavirée, et j'aperçus, émergeant de la voiture arrêtée vingt mètres en contrebas, un homme qui accourait vers moi. Il portait une casquette blanche, une chemise à courtes manches et un pantalon de tennis.

Pourtant, je n'avais déjà plus d'yeux que pour les deux autres passagers de la Ferrari. Car j'enregistrai tout de suite qu'il s'agissait d'une voiture de cette marque. (À treize ans, on a l'œil pour ces choses-là : n'en détenais-je pas une parfaite reproduction en miniature dans ma collection de Dinky Toys ?) Comme je fus sûr, d'emblée, que se trouvaient à bord le Roi-Son-Fils et le Roi-Son-Père. Je n'aurais pas pu ne pas les reconnaître. Un, passe encore… J'aurais eu un doute. Mais deux ! Les deux visages tournés vers moi, par-dessus les sièges de cuir rouge, correspondaient, trait pour trait, à ceux qui décoraient en médaillon le couvercle d'une boîte à biscuits où ma grand-mère serrait ses petites économies. (Rentré à la roulotte, j'irais vite vérifier…) Seulement, Ils n'étaient pas revêtus, comme sur l'image, de leur uniforme d'officiers. Ils portaient une tenue de sport – ou de chasse ? Mais la confusion n'était pas possible. Je n'aurais pas été plus frappé si je les avais croisés dans un désert.

« Vous n'êtes pas blessé, j'espère ? » me demanda l'homme à la casquette blanche.

Non, la chose était claire, je ne souffrais d'aucune blessure. *Pour rien au monde*, je ne me serais blessé en de pareilles circonstances… Nous en oubliâmes lui et moi de vérifier si ma bicyclette, elle, était encore en ordre de marche.

Rassuré, l'homme – un aide de camp, sans doute, même si, depuis ce jour-là, je ne l'ai plus jamais appelé que « le Grand Chambellan de la Cour », car j'avais entendu énoncer ce titre et il ravissait mon oreille – s'éloigna, rejoignit la voiture, qui démarra aussitôt dans un nuage de poussière ocre.

Je m'avisai seulement alors que le cadre de mon Alcyon était brisé.

Ma grand-mère s'étonna de ne me voir ni penaud ni chagriné. (De fait, il y avait de quoi être surpris… Tenais-je à un seul objet autant qu'à mon vélo ? Peu de temps auparavant, quelqu'un me l'avait « emprunté » mais, par miracle, je l'avais retrouvé intact, couché dans les orties, au fond d'un terrain vague : je l'avais ramassé comme s'il s'agissait d'un être vivant qu'on aurait kidnappé, auquel on aurait fait violence, je lui parlai comme à un animal adopté…)

Ma grand-mère dut apercevoir une lueur de triomphe dans mes yeux. Je lui racontai tout. Elle se taisait, visiblement émue. Elle ne mit pas un instant en doute la véracité de mon récit : non, je n'avais pas été victime d'une illusion d'optique ou d'un mirage dans le désert de W. ! J'en fus soulagé car, en retournant à la caravane, quelques instants plus tôt, dans un état de grande excitation, j'imaginais que j'allais me heurter à son incrédulité et je me voyais déjà tapant du pied et criant : « Je savais bien que tu ne me croirais pas ! » La conscience d'avoir vécu un événement mémorable, une sorte de visitation, peut porter à l'hystérie…

Mais tandis que m'exaltait encore la magnifique singularité de la *rencontre*, ma grand-mère Sarah ne se souciait déjà plus, quant à elle, que du « dégât » causé au vélo : elle n'invoquait que le « préjudice » subi.

« Tu les as rencontrés, on peut voir cela ainsi… mais c'est une façon de parler ! Surtout, ils t'ont *renversé*. Et ils auraient pu au moins te ramasser et s'inquiéter eux-mêmes de ton état… Au fond, ils sont mal élevés, ces gens… »

Je crois que ce propos de « lèse-majesté » me fit rougir de honte pour elle… Parce que je sentais bien un peu qu'elle avait raison. D'ailleurs, à deux ou trois reprises, en remontant tout à l'heure vers la roulotte, ne m'étais-je pas retourné dans le vague espoir que, me voyant clopiner dans leur rétroviseur, *pris de remords*, les deux monarques ne rebroussassent chemin pour venir s'enquérir d'un éventuel problème advenu à mon moyen de transport ? (Il est permis aux plébéiens, surtout en bas âge, de caresser de tels rêves.) qu'ils se soient contentés d'envoyer vers moi quelque pâle émissaire, aujourd'hui seulement je conviens que cela manqua étrangement de grandeur. Et tous ceux à qui, au fil du temps, j'ai conté cette aventure m'ont dit leur déception devant la médiocrité de ce comportement. (Chaque fois, de l'entendre répéter m'a fait un peu mal.)

« Ils auraient tout de même pu vouloir dire un mot à votre grand-mère, m'a dit un notable qui n'était pourtant pas hostile à la Dynastie, ou vous emmener avec eux, à la mer, pour manger des gaufres ! Le Prince Régent, lui, l'aurait sans doute fait… »

Tout cela m'a-t-il influencé et ouvert les yeux à la longue ? Je n'en suis pas sûr. Mais le jour où l'événement s'est passé, je ne voulais rien savoir, rien entendre de pareil. J'étais entièrement à mon bonheur de la rencontre, de la coïncidence, où je voyais comme une épiphanie. L'image même de ma chute se répercutait déjà en moi avec une portée quasi emblématique, une signification symbolique presque concrète… (Et je ne soupçonnais sans doute pas que je n'aurais guère trop de toute ma vie pour m'en relever !)

Au reste, cette histoire, je ne l'ai jamais relatée deux fois tout à fait de la même manière ; non que j'eusse voulu, d'une version à l'autre, l'enjoliver, y ajouter une pointe de sublime ou une fioriture – à mes yeux, c'était, d'ores et déjà, je ne sais pourquoi, la plus belle histoire du monde, elle était inaméliorable, elle dépassait toute fiction : le meilleur, ou le pire, c'est selon, était arrivé, ou les deux ensemble, et je n'ai donc jamais pensé ainsi me consoler de ce qui était advenu ou n'avait pas eu lieu – mais j'entendais uniquement confirmer son caractère d'allégorie.

« Ils te doivent réparation ! » conclut ma grand-mère, d'une voix qui tremblait de colère.

Dans mon souci de justifier la royale attitude, à bout d'arguments, je lançai à tout hasard : « Sans doute devaient-Ils protéger leur incognito ? », car je n'étais pas sans savoir que les grands de ce monde aspirent et recourent volontiers à l'anonymat… De plus, c'est un mot que j'aimais. Un homme important passant ni vu ni connu. Ce qui est d'ailleurs une image de moi-même que je me forgeais et fignolais avec complaisance. Superman sans masque, pour être d'autant plus masqué…

Ma grand-mère Sarah eut un rire cruel.

« C'est cela… ! dit-elle. Et pour garder quel secret ? sur quoi ? une clandestine affaire galante ? Tu ne m'as pas dit, ou je me trompe ?, qu'ils portaient une fausse moustache ou des lunettes à carreaux noirs ? Le père et le fils complices d'une ribote, ce serait trop drôle ! Surtout à W. ! »

Dieu me pardonne : je la trouvai vulgaire.

« Ne m'as-tu pas appris qu'il y avait, entre eux, un troisième homme ? Mais que ce n'était pas lui qui conduisait le véhicule ? Sans doute faudrait-il vérifier…

Je voulais, moi aussi, en avoir le cœur net. Je m'ouvris à ma grand-mère de mon intention d'écrire aux deux souverains, afin qu'ils me confirment, par écrit, que je n'avais pas été le jouet d'une hallucination.

Mais elle non plus ne voulait pas lâcher le morceau :

« Et demande-leur, par la même occasion, de reconnaî-tre leur responsabilité dans l'*accident*, suggéra-t-elle. qu'ils se remémorent la *collision*. Donne-leur une chance de te *dédom-mager*… Il n'est jamais trop tôt pour se faire respecter des princes ! ajouta-t-elle sentencieusement. Et s'ils ne te répon-dent pas, c'est qu'ils voyageaient bien ici incognito, comme tu dis… »

Ma grand-mère ne nourrissait certes pas des sentiments monarchistes. Le roi n'était décidément « pas son cousin ». Mais elle assurait aussi volontiers qu'« il ne fallait pas se montrer plus royaliste que le roi », ce qui autorisait à penser qu'« être royaliste » pouvait se concevoir, à défaut d'apparaître très recom-mandable… Elle ne devait pas être hostile à tel ou tel monarque en particulier : ce qui devait l'indisposer, c'était qu'il y eût des têtes couronnées, tout simplement.

« Les puissants de ce monde… », avait-elle évoqué, rêveuse-ment, comme si elle n'en attendait rien de bon. Mais étaient-Ils donc si puissants que cela ?

Je me rappelais les manifestations qui avaient accueilli, dans tout le pays, le retour d'exil du Roi-Son-Père, que d'aucuns, dans ma famille, disaient traître et félon : là-dessus, au moins, mon père et ma mère n'étaient-ils pas pleinement d'accord ? Ne me revoyais-je pas moi-même, à leur instigation, coller au retour de l'école ou du bassin de natation, sur tous les murs, les réverbères du quartier, les parebrise des voitures, des pastilles multicolores portant les trois lettres : « N-O-N » ? (Comme ils avaient dit « Non » à Dieu à ma naissance... Quand, plus tard, pourrais-je dire « Oui » ?) Dans ce pays, on se battait, à la lettre, pour un « Oui » ou pour un « Non ». Comme s'il suffisait de répondre simplement par *oui* ou par *non* aux questions posées par quelque Sphinx invisible, abstrait, aussi inconnu que le soldat du même nom, dont la dépouille n'en finissait pas de se consumer au pied de la colonne du Congrès, au milieu de la rue dite Royale, obélisque privé cruellement de tout exotisme, et devant lequel défilaient, une fois par an, les enfants des écoles pour rappeler une guerre qu'avaient gagnée leurs grands-pères.

Mais ce NON, je l'avoue à ma confusion, ce NON qu'avec zèle j'apposais, jour après jour, sur les marches de tous les escaliers, les boîtes aux lettres des maisons, le tronc des marronniers, le dos même de mon institutrice, un matin à la récréation, comme j'eusse fait d'un poisson d'avril, plus je le répandais autour de moi, plus je le dispersais à tous les vents, avec une sorte d'enthousiasme rageur, plus la clarté initiale de son sommaire message s'altérait, s'opacifiait, plus il retournait à l'état d'énigme. Non à qui ? Au Roi Léopold. On ne pouvait être que l'allié ou l'adversaire du Roi. Mais pourquoi ? Non *à quoi*, pour quelle raison ? J'eusse été bien en peine de répondre. Un vendredi, à la piscine, un camarade de classe me demanda à qui, à quoi je m'adressais, et pourquoi j'affichais mes négations. Je n'en savais plus rien. J'étais le bec dans l'eau. J'ai rougi. (Pourtant, je serais, plus tard, devenu tant de fois l'« homme du non » que, peut-être, je me préparais seulement alors à en prendre l'habitude ?)

Cela s'était passé deux ou trois années auparavant, deux ou trois années avant notre rencontre, du Roi et moi, et également durant l'été.

Ma grand-mère était suspendue aux bulletins d'information qui, d'heure en heure, se succédaient à la radio sur La Question. Comme s'il n'y en avait plus qu'une seule à poser. On y parlait d'une crise du régime, d'une démission des ministres, d'une chute du gouvernement, d'une dissolution des chambres, d'une vacance du pouvoir, d'un pays déchiré... Bientôt, cela s'aggraverait encore, cela se dramatiserait. Il y avait un abandon de l'outil, des grèves dans le Pays-Noir. On menaçait d'inonder les mines, de marcher sur la capitale, dans un climat d'insurrection. On envisageait une occupation militaire, une effusion de sang... Et tout cela advenait tandis que, chaque nuit, au Palais, se déroulaient des discussions sans fin, pleines de malentendus, entre le roi et les ministres. On se parlait à n'en plus finir, mais plus on se parlait, moins on se comprenait. Il n'y avait plus là que des notables exténués, des porte-parole perdant le fil, n'exprimant plus qu'une réalité trouble, le bégaiement des choses ; des gens fatigués, qui s'exprimaient mal, tout à fait à l'image de ce pays – dans le lourd parfum des roses et des œillets rouges que les partisans du souverain ne se lassaient pas d'apporter encore et toujours, et qui devait inscrire ces dialogues nocturnes dans une ambiance funéraire de chapelle ardente... Et puis, autour de ce salon où tout allait se jouer, où le moins épuisé des interlocuteurs, sans doute, l'emporterait en profitant de la lassitude des autres, autour de cette arène où venaient aux prises des spectres flous, où des hommes au teint gris se querellaient mollement, il y avait des routes barrées, semées de clous, des poubelles qui débordaient d'ordures sur les trottoirs, des tramways qui ne roulaient plus, qui rentraient au dépôt comme pour toujours, des pompes à essence qui ne distribuaient plus de carburant, des théâtres : le Vaudeville, la Gaieté, les Folies-Bergère, l'Ancienne Belgique, où l'on ne jouait plus la comédie car la comédie était partout, des abattoirs où l'on n'équarrissait plus les animaux, des colonies de vacances d'où l'on renvoyait les enfants. On redoutait maintenant, disait-on, une guerre civile. Et d'ailleurs, une vraie guerre se déclara, mais au loin, en Asie, et des soldats belges, on ne comprenait pas bien pourquoi, durent y aller aussi. Quelques-uns furent tués, presque par hasard.

De plus belle, on disait « La » Question royale, comme si c'était *la seule question* concevable qui méritât qu'on y réponde par « oui » ou par « non ». On avait beau y avoir déjà répondu mille fois, c'était toujours à refaire, elle était toujours reformulée : une question sur une question, parce que la minorité ne s'inclinait pas, que la majorité ne cédait pas. Et que l'intelligence de l'une comme de l'autre était en déroute, en échec.

Aviez-Vous trop tôt capitulé devant l'ennemi, dès le début de la guerre, ou aviez-Vous uniquement voulu épargner la vie de Vos soldats quand tout espoir était déjà perdu ? Auriez-Vous dû accompagner Vos ministres en exil au lieu de rester ici et de Vous constituer prisonnier ? Ne Vous étiez-Vous pas remarié bien tôt, quand Vous aviez promis de partager le sort de Vos compagnons d'infortune qui, eux au moins, étaient séparés de leurs femmes ou fiancées ?

Ces questions-là, c'est avec le temps seulement qu'elles se sont pour moi mises en mots, et chaque fois que je m'interroge à leur sujet, je suis tenté d'y répondre autrement. Dix mille fois je Vous ai donné tort, et dix mille et une fois, je Vous ai donné raison. Mais vingt mille et une fois, j'ai compris que l'Histoire avait voulu Vous déchirer, et c'est miracle que Vous ne Vous soyez pas finalement laissé faire. Que Vous soyez soudain sorti de cette Histoire, pour Vous en inventer une autre. Mais, une fois encore, ne brûlons pas les étapes…

En attendant : Partir ? revenir ? rester ? régner ? se démettre ? s'éloigner ? abdiquer ? voyager ? s'enfermer ? devait se demander le Roi. C'étaient là ses questions à Lui, tandis qu'à la radio on disait de plus en plus souvent qu'Il allait *s'effacer*. (Si bien que je Le voyais littéralement, tel un passe-muraille, rentrer dans la tapisserie de Malines qui décorait Son salon et disparaître sous les yeux écarquillés des ministres : soudain, ceux-ci n'avaient plus personne à Qui parler, ils ne posaient plus leurs fameuses, leurs éternelles questions que dans le vide.) La réponse était enfin tombée, mais comme un rideau, ou une pierre.

Le Roi-Son-Père finit donc par abdiquer.

J'entendis – j'ai encore dans l'oreille – son discours retransmis sur les ondes nationales, aux côtés de ma grand-mère qui adopta, pour la circonstance, la mine grave des grands jours. Il me sembla même qu'elle balbutia : « Ce n'est pas vraiment cela que nous voulions… » C'est un peu tard, songeai-je… Il aurait fallu y penser plus tôt ! Elle avait les larmes aux yeux. Elle n'allait tout de même pas se mettre à chialer ?

Pour ma part, j'étais terrifié.

Il renonçait au trône. Qu'avais-je donc fait ? Très certainement, j'étais responsable. À force de coller des « NON » partout en ville, n'avais-je pas incité la population à suivre le mouvement ? Et Lui m'avait donc entendu. Il m'avait écouté même… Il se rangeait à mes raisons ou, tout au moins, s'y résignait. J'avais obtenu gain de cause. Je voyais se réaliser, magiquement, un désir que je n'avais même pas vraiment éprouvé. N'était-ce pas effrayant ? Il s'effaçait, comme il le répétait Lui-même, reprenant à son compte l'effroyable formule, mais en faveur de Son Fils. Je Le vis s'évanouir dans la nuée. Bientôt, je m'acharnerais à retrouver dans le souvenir Ses traits d'archange bouclé et déchu, de peur d'avoir, du même coup, oublié, perdu aussi tout le reste. Je n'osais me l'avouer, mais j'étais ivre de repentir. En vain. L'aurais-je souhaité de toutes mes forces, je n'aurais pu reprendre cette histoire, comme on reprend un gage, comme on mange sa parole. Si je me découvrais le pouvoir de faire tomber les souverains de leur trône, je ne me supposais pas celui de les ranimer ensuite et d'effacer, encore une fois, la malédiction que ma campagne référendaire avait fait fondre sur la tête de l'Un d'entre eux.

Le Roi est mort. Vive le Roi. Mais non ! Le premier disparaissait sans mourir et le second semblait si peu vivant encore. Presque un enfant. Encore un peu, et c'eût pu être moi. Je l'échappais belle ! En vérité, c'eût dû être moi ! Puisque c'était bien moi qui avais déposé l'autre ! N'y avait-il pas usurpation ? Je chassai cette idée qui me réveillait dans la peau d'un régicide. Or l'idée du régicide, pour autant qu'elle m'ait jamais effleuré, ne m'a pas retenu... Oh ! je sais, le coup de revolver tiré vers la loge royale, à l'opéra, ou sur le carrosse, un jour de parade militaire, cela n'est pas dépourvu d'attrait ! D'ailleurs, sur la scène même de l'opéra, on ne raconte, on ne chante souvent que cela... Mais seuls des esprits légers ou sommaires peuvent penser sérieusement que « les sombres feux de la guerre / S'éteindront dans le sang des rois »...

Le régicide est le plus grossier des crimes. A toujours fasciné les niais. « Il y a là un roi... Tu le supprimes : il n'y en a plus. » C'est tout de même un peu simple ! Le parricide manque déjà de finesse et de subtilité... Mais alors le tueur de roi ! Voilà au moins un crime à une seule dimension. Mort à l'ambiguïté ! Quelle misère. Et puis, on sait que cela n'arrange rien. Coupée la tête du roi, la Terreur peut monter sur le trône comme une hydre pluricéphale.

Aujourd'hui, j'ai perdu le goût des sacrilèges idiots, des blasphèmes imbéciles – et même l'irrévérence ne m'inspire que haussements d'épaules. Pour continuer à vivre, donner au monde une chance, il faut trouver autre chose.

De cela, je ne m'ouvris donc pas à ma grand-mère. Du reste, à l'âge que j'avais alors, les mots m'auraient manqué, encore une fois.

« Écris-leur ta lettre ce soir même, me recommanda-t-elle, alors que tu as encore en mémoire tous les détails de la scène : demain, tout cela risque de redevenir si confus… »

Je rédigeai donc la missive qu'elle souhaitait, c'est-à-dire en insistant sur le triste état de ma bicyclette. En ne parlant, au fond, que de cela. Je l'écrivis quasiment sous sa dictée, tant les formules de nature à émouvoir les cœurs monarchiques les plus endurcis coulaient chez elle de source…

Nous étions tous deux fort excités en supputant les chances qu'un pareil message, si joliment libellé, si adroitement troussé, avait de susciter chez Ses Destinataires un écho favorable et de Les inciter à la munificence… Déjà, les images les plus folles, des visions de vélos stylisés, dérailleur à double plateau et huit vitesses, et grelot d'argent, se déployaient sous nos yeux agrandis par une extase de drogués.

Mais tandis que ma grand-mère s'abandonnait réellement à ce délire, moi j'entrais seulement dans son jeu, je simulais cette avidité insensée d'un mendiant qui verrait à sa portée un trésor. (Soulignons en passant que ma grand-mère ne craignait pas de surévaluer, au mépris de l'évidence, la valeur de l'objet naufragé. Après tout, on ne s'adressait pas pour rien à Un, et même à Deux Souverains : n'eût-ce pas été Leur faire insulte que d'apprécier ma bécane à son juste et modeste prix, et qu'on n'hésitait donc pas à Les importuner pour aussi peu de chose ? Et puis, comment ne pas attendre d'un royal correspondant une prodigalité qui Le mettait à son véritable rang et au-dessus du commun des mortels ? Aujourd'hui je me dis que, sans le savoir, mère-grand me révélait ainsi l'ampleur des sacrifices qu'elle avait dû consentir pour m'offrir, quelques mois auparavant, à l'occasion de mon anniversaire, le petit Alcyon défunt…)

Ce soir-là, les lampes à acétylène brillèrent longtemps dans la petite roulotte : rayons d'un phare insulaire au cœur d'un océan de bruyères noires. Plus tard, j'attendis que ma grand-mère se fût endormie, qu'elle cessât de rêver et que sa respiration se fût faite régulière, pour me relever avec des allures et des précautions de conspirateur.

Je m'emparai de la lampe de poche que grand-mère Sarah suspendait au bec-de-cane de la porte d'entrée et, à la lueur de celle-ci, entrepris, sous mes couvertures, d'écrire une seconde lettre à Leurs Majestés. La vraie lettre, qui annulait la première. Celle que je Leur enverrais. Cette fois, je ne fis pas même mention du vélo. Je passai sous silence les circonstances de la rencontre, pour ne plus citer que le fait de *la rencontre elle-même*, une rencontre des plus banales en somme, comme si, passant par là – peut-être bien à pied –, j'avais seulement croisé, sur le chemin qui va de W. à R. ou S., le Couple Prestigieux, que j'avais tout juste eu le temps d'identifier… J'en avais la certitude – aurais-je pu me méprendre ? –, mais une réponse, *même très laconique*, qui le confirmerait, une preuve, en quelque sorte, causerait une telle joie au petit citoyen de ce pays qu'illuminerait la sagesse de Ses Augustes Destinataires… Car mon souci majeur n'était-il pas d'authentifier l'événement ? En sorte que si, écoutant mon récit, on me soupçonnait de gamberge, la réponse, elle, au moins, l'accréditerait en confondant les sceptiques !

On aurait pu se satisfaire de moins. Pourquoi tant de discrétion sur les conditions un peu tumultueuses de notre « contact » ? Aujourd'hui encore, je m'interroge. Un tenace remords, qui m'aurait empêché de reprocher quoi que ce fût à quelqu'un qui avait déjà eu tant à pâtir de moi et de mon activisme ? Ou certaine incapacité d'inculper, si peu que ce fût, et d'un si bénin accrochage, des Personnes telles que nos deux Souverains ?

À l'heure où j'écris ces lignes, pourtant, après avoir beaucoup roulé ma bosse, et connaissant la vie, je conviens, non sans mélancolie, que j'ai eu tort.

Ah ! Si c'était à refaire… Pour commencer, le(s) Roi(s) m'aurai(en)t peut-être, qui sait ?, plus qu'indemnisé : Ils m'auraient invité à la Cour, un jeudi après-midi, Ils m'auraient offert un

Peugeot, ou un biclo Faëma pourvu de boyaux extra-fins : cela m'aurait fait plaisir, tout de même, mais surtout, le geste royal aurait comblé une vieille femme, ma grand-mère, morte il y a quelques années à peine de menus chagrins accumulés au fil des jours, de petites déceptions inavouées, et d'un peu de ressentiment à l'endroit du monde… Au fond, je n'avais songé qu'à moi. Et puis, je n'ai pas aperçu que je laissais passer là une chance unique… Qu'il n'y aurait jamais de « seconde rencontre ». En repensant à tout cela, je ne puis m'empêcher de conclure : « Mon royaume pour une bécane ! »

La réponse se fit attendre ; elle arriva enfin sous la forme d'une grande enveloppe frappée du sceau du Palais Royal et contenant deux photos non dédicacées de Leurs Majestés en uniforme de lieutenant général, isolées l'une de l'autre par une feuille de papier de soie. Manquant de réflexion, j'avais indiqué comme adresse d'expédition le 20 du square du Bois-Profond, en oubliant que mon nom ne figurait pas sur la sonnette à côté de celui de ma mère, qui avait recouvré son nom de jeune fille après le divorce. Le « porteur spécial » avait déjà indiqué sur l'enveloppe la mention « Parti sans laisser d'adresse » lorsque la concierge, intriguée par son manège, ses allées et venues devant l'immeuble, lui révéla que le destinataire résidait effectivement là, au troisième. La moins surprise ne fut pas maman lorsqu'elle me tendit la missive. Surtout que je n'en avais pas l'air moi-même étonné ! (J'aurais pu aussi bien dire : « Eh oui ! Le Palais et moi sommes en relation… ») Eût-elle connu toute l'histoire, que je ne lui contai que beaucoup plus tard, elle se fût dit que j'avais une bizarre façon d'occuper mes week-ends ! À l'époque, ne *trompais*-je pas mon père et ma mère avec des Rois ? Comme si j'avais trouvé ainsi deux pères d'adoption.

Sur le cliché, le Roi me sembla aussi beau qu'il m'était apparu sur la route de W., avec ce regard de qui aurait déjà toisé maints horizons lointains. Le Roi-Son-Fils avait, Lui, déjà cet air penché qu'on Lui verrait adopter sa vie durant et qui, lorsqu'il aurait rencontré Celle qui allait, par ses soins, devenir Reine, et dont le visage s'inclinerait dans l'autre sens, dessinerait avec ce dernier une ogive parfaite.

Un petit mot signé du chef de cabinet du Roi(-son-Fils) attestait qu'à la date et à l'heure précisées par ma missive Leurs Majestés se baladaient en effet dans le coin, autour de W. et que, pour marquer l'événement d'une pierre blanche, Elles se faisaient un plaisir de m'envoyer Leurs portraits (non autographiés).

« Pas un mot de leurs mains, observa ma grand-mère. Quel comportement banal ! Et puis, ne trouves-tu pas curieux qu'on ne fasse pas la moindre allusion au vélo ? » Et elle me jeta un regard vaguement soupçonneux. Elle pouvait bien n'être pas plus royaliste que le roi, elle hésitait sans doute à croire que Les Majestés pussent se montrer tellement mufles et aussi ladres. « Surtout après la crise de popularité dont a souffert cette famille ! » commenta-t-elle.

Je rougis.

Après cela, je renonçai au cyclisme. Un souffle au cœur, qu'on dépista fort à propos, ruinait mes espoirs de remporter un jour la Flèche wallonne ou le Tour de Romandie.

Je deviendrais plutôt reporter *free lance*, et il me serait même donné d'interviewer l'« Empereur d'H. » lorsqu'il aurait raccroché et, fortune faite, aurait acquis un haras en Campine. « Mon vélo pour cent chevaux ! »

Je lui conterais, en riant, comme sa gloire m'impressionnait dans ces années bénies de mon enfance, et comme je l'avais pris pour idole… Je lui narrerais aussi ma « rencontre » avec le Roi. Il réfléchirait un instant et dirait : « Dans ces années-là, je débutais… Les succès ne sont venus qu'ensuite. Tu dois sûrement confondre avec quelqu'un d'autre… »

Nous y reviendrons.

Réfugié dans ma cabine, où je ressasse à l'envi l'amertume et savoure le miel acide de l'enfance, il faut presque m'en extirper pour m'entraîner – ô coïncidence ! – dans la Vallée des Rois dont, dans l'état d'hypnose où je me trouve, mon regard ne saurait se montrer digne... Il est vrai qu'on ne vous en demande pas tant. Face aux colosses de Memnon, le guide vous laisse obligeamment « dix minutes pour photographier ». Il ne précise pas s'il est aussi permis de regarder... Mais voir, ici, seulement voir, paraît intéresser moins de monde ; un abus.

Il est dit toutefois que je ne serai pas venu pour rien ! Le monde est petit, décidément... Pèlerinant sur le tombeau de Toutânkhamon, mort si jeune, lui, et qui n'eut donc pas le temps de fonder une nouvelle dynastie, ni par conséquent de faire beaucoup de casse, et que l'Histoire n'aurait jamais retenu – il n'a pas accompli, que je sache, la moindre action d'éclat – si son trésor n'avait été miraculeusement épargné par les pillards et n'avait suppléé à son obscurité, je me sens prêt à m'attendrir... C'est alors que je me rappelle que Léopold, encore prince, voyageant dans l'ombre blanche d'Élisabeth, a assisté à son ouverture l'un des tout premiers, en 1923, à l'invitation de l'archéologue Howard Carter et de Lord Carnavon. Je me souviens de ces photos montrant la Reine escaladant valeureusement le flanc des Pyramides dans une sorte de nacelle d'osier entraînée par un treuil, puis descendant à plusieurs reprises dans la crypte, ne se lassant pas de méditer sur ce roi de vingt ans, enseveli sous sa fortune personnelle... (Le Fils, Lui – panama et nœud papillon – se révéla, à 138 mètres d'altitude, un « ascensionniste parfait ».) Qu'ont-Ils pensé, Élisabeth et Lui-Son-Fils dans son sillage, de cette émouvante dérision d'un pouvoir aussi éphémère qu'absolu et de cette fastueuse résurrection au bout de trente-cinq siècles sur une litière d'or, d'ivoire et de pierreries ? Se sont-Ils émus, surtout, devant la couronne de fleurs – à peine fanées – qu'avait laissée à son époux adolescent une veuve aussi jeune que lui ?

Naturellement, il a fallu depuis lors planquer la plupart de ces joyaux dans une salle protégée comme une forteresse, au musée du Caire. Mais il reste encore sur place de quoi exaspérer toutes les imaginations.

Soit dit entre parenthèses, Sire, Vous aviez bien de la chance de pouvoir visiter le tombeau à deux ou trois personnes à la fois : aujourd'hui, il faut s'inscrire une heure à l'avance pour s'y aventurer, et l'excursion se déroule dans une atmosphère d'émeute permanente, de pugilat et de lynchage, bientôt de panique. Une touriste allemande gifle l'Américain qui lui marche sur le pied dans la cohue, tandis qu'un policier indigène boxe le Français qui, par ruse, a voulu photographier l'ombre du juvénile défunt… Les gardiens et les guides se font la concurrence, les marchands ambulants se volent leurs clients, les chauffeurs s'engueulent, des enfants s'évanouissent, on refuse le passage à un médecin arrivé sur les lieux… Encore un peu, les gens finiront par se mordre. Quelle pérégrination est-ce donc là ? Une place au soleil de la culture se conquiert-elle aujourd'hui à coups de pied ? Bientôt, ce sera à coups de botte !

Je me souviens, Sire, que, peu de temps avant de disparaître, Vous assuriez que la plus noble conquête de l'homme du XXe siècle, c'étaient les congés payés… Le propos Vous honore. Mais, sauf Votre respect, n'en parliez-Vous pas fort à l'aise au Mato Grosso ou dans l'archipel de la Sonde ? Vous n'eûtes guère à endurer les conséquences de cette réforme…

Épargné par les bousculades et les piétinements de la foule, Vous le fûtes aussi par la malédiction dont une rumeur maligne assura longtemps qu'elle avait frappé nombre de personnes qui, de près ou de loin, avaient participé aux fouilles et à l'excavation du Pharaon ou furent les premières à assister à sa remontée des ténèbres. Morts inexpliquées, fatales piqûres d'insectes, accès brutaux de démence, suicides sans motif apparent… À moins que… À moins que tous ces malheurs qui ont marqué Votre règne, et n'ont pas épargné Votre histoire, ne trouvent là – qui sait ? – leur obscure origine. Le mauvais œil d'un roi dardant sur un autre des éclairs maléfiques ? Au moins, cela se passerait, comme chez Shakespeare, entre collègues... Cela ne sortirait pas de la famille.

C'est promis : jusqu'à Assouan, je ne descendrai plus à terre pour contempler le moindre temple. *J'ai mon propre Roi*, à présent, pour m'occuper l'esprit. Je ne le lâcherai plus. Je me ferai porter pâle afin que l'équipage ne s'inquiète pas trop de mes absences répétées. Allez expliquer sinon qu'il m'ait fallu me rendre ici pour, dédaignant de fabuleux paysages, m'enfermer dans une île flottant sur le Nil !

« Échangerais volontiers Pharaons prestigieux et vénérables locataires de mastabas en tous genres *Stop* contre petit Roi déchu, mort à présent *Stop*, dont les partisans pas plus que les détracteurs *Stop* n'ont sans doute deviné le rêve secret *Stop*. Et dont il faudra bien, quelque jour, reconstituer l'histoire *Stop*. Consentirais au rôle de scribe *Stop. Stop.* »

« Patron, dis-je à Max Bonboire sur un ton faussement détaché, je crois que je tiens le thème d'une suite de reportages pour *Le monde est à vous*... Une sorte de feuilleton, si vous voulez... Enfin : un début...

– Ah ! Mais vous voyez bien : je savais que l'Égypte vous inspirerait !

– Si on veut. Enfin, pas vraiment... Il s'agirait plutôt de revenir sur l'affaire royale... Mais en retournant plus loin en arrière : l'éducation du prince à Eton, la guerre de quatorze, les premiers voyages, en Indonésie et au Congo, la chute mortelle du père en montagne, l'accident de voiture en Suisse et la mort d'Astrid, la Seconde Guerre, la capitulation, lui qui veut rester prisonnier dans son château, le mariage avec une roturière, la déportation, le retour impossible… La reconversion en explorateur. J'insisterais, bien entendu, sur cet ultime avatar.

— Ainsi, vous voulez ranimer ces vieilles histoires ? Qui cela peut-il encore intéresser ? Vous me surprendrez toujours… Vous n'oubliez pas que nous nous approchons dangereusement de l'an 2000 ? Alors, ce repli frileux sur notre petit pays, son passé… Ne serait-ce pas un peu provincial, dépassé, presque saugrenu ? Bref — excusez-moi — un tantinet ringard ? Je rentre à la maison, je fais retraite : « Small is the best. » Vous avez le mal du pays, ou quoi ? C'est très dangereux, vous savez ! »

J'eus beau me voir franchissant, d'un pas de condamné à la peine capitale, mon seuil d'incompétence, s'ouvrir sous mes pas l'abîme de la « retraite anticipée », je ne me démontai pas… *Anticiper le passé*, justement, cela ne devenait-il pas mon rôle ? Allons ! Je choisis donc la fuite en avant !

« Après cela, je voudrais encore évoquer la carrière de certains champions cyclistes, dans les années soixante…

— Inouï ! Et ensuite ? Vous m'annonciez un feuilleton… Une saga de l'après-guerre ?

— Je crois que je commencerais par ces deux sujets-là… Après, on verra… Si vous voulez encore de moi…

— Mais pourquoi deux sujets seulement ? Il y en a un de trop ou il en manque dix ! Comme vous êtes parti, je ne sais pas, moi, vous pourriez tartiner aussi sur la chanson, la boxe, la fermeture des mines, l'Exposition universelle de 58, la décolonisation, les dimanches sans voitures…, que sais-je ? Rien de tout cela ? »

Je choisis de me taire. Comment lui expliquerais-je que je n'entendais apurer qu'une dette personnelle ? L'admettrait-il ? Je ne voulais plus être comptable que de mes états d'âme.

« Allez ! Je vous donne carte blanche… », dit Max d'un air bougon. Et il me taquina, en me tapant sur l'épaule : « Au fond, les grands espaces ne vous intéressent plus, n'est-ce pas ? Je vois ce que c'est : vous voulez devenir guide dans le temps, hm ?

« – C'est cela, patron. Reculer un peu dans le temps. Juste un peu. » Pour mieux sauter, pensai-je à part moi : cette précision ne regardait pas Max.

Assouan (Barrage d'),
à une dizaine d'années de l'an 2000.

Chère Joy,

C'est ici que va se clore ma fuite en Égypte. En fait, je ne fuyais pas, je me rapprochais, chaque jour davantage : vieille stratégie du détour, il ne faut pas se méprendre ! Depuis que je suis éloigné du square, que je l'ai *déserté*, je n'ai plus cessé d'y revenir, de m'en rapprocher, étape par étape.

Pas plus tard que la nuit dernière, j'ai rêvé que vous accomplissiez une excursion en bateau-mouche, le long d'une côte où, en parallèle, je vous suivais en voiture... Quand vous disparûtes à mes yeux, je rentrai dare-dare à mon hôtel pour assister, du balcon de ma chambre, à votre retour dans l'estuaire. Le temps passait. Cette expédition ne finirait donc jamais ? Je ne redoutais pas tant que vous ne rentriez pas que de voir le littoral, la mer, le monde, eux-mêmes disparaître. Ce n'était donc pas moi qui étais parti, c'était vous dont j'allais désormais attendre le retour. Le « juste retour » de vous – et des choses.

Ici, nous n'en finissons pas, à Philae ou Abou Simbel, de visiter des sites et des monuments miraculés, transplantés, que menaçaient la montée des eaux et la construction d'un titanesque barrage. J'ai bien fait de venir : qui sait si, la prochaine fois qu'il s'agira de visiter l'Égypte, nous ne devrons pas aller la chercher jusqu'au Soudan, en Libye ou même – pour d'autres raisons – en Israël ? Je m'amuse assez, pour tout dire, de l'acharnement thérapeutique avec lequel on sauve toujours avec retard ces pierres qu'avant cela on s'emploie à éroder, à massacrer. Que cela se paie des dizaines de millions de dollars, après avoir coûté jadis la vie à des centaines de milliers d'hommes, c'est vraiment la moindre des choses. Ceci justifie – si j'ose dire – cela. L'Unesco vient, en quelque sorte, légitimer le génocide *a posteriori*, à coup d'injections de résine dans la pierre monumentale. Tant de beauté peut bien valoir son pesant d'or dans sa perpétuation, après avoir été consacrée sur les fonts baptismaux de tant d'horreur. C'est sans doute ce que le guide entend résumer, en évoquant l'« art de vivre » des Égyptiens ? Ou leur art de faire mourir ? (Que de civilisation ! Soyons pas mesquin, tout de même : discutons pas ! Et surtout pas le rapport qualité-prix : de quoi aurions-nous l'air ?) Quoi qu'il en soit, jour après jour, les oiseaux et les fleurs – cultivées, apprivoisées avec frénésie – poussent, et poussent leur chant, s'insinuent dans chaque interstice du mémorial pour en adoucir les aspérités. Ibis et mimosas, martins-pêcheurs et flamboyants, hirondelles et lauriers-roses, ou pique-bœufs et ficus Africa viennent relayer, à point nommé, l'intarissable dialogue d'Osiris avec le Nil. En vérité, on fait dire à ce fleuve n'importe quoi, et il s'engloutit lui-même, peu à peu, dans un radotage intérieur ! Les babouins d'autrefois, qui avaient un regard sur le pouvoir immémorial des chefs, pourraient l'avoir recyclé, à son tour, comme un dépotoir d'ordures.

Accoudé à la balustrade de mon balcon, dans une chambre de l'hôtel Cataract – car le bateau nous abandonne ici – et dans un malconfort de première classe –, je puis au moins déchiffrer cet avis : « C'est interdi de grimper la montagneu », et suivre des yeux des enfants culs-de-jatte qui, rue des Épices, s'agrippent à la chaussée de terre, et s'en arrachent dans le même mouvement, grâce à deux fers à repasser de fonte, en évitant de justesse les coups de fouet des cochers qui réclament le passage pour leurs fiacres rutilants et les veuves floridiennes qui s'entassent sur la banquette.

Au fond, le seul copain que je me serai fait ici, c'est sans doute Akhenaton, avec son air ahuri, ses hanches femelles, son faciès prognathe, mais qui croyait tant à la bonté de l'astre solaire, et but tant à la coupe du mysticisme, qu'il en abandonna les desseins expansionnistes de l'Égypte ancestrale ! En voilà un, au moins, qui rompit avec l'histoire sanguinaire de Thèbes, et cela au nom de l'amour qu'il filait avec cette Néfertiti qui, plus tard, la pauvre, ne trouva d'autre refuge qu'à Berlin… Je me réjouis que, sous son nom de monarque – Aménophis IV–, il ait présidé à notre croisière, et que Freud ait été ému par lui à cause de son côté « fils mal aimé ». Je fus consterné d'apprendre que son gendre, Toutânkhamon, mais oui, le revoilà, rétablit l'ordre en dansant sur le ventre de ses prisonniers de guerre : avant sa fin si précoce, il trouva au moins tout juste le temps, sous l'influence d'un général de type attilesque ou bismarckien, de remettre l'histoire dans le droit chemin, donc dans le mauvais sens, et de la faire retomber dans le chaos. (Ah ! Chère Joy, nous méritons peut-être à peine de vivre, mais le monde, sa pénible histoire de dingos, de *maffieux assermentés*, ne nous mérite pas davantage !)

Pour toutes ces raisons, je ne suis pas fâché de m'être retrouvé, à bord de l'*Aménophis IV* avec une véritable bande de « carabins »… Je ne déteste pas la vulgarité des chers docteurs. Je passe sur les jeux de mots scabreux dont ils assaisonnèrent nos colloques. Tantôt fous de « Toute-en-tétons », ou s'intéressant au règne de « Phymosis II », ou s'inclinant devant les « colonnes du Même-Nom »… ils pensaient tout cela « Ator » ou à raison… Comment leur en vouloir ? Un chirurgien, un soir, me raconta qu'il était tombé amoureux de sa femme alors qu'elle se trouvait étalée sous ses yeux sur le billard : « Je l'ai délestée de son appendice, et elle m'a pris mon cœur ! »

Ah ! Chère Joy, comment ne pas avoir une pensée, alors, pour l'obélisque inachevé, l'obélisque fissuré, l'obélisque accidenté

– qui gît ici, couché sur le flanc – atrophié, mutilé, inexporté, intransportable, dans aucun musée. En voilà un que sa défaite, sa débandade, grandit. Son ambition l'a sans doute perdu, mais qui ne serait touché par l'image de ce grand rêve inassouvi ?

Nous ne nous sommes bien rencontrés qu'une seule fois, n'est-ce pas ? Mais avec ma manie de tout voir, de ma vie, en double – comme si j'étais né ivrogne –, j'ai parfois l'impression que nous nous sommes revus au moins une fois depuis lors… J'éprouve tant de peine, vraiment, à réunir, dans le souvenir d'une unique conversation, tout ce que nous nous sommes dit, que tantôt j'étire ce dialogue jusqu'à l'absurde et tantôt je le démultiplie… Ce jour où nous avons fait connaissance, j'ai pensé : C'est bizarre, nous conversons comme si nous ne nous étions pas perdus de vue *durant tout ce temps*, et que nous nous retrouvions après une longue séparation. Et nous nous parlions comme si nous nous étions « quittés la veille » !

Or nous n'avons sans doute, tout bien considéré, échangé que quelques phrases : cinquante, ou peut-être moins de vingt, que sais-je ? Mais, dans mon souvenir, elles changent tout le temps, elles deviennent une bonne centaine d'hypothétiques. Par exemple – dites-moi si j'invente –, vous m'avez bien dit, n'est-ce pas, que vous vouliez m'arracher au crépuscule ? Que vous pensiez « prendre en charge », non pas seulement les frais d'une conférence et d'un déplacement, mais jusqu'à ma propre personne ? Étiez-vous donc ivre ou, à force d'y resonger, le suis-je devenu ? Vous me vouliez vraiment du bien, ou quoi ? Vous n'y alliez pas de main morte ! Cette main, tiens, parlons-en donc, cette dextre qui voletait sous mes yeux tandis qu'elle épousait, ponctuait votre propos, qui passait et repassait ; je n'avais plus d'yeux que pour elle, si bien que, quand elle finit par atterrir sur un de vos genoux, j'eus un vertige rétrospectif, je me sentis comme un enfant qui viendrait de passer son baptême de l'air !

Que dirais-je de votre absence ? qu'elle ressemble furieusement à une grosse sottise dont Dieu lui-même, dans sa notoire inconséquence, se serait rendu coupable. Une bévue impardonnable, une immense gaffe de la planète. Un écart de langage de l'histoire des hommes. Une aporie, une amnésie du destin… Un cruel canular. Une mauvaise plaisanterie. Une blague d'un goût affreux. Un oubli de soi par soi. Une histoire de fous bêtes et méchants. Comme si le Sphinx s'était oublié.

Un sanglot du désert.

Votre absence, disais-je, ne fut pas seulement un manque, comme de l'eau et du sel, du pain et du vin, ou d'une dose d'héroïne, mais un excès, un surencombrement, un embouteillage de la vie – comme s'embouteille une veine, aorte ou carotide, et s'asphyxie… Une agonie de bas étage. Un collapsus, une syncope de l'être dans son être même. Loin de vous, chère Joy, je me suis mis aux abonnés absents de moi.

J'ai encore dans l'œil tous les entrechats de votre chorégraphie. Je conserve le souvenir de votre déferlement sur le square. Vous n'êtes pas venue à moi, vous avez *débarqué*. J'ai encore dans l'oreille les échos de l'émeute souterraine – comme le bruit du sang – qui bouleversa, à l'heure de la sieste, la bonace du square du Bois-Profond.

Depuis que je vous connais, j'ai de nouveau la curiosité de lire les journaux, comme s'ils ne devaient plus annoncer que de bonnes nouvelles. J'ai des envies de femme enceinte et des caprices de coquette. Je fais des rêves loufoques qui me réveillent, la nuit, au milieu d'un éclat de rire…

Didascalie. *Sur un ton détaché et un tantinet mondain – le petit doigt en l'air, mais on n'en pense pas moins* : « Dites-moi donc, chère amie, pourquoi la vie, avec vous, affecte-t-elle d'être si peu quotidienne ? »

144

Voilà : je pourrais – avantageusement – m'arrêter ici. Atterrir au square. En visiter les recoins, en rappeler l'histoire, soulever le toit des maisons, en faire une spécialité, l'objet d'un brevet. Déposer ma valise, quoi.

Je me souviens de ce groupe d'étudiants à qui je faisais visiter New York. Éberlué par la folle beauté de cette ville – qui relègue, soudain, toute autre au rang de village rustique –, je me fis apostropher par une jeune fille au moment où nous traversions un tout petit square avec trois arbres rachitiques en son milieu.

« C'est ça, Central Park ? » me demanda-t-elle.

Tellement dans l'attente, elle était ! Si émerveillée d'avance, si assujettie à la ville… Je n'osai démentir.

« Oui, c'est bien ça… », dis-je. L'idée me plaisait. Elle parut éblouie. Je lui donnai raison.

Si je devais pointer sur la carte un lieu géographique précis que je devrais occuper, pour le mieux et après le pire, je désignerais celui-là : le square du Bois-Profond. À qui le dire, sinon à vous, belle Autrichienne ayant répudié l'Autriche trahie par elle-même.

Je voudrais écrire un reportage à rêver debout. Une histoire pour enfants destinée aux adultes. Qui finirait bien. Mais, avant cela, il y aurait des coups du sort, de sacrées déveines, des maldonnes. Bref : il y aurait eu du malheur (comme « une absence de lampe »). quelqu'un serait tombé. Il y aurait eu une ou plusieurs chutes. On ne se refuserait rien. On trouverait tout ce qu'il faut pour faire un monde. Un roi dont le trône se serait dévissé jusqu'au ciel, une reine belle comme un ange – et qui en devint un très tôt –, une princesse aussi séduisante qu'une sorcière, des ministres démocrates un peu timorés, un peu félons, qui eurent des états d'âme, des champions cyclistes qui pensaient tout haut sur les pentes du Galibier et les faux plats de Flandre, une résistante qui se serait laissé gagner par la peur de la vie comme phénomène, un glaciologue qui dégustait des sorbets par nostalgie du grand froid, une anorexique qui appréciait qu'on l'invitât à déjeuner, un gastronome mélancolique, un alcoolique anonyme, un réanimateur intensiviste, une attachée culturelle proche-orientale, un détenu reconverti dans la littérature d'avant-garde, un professeur de golf qui ne penserait le monde qu'en termes de trous, un jeune gigolo qui échangeait volontiers des éditions originales contre des pulls bleu azur à col roulé, un amnésique qui aurait tout oublié hormis le lieu, le jour et l'heure de sa naissance, un gemmologue qui regrettait les fossiles ; il y aurait aussi un pays menacé de devenir plus petit encore, le Tigre et l'Euphrate, un incendie, une inondation, des incendiaires et des pompiers – ce seraient souvent les mêmes –, un guide assermenté qui ne jurait de rien, hormis peut-être de guider, un jour, ses propres pas dans la bonne direction. Qui sait si même on ne rencontrerait pas, dans ce reportage, une femme qui semblait surgir de partout à la fois, pour coloniser l'espace autour d'elle, juive, autrichienne, devenue anglaise, que la joie faisait frissonner – je l'ai observé –, mais que le rappel des mauvais jours faisait tousser dans son poing – cela aussi, je l'ai remarqué…

Je me demande si mon avion, peu avant d'atterrir, ne va pas survoler la placette, qui n'aura pas un diamètre plus large, à cette altitude, que celui d'une pizza ou d'un disque trente-trois tours ? Menue oasis au cœur du désert de l'enfance ressuscitée ?

M'accorderez-vous la prochaine valse ?

Il faut que je vous raconte encore dans quelles circonstances surprenantes fut élue Miss Univers, à Londres, en 1931 ou 1932… (Je sais : cela a l'air d'un coq-à-l'âne : vous allez voir que je n'abandonne pas le sujet.) Le jury ne trouvait aucune des candidates à son goût et parut au bord de refuser la couronne à toutes. C'est alors que, sans s'être concertés, et dans un même mouvement, plusieurs spectateurs se levèrent dans la salle et désignèrent du doigt une inconnue qui était assise, là, au milieu d'eux. Elle fut élue par acclamations.

À force de me remémorer, sur le Nil, votre apparition au square du Bois-Profond, J'ai souvent repensé au plébiscite de cette Miss Monde qu'on n'attendait pas.

Et je me vois, littéralement, me lever à la terrasse de La Petite Coupole, et vous applaudir à tout rompre.

Pierre Raymond Junior

2

Moi, le Roi, et la petite reine

Il y a les hommes, les femmes
et les princes.
SAINT-SIMON

Un militant – un théoricien, un idéologue – du tourisme qui
ne prend pas de vacances d'été, ça ne fait pas très sérieux :
on dirait l'aveu d'une imposture. Pourtant, cette année, je ne
partirai pas, je ne m'éloignerai plus. J'ai l'intention de me rassembler autour du square du Bois-Profond, comme en traçant
des cercles concentriques qui, peu à peu, l'enlacent, l'étreignent… Je me rapproche, je brûle ! Ici, l'été est chauffé à
blanc, même quand le soleil n'arrive pas à forer le bouclier des
nuages plombés. L'été tombe sur la ville comme le couvercle
d'un cercueil que, l'instant d'après, on va livrer aux flammes de
l'incinération.

Pour les besoins de mon enquête, je ne suis donc pas mécontent d'avoir retiré ma carte de lecteur à la Bibliothèque royale.
(Royale, forcément.) C'est un îlot de fraîcheur déposé au bout
du boulevard de l'Empereur (eh oui ! on mélange les genres, mais
l'onomastique du territoire occupé demeure seigneuriale).
Je ne suis pas fâché de me réfugier ici, dans l'ombre des
livres, comme pour échapper à la canicule ; on rencontre peu
de monde, et même les bouquins paraissent, quelquefois, s'être
mis en congé d'eux-mêmes. Combien de fois, ayant rempli un

formulaire sollicitant la consultation d'un ouvrage, avec toutes ses références, et l'avoir remis à l'un des rares employés qui hantent encore la salle de lecture, à cette époque de l'année, revêtus de leur cache-poussière blanc, celui-ci ne nous le rapporte-t-il pas, au bout de trois quarts d'heure d'attente, avec la mention : *Le volume demandé ne se trouve pas en rayon* ? À croire qu'un ouragan a balayé la bibliothèque dans un passé récent, sans qu'on s'en soit rendu compte, en bousculant sur son passage encyclopédies, chrestomathies, anthologies, guides, manuels techniques, et les œuvres complètes de Chateaubriand… (À moins qu'une brigade de kleptomanes n'ait débarqué une nuit pour piller ce temple du savoir ?) L'accumulation de ces fins de non-recevoir, de ces choux blancs, ne me décourage pas. Cela m'émoustillerait plutôt. Je ne suis pas gagné par l'impatience. L'idée de devoir, ici aussi, me livrer à de progressifs travaux d'approche de mon sujet n'est pas pour me déplaire. Il faut mériter son plaisir. Car des volumes sur « mon sujet », il n'en manque pas, assurément, si l'on se base sur ce que proposent les catalogues… Et sur ce thème : un de perdu, dix de retrouvés ! À croire que tous les historiens du cru se sont, à un moment donné, mis en grève de l'Histoire du monde pour ne plus livrer que leur point de vue sur Léopold : *Je* suis pour, *Je* suis contre, À moitié pour, à moitié contre, *Mon* opinion sur le Roi, *Mon* réquisitoire, *Mon* plaidoyer, *Mon* verdict, *Mon* diagnostic, *Mon* pronostic, *Mes* états d'âme, *Ma* rébellion, *Mon* adulation, *Mes* chères considérations, le Roi et Moi, Moi et le Roi, Moi, Moi et encore Moi. Cela devient, le plus souvent, une affaire *personnelle*. N'importe ; à force de me voir retourner mes bons de commande sur : Léopold le héros, Léopold le salaud, Léopold le saint, Léopold le surmâle, Léopold et Astrid ou : Lohengrin à Stockholm…, j'en vins à me demander si on ne me censurait pas. Épuisé à la longue par ces attentes déçues autant que par mes vraies lectures, au mot à mot, en accéléré ou en diagonale (méthode Kennedy), je me réfugiais souvent, en fin d'après-midi, sur la terrasse orientée au sud de l'appartement où Joy Strassberg vivait suspendue entre ciel et terre.

Là, nous sirotions un Pimm's – allongé de jus d'orange ou de citron – avec une paille coudée tel un périscope.

Dans la contemplation d'un coucher de soleil aux veinures de sanguine, Joy me demanda, un jour, si j'avais déjà trouvé un titre pour mon grand reportage. Je répondis que oui, mais que c'était encore un titre provisoire. Que cela s'appelait, au demeurant : « Moi, le Roi et la petite reine. » Elle se fit expliquer la rencontre avec le Roi, avec l'Empereur d'H.,… en somme, toute ma vie. Littéralement, elle n'en revenait pas !

« Cette bruyère si sombre que vous me décrivez, finit-elle par observer, ne doit plus vous faire peur… J'ai envie de vous dire : ne prenez pas froid tout le temps et, lorsque vous voyagez, même en imagination, couvrez-vous davantage. Vous êtes tellement fatigué : reposez-vous donc un instant ! et puis vous remonterez sur votre vélo, et vous me parlerez encore de vous. Peut-être l'histoire de votre vie pourrait-elle cesser, alors, de ressembler à celle de votre perte ? Voici venir, je crois, le moment de la réhabilitation. »

Je raffolai de ce mot où je distinguai le reflet d'un anglicisme. Avec son goût prononcé pour l'*Understatement*, comment une Anglaise – fût-elle juive, et justement à cause de cela –, n'aurait-elle pas perçu que j'étais un très banal Lazare en mal de magique résurrection ?

« Mais votre conférence sur le crépuscule de l'Autriche-Hongrie ? demanda-t-elle, vous n'avez pas oublié ? Sous quel angle traiterez-vous le sujet ?

– Rilke…, dis-je.

– Seulement lui ? Vous devez avoir vos raisons ?

– Parce qu'il voulait "faire quelque chose avec de l'angoisse"… Enfant, on l'habillait en fille. Il était de Prague et parlait allemand. Une princesse l'accueillit à Trieste, comme pour préserver une rose menacée par l'orage.

« — Les princesses… Pierre, vous y croyez, hein ?

— Rilke y croyait. Comme il croyait aux anges. On l'a beaucoup moqué là-dessus. Diverses brutes se sont gaussées. Pourtant, il disait que "Tout ange est terrible". Et puis la citadelle féerique où Marie de Tour et Taxis l'avait recueilli fut détruite à la fin de la Grande Guerre. Comme si elle n'avait abrité que des valeurs qui n'importaient plus alors pour personne, ou presque. Mais Rilke avait écrit entre-temps des *Élégies* qui, sans qu'il s'en doutât, célébraient ainsi un lieu dont il conviendrait bientôt de porter le deuil…

— Sait-on à quoi ressemblait Marie de Tour et Taxis ? À l'inverse de vous, je me méfie un peu de la fiction… Parfois, sous prétexte de dire une vérité, contre ou malgré la vérité même, elle en détourne cruellement !

— On ne sait pas grand-chose d'elle, sinon le château de Duino et les *Élégies* du même nom… Telle est l'injustice, l'ingratitude de l'Histoire. Elle devait être magnifique. (Ma grand-mère lui ressemblait.) À la fin, le poète protégé comme une rose mourut lui-même d'une piqûre de rose. On dirait qu'il a voulu, jusqu'au bout, danser son propre ballet dans les marges d'une Histoire meurtrière. Et l'Ange fut déchiré par la tempête. Très viennois, *isn't it* ?

— Je suppose qu'il sera question de cela aussi dans votre reportage ?

— Dans mon reportage, je décrirai surtout des princes et des princesses que l'Histoire rejoint. »

Par quel bout m'emparerais-je donc de mon royal propos ? J'étais au fond assez soulagé de ne pas recevoir tout le lot d'ouvrages spécialisés que ma boulimie et une fâcheuse tendance à l'exhaustivité me poussaient à parcourir. Leur poids ne m'aurait-il pas étouffé et leur contenu gavé comme une oie ? Et puis, jusqu'où fallait-il remonter ?

À Léopold Ier, notre inaugural dynaste qui, trouvant que notre Constitution ne lui faisait pas la part belle, disait hériter d'une

« monarchie républicaine » et « régner sur une ménagerie » ? À Léopold II, qui nous avait offert une colonie mais avait « les voyages en horreur » ? On l'avait décrit comme un « géant dans un entresol », et qui devait se vivre à l'étroit tel un cachalot au fond d'une baignoire. « Il n'y a pas de petits États ; il n'y a que de petits esprits. » Ou Albert, le Roi-Chevalier, qui, en fait, détestait l'armée, et se consolait de son ennui de vivre en nourrissant des phantasmes ferroviaires ? Il passait commande d'un train pour la journée, qu'il conduisait lui-même, en bleu de chauffe, notant au passage les moindres retards enregistrés par ses collègues d'occasion lorsqu'il les croisait sur le parcours, et leur jetant un regard désapprobateur. « Il pleut. Moins qu'hier », observe-t-il au détour d'un de ses *Carnets*. Il devait avoir une propension au cafard. Mais il possédait, paraît-il, une garçonnière rue Chair-et-Pain. Franchement, j'en suis heureux pour lui. Ces anecdotes, bien sûr, circulaient en ville quasi sous le manteau. Aucun hagiographe de service ne se fût permis de les épingler.

Je me demandai bientôt si, comme toute grande bibliothèque, la Royale avait son « enfer », et si certains secrets touchant à la monarchie s'y trouvaient tapis.

Je regardais, tout autour, les quelques lecteurs qui, comme moi, fuyaient dans cette crypte du savoir les ardeurs de l'été… Ils avaient l'air tellement plus studieux et absorbés par leur tâche que moi ! Certains apportaient ici leurs propres livres, tels ces consommateurs qui se munissent de leur casse-croûte au bistrot… De loin, les lectures d'autrui paraissent toujours alléchantes, enviables. À voir le sérieux avec lequel mes voisins de table s'y plongeaient, n'allais-je pas constater que j'avais fait le mauvais choix ? Ne me sentirais-je pas prêt à proposer un échange ? Furtivement, je tâchais depuis quelques jours de déchiffrer à l'envers les titres des publications qu'ils consultaient – ou bien je profitais d'un moment où ils s'absentaient pour aller y voir… Urbanisme souterrain… Histoire de Malte… Théorie quantique… L'homme de Grauballe, l'homme de Tollund, les harengs du Jutland…

La revue des numismates namurois… La prostitution sacrée dans l'ancienne Ibiza… Une esquisse de description d'un *nouveau* site paléolithique au lieu-dit « Bonne Nouvelle », à Cozes, dans la Charente-Maritime, publiée par les soins de l'Institut archéologique de Pontoise… Soudain, tout cela me paraissait tellement plus étonnant et neuf que mes propres centres d'intérêt !

Mon attention fut attirée par une jeune lectrice dont un châle de résille laissait deviner les formes et la sensualité. À quoi s'intéressait-elle donc, elle ? Mon Dieu : aux bébés-éprouvette ! Cela me déconcerta qu'ainsi faite et qu'avec la blandice qui se dégageait d'elle elle se passionnât pour une procédure aussi détournée, aussi désincarnée, de procréation.

Je revins à mes moutons. Soudain, je me dis que si je ne voulais pas faire *fausse route*, je ne devais pas perdre de vue l'*outil* même de ma rencontre avec le Roi : le vélo ! Je devais mener de front les deux enquêtes…

Retour, donc, au fichier analytique, nouvelles demandes de consultation : à propos de la draisienne – ou machine à courir – et du célérifère des Incroyables conçu par le comte de Sivrac, jusqu'au prototype de Tsusaki et Makita (exposé au Pasadena Art Center), en passant par le cabriolet pédestre, le monocycle, le Grand Bi, la quadraplette, le cyclo-pousse, le vélo pour pompiers, l'unicycle flottant, le tricycle amphibie, la bicyclette à essence, à vapeur ou propulsée par l'énergie solaire, le vélo volant, le cycle d'appartement, le véloski, le véloglace, la bicyclette à volant, le vélocorbillard…, l'homme avait-il jamais déployé plus d'imagination que dans cette recherche forcenée de l'équilibre ? Sous les lazzis toujours réitérés des sceptiques et des bornés ! Que d'épopées excentriques, que d'eurêka et d'euphorie, que de chagrins secrets – comme celui de ne pas voir un frêle Alcyon tenir tête à une Ferrari sur un chemin de campagne, autrefois.

Entre-temps, toute une vie a passé, la nôtre, que rythmaient les exploits des champions que nous avions élus : ces magnifiques ouvriers de l'inutile, ces martyrs pour rien, ces sous-prolétaires devenant parfois multimillionnaires, et finissant souvent clochards. Jeunes gens, nous aimions ces hommes dont nous faisions des dieux – leur moindre défaite nous paraissait plus cuisante que nos plus graves échecs – et nous découvrions bien plus tard, parfois, qu'ils avaient le même âge que nous. Mais, au temps de leurs exploits, nous n'avions pas encore commencé de vivre, ils étaient notre vie, par procuration ; ils l'emplissaient de leurs triomphes. Quand ils se retiraient de la compétition, nous nous avisions brutalement que notre jeunesse était derrière nous – et que nous n'avions pas su en profiter.

Tiens ! Quand pour moi tout a commencé, qui avait donc remporté le dernier Tour de France d'avant-guerre ? Sylvère Maes, devant Vietto. On disait qu'il avait débuté en montant sur une bécane qu'il avait déterrée dans une tranchée de la guerre précédente. Il avait tellement peur de perdre de sa substance au contact des femmes, qu'il se nouait une cordelette autour de la verge. Pourquoi étaient-ils si forts, les Flandriens ? Parce que la Belgique est un faux plat.

On les voit, sur les photos, passer à l'avant-plan de paysages grandioses, d'une mortelle magnificence. Cols alpestres que la neige tire vers le ciel, dans une dramatique émulsion de nuages aux reflets soufrés. Lacets d'une caillasse serpentine, d'un fleuve de pierres coupantes, acérées comme des rasoirs. Forçats et galériens centauresques n'ont pas un regard pour le panorama, ils paraissent ne pas lui appartenir. (Le contempleraient-ils un instant, ils tomberaient, sans doute : ils seraient happé par le vide ; il leur faut rester sourds à son appel, à son chant.) L'effort qu'ils fournissent les hallucine, change les couleurs de toutes choses. Sans doute, tout à l'heure, des lambeaux d'images se rappelleront à eux, qui se seront imprimées, subliminales, sous leurs paupières. Mais, le temps de la course, il convient que le décor ne soit doté d'aucune réalité : celle-ci serait l'occasion d'une trop grande souffrance. Rouler comme ils le font n'est supportable que dans un état second, ou dans le souvenir.

On pénètre dans l'air comme dans un espace autre : comme si on devait ouvrir une porte. Cela ne va pas de soi. Certains jours, on est comme né à vélo, on fait corps avec la machine dans une sorte de symbiose mythologique ; la route, docile, féminine, se couche. D'autres fois, elle se redresse comme à la verticale, elle perd toute fluidité, et on se hait d'avoir choisi ce métier absurde. Tout le corps est déchirure, se mue en plainte, n'est plus bon qu'à trahir.

Et maintenant, une attitude caractéristique de Rik Van Looy, dit Rik II, dit l'Empereur d'Herentals, dit le Tigre campinois, dit le Barbare. Il gravit, en tête de la meute, le mur de Grammont. Juché en haut de sa selle. Les mains sur la potence du guidon. Le regard fixe, prédateur, à la limite du strabisme. La bouche ouverte. Trouve-t-il ses mots – car on soliloque, en course, on s'admoneste ou s'injurie soi-même, on s'exhorte, aussi – ou cherche-t-il son second souffle ? Pousse-t-il un cri de guerre ? Va-t-il gober le monde comme un œuf ? Non, c'est comme s'il allait mordre Dieu Lui-même. Il ne veut que gagner, encore et toujours. Survivre est, à ce prix, effrayant. Toute défaite est une catastrophe. Qui s'en doute ?

Samuel est un petit garçon qui ne connaît pas son bonheur. Si je doutais encore qu'une enfance pût être une fête, le spectacle de celle-ci suffirait à me convaincre. (Longtemps, j'ai cru qu'il ne pouvait s'agir que d'une « longue maladie » – comme le cancer – avec, au mieux, de nombreuses rémissions.)

Au bonheur de son fils, Joy Strassberg s'est adonnée comme à une œuvre de longue haleine. La vocation de Joy, c'est Samuel. Un midi que nous croisions Max Bonboire à la terrasse de La Petite Coupole, lui d'ordinaire si peu porté aux compliments et qui n'abordait les sujets « sensibles » qu'avec parcimonie et des précautions éléphantesques, me dit en aparté : « Elle est mélodieuse, cette femme... » Les harmoniques de cette patiente et prégnante mélodie constitue la bande-son d'un film intitulé : « L'enfance de Samuel ». (Mais je rêve déjà d'une suite qui aurait pour titre « Pierre Raymond au pays de Joy »...)

La félicité de Samuel – dont il n'a même pas à se soucier, puisque sa mère s'est arrangée pour que celle-ci aille de soi – n'empêche pas le petit garçon d'éprouver des terreurs. Et même : c'est parce qu'il est heureux qu'il se sent menacé. (On pourrait lui reprendre son bien. Parasiter la mélodie.) La nuit, des fantômes le traquent. Sa couette a glissé au pied du lit. Il a froid. Il se lève et aperçoit dans une chambre, de l'autre côté de la cour, un enfant qui dort emmitouflé dans une couverture. « C'est injuste... », commente-t-il. Il ne craint jamais d'exagérer. Il serait plus facile de ramasser la couette. Mais, dans l'hébétude d'un demi-sommeil, ça ne lui est pas venu à l'esprit. D'ailleurs, il prise des formules comme : « la vie est dure » ou : « le monde est moche », et il y recourt volontiers, il en joue. Une autre nuit, alors qu'il émerge d'un cauchemar, il dit : « J'ai peur. De tout. Sauf de vous deux... » et je me demande même s'il ne s'est pas exprimé de la sorte un peu pour me faire plaisir, par diplomatie. Plus tard, il voudrait devenir « chauffagiste » ou « réparateur de radiateurs ». Pour qu'on ait toujours chaud... Si je lui demande comment ça va, il répond à tout coup :

« Oh ! Moyennement... », et il sourit.

Sa mère me raconte qu'après avoir été opéré des amygdales, il s'étonnait qu'on ne puisse pas « les lui remettre au fond de la gorge pour qu'il n'ait plus mal ».

« Qu'est-ce que tu préfères, me demande-t-il, les serpents ou les crocodiles ? » Devant mon silence, il me bombarde : « les araignées ou les guêpes ? Les mouches ou les moustiques ? Les pieuvres ou les piranhas ? Les grippes ou les angines ? »

Il ne se prononce qu'en termes de *préférence*. Même lorsqu'il importe d'opter entre des réalités patibulaires ou des monstres : quel est alors *le moindre mal* ?

Je le soupçonne d'avoir choisi pour thème d'exposé « la jungle » parce que c'est le lieu de tous les dangers. Donc, aussi, celui où les « préférences » entraînent les conséquences les plus dramatiques. S'agit de ne pas se tromper !

« Ce que je déteste le plus, dit-il, c'est les hippopotames, et il n'y en a pas dans les jungles que j'aime…

– Alors je t'appellerai désormais "Hyperpotame" », lui dis-je.

Il veut avoir le dernier mot et me baptise, depuis ce jour, « Toucan-camion ». Cela nous promet des lendemains qui chantent.

Pour « mon » Léopold, tout avait été trop vite et, dans un sens, avait trop bien commencé. Quand donc survient l'avènement d'un roi ? Pour peu que puisse jouer la loi de l'hérédité : au moment où il vient de perdre son père. Il accède à la dignité suprême, sous les ovations et dans la liesse populaire, à l'heure où il nage encore en plein deuil.

Le 18 février 1934, Albert, qui est allé voir, la veille, *Les Misérables* au cinéma Marivaux et qui s'ennuie sans doute un peu à la maison, a un gros caprice : il veut soudain revoir un site naturel, à Marche-les-Dames, au bord de la Meuse, qu'il venait de faire classer. Lui qui a défié de redoutables versants dans les Alpes (Cervin) et les Dolomites (La Marmolada), qui a gravi le Tofane di Mezzo et a laissé son nom à un pic de 2 816 mètres, près de Chamonix, une roche dite « de la Corneille » (32 mètres…), tout près de chez soi, lui fait la nique. Il voudrait bien se l'offrir aujourd'hui, en guise d'entraînement de routine. Il doit faire vite : on est en effet samedi et, le soir, il est attendu au palais des Sports, à Bruxelles, pour une grande réunion cycliste.

Ne le voyant pas arriver pour le début de celle-ci, lui si féru de ponctualité, on peut déjà pressentir le pire. On sait que des matadors qui ont déjà vaincu des *bravos toros* dans toutes les arènes fameuses peuvent être bêtement encornés par une vachette de province.

C'est ce qui arrive au souverain. (En même temps, n'est-ce pas une mort rêvée pour ce solitaire, ce taciturne – ce « taiseux », comme on dit chez nous –, cet Icare modeste qui appréciait davantage la sauvagerie des rochers que celle des hommes ?)

On ne retrouvera son corps que dans les premières heures de la journée du dimanche. Le fils est rappelé d'Adelboden où, avec sa femme, incognito, sous les noms de comte et comtesse de Réthy, insouciants et heureux, ils dévalaient les pentes d'une autre montagne, aveuglante comme un miroir, dans l'Oberland bernois. C'est là qu'il est rattrapé par un messager porteur de la funeste nouvelle.

Il se voit basculer d'un coup par-dessus la montagne qu'il a devant lui, basculer dans sa propre vie.

Moins d'une semaine après, il monte sur le trône. Il vient à peine de conduire son père dans la crypte qu'il fait déjà sa *Joyeuse Entrée* dans la capitale, « magnifiquement campé sur son cheval à tous crins », au milieu d'un « enthousiasme indescriptible », d'une « immense ferveur », sous des « acclamations délirantes » de part et d'autre des boulevards, et peu avant de recevoir « un accueil frénétique » dans l'enceinte parlementaire, où il se rend pour prêter serment. Elle est si folle, cette joie, si élyséenne cette fête, à ce point unanime cette réception, que les funérailles qui avaient – de si peu – précédé furent aussitôt transfigurées dans les mémoires. Ce fut comme si, conduisant dans l'affliction à sa dernière demeure le mieux-aimé des monarques, tous avaient voulu compenser aussitôt, par un bonheur égal, ce chagrin. On fut frappé déjà par « la magnificence » du cortège qu'entraînait le cercueil déposé sur un affût de canon, et qu'on vit s'éloigner dans un poudroiement lumineux au fond de la place Royale, entre les drapeaux ou les réverbères cravatés de crêpe et les tambours voilés. On trouva « splendide » cette cérémonie, cet « ultime et vibrant hommage au roi-soldat » – le chef du Parti ouvrier belge lui-même ne réprimant pas son émotion. « On eût dit qu'on assistait à la mise au tombeau d'un saint. » Or, on ne peut pas pleurer longtemps la mort d'un saint. Il est sauvé, il nous sauve, il *est encore là*. Alors, au tréfonds de la désolation, on se réjouit, on jubile inconsciemment.

Aux funérailles de son oncle Léopold II, déjà, la foule ne boudait pas son bonheur. On avait habillé le garçon comme une princesse, avait-il pensé, mais il n'avait pas osé protester. Un col et des manchettes de dentelles rehaussaient son vêtement noir. Il avait suivi la dépouille du vieillard dans une berline traînée par six chevaux : par chance, la capote était relevée, car les gens sur les trottoirs n'arrêtaient pas de lui lancer des fleurs, parfois par brassées entières. C'était la fête – et même la sienne. Du reste, quand on lui avait annoncé qu'à présent son père allait régner il n'avait pas voulu le croire et avait éclaté de rire. L'idée l'amusait beaucoup.

Quant à sa propre naissance, cela l'avait laissé tout rêveur d'apprendre qu'elle avait été saluée, rue de la Science, par cent et un coups de canon protocolaires et qu'au vingt-deuxième, déjà, une « explosion d'enthousiasme » éclata, « un extraordinaire tumulte ». Que penser d'une destinée où la vie et la mort paraissaient s'équivaloir à ce point ? Il en eut le frisson. Mais la Reine, sa mère, n'avait-elle pas accouché dans de grandes souffrances ? – cela se faisait encore à l'époque –, et le Roi, son père, n'avait-il pas trouvé le bébé « fort laid » ?

Voilà ce que peut se dire Léopold tandis qu'il chevauche du Parlement au Palais et que, sur son passage, il accoutume d'emblée la foule à son profil de médaille, à l'élégance de sa silhouette, à la noblesse naturelle de son maintien. (Il ressemble déjà à une statue équestre.) Et pourtant, à chaque pas, il s'extrait de la légende pour entrer de plain-pied dans cette sorte de belle époque qui s'est ouverte au cubisme et à la science nucléaire, où l'on peut écouter *Jardins sous la pluie* ou le *Pot-Pourri* d'Alain Gerbault en remontant la manivelle du phonographe, et qui a vu le professeur Picard piquer une tête dans la stratosphère. On pouvait se procurer un vélo Alcyon pour moins de six cents francs belges et une Minerva six cylindres pour cent mille et des poussières. Les vertus de la Quintonine se chantaient sur l'air de la « Cucaracha ». Mais le jeune Roi, tout fraîchement intronisé, guide seulement sa monture sur un pont qui surplombe d'indécelables abîmes, la passerelle pourrie qui va conduire d'une guerre à une autre.

Ces derniers temps, le père aimait emmener le fils en montagne et le laissait passer premier de cordée – mais ce changement de hiérarchie ne devait pas se savoir : on eût pu penser à un déclin... Cela agaçait Albert, au début, que ses imprudences – il se passait volontiers de guide –, les élans impavides et les sombres foucades qui l'attiraient sur les à-pics, inquiétassent son fils. Quelle que fût la difficulté de la varappe, et malgré l'ivresse qu'elle procurait, Albert parvenu au sommet regardait son gros chronomètre, se livrait à un rapide calcul et donnait aussitôt le signal de la descente, sans s'accorder un instant de béatitude devant le paysage. Que pesaient donc ses silences ! Mais, après une escalade, cela s'arrangeait un peu et il devenait plus disert, presque loquace. Il se détendait. On eût même pu imaginer qu'à cette occasion il eût confié volontiers quelque secret, et il semblait souvent au bord de le faire. Mais, de ses soucis de roi, non, décidément, il ne livrait rien. Non sans une tendre ironie, le fils pensait que l'altitude et la solitude des cimes auraient pu pourtant prêter un décor idéal à quelque solennelle profession de foi. Et il se rappelait que, quand le père avait recommandé son fils à un précepteur, il avait engagé celui-ci à lui enseigner plutôt les choses de la pêche que celles de la chasse, la connaissance des plantes et des animaux avant celle des sociétés, le jardinage de préférence à la philosophie, le sens de l'observation et de la mémoire, et bien sûr la ponctualité : il fallait se souvenir de tout, du nom de toutes les personnes qu'on rencontrait, de l'heure où l'événement s'était produit et des circonstances de la rencontre... Il fallait apprendre à déchiffrer cartes et horaires. C'était un misanthrope qui avait un faible pour les hommes. Un philanthrope maussade. Un bourgeois mélancolique qui songeait à la retraite, en lissant sa moustache de facteur de village, et qui croyait son fils prêt à prendre le relais.

L'heure était venue, hâtée par une chute qu'on aurait beaucoup de peine, plus tard, à ne pas interpréter comme un signe. Et pour ce qui était de la mémoire, merci, mon père, on l'avait grâce à vous cultivée, entretenue, fourbie, gavée. Mais quel fardeau !

Oui, sans doute, dans l'ombre propice de la salle de lecture, il fallait imaginer Léopold s'interrogeant sur le travail de la mémoire tandis qu'il caracolait vers son Palais pour y prendre son service. N'ayant cependant guère le temps de s'attarder : du Parlement à la place Royale, il n'y a que la distance d'un jet de pierre... (Par bonheur, car il n'aime pas monter à cheval. Qui le croirait, à considérer sa prestance ?)

De toute façon, ce ne serait que plus tard qu'il y repenserait, à la mémoire, et non sans une amère ironie : ne serait-ce pas en se souvenant trop bien de l'exemple paternel, en s'inspirant à l'excès du modèle que, dès les premières années, on lui proposa, mais alors que le monde entre-temps avait changé et le siècle basculé, qu'il allait se ruer vers sa perte ? Au demeurant, il avait encore tout juste le temps de découvrir que la jeunesse était enfuie, qu'il n'en avait pas eu, et que l'enfance n'avait pas eu lieu. Il entend encore son père dire au précepteur royal, il y avait bien longtemps, quoique cela parût dater d'hier : « Veillez à ce qu'il n'ait pas peur du noir (il disait : *l'obscurité*), à ce qu'il n'ait en général peur de rien, et surtout pas de la vérité… » Mais que se passait-il, Sire, lorsque la lumière portait ombrage à l'ombre même ?

Je lis, à l'instant, dans un libelle antimonarchique, que l'enfance des humbles et celle des princes n'est pas la même. Qu'on ne retient pas grand-chose d'années d'apprentissage où l'on n'a connu ni gifles, ni fessées pédagogiques, ni boules de neige, ni parties de luge. C'est l'évidence, et même une platitude. Mais cela n'est ni tout à fait vrai, ni tout à fait faux. Et si les jeunes rois n'ont guère à se soucier de leur avenir, comme l'affirmait niaisement l'auteur du pamphlet, cela ne venait-il pas aussi de ce qu'ils n'eussent guère le loisir de se forger un passé ? Il était permis de se figurer le prince en butte à ses *magisters* « triés sur le volet », « hors pair », éminents dans toutes les disciplines ; écrasé par leur science et leur renom ; et seul, face à ceux-ci, perdant pied devant un tableau noir où la craie que tient sa main ne trace pas la formule espérée, la clé de l'énigme, les signes qui le tireraient de sa confusion… Il voudrait mourir de honte, car lui ne peut se permettre le privilège de l'ignorance. Mais, en même temps, il trouve, dans son épouvante même, une paix inespérée, car elle lui permet de renouer avec les terreurs de toute enfance, enfin ! Et il voudrait que le temps se suspende au-dessus de cette ardoise vide, déserte, que cet instant, affreux et sacré, ne prenne jamais fin. Plus tard, il s'en souviendrait avec presque de la reconnaissance.

Après cela, il n'y aurait plus autour de lui que des uniformes. On se ferait une jeunesse forgée par des militaires – et détraquée par eux, tandis que sa mère, dans un salon, jouerait de la musique et que, de loin, on pourrait parfois l'entendre.

Il y a cette photographie où on le voit, à l'âge de six ou sept ans, l'air boudeur et contrit, prendre sa première leçon de violon, avec sa mère qui paraît bien ne devoir lui pardonner aucune fausse note… Assis à côté d'eux, Albert est résigné au supplice. (Combien de temps ces maternelles leçons furent-elles données ? Personne ne le précise. On sait seulement que le prince vint à bout d'une sonatine de Diabelli.) La scène plut tellement au bon peuple qu'on la reproduisit en carte postale et qu'on la sculpta dans de la pâte à biscuit.

Au même âge, il entreprend la rédaction d'un journal, où il note : « Rencontré, ce matin, maman dans le corridor conduisant à la bibliothèque. Que j'ai été heureux ! Je l'ai embrassée tant que j'ai pu ! » Devait-elle lui sembler une aubaine, cette rencontre ! Comme si elle s'était produite non pas sous un toit familial, fût-il celui d'un palais, mais par hasard, par miracle, au détour d'une avenue, dans une sorte de labyrinthe aux proportions versaillaises…

On lui permet de lui écrire, aussi – à quelques pas d'elle. « Dès que je me suis levé, j'ai pensé à vous… » En 1910, elle est malade, on lui interdit de la voir mais il peut lui envoyer de la correspondance. Quelle chance !

Entre-temps, on l'éduque à fond de train, il reçoit de délicates leçons de stoïcisme. « Quand j'étais petit, raconte-t-il plus tard, et que je me plaignais d'un bobo, on le soignait par l'indifférence avant de le guérir par le mépris. » (Subtile homéopathie. Je commence à comprendre pourquoi à W., Il n'est pas descendu de voiture pour s'inquiéter de moi lorsque je suis tombé devant ses roues : peut-être voulait-Il m'éduquer à mon tour ? Comme on forme un fils de Roi…)

Ensuite, il n'y avait déjà plus qu'à le pousser dans la guerre. C'est une guerre qui creuse des galeries souterraines : il arrive que la Reine, tout de blanc vêtue, y descende. Elle a laissé là son violon. Elle est accablée parce qu'une partie de sa famille livre combat dans les tranchées adverses. Elle a transporté son ambulance dans un ancien hôtel du bord de la mer, à La Panne.

(On aura vent, plus tard, que des femmes de l'aristocratie française et de grandes mondaines enviaient à la Reine des Belges ses blessés, pensant qu'elle s'était réservé les plus grands, les plus beaux, les plus présentables…) Élisabeth se fait accompagner de son fils dans ses tours de salle. Il n'y a plus ici de preux chevaliers, comme dans ses livres de lecture, mais rien que de futures charognes qui gémissent sur leur grabat et appellent la Reine « Maman ». Le prince se découvre donc autant de grands frères, mutilés et pourrissants, qu'on a promis au compost, à l'ossuaire. Leur regard le fait rougir et il se sent pris en faute : une faute énorme. Leurs plaintes le dénudent, dénoncent comme une incroyable imposture. La vue du sang l'offusque : obscurité dont lui-même serait responsable. Le tout : couleurs et cris, pestilences, forment une clameur à laquelle on ne peut échapper, une rumeur qui, longtemps après, le poursuit encore. Il se promet de tout oublier de cela.

Un jour, il assiste à l'agonie d'un homme atteint du tétanos, dont il imagine que les effroyables grimaces s'adressent peut-être à lui… Il a douze ans. Et, toute sa vie, il dira sa reconnaissance, il prétendra rendre grâce à sa mère de lui avoir imposé ce spectacle. Il se racontera même que cela s'est produit plus tard, ailleurs, hors de sa présence. C'était pour mon bien…, se persuaderait-il. Pour que j'apprenne, pour que je voie d'emblée la guerre. Il ne restait plus, sans doute, qu'à faire bon usage de pareils souvenirs ?

Mais, bientôt, on l'arrache à cette vision. Le père a juste trouvé le temps de l'avertir qu'« il devrait, à l'avenir, veiller sur l'Armée », et il l'évacue vers l'Angleterre. (Cela a lieu sur la passerelle de la malle Ostende-Douvres – mais que fait-elle donc à Anvers ? – qui va lever l'ancre, d'un instant à l'autre ; et dans un moment d'effusion inattendu, on lui confie ce terrible message, ce mot de passe.)

Et il se voit alors descendant l'Escaut, quittant son pays mis à feu et à sang, et son père exposé désormais à tous les périls, au même moment où celui-ci l'invite à remplir une tâche surhumaine, dont il n'aperçoit pas encore la nature ni l'ampleur. Le rivage, derrière lui, se perd dans une brume pourpre. Il ne comprend rien à ce jeu cruel de se voir confier une mission à l'heure exacte où on l'éloigne… (Cela ne ressemble-t-il pas à ce sadique simulacre où on retient un enfant par les basques en lui criant : « Va-t'en ! Mais va-t'en donc ! Échappe-toi ! » Sauf qu'ici, c'est le contraire : on le presse de rester, de veiller sur tous, et on le congédie…) Il ressent son départ comme une trahison. Il est un déserteur. Et il a peine à refuser cette imagination ultime qu'il emporte dans son voyage : celle de son père, tétanisé à son tour, comme électrocuté par les convulsions qui le secouent sur son lit, les mâchoires contractées à se briser les dents.

Or la guerre se prolonge, il est donné au Roi de survivre, il se couvre de gloire : le fils, qu'on a banni provisoirement pour le protéger, peut revenir et même s'engager, à treize ans et demi, dans le 12ᵉ régiment de ligne. Présentation aux troupes formées en carré sur la plage de La Panne, un matin de printemps, à marée basse. Affectation symbolique au 1ᵉʳ peloton de la 4ᵉ compagnie, dont il partagera les exercices et les corvées. Prise d'armes, marche « en rangs serrés la bataille », progression par alternance « du feu et du mouvement ». Il marche jusqu'à vingt kilomètres sous la chape lourde et moite que composent la capote, le havresac et le fusil. Il remplit les sacs de terre grasse et de tourbe au bord de l'Yser et prend son tour de garde dans les tranchées.

Il en retire moins de fierté que de consolation. On a oublié qu'il n'était encore qu'un enfant, et on dirait que tous en ont perdu le souvenir. Tous sauf les soldats, qui, de leur propre initiative, l'ont pris en charge. Un jour, il s'endort dans le boyau alors que, tout autour, résonnent les abois des obusiers et que la terre se rompt sous les bombes. Ce n'est pas tant la fatigue qui l'a stupéfié qu'un soudain consentement au destin, la découverte effarée que l'Histoire peut devenir un jeu de hasard. Il dort durant cinq heures ; il perd, tout ce temps, la maturité qui, ces dernières semaines, se déposait sur ses traits et retrouve un visage poupin qui attendrit les soldats. Ils le laissent dormir. Ils protègent son abandon. Le jeune troupier ne rêve pas. À son réveil, il ne profère pas une parole, il ramasse deux ou trois éclats d'obus : il en fait la collection.

La guerre perdure, comme pour toujours. Son stage accompli, Léopold peut retourner en Angleterre sans remords : il semble bien que son père soit invincible.

Dans les collèges britanniques, on forme les maîtres en les faisant d'abord esclaves. À Eton, il devient l'homme à tout faire, le « fag » corvéable à merci d'un vicomte qui n'affecte même pas de le ménager : il porte ses messages, lui remplit son *tub*, allume son feu, fait son thé. La préparation à la vie obéit ici à un folklore ascétique et d'un autre âge : c'est en campant résolument hors du réel qu'on se dispose à l'affronter. On endosse jaquette et gilet blanc, on se coiffe d'un gibus de soie, on pratique des sports gracieux et, l'instant d'après, violents. La discipline est exercée par les aînés sur les cadets, à coups de canne s'il le faut. Triomphe de la brimade inutile. (Il comprend pourquoi son père l'a envoyé ici, lui qui prise fort une pédagogie forte : l'avarice de compliments, lorsqu'ils étaient mérités, la mortification éducative, chaque fois qu'elle pourrait passer pour utile, même dans les cas douteux.) Poursuite de la guerre par d'autres moyens. Du reste, la vraie guerre, ici, ne se laisse jamais oublier. Au bout de la semaine, on dresse la liste, et on en donne lecture, des anciens élèves de l'école qui sont tombés au front. De même qu'on a appris à ne jamais paraître humilié, on peut aussi feindre de n'être pas affecté par ces nouvelles.

La paix finit par revenir. Inscription à l'École militaire. Présentation à la soixante-sixième promotion d'infanterie-cavalerie où l'on se retrouve en première ligne, seulement parce qu'on a la taille la plus haute. Initiation à la culture française.

Philosophie thomiste. Économie politique. Stratégie. Pratique des sports : équitation, football. Randonnées pédestres ou à moto. Ascensions, comme papa. Pour lui complaire. On y a pris goût. Voyages. En Amérique : des réserves d'Indiens. Au Brésil : des mines d'or. On est devenu costaud. On s'est fait des muscles. On s'est découvert des gourmandises, des avidités. Un jour, quelqu'un, dans son dos, glisse à son voisin de table : « Tu as vu Léopold ? Il mange comme un cochon ! » C'est vrai, pense le prince. J'aime la viande rouge, saignante et nappée de poivre vert. Et je bâfre. Qu'est-ce que cela change ? Je n'ai pas commencé de vivre.

Retour aux photos officielles. Le fidèle lecteur les fait défiler plusieurs fois sous ses yeux, et sous le regard attentif et surpris de la belle lectrice grillagée incarcérée par son châle de résille, celle qui, brûlant les étapes, s'interroge aujourd'hui sur « les implications éthiques de la conception *in vitro* ».

Le prince, décoiffé par le vent, devant une tranchée, en 1915, l'œil éteint. En 1916, à Eton, sous un tuyau de poêle, l'œil allumé. Saluant des carabiniers cyclistes (à quelques années près, il aurait pu serrer la pince à Manuel Raymond, père du lecteur assidu). Parmi des ministres couverts de huit-reflets et qui, pas plus que lui, ne regardent quoi que ce soit… Qu'espérer ? Cela ne révélera rien de plus que le cliché montrant Léopold II devant un train à crémaillère, lors de sa visite dans la Sierra dos Orgaos, ou celui qui « surprend » Albert Ier descendant dans un puits de mine en uniforme de mineur, à Marcinelle, à moins qu'il ne congratule, à Hollywood, l'actrice C. K. Young (qui n'a même plus droit à son prénom). On n'aperçoit ici rien de réel, tant la mise en scène n'a laissé aucun détail au hasard. Les funérailles, les joyeuses entrées, les inaugurations les visites se ressemblent comme si la pièce, chaque fois, faisait déjà partie du répertoire. Normal : tout cela se jouait effectivement, mais dans les coulisses. Ou dans la salle.

On ne saura donc rien, décidément, ou presque, de cette enfance ? À croire qu'il vaudrait encore mieux raconter la sienne… Mais c'est à l'intersection des deux que cela s'est joué, où cela vous attire comme un gouffre. Ou on l'enjambe, ou on y sombre. Tout ce dont on va créditer ce roi, tout ce dont on va lui faire reproche tout cela pue l'enfance prolongée, inachevée, inconsolable : cela vous a déjà un infernal relent d'enfance sans solution. Voilà.

On m'avait rapporté qu'un jour, à Eton, il avait emprunté deux *pence* et demi à un camarade – et qu'il n'avait jamais remboursé celui-ci. Ah oui ? Comment savoir ?

Il a dit, dans son discours aux représentants de la Nation, « qu'il se donnait tout entier au pays ». (Sûrement, il ne se payait pas de mots. Mais quelle était la valeur d'engagement d'un tel sacrifice ? Qui l'avait enregistré à la lettre ? Qui aurait pu se prononcer là-dessus ?)

La formule figurait dans le texte du discours écrit déjà plusieurs jours auparavant. Mais il la prononça sur un tel ton qu'on put croire qu'elle lui était venue sur-le-champ à l'esprit, inspirée par la solennité et la ferveur de l'instant. Elle n'était certainement pas de lui, mais dictée par quelque conseiller mandaté à cet effet, et dont la plume était serve : il parut en découvrir et en renouveler la portée quand il la prononça…

Ce fut, soyons-en persuadé, ce qui quelques minutes plus tard déclencha « un tonnerre d'applaudissements », « la fureur de l'enthousiasme », « l'inoubliable ovation ».

Mais comment se serait-il tiré à moins de « la consécration » dont il faisait l'objet, alors qu'on le « juchait sur un pavois » haut à en avoir le vertige, qu'il accédait d'emblée à la « plénitude de ses pouvoirs » et au « pinacle de sa popularité » ?

Oui, il fallait bien cela pour équilibrer, tant soit peu, cette « immense popularité » dont avait bénéficié son père, cet « immense capital de confiance » que celui-ci avait thésaurisé durant son règne. Cette terrible « unanimité de l'éloge » adressé à la personne et à l'œuvre – même si elle s'évanouissait parfois sous l'insondable banalité des formules et la fadeur opulente des superlatifs.

Jamais on n'aurait vu, titrerait-on le lendemain à la *une* des gazettes, « un règne débuter sous d'aussi favorables auspices » et « autoriser tant de promesses et d'espoirs ». Certes, les slogans tombaient le jour même, au fur et à mesure, sur les calepins des chroniqueurs, mais comment ne les aurait-on pas déjà devinés à la veille de leur parution ? Ne traversaient-ils pas l'heure cuivrée de cette magique passation de pouvoir comme des flèches enflammées ? (Pointées, à la fin des fins, vers quelle cible ?)

Il faut voir le jeune monarque affronté à son public. Il aimerait faire le vide en soi. Il aimerait ne pas penser. Il aimerait ne pas être assourdi par le fracas qui l'accueille à présent sur la place, et dont d'ailleurs son ouïe exagère l'intensité, l'hystérie, car, confusément, tout ce tintamarre le cabre et le scandalise ; non, il n'aimerait pas que cela l'assourdisse : il préférerait être sourd d'avance.

Il en est glacé. Il craint que son cheval ne trébuche. Il raisonne. Il songe à cette aberration qui veut qu'on débute ainsi un règne par une apothéose… Comment gouverner à partir de là ? Qu'attendaient donc de lui ces centaines de milliers d'hommes et de femmes pour qui, la veille encore, il n'était personne, ou presque, sinon le fils du précédent, le futur héritier de l'actuel majestueux défunt ? Comment ne les décevrait-il pas ? Tant de foi (pour ne pas dire d'idolâtrie) n'induisait-elle pas un inéluctable échec et, dans les échos de cette fête, ne pourrait-on déjà lire son infortune ? Tant de cloches et de canons, ce n'était même pas trop beau pour être vrai ; ce n'était ni beau ni vrai, puisque celui que, par-dessus tout, il importerait de ne pas décevoir était par excellence le grand absent des festivités : il n'était plus de ce monde, et c'était irréparable. Celui qui a le malheur de lui succéder dans de pareilles conditions peut, à toute occasion, être traité d'usurpateur… (Et s'il le pressent malheur à lui : on s'arrangera pour lui donner raison.)

Tandis que déferlent sur lui, infatigablement les flots d'amour de ces inconnus, ces gens qui ne savent rien de lui, qui lui accordent seulement une confiance aveugle, il pense à sa mère, il découvre qu'elle l'a sans doute aimé, mais qu'elle a voulu surtout façonner en lui le futur roi plutôt qu'un fils, en lui faisant rencontrer la mort dans les ambulances et les tranchées ; il mesure que, vraisemblablement, son père l'aimait aussi, mais qu'il ne trouva pas le temps – lui qui accordait au passage du temps une telle importance – d'être pour son dauphin un guide ni un conseiller (plutôt un camarade d'escalade, de grimpette…), ne lui laissant, en fin de compte, pour son malheur, qu'un formidable exemple à imiter, à reconduire. Si bien qu'il peut être sûr que cet amour qui se déverse sur lui ne lui est, à l'évidence, pas destiné, qu'il va à un autre, et qu'on attend de lui seulement qu'il perpétue le père, qu'il remonte la mécanique d'un fantastique jouet.

Et, d'un seul coup, tout cela l'écrase, et il courbe un peu l'échine, il se tasse sur sa selle, il doit réassurer la pointe de ses bottes dans les étriers – mais cela, personne ne peut le distinguer car, bien que tous l'entourent ou le suivent, il est seul, il est déjà loin, il vient précisément d'arriver au Palais.

Je relève la tête. J'ai envie de m'extirper de toute cette mythologie. Je regarde, sans la voir vraiment, ma charmante lectrice d'ouvrages relatifs aux manipulations génétiques – elle se soucie apparemment de l'avenir de l'espèce sous toutes ses formes, tandis que je me préoccupe plutôt de son extinction –, et je me souviens qu'au lieu-dit Marche-les-Dames (Grimpe-les-Messieurs ?) des écriteaux ont longtemps mis en garde les automobilistes qui passaient en contrebas, sur la corniche, contre d'éventuelles « chutes de pierres ».

Un jour, un mauvais plaisant a gratté le mot « pierres » et lui a substitué le mot « rois ».

C'était bien vu. Nous vivons dans un pays où les rois ont tendance à tomber, même si la chute de l'Un ne ressemble guère à celle de l'Autre. C'est même par ce trait qu'ils se distinguent. « Attention : chutes de rois ! » Dépêchons-nous d'en rire. Le rire, ici, n'a pas la vie dure.

« Vous entendez ? demande Joy. Ce doit être une pie qui attaque un jeune merle, sans doute… On dit que les merles sifflent, mais ce n'est vrai, je trouve, que dans l'effroi. Ils sifflent de peur. Le reste du temps, ils gazouillent. Rien qu'en les écoutant on pourrait reconstituer les bonheurs et les drames de ces oiseaux qui se disputent les branches de mon cher peuplier d'Italie… Parfois, je dois intervenir ; je vais à la terrasse, je bats des mains ou je lance un caillou vers une corneille… On dit que le geai jase, mais c'est lui faire bien honneur, non ? Je déteste les prédateurs plus que tout au monde… Hier, à la conférence autrichienne, quelqu'un a parlé de l'*Anschluss* en tant qu'idylle entre l'envahisseur et le conquis : un *coïtus non interruptus*, depuis lors… Saviez-vous qu'Isadora Duncan, Mata-Hari et Maud Allan ont dansé toutes trois, un soir, à Vienne, sur des scènes différentes ? Sur quoi dansaient-elles, pensez-vous ? Un volcan ? Ce peuplier, c'était lui que je voyais en premier, tous les matins, lorsque j'attendais Samuel : je me demandais à quoi mon fils ressemblerait, et cette interrogation s'accrochait, tour à tour, à toutes les branches de l'arbre… Quand je suis rentrée de la maternité après l'accouchement, alors que mon mari avait choisi la nuit de la naissance pour gagner le lit d'une autre femme – il paraît que c'est classique ? je ne le savais pas, alors… –, j'ai vu tout de suite qu'on avait émondé l'arbre. Mais depuis lors, les branches ont bien repoussé, il y a des feuilles partout : il est redevenu, comme avant, une jungle pour oiseaux... À propos, où en est ton exposé, Samuel ? Qu'est-ce que tu préfères : l'Amazonie ou le Bengale ? On dit aussi qu'une pie jacasse : ça me paraît assez juste. Comment cela s'est-il passé à l'école, Sam ? Pourquoi riez-vous, Pierre ?

– Ce sont vos coq-à-l'âne... Vos coq-à-pie, vos merle-à-geai... Oui : c'est peut-être toujours comme cela qu'il faudrait raconter les choses.

– Je n'ai aucun esprit de synthèse, vous savez... »

C'est le mouvement même de la vie qui en tient lieu, pensai-je. Ses palpitations, ses battements d'ailes.

« Aujourd'hui, dit Samuel, Jérémie Todorov m'a cogné deux fois. Il avait tort les deux fois. En fait, c'est parce qu'il est jaloux de mon dictionnaire anglais-français. Il dit toujours à ses parents de lui en acheter un, mais ils ne le font jamais... Quand je porte ma casquette de marin, on m'ennuie beaucoup moins, j'ai remarqué... La dernière fois, Pierre, qu'on a boxé, tu m'as dit que je serai un jour le plus fort. Tu crois que ça sera pour bientôt ? Tu sais, en classe, je n'ai pas dit mon dernier mot. J'ai trouvé un truc ; j'apporte les lacets de réglisse que maman me donne : les filles aiment bien, elles m'en redemandent tout le temps...

– C'est dommage, remarque Joy, que Léopold ne soit plus là pour raconter son enfance comme le fait Samuel... »

C'est regrettable, en effet. Encore devrait-on la raconter – cette enfance-là ou une autre – comme une mère relate au coup par coup, minute par minute, sa propre vie, en recourant continûment à l'anacoluthe.

« Le Roi sur son cheval, et vous à vélo, dit-elle, vous formez un couple assez théâtral, n'est-ce pas ? Comment ça s'est passé pour vous quand votre bécane s'est brisée ?

– J'ai renoncé au cyclisme... Une faiblesse cardiaque, qu'on a dépistée fort à propos, m'éloignait à vie de la route et des vélodromes...

— Vous étiez déçu ?

— Je fus surtout décevant. »

Je ne le savais pas moi-même, mais j'étais comme enragé. Je m'acharnais à décevoir, à désespérer tout le monde à la fois. C'était ma vengeance. On aurait souhaité que je lise *Terre des hommes*, ou *La terre qui meurt*, ou *La Mer cruelle*, et je lisais — avec ostentation — *La Rue des bouches peintes*, *L'Ascension de Rocky Graziano* ou le *Manuel des pratiques de l'auto-érotisme*. D'ignobles bandes dessinées où l'on mortifiait triomphalement le langage. Mais, parfois, j'avais bien soin de lire en cachette les livres qu'on me recommandait et qui, ainsi, redevenaient interdits — ce qu'ils n'auraient jamais dû cesser d'être.

On soufflait autour de moi que, la littérature de mon père ne nourrissant pas son homme, tout écrite qu'elle fût sous mon nom, il vivait à présent « d'expédients » et devenait un vrai « chevalier d'industrie ». L'expression réveillait mon admiration pour ce Don Quichotte que je voyais s'en prendre, flamberge au vent, ou lance de tournoi à l'horizontale, non à des moulins, mais à des usines avec beaucoup de cheminées.

Je m'efforçais d'acquérir l'accent des bas-fonds (c'est-à-dire, chez nous, de la rue Haute, car nous faisons tout à l'envers) ; je nouais de mauvaises fréquentations. Vaines offensives. Pour qu'elles ne manquent pas leur cible, il aurait fallu que ceux qu'elles visaient dans mon entourage ne se dérobent pas à mes assauts.

Le temps passa ainsi. Mon père s'apprêtait à fuir au loin, pour échapper aux foudres d'une justice tatillonne qui le soupçonnait d'escroquerie.

À travers la porte de sa chambre à coucher, j'entendis un jour ma mère dire à son amant : « Viens, ne crains rien, le petit ne nous dérangera pas... » Et quand celui-ci partait à la conquête de quelque site inconnu, elle devenait comme encore plus folle de lui. Elle s'évertuait à le joindre au téléphone par-delà les océans. Je l'entendais répéter, hurler parfois dans le combiné qu'elle l'aimait, qu'elle l'aimait toujours, tant la communication se faisait malaisément dans les airs ou sous les eaux...

Quant à ma grand-mère Sarah, que je commençais de délaisser, que j'abandonnais à sa neurasthénie, elle perdait peu à peu l'usage des mots.

Même la petite Danielle O., qui vit en face de chez nous, au numéro 10 du square du Bois-Profond, et que je vais chercher le matin pour que nous allions ensemble à l'école – j'arrive souvent trop tôt, sa mère est encore occupée à lui natter les cheveux, et l'opération lui est un supplice, alors elle gronde, proteste et menace, elle feule, et ses yeux noisette lancent des éclairs, son visage est comme empourpré par la fièvre, je prends dans ma main la sienne qui est brûlante, mais je la relâche aussitôt –, Danielle, donc, je ne la regarde pas, je ne veux pas voir qu'elle est belle, et je lui dis entre mes dents que je ne l'aime pas, que je ne l'ai jamais aimée, que j'en aime une autre, dont j'invente le prénom à l'instant même (Sonia ? Sylvia ? Rosa ? Cynthia ?).

Elle ne viendra plus m'offrir, le jour de mon anniversaire, des histoires de castors, par Grey Owl, des histoires de chevaux, par Maureen O'Hara, des histoires de tigres, par Félix Salten, des histoires de chiens, par James Oliver Curwood – d'ailleurs, qu'est-ce que cela peut faire, je ne lis plus rien de sérieux depuis si longtemps ! Même pas *Abordages et Combats*, par Louis Garneray, ni *Les Mémoires d'un gentilhomme corsaire*, de Trelawney, qu'elle m'a offerts l'année d'avant, ou celle d'avant encore...

Il n'y avait pas plus de Cynthia que de Lola ou de Ramona. Il n'y avait que moi qui, au lycée Mercator, ne fréquentais délibérément que les cancres de la classe : ceux dont on savait déjà qu'ils n'iraient pas loin dans leurs études. Alex Ombredane qui sentait l'ail. Henri Mignon qui était albinos et couperosé. André Poucet qui était hors format. Jean Désirant qui entrouvrait le tiroir de son pupitre pour reparcourir inlassablement la même brochure porno, aussi fripée déjà et poisseuse que s'il l'avait ramassée dans le bac d'un bouquiniste spécialisé. Louis Rude que son père faisait suivre, après l'école, par un détective privé ; rentré à la maison, il devait faire ses devoirs sur la tablette d'une machine à écrire Pfaff ; le père les contrôlait, un tisonnier à la main. (J'apprendrais, des années plus tard, que Louis s'était inscrit à l'École navale et s'en était allé pourrir d'un tabès non soigné quelque part dans l'archipel mélanésien.) Baruch Zylberberg qui me recevait dans sa chambre, étroite comme un placard, et me lisait des textes kabbalistiques, debout, car il n'y avait pas là de place pour un siège et que j'occupais son lit, à la lueur d'une ampoule sans abat-jour et toute roussie, à moitié morte d'usure. Si bien que je crus désormais qu'*être juif* consistait surtout à déchiffrer ainsi, difficilement et dans une lumière misérable, une sorte de pénombre clandestine, des livres sacrés. Un soir, j'observai que les parents de Baruch avaient oublié d'éteindre un bec de gaz dans la cuisine. Je lui en fis la remarque. « *Shabbat* a commencé, me répondit-il, on n'y touche plus. » Je trouvai que c'était une jolie coutume de laisser brûler, toute la nuit, cette fleur enflammée aux pétales en forme de griffes et couleur de myosotis.

Et puisque nous en sommes à évoquer cette magie… Je me rappelle que lorsque mourut ma grand-mère Vidalie, sa nécrologie parut dans les journaux de la capitale ornée d'une étoile de David. Je demandai à ma mère pourquoi elle, qui avait caché tant de juifs durant la guerre, m'avait aussi caché, dans un sens, cette juive-là…

« C'est étrange…, me dit-elle, mais il doit s'agir d'une erreur matérielle, involontaire…

– C'est dommage… », fis-je. (Je pensais à l'ampoule rousse, au bec de gaz allumé pour rien, de Baruch Zylberberg.)

Et je ne voulus jamais tout à fait croire qu'on pouvait falsifier ou déformer les termes d'une nécro. Mais, dans la famille, je fus bien le seul. N'importe : je tenais, pour ce qui me concerne, la preuve qui me manquait encore : je devais être juif.

Joy Strassberg, il faudra que je vous dise qu'à l'âge où je contemplais, un samedi soir, le fourneau de Baruch je n'avais pas encore appris le rôle qu'avait joué le gaz dans le destin du peuple juif – et ne pouvais imaginer que cette corolle de feu brûlait peut-être pour quelque juif Inconnu...

Mais revenons à vous, chers cancres disparus au fil des années, au lycée Mercator, car je ne vous oublierai pas : j'ai partagé votre disgrâce. J'étais à vos côtés et je me souviens qu'aux douches, après l'heure de gymnastique, ou lorsqu'on nous radiographiait, l'un à la suite de l'autre, dans les services de dépistage de la tuberculose, je flairais la rance et pauvre odeur de vos peaux. C'était l'odeur de ces années-là, celle d'une chère, d'une précieuse misère morale que je m'en voudrais de renier.

Une nuit, je rêvai que tous les élèves de ma classe avaient pris le large pour un grand périple au bout du monde. J'ignorais pourquoi on m'avait exclu de l'aventure. (Qui pouvait éventuellement se révéler funeste, mais je sentais bien que, s'ils devaient tous mourir là-bas, aux *antipodes*, ce serait dans la félicité.) Les professeurs ne changeaient rien à leurs habitudes, quoique ne donnant plus cours qu'à moi seul.

Longtemps après leur retour, je revoyais les fillettes de la classe devenues adultes, alors que j'étais resté un garçonnet.

« Bonjour, madame... », dis-je à Danielle O.

Mais mes camarades les cancres, aussi déchus fussent-ils – à tel point que nous nous étions de nous-mêmes mis un peu en quarantaine au cœur de la classe –, ne me suffisaient plus. En fin d'après-midi, je retrouvais dans un terrain vague proche de la place du Roi-Vainqueur, ou un autre au Dieweg, ceux dont Mercator n'aurait en aucun cas voulu. Si, au lycée, mes comparses ne portaient que des patronymes, ceux-ci n'avaient droit qu'à leurs prénoms : Conrad, Adrien, Bruno, Mathias, Yvon, Éric, le grand Raphaël. Les premiers, je n'aurais sans doute pas pu les inviter chez moi et les montrer au grand jour ; mais les seconds, ma mère n'a jamais même soupçonné leur existence – et d'ailleurs, ils n'allaient pas dans les maisons : à se demander s'ils en avaient une ! Ils appartenaient à la rue. On ne se rencontrait que pour la castagne, le touche-pipi, le cul.

J'avais retrouvé un vélo, mais c'était celui, noir et pesant, d'un garçon boucher qui me l'avait échangé contre une catapulte de chasse dérobée à un armurier des Galeries de la Reine, le temps qu'il m'explique que je n'étais pas en âge d'acquérir un fusil à double canon. J'avais fait plutôt une bonne affaire, d'autant plus que je me servais de la bécane comme d'une arme, soit en la saisissant par le porte-bagages pour balancer la roue arrière à la tête de l'ennemi – c'était la ruade –, soit en la faisant se cabrer pour que roue avant et guidon viennent percuter le thorax de ce dernier. (Il fallait prendre l'air détaché, presque absent, pour que la surprise fût totale. Le coup porté, on sautait sur le biclo et on fuyait en écrasant les pédales. Il serait toujours temps, le lendemain, de subir les représailles. À moins qu'on ne se soit débrouillés, dans l'intervalle, pour se réconcilier autour d'une grande séance de branlette, dans le cabanon d'un chantier voisin que les maçons abandonnaient vers 5 heures du soir.)

On comparait d'abord la longueur des queues. On tombait toujours d'accord pour juger que la mienne était la plus courte. (Mais les mensurations étaient toujours à refaire, et d'un jour à l'autre, jour après jour, c'était lassant : bien sûr, elle n'avait pas miraculeusement poussé durant la nuit !)

« C'est pas étonnant, disait le grand Raphaël, on a tous remarqué que tu portais des gants de femme… » Exact. Je les avais chipés à ma mère parce que je méprisais les moufles. J'avais peur qu'ils les reniflent et fassent des remarques désagréables sur le parfum qui les imprégnait.

Alors venait le rituel masturbatoire. Là, ils étaient forcés d'admettre que je me manipulais aussi bien qu'eux, avec un dénouement aussi rapide – mais je pouvais aussi ralentir le rythme à volonté. Ça les mettait hors d'eux. À tous les coups, j'étais bon pour la peignée, histoire d'être ramené au respect de la hiérarchie. (Parfois on introduisait une variante et on livrait une partie de *strip-catch* – l'expression était de Mathias –, on se volait dans les plumes et on abandonnait un vêtement à chaque déroute. Pour moi, ça ne changeait pas grand-chose : à ce petit jeu, je me retrouvais souvent nu avant que mon adversaire ait seulement dû ôter sa chemise. On se moquait de ma chair de poule.)

J'éjaculais dans leurs paumes, tendues comme pour se chauffer à un brasero. Ils portaient le foutre à leurs lèvres et crachaient d'un air écœuré, convenant que ce n'était que de « la colle sucrée de petit bourgeois, quasi du sirop d'orgeat ou du lait concentré » – et c'était vrai que le leur, par comparaison semblait magnifiquement âcre. « Pour sûr, on n'en voudrait pas du pareil dans nos couilles, et pas de tes petites couilles dans nos culottes : même, on les échangerait pas contre deux billes aux yeux de chat pour jouer à *cartache* ! » (Nous appelions ça « l'amour », à tout hasard, et ça se ramenait à un peu de poisse, de glu, une résine prélevée sur un arbre humain. Je craignais que la mienne fût si douce que, plus tard, l'amour avec les femmes soit comme jouer à la poupée.)

La première fois que j'avais dû la leur montrer, ma queue, Yvon m'avait demandé : « Alors, t'es juif ou quoi ? » Je m'étais empressé de répondre que oui, que c'était bien ça… Mais j'avais réussi à les faire rire en la coinçant entre mes cuisses : « Vous voyez ? Comme ça, je deviens une fille ! »

Oh ! Il n'y avait pas que de mauvais moments… Et je pensais : « Si ma mère me voyait… Ou Danielle O. ! » Au fond, ça m'aurait plu, je crois.

Bien sûr, ça faisait mal, à la longue, ces poignées de mains autour de ma chose. Mais même cette fois où Éric, ou cette autre – c'était Adrien –, parce qu'ils étaient hors d'eux, je ne sais plus pourquoi sans doute parce que je ne voulais pas me branler encore : j'avais peur, à force, de m'aveugler un œil, ou que mon cœur explose, ou de pisser du sang, alors ils avaient dû décider de faire eux-mêmes le travail, pour m'apprendre moi couché sur un lit de fer rouillé, au fond de la remise à outils des ouvriers, et toute la bande autour, et, par bonheur, mes yeux ne se voilèrent pas, mais je n'avais plus qu'eux pour pleurer, eh bien !, même cette fois-là, et aussi l'autre, ce fut comme si, à la fin, je poussais une sorte de cri de triomphe ou de délivrance : en me forçant comme une fille, on me rendait ma liberté – je ne savais pas bien laquelle... C'était une victoire sur le rien de ma vie : ici s'arrêtait peut-être le terrible ennui d'exister ? (« L'amour », comme nous disions, tels ceux qui ont oublié le sens des mots ou ne l'ont jamais connu, l'amour même dans la rouille, c'était encore l'amour ? Et même encore quand ce qui reste de l'enfance est si rêche au toucher et que l'avenir promet bien d'être sans pardon ?)

« Un jour, dit Raphaël rêveusement, on t'en mettra plein le cul au fond d'une bétonnière... »

Après cela, naturellement, je ne demandai pas mon reste et je n'y retournai pas avant plusieurs jours. J'avais une sorte de gueule de bois. Je me noyais tout entier dans une torpeur douloureuse. J'avais peur d'attraper « la maladie » : je ne savais pas laquelle, et le *Manuel des pratiques de l'auto-érotisme* ne renseignait pas là-dessus. On m'avait dit que seuls des livres écrits par les curés en parlaient, laissant prévoir de façon menaçante la chaude-pisse, l'anémie ou la cécité. Je me regardai dans un miroir : je remarquai que mes yeux étaient très cernés. (La première fois que j'avais entendu prononcer ce mot, j'avais compris que les yeux étaient cernés, oui, encerclés par un sombre ennemi, dans une embuscade où ils seraient tombés...)

Mais moi, je n'avais vraiment peur que de la paralysie infantile, dont on commençait à beaucoup parler ces années-là. (Cela avait exaspéré mon père qu'en vacances avec lui au littoral, un été, j'aie fui tout contact avec les enfants de mon âge et que je n'aie pratiquement pas quitté ma chambre à l'hôtel... Elle m'épouvantait, cette maladie qui vous empêchait de vous en aller, de déguerpir, le corps étant devenu sa propre prison...) Parce que je me branlais ainsi avec des voyous, allais-je me retrouver dans une voiture d'infirme ? Sans doute, mais, à la fin, la tentation était quand même la plus forte.

Il y avait des rémissions. Des trêves. Un soir d'hiver, je rencontrai Danielle au square du Bois-Profond. (Je lui tendis la main, elle me donna la sienne.) Il avait neigé. Je lui proposai d'aller faire une partie de luge en face du parvis Saint-Adrien. Elle accepta. Ce fut très doux. Cela ressemblait à une belle réconciliation. Mais je me ressaisis.

Je revins à Raphaël et sa bande. Ils m'accueillirent sans ironie. Pour un rien, ils auraient eu l'air content de me revoir. Leur aurais-je manqué ?

« Comment une telle histoire peut-elle finir ? demande Joy à qui je viens d'en raconter des bribes.

— S'est-elle jamais vraiment terminée ? Je crois que j'ai conservé d'elle tout ce qu'il m'importait qu'elle me laissât, pour que je ne l'aie pas vécue en vain et qu'elle ne m'abîmât pas pour toujours. Je m'étais *abruti* au contact de Raphaël, d'Yvon et des autres. Mais à la lettre : avec la sauvagerie d'un animal quand il ne se ménage plus et ne recourt plus à son intelligence pour habiter sa vie, mais qu'il s'en remet aux mouvements les plus crus de son corps. D'avoir dû vivre avec eux, d'avoir dû leur résister, il m'est resté un curieux mélange de hargne et de tendresse qui me tient éveillé. Vous comprenez : ces gamins étaient nés dans un monde qui leur refusait toute noblesse. Mais comme ils la refusaient à leur tour, elle finissait, sous une autre forme, par leur être donnée.

» Un incident nous a séparés : Yvon, qui disputait sa suprématie dans le groupe à Raphaël, a proposé que nous allions tirer d'une terrasse, à tour de rôle, avec une carabine à plombs sur les concurrents d'une course cycliste qui se déroulait dans le quartier. Le meilleur tireur deviendrait le chef de la bande. Yvon a aussitôt touché un coureur qui a fait une chute… Sur le coup, j'ai eu l'impression de sortir d'un mauvais rêve, quelque chose a craqué dans ma tête, je les ai plantés là et n'ai jamais cherché à les revoir. Qu'importe ? Ils sont en moi. Pour le pire, mais aussi pour le meilleur. Ils étaient cinglés, c'est évident, ils allaient sans doute devenir féroces.

» Je me souviens qu'en roulant ce soir-là comme un dératé vers le square du Bois-Profond, jurant tout haut, insultant ces possédés j'étais au bord des larmes : la séparation me faisait déjà terriblement souffrir. Un moment, j'ai relevé la tête comme un coureur qui relâche son effort, et j'ai aperçu un visage de femme à une fenêtre ; c'était comme la promesse qu'un autre monde existait, mais à qui était-elle faite ? Je m'en détournai comme d'un mirage. Partout, cela rêvait, et les songes s'entrechoquaient. C'est à la frontière de tous ces rêves, à leur intersection, sur la ligne qui les démarquait les uns des autres que *j'ai fait ma vie.* »

Et n'est-ce pas d'ailleurs en la racontant que j'aperçois ceci : de cette période, j'ai gardé un souvenir si confus que je pensai longtemps avoir commis sur quelqu'un quelque crime, avoir torturé Danielle O., par exemple, avoir abusé de ses sentiments, sinon de son corps. Or, donc, s'il y eut viol, je n'en fus pas l'auteur mais la victime ! Si j'ai réussi pendant tant d'années à l'oublier, c'est que je n'avais pas à faire la distinction : cela ne change rien pour moi, qui demeure marqué par l'événement comme on peut l'être par l'infamie, mais comme on peut l'être aussi par la grâce.

Mais c'est au-delà de l'une et de l'autre que cela s'est passé, et se passe. Que cela peut enfin se passer.

N'aurais-je pas décidé de rompre avec la bande du Roi-Vainqueur, mes camarades du lycée Mercator se seraient chargés de m'éloigner d'eux. Peu de temps après l'histoire de la course cycliste, Mignon, Poucet, Rude, Ombredane et Désirant m'entourèrent à la récréation et me signifièrent « qu'ils savaient tout ». Ils m'avaient suivi, un soir, rue de l'Aviateur, et ils avaient épié de loin mes allées et venues sur le chantier ouvert là, entre les bétonnières et les grues. Ils m'avaient vu entrer dans la cabane des ouvriers avec « le grand Raphaël et son gang de petites frappes ». Ils avaient attendu plus d'une heure, jusqu'à ce que nous ressortions, et se trouvaient donc édifiés par mon comportement... « Il faut être fêlé pour frayer avec cette pourriture..., dit sentencieusement Ombredane. Tu ne te rends pas compte qu'ils te crèveront la peau ? Si tu remets ça, nous irons te dénoncer... » J'éclatai d'un rire mauvais mais qui sonnait un peu faux. « Et à qui, s'il vous plaît ? » Je découvrais avec stupeur qu'ils agissaient « pour mon bien », ma parole. Que les potaches ont du sens moral. (Et je pense aujourd'hui que les couards sont souvent pudibonds.) Ou bien étaient-ils jaloux ? Se pensaient-ils trahis ? Trop drôle !

Quant à ma peau, qui leur était donc si chère, je ne pouvais leur donner tort : je la voyais, depuis peu, partir en lambeaux, sous les assauts de l'eczéma.

L'affaire n'en resta pas là. Le même jour, je fus attendu à la sortie du lycée par un élève nouvellement arrivé et qui ne cherchait guère, jusqu'ici, à établir le contact. Un teint légèrement bistré, des cheveux très noirs avec des reflets bleutés, des yeux en amande, une fine moustache et jusqu'à l'esquisse perpétuelle d'un sourire : tout, en sa personne, suggérait l'exotisme équivoque et subtil d'une fin de race et une ombre d'ironie... Lui entendait ne se laisser appeler que par son prénom – ou plutôt un diminutif :

Aliocha. Mais ce midi-là, lorsqu'il m'aborda, il déclina toute son identité : « Alexis de Faranghi, petite noblesse lointaine et eurasienne… », et il éclata de rire.

« Je voulais seulement te prévenir : ils ne te lâcheront plus, tes petits copains… Qu'est-ce que tu fous avec ces inachevés ? T'as rien à voir avec eux… T'as une carence : tu ne sais pas faire le coup de poing. Je crois que tu vas avoir besoin de moi… Moi, on m'appelle Tape-qu'un-coup. Je tiens peut-être une solution à ton problème. J'aime beaucoup tes pull-overs… », dit-il. (Il prononçait « pullôvres ».)

Il me mit alors en mains un incroyable marché.

« Je ne sais pas où tu les trouves. D'ailleurs, ça m'est égal. Mais j'ai une idée à leur sujet : on dirait souvent des pulls de femmes… Enfin, je ne tiens pas à connaître leur provenance… Eh bien, tu pourrais me les donner – tu n'as qu'à dire à tes parents qu'on te les vole au vestiaire de la salle de gym… En échange de quoi je deviendrai ton *gorille*. Ton garde du corps, si tu veux. Au lycée, je ne te quitterai plus d'une semelle. Le premier qui te cherche noise, je le casse en deux sur mon genou. Sans sommation d'usage. »

Je le regardai : il avait la mimique enjôleuse d'une gamine un peu précoce, déjà tombée dans le vice. Et moustachue. Je compris que ma vie allait changer. En mieux.

« Bien sûr, dit-il, au bout de très peu de temps, je n'aurai plus grand-chose à faire : ils auront vite compris la leçon, les Mignon, Rude, Ombredane et consorts. Mais tu continueras quand même à me refiler des pulls – tu te les feras remplacer au fur et à mesure –, et en échange je te trouverai des trucs pratiques ou réputés introuvables ; je ne sais pas, moi : un canif suisse, une jolie carte des Galápagos, une paire de bas que j'aurais volée à une pute, un bouquin épuisé… Tu aimes les livres, sûrement ? »

À mon grand étonnement, j'acquiesçai. Mais je précisai :

« Oh ! Surtout pas les histoires de bêtes, castors, bisons, clebs et tout le toutim… J'aime les histoires sur les pays lointains, mais qui n'ont rien à voir avec l'histoire-géo… Tu vois ce que je veux dire ?

— Tout à fait…, dit-il d'un air futé.

— Récemment, j'ai lu l'histoire d'un pilote de l'Aéropostale dans le Hoggar. Mais la surprise, c'est qu'il s'y mêlait de l'amour, et même de l'adultère… Ce n'était pas seulement un bête roman sur l'Afrique et les avions !

— En somme, conclut Aliocha, une histoire de long courrier qui portait surtout sur les fesses ? » Et il rit. « Moi, j'aime bien les voyages aussi. Surtout dans les archipels. »

Il y avait belle lurette que je ne m'étais plus senti aussi bien. Et d'abord, j'allais enfin pouvoir lire des livres sans ennui, sans honte, sans complexe, sans remords.

La semaine qui suivit, Henri Mignon passa deux heures à l'infirmerie où on craignit pour l'aile de son nez. « Il m'avait provoqué, ce taré… », dit Alexis. Je témoignai en sa faveur. Le père Ombredane rendit de son côté une visite au préfet, pour se plaindre des mauvais traitements subis par son fils au lycée.

Durant les cours, Aliocha rêvait tout haut. Il assurait en permanence le reportage radiodiffusé d'une croisière sous les tropiques.

En classe, il était venu s'installer juste derrière moi dans ma rangée. Je l'entendais parfois muser dans ses poings joints pour former une sorte de micro : « Pour l'instant, chers auditeurs, nous arrivons en vue des Galápagos, que nous allons rapidement survoler… » En déployant la fenêtre à la gauche de mon pupitre, je pouvais apercevoir le reflet de sa charmante petite gueule de gigolo.

Je pouvais aussi découvrir mon propre sourire, et je m'adressais à moi-même des œillades assassines. Pour la première fois depuis longtemps, dans ma jeune vie, Narcisse était comblé.

Ce qui m'émouvait le plus, c'étaient les exercices d'alerte auxquels on procédait toutes les semaines, le même jour à la même heure, en prévision d'un incendie éventuel. Pour nous apprendre « à évacuer les locaux dans l'ordre et sans céder à la panique ». Cela nous faisait rappeler cette guerre que tous les élèves de la classe avaient eu à peine le temps de connaître, mais dont ils conservaient des souvenirs épars, confus, précieux... J'observais Aliocha : en ces occasions, son front s'inondait de sueur. Une V-1 était tombée tout près de chez lui en 45. « N'oublie pas, me dit-il, que j'ai un an ou deux de plus que vous tous... Moi, la guerre, j'ai eu le temps de la voir. » Il pouvait donc, lui aussi, avoir peur ?

Un jour, il retira de son cartable quelques livres aux titres étourdissants : *Voyage au bout de la nuit*, *La Route des Indes*, *Un barbare en Asie*, *Voyage autour de ma chambre*, *La Muraille de Chine*, *Les Fruits du Congo*, *Voyage en Grande Garabagne*, *Là-bas*, *Les Neiges du Kilimandjaro*, *Le Spleen de Paris*, *La Terre vaine*...

« Et aucun ne provient du marché aux Puces ! dit-il.

– Mais il y en a trop..., protestai-je, confus.

– T'en fais pas : c'était un lot ! Et puis, j'ai marchandé...

– Et mes pulls ? Tu ne les mets jamais...

– Tes pullôvres ? Non... Je les revends ! »

Une semaine d'octobre, les élèves des grandes classes organisent un chahut monstre dans les classes puis en cour de récréation. Étrangement, leurs professeurs ne les en empêchent pas, ils les y encouragent plutôt et se mettent à chahuter avec eux. Bientôt, des surveillants viennent nous chercher pour que nous les rejoignions et fassions de même.

« On aura tout vu ! » s'exclame Aliocha, hilare.

Dans la cour, j'interpelle un rhétoricien : « Tu sais pourquoi on gueule ?

– On réclame le départ de deux profs inciviques..., me répond-il.

– Tu sais ce que ça veut dire ? me demande Aliocha.

– Évidemment, dis-je.

– Moi pas. Veux pas le savoir. M'en fous. » Et il se met à hurler plus fort que les autres.

L'après-midi, il me propose : « Viens, on va piquer des livres. » Il m'amène devant une librairie de la rue d'Arenberg. Je l'attends dehors. Il en vole bien cinq ou six, qu'il serre dans la doublure de sa gabardine.

« Tiens, me dit-il, je t'ai encore trouvé *Le 42ᵉ Parallèle* et *Voyage autour de ma tête*... T'as pas à être gêné : lui, c'est un *libraire incivique*.

– Comment t'as fait ?

– Je lui ai demandé de me trouver des livres qui n'existent pas. J'inventais les titres au moment même : *La Bataille de Transyldavie*, *L'Inondation de Bruxelles*, *Pierre et Aliocha*, *Les inciviques au poteau*, etc. Pendant qu'il les cherchait en rayon sur son échelle, je lui ai fauché ceux-ci.

– Tu aurais fait une drôle de tête si un de ces titres existait pour de vrai...

– Oh ! Celui-là, je le lui aurais volontiers acheté. »

« Dis donc, m'interrogea-t-il abruptement, tu ne parles jamais des filles, hein ? Ça te paraît normal, à toi ? Ça ne t'intéresse vraiment pas, ou quoi ? C'est un peu fou, tout de même... Pas très sain... Remarque : je ne t'en parle que parce que je connais une femme spéciale... Ceci dit, elle ne les veut pas puceaux, tu vois ce que je veux dire ? L'initiation, c'est pas son genre... Faut, à ses yeux, avoir franchi quelques étapes. Qu'elle n'ait pas à faire tout le travail, se charger de toutes les émotions *post coïtum*, etc. Elle considère qu'elle n'a pas vécu impunément trente-huit ans sur cette terre pour laisser seulement un bon souvenir à quelques éjaculateurs précoces et couverts d'acné juvénile... Donc, tu as encore du chemin à faire. Après tout, mon vieux, débrouille-toi, c'est ta vie, pas la mienne : suis pas ta nounou. La chose en question, je ne peux pas la troquer contre des pulls à col ouvert ou en V. Moi, tu sais, je suis à peine plus âgé que toi, mais je couche avec des femmes de trente-huit ans... » (Il ne disait pas trente-cinq, ni quarante.) « Je devrais te montrer les lettres qu'elles m'écrivent, ces vieilles gonzesses : c'est qu'on se sent, à les lire, tout à coup rempli d'utilité ! »

Après cela, je cherchai à imaginer comment c'était fait *une femme de trente-huit ans.* Chaque fois que je croisais une nana dans la rue, sur le chemin de l'école, je me demandais si elle avait cet âge-là, qui me semblait magique, déterminant – ou combien d'années l'en séparait, dans un sens ou dans l'autre. N'était-ce pas, alors, du reste, l'âge de ma mère ? Aliocha couchait avec des femmes qui auraient pu être ma mère... Et qui, par bonheur, ou hélas, ne l'avaient pas été : merde alors !

« Je couche avec elles sans qu'un mot ne soit dit ! » se vantait-il. Le salaud. Mais y allait-il d'un privilège ou d'une déveine ?

« Alors, élève Raymond Pierre, voulut savoir, à la fin d'un trimestre, le prof d'histoire-géo, avez-vous pris de bonnes résolutions ?

– Non, monsieur, grommelai-je, mais je ne prendrai jamais de bonnes résolutions. »

Il dut penser qu'il avait mal entendu. Il prit bonne note de ma contrition, de ma volonté de changer.

« Dis-moi, demandai-je à Aliocha, le bordel, c'est là où on va s'entraîner pour le véritable amour ?

– Comme s'il s'agissait de ça, quart-de-portion ! Pour ce sport-là, pas besoin de se mettre en forme ! »

Jamais je n'oserais lui avouer que mon plus cher désir aurait été de me faire assez petit pour loger tout entier au fond de la cuissarde gauche d'une gigantesque pute noire de la rue de Stassart, qu'il m'avait fait zyeuter, un soir, en passant.

Une après-midi, nous nous promenons, Alexis et moi, rue des Trois-Tilleuls. Je réalise que c'est ici que ma grand-mère est, finalement, venue se réfugier, auprès de sa fille, « ingrate », disait-elle, « si ingrate, si tu savais : elle s'est même mariée, rends-toi compte ! Me faire ça ! », après qu'elle eut eu une attaque, *une attaque de trop*... Elle avait dû se séparer de sa roulotte, revendre le terrain acheté à W. Son petit empire. « Si c'est pas malheureux ! »

La dernière fois qu'au téléphone je lui avais adressé des vœux de nouvelle année, elle m'avait appelé « Jean-Pierre », puis me dit qu'elle me passait Pierre, qui désirait me parler, puis reprit le combiné pour m'apprendre qu'elle avait fait une mauvaise chute et que cela, évidemment, n'arrangeait rien : « Je me suis fait du tort aux jarbes et aux bigots ! Tu te souviens, mon chéri, de nos braillades à Rosières ? C'était l'ananas pour la soif ! Le Roi n'était pas mon lapin ! »

Sur le coup, je m'étais presque émerveillé de cette inventivité langagière. (J'ai appris, depuis lors, qu'on appelait ça « la maladie du dictionnaire ».) Mais il se trouve aujourd'hui que nous allons passer, Alexis et moi, devant le bow-window de sa villa, le long des cerisiers du japon qui, à la fin du printemps, se livrent à un carnaval rose. Je me revois au bord de confier à Aliocha que là vit encore l'être que j'ai le plus chéri dans mon enfance...

C'est à ce moment qu'il me dit : « Après tout, j'ai réfléchi : peut-être qu'elle pourrait te baiser tout de même (il disait : "bèzè"), si je le lui demandais, cette femme dont je t'ai parlé, de trente-huit ans. Si je le lui demandais comme une faveur... Pour t'aider, nous la bèzerions ensemble... »

Et puis voilà : nous passons justement sous les fenêtres de la villa de ma grand-mère. Je pique un fard. Alexis de Faranghi s'en aperçoit. « Ma parole ! Tu rougis ! T'es vraiment pas mûr ! »

Je ne puis m'expliquer avec Aliocha sur les raisons de mon trouble. J'ai, tout à coup, imaginé ma grand-mère, clouée au fond de son fauteuil, et entendant par la fenêtre entrouverte le mot qu'Aliocha vient de proférer... Je me demande un instant si mes pas ne m'ont pas porté jusqu'ici, au bras d'Aliocha, ou presque, pour que se produise précisément cette sorte de sacrilège. D'autant que ma grand-mère n'avait, de tout temps, souhaité que ma joie, et n'aurait pas manqué de me lancer, dans une allègre confusion : « Profites-en, mon petit ! Déjà ça de pris ! Encore une tendresse que les Boches n'auront pas eue ! » (Cela se disait, dans la famille, durant la guerre : toute douceur se calculait à l'aune de ce dont l'occupant aurait été privé.) Elle-même, dans sa jeunesse, n'avait-elle pas la cuisse légère ? Mal mariée, à un fou pompeux et solennel, n'avait-elle pas trouvé, par bonheur, à ce qu'on disait autour de nous, « des compensations », dans certains ateliers de petits maîtres à la mode, où elle posait, à l'occasion, comme modèle, car sa peau était très belle, très blanche, avec quelque chose de lactescent, d'opalin, de *recherché*, et où elle s'attardait souvent après la séance de travail – ne se rhabillant pas aussitôt ?

Toujours est-il qu'Alexis n'insiste pas : à l'évidence, je ne suis pas « au point ».

Alors que j'ai rougi parce qu'au fond ma grand-mère et Aliocha, dans un sens, se ressemblent – ils sont de la même race –, et que j'aurais dû, mais oui –, les faire se rencontrer.

« Il est très sympathique, ton ami..., m'aurait dit ma grand-mère. Il est viscéralement humanoïde. Cette chaleur qu'il a : de bon aboi. Très syphilisé, avec ça. Tu as dorénavablement l'obligation de me le rapporter !

« Elle est formidable, ta grand-mère ! » m'aurait dit Aliocha de Faranghi.

Telle aurait été la rencontre au sommet que j'ai rendue impossible. J'étais un roi, décidément, moi aussi. Le roi des gâte-miracles. Le champion toutes catégories des occasions perdues.

Mais qu'y pouvais-je ? Je croyais – sincèrement – que la vie ne m'aimait pas. qu'elle ne me fréquentait qu'à peine et par inadvertance. Et donc je le lui rendais bien. Et même au centuple. Et par avance.

L'élève Faranghi Alexis – car tel fut bien sûr son nom ; pour rien au monde je ne le modifierais ici – fut renvoyé. N'avait-il pas été surpris, au dortoir de l'internat, composant sous sa couverture, avec une lampe de poche, une tragédie biblique et néanmoins grivoise, en cinq actes et en vers, sur *Judith et Holopherne* ? Lisant, de surcroît, *Les Martyrs*, de Chateaubriand, dans une édition « non expurgée à l'usage des écoles ». (Quand il fut découvert, il en était à s'apitoyer sur les chastes amours d'Eudore et Cymodocée. Rien, dans cet ouvrage, hormis les lions, ne l'avait pourtant troublé.) Et, pour comble, il s'apprêtait à plonger dans l'œuvre nauséabonde d'une aristocrate pourrie, *Les Éblouissements* (Paris, 1907), qu'on devait à la plume sensuelle et, pire encore : panthéiste, de Mme Anna de Noailles.

« Vous ne vous rendez pas compte, lui dit le préfet pour lui signifier son congé, que nous sommes en pleine *guerre* scolaire ? Quels arguments contre "l'école sans Dieu" un comportement tel que le vôtre ne fournirait-il pas aux curés, s'ils venaient à en avoir connaissance ? Nous devons devancer leurs attaques ! Nous interdire tout laxisme impénitent, ne pas exhiber imprudemment nos licences. Nous serons plus catholiques que le Pape, entendez-vous ? Votre renvoi servira d'exemple… »

Jamais ce sacré faux cul de diable d'Alexis ne m'avait mis au parfum de ses écritures clandestines, ni confié la clé de cette phrase énigmatique qu'il avait reproduite sur la tapisserie, au pied de son châlit, et qu'un pion découvrit lorsqu'il rafraîchit celui-ci pour le débarrasser d'une literie souillée par diverses pollutions nocturnes – Alexis avait la larme de sperme facile : « Mon père est un petit garçon que j'ai eu quand j'étais tout petit » (Alexandre Dumas fils – fils forcément). Cela, en guise de codicille au testament que nous laissait, en partant, le passage équivoque d'Aliocha parmi nous.

Il fallait voir la lueur de triomphe qui, toute une matinée, brasilla dans les pupilles des élèves Mignon, Poucet, Rude, Ombredane, lorsque je me retrouvai quitte du garde de mon cher corps. Dépouillé, détroussé, destitué, dépêtré d'une portion, encore, de ma prime jeunesse, de mon enfance prolongée. Dératisé, dessalé, détérioré, dévoré. Ils ne perdirent pas de temps : à la sortie des cours, ils m'entourèrent, comme s'ils avaient l'intention de prendre aussitôt leur revanche.

Mis au pied du mur, à bout de tout argument, je dis, tout à trac : « J'ai essayé de me suicider la nuit dernière… »

Ils se regardèrent, stupéfaits, pour éclater bientôt d'un rire sarcastique.

« Je n'en crois pas un mot…, dit Mignon.

– Remarque : ce n'aurait pas été une mauvaise idée… », dit Ombredane.

Je sentis que mon mensonge, dans son énormité, m'avait empourpré les joues.

Ombredane, pourtant, me dévisageait avec intérêt, et ce que je ressentis comme un début de considération. Rude aussi, mais, redevenu soudain moqueur, il me demanda : « Alors, comme ça, monsieur est *candidat* ?

– Pourquoi tu t'es raté ? » demanda Ombredane.

Ils se détournèrent, avec une terrible ironie et une sorte de dégoût.

Un mois plus tard, Rude se suicidait pour de vrai, en se jetant sous un train, du haut du Pont-aux-Chats. Il avait gravé au couteau, le matin même, dans le bois de son pupitre, ce slogan dont il ignorait sans doute le sens : « Vive la mort ! », et il avait ajouté, plus timidement : « Ah ! Changer de vie ! » Même l'élève Rude avait donc désiré, un jour, que fût bouleversé l'état du monde. Et puis, en secret, il avait aussitôt abandonné la partie. Je m'en voulus un peu : je me demandai si je ne lui avais pas suggéré l'idée de cette mise à mort, comme un souffleur, au théâtre, rappelle à un acteur shakespearien une réplique funeste, au beau milieu d'un vaudeville. Pauvre Rude : il était aussi peu fait pour la mort que moi pour la vie ! On finit par exceller dans le rôle pour lequel on était le moins préparé. Il faut, dans toute existence, que jaillisse un suicide de gosse. Rude, pour faire vite, se choisit lui-même.

J'observe que, depuis lors, au Pont-aux-Chats, les couchers de soleil ont une couleur de nausée. Et que les pommiers, alentour, perdent toutes leurs fleurs, en une seule nuit de grand vent, comme pour rappeler que le paradis n'est qu'une caricature de la nostalgie, puisque le présent fait tout ce qu'il peut pour ressembler d'avance au passé…

Je ressentis cette auto-estocade tel un point final mis à une adolescence que j'avais vécue comme une procédure interminable, et grevée d'incidents malencontreux. On pouvait être heureux d'en avoir fini avec cette formalité. Le suicide de Rude nous sépara parce qu'il administrait la preuve que nous avions, jusque-là, vécu pour rien, ou pas grand-chose, des drames assez ineptes.

Je revis Alexis, une dizaine d'années plus tard, dans le haut de la ville. Au volant d'une Lancia bleu lavande, il avait doublé ma 2 CV vert moutarde, avenue Louise, au prix d'une queue de poisson quasi baleinière, et, le feu s'étant mis au rouge au bout de l'avenue Louise, je quittai ma voiture pour demander raison au chauffard bouffon – que je n'avais bien sûr pas reconnu – de son homicide comportement. Hilare, arborant son impérissable sourire de pute eurasienne, Aliocha me tomba dans les bras et me dit : « Viens, mon petit loup, on va fêter ça de suite. Tu as un beau pull, dis donc ! Tu me l'échangerais contre un permis de conduire international ? »

Il remonta dans son coupé, s'engagea sur la place Stéphanie – à l'heure de pointe ! –, fit mine que son moteur calait, descendit et, au milieu du trafic, endiablé, ouvrit son coffre, en sortit une bouteille de champagne dans un seau à glace, tout prêt, et deux coupes, et nous trinquâmes là dans une folle ébullition à notre juvénilité perdue, à longues rasades, jusqu'à ce qu'une maréchaussée peu amène et d'une humeur non festive vînt nous interpeller.

La vie avec Alexis était un jouet original pour enfants. C'est sans doute pour ça que je ne devais plus le revoir.

« Rends-toi compte, Joy ! dis-je. Qu'aurait pensé ma mère de tout ceci, si elle en avait pris connaissance ? De la jolie lope que j'étais devenue ?... Et ses compagnons de la Résistance, qu'auraient-ils dit ? Et aussi, me diras-tu, que devient Léopold, dans tout ça ? Pour sûr, lui non plus n'y aurait pas reconnu ses petits !

– Qui sait... ? songe Joy tout haut. Tiens ! C'est la première fois que tu me tutoies... Qui sait quelle eût été la réaction de ta mère, celle des résistants, celle du roi même ? Qui sait si tu ne les as pas sous-estimés les uns et les autres ? Tu aurais pu te confier à l'un d'entre eux, au moins... Tu aurais gagné du temps. De l'espace. Pour ta vie. Sacré petit mec. »

... n'arrive jamais seul. Ma grand-mère, « la vieille sœur jumelle d'Aliocha », mourut à quelque temps de là. Quand cela survint, j'étais en reportage à Kuneitra, en Syrie, et dans l'impossibilité de rentrer à temps pour assister aux funérailles.

Comment ne pas y voir la sanction de mon indifférence, de mon ingratitude ? Pourquoi aurais-je mérité de conduire ma grand-mère à sa dernière demeure quand, depuis des années, je ne me souciais plus de la rencontrer en vie ? Que je fuyais l'expérience de sa confusion verbale, le spectacle consternant de son marasme ? Je serais donc frustré de la représentation de sa mort : il n'y aurait plus que sa mort même, comme une absence d'images, pour m'infliger du chagrin. Un chagrin sourd et fébrile, qui ne trouverait plus jamais l'occasion de s'exprimer. « La conclusette affolée et chavirante d'une épouillade homérique ! »

Au téléphone, sa fille me décrivit, cliniquement, son agonie : « Ta grand-mère est entrée dans la mort aussi bavarde, intarissable, qu'elle l'était dans la vie. Mais elle ne s'exprimait plus dans aucune langue connue. Tout au plus retrouva-t-elle, par moments, une sorte d'éloquence dépourvue de toute signification… »

Je ne pourrais plus dire quand j'avais cessé de la visiter. La date importait, à vrai dire, assez peu : ceci seulement comptait que, l'être humain le plus lié à mon ingrate enfance, sans rien demander en retour, je ne me sois plus porté à sa rencontre à partir du jour où je fus emporté, ballotté, par des histoires de pays et de femmes… (La dernière fois, tout le temps de la visite s'était passé à calculer le temps que j'avais mis à la lui rendre.)

J'avais dû prendre prétexte de ce que, depuis un temps, elle perdait la tête, et que son langage n'adhérait plus aux choses. N'était-il pas cruel, et même sot, de ne plus rencontrer un être cher parce qu'il échouait désormais – *désormalais, désagréablemais, dorénavantement* – dans son effort à communiquer, mais qu'à son puéril point de vue il y parvenait encore ?

Je me souvenais que j'étais passé chez elle les cheveux mouillés. Je repassai un mois plus tard. Elle me dit : « Tiens ! Tes cheveux sont déjà secs ? »

On évoquait une maladie dont souffrait quelqu'un de notre entourage. Étonnée, elle remarquait : « Tiens... Je n'ai jamais souffert de ça... » L'idée lui aurait assez bien plu d'avoir, à un moment ou à un autre, souffert de *toutes les maladies*. Elle avait, sur ce plan, une mentalité de collectionneuse.

On lui décrivait le sort réservé à quelqu'un, quelque part dans le monde : un otage, un détenu, un exilé, un affamé... Elle observait : « Tiens ! C'est comme moi ! » Elle avait un pouvoir d'identification illimité à tous les réprouvés. Elle était convaincue, aussi, qu'à la télé on ne parlait plus que d'elle – et même la météo, elle la prenait pour elle, encore, pour elle seule. À tout coup, elle criait à la diffamation.

Elle raffolait des ponctuations verbales.

« À propos... », disait-elle – mais c'était pour changer de conversation.

« Après cette bonne parole... », annonçait-elle en se levant, mais uniquement pour donner le signal du départ.

« C'est bien simple... », commençait-elle au moment d'expliquer ses tourments les plus tortueux.

« Aïe, ma tête... », laissait-elle tomber, de temps à autre, l'air indifférent, comme si elle dénonçait un mal qui lui était étranger. Une migraine affligeant quelqu'un d'autre, à grande distance.

Certes, il ne me déplaisait pas d'imaginer la vieille femme assénant, jusqu'à son dernier souffle, à son auditoire, un ultime discours où, de surcroît, il n'y avait plus rien à recevoir d'une conscience obscurcie. Encore aujourd'hui, je ne puis m'empêcher de me la représenter telle qu'en elle-même : babillarde et inintelligible, en somme heureuse et très misérable.

Je me sentis tellement en défaut de n'avoir pas été là pour cette mise en terre que je jugeai bon d'écrire à ma tante : « Ne me regrettez donc pas ! Je ne suis jamais à la hauteur des grandes circonstances ! Sans doute ne s'en est-il pas assez présenté à moi jusqu'ici : je manque d'habitude. » Il m'apparut, assez vite, que personne ne voudrait me consoler. Après tout, je n'aurais jugé bon de parler de ma grand-mère à personne, comme si je voulais lui chauffer en silence sa place dans ma mémoire, jalousement. J'avais fui, lâchement, ses chagrins, alors qu'elle m'avait si magnanimement consolé du mien. Me préparant à éprouver d'immenses et si vains remords. Chacun à qui je tentai d'en parler par la suite eut de la peine à croire en un chagrin qui fût précédé par une si longue trahison… Cela ressemblait un peu trop à un désespoir d'ivrogne.

L'existence un peu factice que je menais alors reprit aussitôt ses droits. Un soir, je me laissai même entraîner, avec des pieds de plomb, à une réception organisée par l'attachée culturelle de la république d'Haïti, Lilars Delafontaine, à seule fin de m'étourdir en buvant un punch créole. Lilars amusait une certaine société par sa verve caraïbéenne, ses éclats de diva titillée, ses extravagances d'enfant gâtée, son plumage d'oiseau exotique… À la fin de cette soirée idiote, et alors que, sans l'avoir voulu, j'étais le dernier à partir, abdiquant d'un seul coup de son rôle d'hôtesse fantasque, elle me dit : « Tu as l'air sombre, ce soir. Quelque chose qui ne va pas ? » J'acceptai un dernier Cuba libre.

Assis, le verre de rhum en main, au milieu de son salon, je me vis lui conter l'histoire de ma grand-mère. Je me sentais ressembler à ce personnage de cocher de fiacre dans un conte russe, qui, voulant narrer la mort de son fils, la nuit de Noël, à ses clients successifs, et n'essuyant qu'indifférence, finissait par la raconter à son cheval… J'avais passé la semaine à parler de ma grand-mère à tout qui se trouvait sur mon chemin : pourquoi pas, cette nuit, à cette créature folklorique et débarquée comme d'une autre planète ? Peut-être cherchais-je encore à me punir, en confiant un secret qui m'était cher à celle qui devait être le moins préparée à l'entendre ? Par mon impudeur, ne commettais-je pas un impair ? Oui, je devais vouloir expier quelque chose en consentant à cette absurdité...

Relevant la tête, je vis que Lilars – était-ce l'effet de l'alcool ? avait les larmes aux yeux.

« Tu ne veux pas rester ici, cette nuit ? » me demanda-t-elle timidement.

Je me rappelai ce jour où Aliocha, se promenant à mon bras sous des cerisiers en fleur, m'avais demandé si je ne voulais pas « bézer ». En entrant, quelques instants après, dans la couche de Lilars, je sentis que ma grand-mère tenait une sorte de revanche. Et j'imaginai son sourire, celui qu'elle m'adressait autrefois. Allons ! C'était gagné...

« Le masseur, me dit Pierrot Lenoir, chasse le sang vers la gauche – comme ceci – dans le sens inverse de celui des aiguilles d'une montre. La plupart ne savent pas qu'il faut s'attaquer à la jambe droite pour irriguer le cœur ! Mais moi, je connais mon métier. Regardez ces mains : je les ai fourrées dans les culottes de plus de trente vrais champions ! Comment serais-je déçu ? Mon palmarès, je me le suis fait par coureurs interposés... Grâce au vélo, j'ai vu le monde entier, de Moscou à Caracas. Je suis plus connu dans les palais des sports de Genève, Berlin, Hartford, Milan, Dublin, Lyon, Sydney, Boston, Montréal, Providence, qu'ici, rue de la Gare, où je vis depuis vingt-cinq ans... Je fus tour à tour porte-valises, nounou, caddie de ces messieurs, puis, peu à peu, je devins leur sorcier, leur psychanalyste... J'aurais pu devenir moi-même coureur à part entière et, comme débutant puis comme amateur, je fis quelques coups d'éclat, à Leefdael, à Louvain, au vélodrome de la rue de Jérusalem. Le service militaire m'a coupé les ailes. Je l'ai accompli dans une unité très dure, de commandos de la défense aérienne : j'étais si lessivé après les missions que je buvais pas mal avec les autres, pour faire le vide. Et puis les femmes firent irruption, ces voleuses de santé... Vous savez ce que disait Confizius : "Bite de lion, pattes de plomb !" Cela ne m'empêche pas de remporter encore, de loin en loin, une course de vétérans, histoire de se rappeler les sensations et les vertiges de la folle jeunesse... Dans ma catégorie d'âge, je reste presque imbattable. » Il remarque bien que son credo eugéniste m'a laissé perplexe, et ajoute : « Bien sûr, un jour ma femme me quittera. »

On en revient donc toujours à ça : à l'évocation de l'inéluctable passage du temps. Nous nous tenons debout dans la salle de massage de Pierrot Lenoir, au sous-sol d'une étroite maison de la rue de la Gare, nous nous parlons depuis un quart d'heure, et l'irrémissible est déjà à l'ordre du jour. Cela aurait pu attendre, non ? Il est dit que ça n'attend jamais.

Rien qui suggère la mort comme la glorieuse histoire des corps triomphants... Chaque évocation d'un exploit d'antan piétine des cadavres. Quoi de plus désespéré, donc, que la fidélité que voue un fan, un *aficionado*, une groupie, à un grand champion ? Tôt ou tard, celui-ci décline et on descend la pente avec lui. Consacrant tant de pensées et d'affects à des favoris fatalement éphémères, on a peut-être encore tout juste le droit de vivre l'ultime sursaut d'orgueil d'un gladiateur en perdition : celui-ci n'en livrera pas moins, peu après, le match de trop, il s'épuisera en courant une épreuve inutile, qui n'ajoute rien à sa gloire mais pourrait y retrancher, il laissera dans les mémoires l'insupportable image d'un effondrement, d'une humiliation, d'une déchéance. qu'il perde sa couronne, qu'il prenne enfin sa retraite, et qu'une époque se dénoue, et on émerge soi-même d'un rêve où on aurait consacré, pour rien, le meilleur de ses forces à suivre ces exploits qui ne laisseront pas l'ombre d'un héritage ; on se réveillera en constatant que, tandis que cela nous distrayait, on déclinait aussi, on blanchissait sous le harnais, on se réduisait à soi-même.

On parcourt les titres des journaux, on apprend qu'un fameux duo de vainqueurs de courses à l'américaine est condamné pour usage de stupéfiants ; que l'un est dealer et l'autre bon pour l'asile ; qu'un ancien recordman de l'heure est mort à l'âge de quarante ans ; que moins de cinq ans après avoir remporté un championnat du monde, un routier-sprinter s'est clochardisé – « Sa chute, écrit un plumitif, restera aussi énigmatique que ses triomphes... ». Un spécialiste du demi-fond derrière *derny* confie : « Je tourne, je tourne, et je me demande si cela sert à quelque chose... » Le titulaire du record de l'heure sur piste en altitude profère son testament : « Adieu tout ça... » Le phénomène castillan qui, seul, menaça hier la suprématie d'Eddy Merckx dans les courses à étapes vient de se suicider sans qu'on sache seulement pourquoi.

Je considère la salle d'op où œuvre Pierrot Lenoir, où ses doigts d'or ont palpé et assoupli les muscles d'acier d'un champion catalan de vitesse pure, d'un as australien de la poursuite, d'un Italien surdoué mais bambochard, d'un Britannique extraterrestre, victime d'une terrible chute et ressuscité... Entre les armoires vitrées où le masseur entrepose ses fioles et ses élixirs, ses baumes du Tigre, ses poudres de perlimpinpin, ses onguents miraculeux, ses pommades Borostirol ou Osmogel, et peut-être même ses composés d'amphétamines indécelables, il a épinglé au mur les maillots arc-en-ciel ou arlequinés de Maspes et Timoner, de Reg Harris et Tony Doyle, de Koblet, Marsell, Stan Tourné, Altig ou Sentfleben. Ils se sont décolorés, fanés, mais on peut encore déchiffrer les autographes tracés au feutre en travers des courtes manches ou des dossards. On est au cœur d'un lieu aussi fermé sur lui-même qu'une pyramide ou une fumerie d'opium. On devrait y ressentir la pacification des muscles déroidis, dététanisés, la douceur consolante d'un pelotage calculé au millimètre près. Mais serait-ce dû à ces relents qui traînent d'une pharmacopée omniprésente ou à l'ombre funéraire où le salon repose ? Tout ici respire moins la santé que ce qui la ruine ou la compromet. On se croirait plus dans un caveau de famille, un antre sadomaso, que dans un cabinet de sportif. L'hiver venu, on déposera, sans doute, des housses sur la civière et les sièges de métal inoxydable.

« Le problème, dit Pierrot Lenoir, c'est qu'il n'y a plus de morte-saison : en hiver, on prépare déjà les exploits de l'été... »

Comme c'est un homme doux, il n'ajoute pas : « ou les déroutes... »

Pourtant, il doit y penser. Je regarde à nouveau la civière où des tout grands, et des inconnus qui avaient des rêves, sont venus se prêter à des effleurements, des pétrissages, des vibrations, des secousses, des ébranlements, des frictions, des tapotements... Les voici épilés comme des ballerines. Échauffés avant la course ou apaisés après l'effort, comme d'athlétiques amants de la piste d'érable doré et de la route aveuglante. Sous les doigts du soigneur-confesseur, le corps n'est plus qu'un fauve à rassasier et chaque muscle une arme à fourbir en vue d'une guerre de la chair, livrée au monde considéré comme une accumulation d'obstacles, un assemblage de pièges. Celui qui vient ici s'abandonner comme une fille pour l'amour savoure la solitude qui lui fait oublier, durant quelques instants, la délirante violence du peloton, ses entremêlements de jungle, ses houleux remous, les abois de la meute et sa sauvagerie sans pardon... Soudain, il peut se croire unique au monde, nouant avec l'anneau de bois ou la chaussée méchamment pavée un dialogue intime. Il oublie qu'il s'y déchirera. Que, de cette époque dont il écrira ici le scénario, le jour venu, de la course, il ne restera peut-être rien qu'une douleur incommunicable.

Je m'attardais à considérer la civière comme en attente d'un mort – et même d'un corps assassiné –, et je me rappelais cette sourde rumeur qui annonçait, au bord de la route, le passage du peloton, annoncé par l'hystérique frénésie des motards du service

201

d'ordre et de la caravane publicitaire. Bariolage tachiste, concert de couleurs et de sons.

Je me demandais, quand je voyais passer ces hommes ensauvagés par le rythme de la course, endoloris, abrutis, exaspérés par elle, mis hors d'eux par l'intensité de ses exigences, s'ils trouvaient, dans les moments d'accalmie, le temps de se parler de leurs histoires d'amour et de leurs drames de famille… Qui aura jamais une oreille pour ces conciliabules de chevaliers avec des voyous, ces complots de truands entraînant des seigneurs dans leur chute, ces apartés de manants avec de grands bourgeois ? Que se passe-t-il dans la tête du Fou Pédalant, de l'Aigle de Tolède, du Pieux de Bologne, du Blaireau, du Pédaleur de Charme, du Gitan, du Voleur de Vent, de l'Envoleur de Roues, du Rayonnant de Maastricht, du Doyen de Dieu, du Défoncé de Naissance, de Formule I sur Deux Roues, de Faux Cul de Génie, de Stan Laurel Ockers, de l'Avaleur de Cols, de l'Ennemi des Montres, du Mangeur de Chronos, du Guidon d'Or III, du Pédalier Trempé, du Dérailleur des Autres, de Mister Course-en-Tête, de Lanterne Rouge d'Avance, de Vélo-sur-l'Épaule, de Périnée d'Acier, d'Hémorroïdes de Plomb, de Mord-Son-Guidon, de Brise-Son-Cadre, d'Arrache-Tripes-et-Boyaux-à-la-Mode-de-Caen, du Frisé des Apennins, du Rocher de Brighton, du Gentleman en Équilibre Instable, de Trompe-sa-Femme-avec-la-Mort, du Funambule des Basses-Alpes, du Giromancien, de Cinquante-Fois-Treize, de Cœur Fou, de Cervelle de Pigeon, Mollets de Cigale, Cuisses de Kangourou, Pharmacopée Ambulante, Os de Porcelaine, Buste-de-Momie, Coupeur de Vent, Mange-les-Mouches, Tendre Tueur, Le Zigzagueur Chatoyant, J'abats-bien-les-chevaux ou Le Charles Quint des Kermesses ?

Oui, donc : qui sait quels orages désirés ou tant redoutés traversent la tronche de tous ces gens-là, d'une tempe à l'autre ?

Et puis aussi celle du Cosmonaute de Breenduyne, de l'Extravagant de Torre Molinos, du Régicide de Saint-Ouen, du Superman d'Erembodeghem, du Magicien de Villacoublay, du Vieux de Rotterdam, du Suceur de Roues de Glasgow ? Et n'oublions pas l'Aigle Noir, Gino-le-Mariolâtre, Fausto-le-Diabolique, Je-pense-donc-je-roule, le Prédateur d'Adliswil, l'Étoile Filante des Abruzzes, Cinquante-et-une-fois-seize, l'Ordinateur de la Vallée du Pô, l'Ange de la Montagne, le Taille-Crayon de l'Aubisque, le Baroudeur de Valence, Chair-à-Biclo, Fesses-Quatre-Étoiles, le Colosse de Moortebeek-Centre, le Géant de Sarcelles, Cuisses-de-Fourmi, l'Albatros de Berchem-Anvers... ! Ne rêvent-ils pas tous de la boue ôtée comme un masque, d'urine immaculée, de cocaïne invisible pour les yeux, de chloroforme inodore pour les gencives, d'hormones de volcan non répertoriées pour testicules de bronze ?

Tous, oui, même l'Horloge Parlante de Bâle, l'Emphytéote de la Voiture-Balai, l'Infernal du Nord, le Seigneur des Six-Jours, Urine-de-Cadmium ou le Niveleur des Pavés des Flandres...

« Et puis, me dit Pierrot Lenoir, l'expérience à la plupart n'apprend rien ; tous, à chaque course, redeviennent vierges. Vous savez ce que disait Confizius ? Que l'expérience est "une lanterne qu'on s'accroche dans le dos et qui n'éclaire que le chemin parcouru". À croire qu'il avait fait dix fois le tour de Canton ou qu'il avait gravi en danseuse la muraille de Chine ! »

Vanco tient, avec sa femme, un magasin de cycles sur la route de Wavre. Il dispense de bons conseils et file des tuyaux aux débutants ou aux randonneurs du dimanche. Quelle impression cela fait-il de vivre au milieu des bicyclettes quand on a raccroché la sienne un peu tôt, après des débuts très prometteurs ?

« De toute façon, dit-il sans amertume, ce n'est plus le même sport... Aujourd'hui, un vélo de compétition peut coûter jusqu'à cent cinquante mille francs belges... Un pignon de huit, seize vitesses... Il n'y a plus que deux hommes par équipe qui

soient programmés pour l'emporter. Le reste, c'est la valetaille…
La plupart courent pour trente mille francs par mois… Une
misère. Autrefois, il y avait encore des coureurs indépendants.
Chacun avait sa chance. Le temps des folles échappées est bien
révolu. Un baroudeur, un directeur sportif reviendra à ta hauteur
pour te sommer de lever le pied, et docilement tu te laisseras
reprendre par le peloton. Et puis, les Scandinaves, les Américains,
les Allemands de l'Est, les Colombiens ont déboulé sur le marché,
ils ont déjà beaucoup de métier et cassent la baraque.

» J'ai perdu un fils en course, l'année dernière. Une myocar-
dite. Serait mort jeune de toute façon. Avait ouvert la lettre du
médecin qui l'envoyait à l'hôpital pour savoir ce dont il souffrait… S'est procuré un manuel de médecine. S'est découvert
incurable. Alors a décidé de rouler jusqu'à en mourir. Son frère
cadet, qui court aussi, a été très affecté, a abandonné la compétition durant plusieurs mois, puis a repris. "Faut rouler…, a-t-il
dit, lui l'aurait fait…" Mais la mère en veut au vélo. C'est une
Savoyarde. Elle est parfois un peu triste, souvent même. Quand
je l'ai rencontrée, déjà, j'ai vu que le vélo ne l'intéressait pas
vraiment. La famille, la maison sont passées au premier plan. Je
ne me suis plus donné à fond. Comme amateur, j'avais gagné
trente-neuf courses. Comme pro, je figurais toujours parmi les
cinq premiers de toutes les classiques. Et j'ai même battu Van
Looy au terme d'un Paris-Bruxelles. (Vous avez vu la photo,
n'est-ce pas, dans le magasin ?) J'aurais pu me faire un palmarès
drôlement plus étoffé. J'étais en progrès constant. Oui, j'ai remporté Bordeaux-Paris : une course à part, comme aux temps
héroïques, qui s'est dénaturée à la longue, a tourné au cirque,
puis a disparu du calendrier… Aujourd'hui, plus personne ne
voudrait encore assez souffrir pour tenter cette aventure. Peu à
peu, j'ai cessé d'y croire. Alors, plutôt que de tomber dans la
routine, j'ai raccroché. J'ai tout investi dans ce commerce, pour
rester dans le milieu. Pour quelques années, ma femme a été
rassurée. Et puis l'aîné des fils a voulu prendre la succession, puis

le deuxième… Il y a eu cet arrêt du cœur de l'aîné… Un virus : le vélo n'y était pour rien. Mais pas moyen de lui ôter de la tête, à ma femme, qu'on aurait pu soigner et sauver le petit, s'il s'était pas défoncé dans les courses. Notez, on se revoit encore entre copains lorsqu'on a un môme en course. On suit ensemble les fistons. On redevient rivaux par fils interposés… Le fils Merckx se brûle un peu, à mon sens, à l'entraînement. Court comme pour tout gagner. Risque de s'émousser… Dur de se faire un prénom lorsqu'on a un père pareil ! Il y a aussi ceux qui ont tout flambé, qui ont été mal conseillés par des requins aux aguets, ont été poussés à faire des placements bidons. Se sont retrouvés sur le sable. Ah ? Vous vous souvenez de Freddy ? C'était une cigale. Poussait des braquets insensés contre la montre. S'est usé. Parfois savait plus où il était : il se mettait à parler tout haut dans le peloton comme s'il téléphonait à sa femme ! S'étonnait qu'elle ne lui réponde pas. Les autres se marraient. Un champion du monde qui a fini par revendre jusqu'à sa maison. Il a cru devenir fou. Il est maintenant représentant en marques de pneus. Passe par ici quand il broie du noir… Alors, après son passage, ma femme dit : "Tu vois, même un maillot arc-en-ciel…" Elle pense que le vélo est une bête carnivore, qui tue ou qui ruine ses victimes. Elle ne veut pas voir courir le fils qui nous reste : elle a trop peur qu'il y passe à son tour. C'est comme si elle avait épousé un matador et mis au monde d'autres toreros et qu'elle redoutait les cornes du taureau. Vous comprenez : elle vit au milieu des vélos, et elle les vend avec le même dégoût que si elle refilait du poison. Pourtant, j'ai laissé sur la route mes meilleurs moments : en Italie, l'hiver avant la saison, quand un prince nous sponsorisait et nous couvrait de toutes sortes de cadeaux. Ça n'a pas duré… Il a fait faillite. Mais le temps qu'il plonge, qu'est-ce qu'on a joué ! On ne reverra jamais ça… L'ère des banquiers loubards qui vous amenaient à la course en limousine ! Ou les camps d'entraînement ouverts par les lames Gilette à la Côte d'Azur… »

Je ne l'interrogerai pas sur cette malheureuse année d'interdiction de bécane lorsque, soignant une grippe, il avait ingurgité, étourdiment, du N 63. On avait eu la main un peu lourde, non, s'agissant d'un champion d'exception mais un peu fragile ?

Peu à peu, Vanco m'a attiré vers son garage pour évoquer ses souvenirs, et sa femme, inquiète, passe parfois une tête dans l'embrasure de la porte, comme pour vérifier que tout se déroule normalement. Son regard croise le mien, me faisant reproche d'une sorte d'intrusion. Elle subodore quelque complot. Comme si j'étais venu ici proposer à l'ancien coureur un marché malhonnête et l'entraîner sur la mauvaise pente… (Celle de sa propre mémoire où elle n'aime pas le voir glisser.)

Mes questions lui apportent un trouble auquel il cède de plus en plus volontiers. Une ombre passe sur son visage débonnaire, mais il ne fait plus rien pour lui échapper. Nous restons là, debout, à côté de sa voiture. Une tristesse pèse, s'accroche à tout, aux rayons des roues suspendues à des crochets de boucherie, tout autour de nous, et qui, dans l'obscurité, ne luisent plus. C'est moi qui, avec mes questions, l'ai amenée : elles ont installé pour sa femme – pour lui-même – l'ennemi dans la place. Et je redoute qu'au fil des minutes elles lui renvoient une image de lui de plus en plus décevante, pâlie, déteinte, où il éprouve quelque malaise à se reconnaître dans le peloton de ceux qui sont passés à tombeau ouvert à côté de leur vie et se sont battus au sprint eux-mêmes. Je me dis qu'il aurait quelque raison de m'en vouloir. Et que je mériterais la rancune de sa femme.

Pourtant, lorsqu'il prend congé de moi, un instant plus tard, il montre une chaleur insolite, et même de la gratitude.

« Merci, monsieur. Merci beaucoup… Vraiment. »

Il s'éloigne vers son magasin, le pas un peu lourd, les épaules basses, portant le poids d'une incurable gentillesse.

Avant d'être roi, Léopold avait, pourtant, mis toutes les chances de son côté. Il avait doublé la mise.

On eût dit qu'il voulait emprunter à la légende, et aussitôt s'en débarrasser en l'incarnant. Depuis quelques années, on se souciait de son *bonheur*, on le *destinait* à une jeune princesse sudiste, on parla d'une Lombarde prénommée Giovanna. Rumeurs, démentis. Le roi Albert se déclare agacé par tous ces potins qui circulent autour des futurs *accouplements* de ses enfants. Il ne répugnerait pas à voir son fils aîné devenir plutôt le gendre d'un grand magnat de la finance, en particulier son ami John Rockefeller, car celui-ci, et quelques rares autres, détiennent les clés d'or de l'*avenir* du monde.

En 1926, Elisabeth se balade en Suède avec son fils, sous le nom d'emprunt de Mme de Réthy (qui va servir en tant d'autres occasions dans la famille). Pour quelques jours, ou quelques heures, lui va s'appeler Philippe. Il s'en amuse et s'en irrite à tour de rôle, comme de jouer dans une pièce de théâtre dont il apprécierait certaines scènes et d'autres moins. Ils rencontrent trois filles du prince Bernadotte au château de Fridhem. Léopold n'en remarque qu'une.

On dirait qu'elle s'est gavée de la blancheur qui règne sous ce toit et que jamais, ici, le malheur n'a élevé la voix. Sait-elle seulement que cela existe ? Tant de paix s'est accumulée en ce lieu. Ce serait même de la joie si cela ne ressemblait tellement à la stupéfaction du sommeil. Table familiale recouverte d'une immense nappe immaculée et que tous entourent, vêtus de blanc eux aussi, avant d'aller au tennis. Peut-être la jeune fille vaporeuse et plus que blanche n'est-elle jamais sortie de ce palais ? La vie l'a tellement épargnée que, quand elle tend son cou de cygne vers le prince pour entendre ses premières paroles, le mouvement semble épouser celui de la lumière même. Mais il se doute qu'un rien suffirait pour enseigner l'ombre à cette jeunesse, et l'y faire sombrer. Cela l'enthousiasme, car il voudrait soudain s'approprier cette paix qui s'incarne en elle, en être enseveli et la protéger des menaces qui rôdent au-dehors. Il ne se lasse pas de contempler cette enfance inconnue, vibrante d'elle-même, mais dont il faudrait la tirer, la délivrer comme d'un songe, pour que la vie, seulement, commence. Il prolonge cet instant où le sortilège le gagne, lui, au moment même où il décide de l'en guérir.

Il ne met que quelques heures à se déclarer, dans une allée du parc. Elle ne consent qu'au bout d'un instant qui lui paraît, qui leur semble à tous deux, interminable. (Elle s'affole, mais c'est à force d'allégresse.)

Tandis qu'il regagne avec sa mère la Belgique, il pressent tout à coup qu'on va transformer l'événement en conte de fées : il pourrait écrire à l'avance les comptes rendus des échotiers qui feront une traîne d'images d'Épinal à « la fée venue du Nord », à « l'ange des fjords », à « la princesse des neiges », à l'« âme fluide » et au « corps flexible ».

Serait-ce dans l'intention de le rassurer que le Roi et la Reine réunissent officiellement la presse pour annoncer « un mariage d'inclination » ? (Élisabeth grommelle : « un mariage d'amour… » et les journalistes sourient.)

Son frère cadet, qui s'amuse de son émoi, le taquine : « Ma parole ! On dirait que tu vas réinventer l'institution conjugale ! » Et le Roi-Chevalier, qui a horreur des festivités, confie : « Vivement qu'on en finisse avec ces noces : j'en ai déjà plein le dos ! » Comme si, dans la famille, on ne pouvait échapper à la convention et aux pompes qu'en affichant son ennui, ou en formulant un sarcasme.

Noces en deux temps. Civiles, à Stockholm. Tandis que la tempête fait rage, on se recycle à bord du bateau sur les vertus matrimoniales et l'histoire de Suède, on déverse de l'huile devant la proue afin de réduire le tangage, on s'insinue entre les récifs sous la protection d'une escadre de torpilleurs pavoisés.

Il semble à Léopold que le bleu a supplanté le blanc : le train royal bleu azur, l'uniforme du duc de Vestrogothie, les mosaïques à l'hôtel de ville… : tout, cette fois, a cette couleur, qui vire au gris acier lorsque les flammes torsadées des torches transpercent le soir bleu de glace.

Quand elle pleure, les yeux verts d'Astrid virent au bleu, encore. La mélancolie est là, enfin : il en faut bien un peu pour nuancer toute cette gloire caracolante, harnachée, des épousailles, que cet éclat – et surtout ce bleu, oui : ce bleu partout – rend irréelles.

Il n'y a plus qu'à attendre que la blancheur revienne, qu'elle regagne le terrain perdu, qu'elle prenne sa revanche.

Cette fois, c'est à lui d'attendre, de ce côté-ci de la mer, sur le quai d'un grand port, l'arrivée de sa promise. On pourrait imaginer un homme seul à qui cela arriverait, et qui se posterait au bout du désert portuaire, un humble bouquet à la main. Mais ici, pas de fleurs. À la place, tout un peuple ou au moins toute une foule regroupée à ses côtés. Pour vivre la seconde mi-temps de cette rencontre au sommet. L'idée saugrenue le traverse que tous ceux qui sont là ont élu, en même temps que lui, la même fiancée, qu'ils vont tous épouser Astrid. Il sourit. Mais avec amertume. S'inscrire dans la mythologie des gens est insupportable. Aujourd'hui, cette fête d'une fastueuse et absurde grandiloquence… Et demain ? Si tout cela, ce grand jeu naïf, devait mal finir ? Que se passerait-il ? (Il se le demande. Ce n'est pas une funeste prémonition qu'il a. Ce n'est qu'un raisonnement qu'il tient. Mais il n'est encore que prince héritier, dans un pays où les rois ne gouvernent pas. Où ils règnent seulement. Et qu'est-ce que régner ? Il n'y a aucun moyen de le savoir avant que cela arrive.)

Alors, il va s'accorder le temps juvénile de chasser les idées noires pour appartenir à l'heure blanche de l'entrée en rade. *Lohengrin* à l'envers. Comme si cette femme qu'on va voir surgir

209

revenait seulement à lui après une ulyssienne absence (sans avoir fait le tour du monde, bien sûr : rien que celui de l'enfance). Tandis qu'à son sujet les gens massés sur le débarcadère font des rêves de midinettes fanatiques. Les jumelles sondent l'horizon. C'est à qui apercevra le premier la silhouette blanche, à la proue du navire blanc. Enfin elle est là, elle est presque déjà ici : le canon et les cloches heurtent le gong de ce matin cuivré, tout tourne au sein de l'opulente kermesse. Le duc de Vestrogothie n'a plus qu'à peine le temps d'indiquer le rivage à sa fille, en lui soufflant : « Voilà *son* pays qui sera désormais *le tien*… », et elle ébauche déjà le salut gracieux, presque hésitant, fragile à se rompre, qu'imprimeront ce soir, graveront à jamais, les journaux du monde entier, la vouant à le reproduire, encore et encore, tel quel, sans rien y changer, à chaque joyeuse entrée, à toute inauguration.

Le *Fylgia* accoste enfin. La passerelle est descendue. Clameurs. Alors le Prince s'élance… (Comme s'il avait, en un coup d'œil, aperçu l'issue, s'y était engouffré…) Il écarte le protocole, il rompt avec l'étiquette, brise l'icône et lui substitue l'image vraie, enthousiasmante, qui fera éperdument s'embrasser d'autres couples, et pleurer de joie la foule sur le quai et ceux à qui ensuite on rapportera l'anecdote. Elle-même s'est jetée à sa rencontre : ils se sont presque cognés. Il étreint longuement sa femme au milieu de la blancheur retrouvée, il peut s'y oublier ; des esprits chagrins diraient sans doute qu'il accède au sommet de l'ostentation, mais les photos démontrent le contraire : il se cache plutôt, il dérobe ce qu'il peut de son visage, derrière celui de celle qui s'en est venue, il savoure un incognito de trois ou quatre secondes, il se noie dans le blanc rayonnement de tout ce qui, pour quelques instants, l'environne. Ce n'est pas un baiser de cinéma, qui s'exhibe, mais un embrassement par lequel s'échappent ceux qui l'échangent. Et là où il est transporté, il n'entend peut-être même pas que « l'émotion est à son comble », que les barrages de police derrière lui ont, çà et là, cédé, que le bourgmestre d'Anvers va devoir improviser une partie de son discours pour rendre compte de « l'enthousiasme métropolitain » qui prélude à « un indéfectible attachement ». Sur le chemin de l'hôtel de ville à la gare, le service d'ordre est même débordé par la cohue que plus rien ne retient ni ne refrène : le cortège princier se retrouve assiégé, menacé, tel un fort qu'il s'agirait d'investir. L'amour collectif gronde et rugit, confond rêve et cauchemar, des femmes s'évanouissent, d'autres sont piétinées ; la princesse Ingeborg, mère de l'épousée, a perdu un soulier.

Longtemps après, la presse saluera cette « spontanéité irrépressible ». Ceux qui n'avaient pu voir la scène que de loin se vanteront d'en avoir saisi tel ou tel détail, ne se lasseront pas de le raconter au fil des années. Beaucoup de temps plus tard encore, le prince redevenu seul, devenu entre-temps roi, se demandera : cette violence…, n'aurait-il pas fallu s'en inquiéter, toute violence n'en annonce-t-elle pas toujours une autre ? Et il arrive qu'elle ne puisse se survivre qu'en devenant haineuse.

Le mariage religieux, après cela, doit n'être plus qu'une brillante fioriture. Astrid, luthérienne, s'est convertie au catholicisme dans le souci de ne pas gâcher le spectacle. Du blanc, on glisse à l'argent. Robe de lamé, dentelle de Malines, fleurs d'oranger. Une traîne de dix mètres de long, soutenue par deux pages. (Bientôt ce seront le diadème vermeil clouté de diamants, l'averse de grêle des perles fines et le boa de plumes, tandis que le prince ne sortira plus guère qu'en grand uniforme, ce qui lui sied si bien mais l'enferme comme une armure.) Voûte des sabres, flashes sur les lames qui frissonnent, éclats de leur tranchant que la clarté aiguise… Il n'y a que les demoiselles d'honneur, toutes coiffées d'identique façon, qui aient l'air un peu tristes. Il a vingt-cinq ans, elle quatre de moins : seule la nécessité de paraître a mûri ces deux adolescents prolongés et arrimé leur grâce naturelle. Les images du couple surpris en flagrant délit de bonheur peuvent paraître dans la presse provinciale entre une publicité Palmolive : « le secret de mon teint pur », des recommandations pour un régime sans souffrance : « Je n'osais plus manger ! » et la proposition d'un « remède radical contre la timidité ».

Pendant un certain temps, on va citer *Gösta Berling* dans toutes les gazettes, et *Peer Gynt*, et la *Valse triste* de Sibelius pour les jours de spleen car, à distance, la Scandinavie ne forme-t-elle pas qu'une seule patrie ensevelie sous un interminable hiver et qui ne se réveille que pour des nuits d'été démesurées, où l'aurore boréale se trempe autant que l'acier de Kiruna et le poisson gras de Stavanger ? Une lumière brusque comme un coup de lance entre les bouleaux d'une clairière, et ascétique autant qu'un prêche dans un temple méthodiste : en apprend-on beaucoup plus dans les agences de voyages ?

Et puis, au fur et à mesure que la princesse s'initie au français – et au flamand –, on cite de moins en moins de stéréotypes ultra-septentrionaux, on ne se réfère plus aux Vikings et à la pureté des lacs dans les discours où on l'accueille, on veut bien ne pas s'en tenir qu'à la brume et au gel, on verse un peu moins dans l'exotisme noir et blanc. On affecte même de ne pas s'aviser qu'elle cède parfois à une forme de dépression. On insiste volontiers sur ses foucades, ses éclats de rire « francs et sonores », sa vocation philanthropique, ses apitoiements, sa compassion, son goût pour les roseraies. Routine cérémonielle : visite au pensionnat d'Eeklo, au chantier naval de Hoboken, au cimetière militaire de La Panne, au XIIe congrès international de pharmacie, aux chirurgiens de l'hôpital Saint-Jean, aux pompiers de Zwevegem, aux anciens combattants de Tielt, aux familles nombreuses de Wasmes, aux veuves de guerre de Rocourt, aux orphelins de Boom, aux astronomes d'Uccle, à un cordonnier borain, à la centenaire de Moer…

Comme elle est à la hauteur de sa tâche, notre Princesse – et bientôt notre Reine ! (Car ici, de quoi serait-on bien à la hauteur, sinon de « sa tâche » ?)

Comme elle est « simple », aussi (dans le pays où elle est arrivée, il convient, il importe même d'être *simple* avant tout) : il paraît qu'elle coud, qu'elle fait volontiers la cuisine (qu'elle confectionne de petits plats nationaux), qu'elle aime faire des emplettes. Qu'elle lit peu. Qu'elle a le goût des fleurs rustiques. Qu'elle a des coquetteries naturelles et des ingénuités délicieuses. Une nuit, au palais de Bellevue, n'est-elle pas tombée nez à nez avec un poète français – diplomate de son état – au nom de saint (John Léger ? Alexis Perse ?), à la faveur d'une panne d'électricité : le promeneur tardif est en smoking et elle en vêtements de nuit. La lumière revient, et « le jeune ménage offre un rafraîchissement » au barde égaré. (Qu'Astrid se réjouisse de peu lire : il lui est, au moins, épargné de connaître comme tout ce qu'on dit d'elle s'édulcore aussitôt et devient mièvre. Difficile d'imaginer, tout de même, qu'on n'ait pas servi à l'auteur de *L'Anabase* un bon Armagnac ! Quand elle en viendra à haïr Léopold, la presse se montrera moins pudibonde.)

Il n'y a plus pour Astrid – tout en conservant cette inaltérable *fraîcheur d'âme* que nul ne lui dénie – qu'à répondre à tous les appels, d'où qu'ils viennent, ou à peu près. On dirait qu'aucun ne reste sans réponse. Il semble qu'elle n'ait ni l'envie ni le courage de mettre aucun solliciteur à la porte… La charité l'accapare et la dévore : peut-être redoute-t-elle, si elle y coupait court, de céder bientôt à cette dépression qui la guette ? Elle se saoule de bonnes œuvres : elle ne se rend pas utile mais indispensable. Elle est comme déjà reine, sans en annoncer l'arrogance.

Elle se prépare aussi à la maternité, ce qui est encore service rendu à la Patrie. Quand mettre au monde un futur roi demeure la plus noble des « tâches », ou des missions, quel regard peut-on jeter jalousement, par-devers soi, sur sa fille, sur son fils aîné et bientôt sur un cadet ? Ne sont-ce pas déjà les enfants *de la Nation*, et leur mère ne devient-elle pas une gouvernante princière, une jeune fille au pair de grand luxe ? Mais de quoi et comment se plaindrait-elle ? Dans un univers où tout se plie à la convention, l'expression vraie des sentiments ne passerait-elle pas pour une incongruité tout à fait déplacée ? Le lamento d'amour d'une cantatrice au beau milieu d'une messe basse ?

Il arrive qu'elle repense à la scène du baiser échangé sur la passerelle du *Fylgia* comme à la plus belle heure de sa vie, un moment parfait qu'on ne pourrait lui dérober. Son émotivité s'exaspère. Infatigable, elle ne se plaint jamais, mais elle pleure désormais pour un oui ou pour un non. Cela émeut et inquiète à la fois Léopold. Tant de fragilité l'enchante et le trouble, car il sait que c'est la vérité de la vie. Elle qui paraît toujours près de se briser, c'est la fausseté de la vie publique qui vient se briser contre elle. Pourvu que cela dure…

Alors il l'emmène en voyage. Parfois, il se dit que s'il n'était pas appelé à régner, c'est ce qu'il aimerait le mieux faire : voir du pays. Il est allé une première fois au Congo, avant Astrid, pour étudier « l'état sanitaire des populations », mais c'est plutôt leur état d'harmonie qui l'a frappé, leur résistance désespérée aux intrusions des Européens, des « civilisés », comme on dit ; il prend photo sur photo, avec un simple Box 9 x 9, il se promet de revenir bientôt, de visiter plus, de comprendre davantage, de photographier mieux.

En 1928, on les voit tous deux en Insulinde, à Bornéo, à Java – qu'on appelle déjà, c'est amusant, « l'île des vélos » –, à Bali. Aux Célèbes, aux Moluques, en Papouasie, à Sumatra. Récifs coralliens, racines aériennes ou tabulaires des figuiers géants : on dirait un jeu de grandes orgues. Des autels sacrés sont déposés au sommet des arbres. Morne monotonie des rizières inondées, à Malang ou Cheribon. Fête carnavalesque des plantations de kapokiers. Sombre majesté des volcans éteints de Merapi et Merbaboe. Cheminées de lumière dans toute cette verdure noire. Et par-dessus tout cela, ces lichens qui semblent tomber du ciel comme des dentelles faites par des spectres, ces éboulements de nuages soufrés ou granitiques, ces brumes qu'exsudent les forêts inondées de Panti. Au début, on dirait que le regard nu et stupéfait du photographe ne va jamais se lasser de fixer l'anarchique extravagance d'une flore amoureuse d'elle-même, du sol enivré par les vibrations qui le secouent, des lacs de cratères qu'envoûtent de sanglants couchers de soleil ; puis qu'il se voile de mysticisme, qu'il prie dans le transept des cathédrales sylvestres. (On voit bien que l'œil perd de son objectivité, de sa rigueur d'observation, qu'il se met à rêver, à divaguer peut-être.) Ensuite, il se détourne de sa propre contemplation pour capturer le lieu d'ébattement d'un oiseau à berceau, ou bien il s'attarde sur les péripéties d'une pêche d'huîtres perlières. Enfin, il en revient au sculptural mutisme des hommes, à leur bouche cousue, sur laquelle il bute, à la chorégraphie des prêtresses et des archères : quand cessent-elles donc de danser pour se mettre à combattre ? Elles ne livrent rien de leur secret d'amazones et ne consentent qu'à séduire... Alors l'œil renonce à sa paresse – il reprend tout par le début –, il multiplie les prises et se rapproche, par étapes, de la même indigène de Bali, d'une vieille lavandière de Batavia, de femmes sasak, à Lombok, ou de filles toradjas, de tel guerrier dayak portant son arroi (bouclier de bois et carquois de sarbacanes) ou de ces impassibles égreneurs de riz à Tobanan... On conçoit qu'il se divertisse du spectacle d'un conseil des ministres sur un étang...

Les légendes manuscrites ne parlent plus, seulement, d'une « Scène dans un village batak » ou de « Palembang, la Venise de l'Inde » ou de « Quelques représentants de la population mâle » au port d'Amboine, dans le détroit de Loutor ou dans la baie du Triton. La cueillette de noix de coco avec singes dressés n'est citée, en passant, que pour le pittoresque, mais une femme anonyme, non située, portant son nourrisson, encourage une insistance qui ne doit plus rien à la couleur locale. On suit la voile d'une jonque à balancier qui s'éloigne d'une grève, en Nouvelle-Guinée, comme si notre sort y était lié, comme s'il devait dépendre de la fragilité de l'esquif. Et au milieu de tout cela, des marchés exubérants ou des bois sacrés, dans un temple des morts à Tegal ou au cœur d'une clairière aux îles Aroe, ou sur une plage de Passir Poeti, ou au pied d'un Pandanus – minuscule, pour rendre sans doute l'idée de l'échelle – Astrid trouve sa place, comme si elle venait d'y être parachutée l'instant d'avant, mais aussi à l'aise que si elle traversait Nieuport.

Elle passe des vacances au jardin d'Éden : comment serait-ce sans appréhension ? Sa secrète mélancolie ne l'a pas quittée : elle pose à peine, mains jointes, méditative. Elle s'étonne peut-être de figurer là, mais c'est pure modestie. Léopold ne se lasse pas de capter d'elle le maximum d'images, mais c'est parce que, soudain, il aperçoit l'unité de sa vie, et que tout en lui se réconcilie : les baraquements d'un vieux poste colonial à Banda-Neira, une caravane de porteurs s'éloignant dans le brouillard, le ventre ballonné d'un Papou, un volcan surpris en pleine éruption, une mariée en costume de fête et dont il ne fuit pas le regard langoureux, l'épave d'un vapeur culbuté par un raz-de-marée, un monoplan Fokker au décollage, à Samarang, et le pic de Tidore, et l'atoll de Paloe Geser, et une vue panoramique de l'archipel de Randja Ampot, et lui-même, le photographe, dans un auto-portrait mi-goguenard mi-arrogant, exhibant son torse musclé de jeune premier, de bel animal, la clope au bec, heureux, cette fois-là au moins, irréfutablement heureux, ayant vu du monde, quelquefois, ce que tout homme aimerait avoir vu, et Astrid éblouie, qui ne se doutait pas que ce voyage l'attendait, et qu'elle aurait renoué là avec son innocence, Astrid qui soudain, un matin, se serait dit : Tiens, ici, je ne pleure pas, je n'ai pas pleuré, non que j'aie cessé d'être triste, non que j'aie oublié mon émotivité, mais parce que le monde, ce matin – quand il retrouve son aube, comme un homme ou plutôt une femme retrouve ses clés –, peut s'envisager d'un œil sec.

Que cherchait-il à noyer – et qu'il révéla – le regard du voyageur ? Quelles images engrangeait-il, pour chasser d'autres images ? À quel troc de souvenirs se livrait une mémoire anticipative – celle d'un futur exilé –, dans l'entrelacs inextricable des mangroves et des palétuviers ? On ne quitte, sans doute, jamais une jungle que pour une autre. C'est curieux, pense-t-il : ce n'est pas encore du passé, et c'est déjà de l'avenir.

Astrid est du voyage aussi à Singapour, dont l'atmosphère torpide l'oppresse, dans les îles de la Sonde, où la blancheur ressuscite à nouveau mais comme illuminée de l'intérieur, immémoriale telle une drogue pour les yeux – les laissant oublier d'autres paysages –, au Siam, à Ceylan, au Laos au Tonkin. Sous le toit des temples et des palais abandonnés ou la ramure des baobabs, l'arborescence des fougères géantes, son inquiétude peut renaître, mais plus légère, car elle visite un monde où elle a perdu tous ses repères. (Le palais de Parkuden où elle naquit, si elle y songe alors, c'est comme à l'unique vestige d'une vie antérieure – et cela n'apporte aucune souffrance. Rien qu'une douleur fantomale.) Docilement, avec une sorte de langueur, elle se laisse capturer par l'attention du photographe qui ne se distrait d'elle que pour épingler des insectes aux couleurs éclatantes. Ce voyage, pense-t-elle, pourrait très bien ne jamais finir : peut-être a-t-il commencé avant ma naissance et que c'est maintenant que je viens au monde.

Mais elle considère avec surprise comme Léopold paraît plus à l'aise – davantage chez lui – ici qu'au Stuyvenberg.

Plus tard, au Congo, où il retourne avec elle, il découvre à quel point l'indigène est évincé de l'aventure coloniale : les cultures imposées et le recrutement forcé au seul profit des grandes sociétés réduisent le paysan à la condition de sous-prolétaire agricole. De retour au pays, le Prince dénonce une exploitation aussi injuste qu'inefficace devant le Cercle royal africain où de vieux hommes barbus et consternés le regardent de travers ; au

Sénat, où sa compétence en la matière suscite une ironie acerbe. Ne sort-il pas de son rôle, se demande-t-on déjà, ce prince héritier aux vues naïvement progressistes ? (Appartiendrait-il, ma parole, à sa façon, à cette engeance détestable : l'homme de terrain ? Il faudra donc le tenir à l'œil, ce clampin ?) Pour la première fois, il se heurte au sarcasme, presque à l'insulte. Mais cela l'exciterait plutôt. Il en avait un peu marre des *Brabançonnes* entonnées au milieu des palmiers par les élèves des missionnaires, des photos officielles montrant sa femme offrant une papaye à un éléphant ou tenant une ombrelle blanche lors de sa visite chez les Pères Blancs, et des notables parlant des Noirs comme d'autres font des guerres : sans les avoir jamais vus de près. Comment se douterait-il, l'impudent paladin, que les profiteurs de cette guerre-là, économique et prédatrice, sauront, le moment venu, régler leurs comptes avec lui ? Qu'ils ne seraient plus guère disposés à lui pardonner cette juvénile incartade qu'à condition qu'il n'en commît aucune autre ?

Le temps passé au loin s'étirait, s'élargissait au début, s'accélérait ensuite, là-bas comme ici. Chasse aux fauves dans l'Ituri, discours sur « la conciliation des intérêts, l'union des cœurs, l'organisation de la paix », arrivée du Paris-Bruxelles avec un vainqueur embarrassé, gauche, qui ne sait que faire de son bouquet de fleurs, escalade dans le Chalinagongo (trois mille quatre cents mètres)… Ce qu'Astrid prise par-dessus tout, ce sont ces escapades de couple clandestin, anonyme, dissimulé sous le nom de Réthy – toujours de Réthy dans le Vaud ou l'Oberland, avec la nouvelle Packard dont Léopold se réjouit comme un enfant. On canonise Dom Bosco ; un lord anglais part à la conquête de l'Everest ; Jef Scherens, dit « le petit chat », remporte le Grand Prix du Roi…

Et voilà que le roi Albert se tue en dévissant sur une banale rocaille. Astrid était blanche, la voici un bref instant en noir, comme enveloppée dans une sorte de prémonition, et elle reçoit jusqu'à l'hommage du chef de gare à Marche-les-Dames. « Le Roi est mort ! Vive la Reine ! » Le métier rentre : elle s'efforce même de ne plus pleurer – il y aurait trop d'occasions, à présent –, elle fait encore sa Joyeuse Entrée sur les terrasses d'Avroy, et brandit tel un trophée le prince de Liège à un balcon ; le bonheur pourrait, après tout, revenir. Pour un temps, on ne voyage plus qu'à l'intérieur du pays. « Accueil fou de la vieille cité hanséatique. » Du moins, on est repassé au blanc, la blancheur a repris le dessus, la blancheur domine, on offre à Baudouin, le fils aîné, si timide, si studieux, si pensif, une petite bicyclette rouge, à Pâques on a caché, pour lui et ses frère et sœur, des œufs peints au milieu des fleurs équatoriales dans une serre du jardin de Laeken, on ne lit plus à Baudouin que des histoires qui se terminent bien, on s'amuse de ce qu'il ne se lasse pas d'écouter la chanson « Monsieur, monsieur, vous oubliez votre cheval… » : on la lui fait entendre jusqu'à ce qu'il s'endorme. Accélération encore. La machine s'emballe. Elle a tout juste le temps, la jeune Reine, d'inaugurer l'Exposition universelle de 1935 : en passant par le pavillon de Suède, elle entend un chœur d'enfants qui lui rappelle les années à Parkuden, elle éclate en sanglots, ce sont ses premières larmes depuis longtemps, elle y a bien droit, elle ne cherche même pas à les cacher, personne ne lui en tiendra rigueur ; dans son discours inaugural, elle a des mots pour le bonheur de l'humanité : c'est qu'elle y croit vraiment…

Sur les routes de Suisse où elle part en vacances, ensuite, avec le Roi – un repos bien mérité –, elle se souvient parfois des sommets du mont Kenya, des coraux du Pacifique, des côtes dentelées des îles Adaman, des plages de Polynésie, parfois elle en parle à Léopold, elle s'étonne, elle s'émerveille d'avoir vu tout cela, elle s'excuse de le savourer avec un temps de retard, sur le moment même sa rêverie était souvent la plus forte, elle est ainsi faite, il sait bien, l'enfance fut tellement pacifiée, alors après on a toujours un peu de vague à l'âme, mais cette fois, non, justement : sur les routes de Suisse, on savoure enfin tout son bonheur dans le présent, on revient des Dolomites, on s'enthousiasme de tout et de rien, tout est blanc et on est à nouveau blanche, on chercherait volontiers un autre itinéraire que celui qui a été prévu, le matin même, à la villa d'Haslihoorn où on réside, la Packard ne fait pas plus de cinquante kilomètres à l'heure, et le conducteur est un virtuose, mais sa femme lui tend une carte routière, la voiture dévie de sa trajectoire au passage d'un caniveau, l'embardée pourrait être anodine, mais la bordure est escaladée, on visitait le lac des Quatre-Cantons, on allait arriver au village de Küssnacht, elle avait trente ans, lui quatre de plus, elle est éjectée, et sa nuque heurte un arbre, tandis qu'elle avait d'instinct, derrière son coude, protégé son front, la reine suédoise n'a régné qu'un seul été, et pourtant on dira toujours : la reine Astrid, comme si elle avait régné autant que Cléopâtre ou Catherine, dérapage et demi-tonneau jusqu'à un second arbre (non identifié), le Roi est projeté sur le sol tandis que le chauffeur, coincé dans la caisse du spider – Léopold voulait-il donc presque toujours conduire lui-même ? –, ne se dégage qu'avec peine et que le véhicule poursuit sa course vers le lac, les deux hommes, en titubant, redressent Astrid, cou de cygne brisé, tête renversée en arrière, yeux encore un instant ouverts sur la blancheur insondable du ciel dont ils s'emplissent, Léopold reconnaît la blessure portée à son père et qui se serait rouverte comme un stigmate, extrême-onction, rapatriement de la dépouille, elle est déposée sur un lit d'apparat, dans une robe que son mari avait lui-même choisie, elle l'avait portée lors de son dernier bal, le duc d'York lui en avait fait compliment, les gens se pressent dans la chapelle ardente, elle passe dans les yeux comme un rêve d'opiomane, on a retrouvé dans son scriban une lettre qu'elle destinait à son fils, qu'elle n'avait pas achevée, la Reine Mère a prélevé la courte robe qu'elle portait le jour de l'accident et l'a serrée dans une vitrine, tout ensanglantée, où son fils et ses petits-enfants pourront désormais la contempler à loisir, la première photo de la décapotable, naufragée dans la vase et les ajoncs, a paru dans des éditions spéciales de certains journaux en regard d'une autre, prise le matin même du drame, qui montre la voiture à l'attente devant le perron de l'hôtel, clinquante, brillant de tous ses feux, le capot ruisselant de lumière, et jointe à des photos souvenirs couleur sépia rappelant quelques moments majeurs des noces et du règne : celle, retouchée, des fiancés sur la passerelle du *Fylgia*, et dont la mémoire ne saurait se lasser, celle de la Joyeuse Entrée dans la principauté de Liège, une où on voit la jeune souveraine livrer aux flots la Malle qui porte son nom, en rompant au moyen d'une petite hache l'amarre qui retient celle-ci captive, et puis celle toute récente de l'Exposition universelle (où la musique s'est tue, où les drapeaux ont été mis en berne), une autre prise à un match de water-polo ; elle ne présente pas deux fois le même visage mais son aura reste identique, cette expression de madone à l'enfant, ou ce sourire de joconde, tout cela au beau milieu de la chronique des faits divers et des encarts publicitaires : Bientôt la rentrée des classes !, Vous pouvez guérir du coryza en trois minutes, L'enlèvement du petit Lindbergh, Mary Reeves nous entretient de l'avarice de Charlot, Le Duce à Bolzano, Annulation du match Belgique-Pologne, Elvire Popesco se marie, Ne manquez à aucun prix Martha Eggerth dans *Symphonie inachevée*, Le cheik Omar Makboul meurt au Caire à l'âge de 153 ans, Allez voir *Feue la mère de Madame*, Admirez Charles Boyer et Katherine Hepburn dans *Cœurs brisés*.

Tiré par huit chevaux caparaçonnés, le char funèbre va de la collégiale tendue de noir à la crypte de Laeken, en passant entre les réverbères encapuchonnés de crêpe : d'un seul coup, le noir a tout envahi, et même les cierges qui brasillent à la collégiale, le déferlement des couronnes de fleurs, les parterres d'hortensias, le groupe violet et blanc des membres du clergé, ne célèbrent que la victoire éclatante du deuil. Les larmes d'argent sur fond de gueule et de sable qui étoilent les housses des destriers prêtent à ceux-ci une allure funeste de chevaux de corrida. Le tissu enroulé autour de la hampe des gonfalons et des étendards les fait ressembler aux lances d'un tournoi qui aurait mal tourné. L'ombre crucifiée des avions qui survolent le cortège passe sur le dos rond des dignitaires, aux silhouettes écrasées de pénitents.

Lui, le Roi, le bras en écharpe, un pansement sur la joue, a choisi de suivre seul le catafalque avec plusieurs pas d'avance sur le défilé : là, enfin, il peut s'insulariser. Quelques instants, son chagrin obscènement exhibé sous les regards de la foule et dans la mire des photographes venus du monde entier, il a pourtant l'impression qu'il n'y a ici qu'elle et lui. Et il suffit que, baissant les yeux sous le soleil, il fixe les flaques de lumière qui jaspent le pavé pour qu'une ultime blancheur perdue lui saute au visage et l'isole un peu plus encore de cette procession d'automates. Seule sa mère, perdue au milieu de ses voiles, lui semble avoir adopté la mise qui convient pour cette marche forcée de la mort.

Il s'acharne à reconstituer, plusieurs fois de suite, la séquence de l'accident : il revoit la carte routière déployée sur les genoux de sa femme, qu'elle fait glisser sur les siens, il veut l'intercepter de la main droite, puis se ravise, et commence à se pencher légèrement vers elle pour lui expliquer la direction à prendre – n'ont-ils pas voulu, ensemble, se guider, s'éclairer l'un l'autre ? – ; ce faisant, il dévie de sa trajectoire, il tente de redresser, trop tard, la direction que, le matin même, il a jugée un peu trop souple, le garde-boue avant droit percute le parapet, le cabriolet s'envole. Astrid décolle dans la blancheur et, d'un coup, l'obscurité retombe sur lui comme une cagoule, sa compagne lui laisse en partant tout le noir du monde. Et maintenant, il passe de temps en temps sa main sur son visage comme pour effacer l'ombre dévorante. Il ne se rend pas compte qu'il fait parfois plusieurs pas les yeux fermés. Ses tempes battent. La fièvre épouse le rythme du glas au bourdon de Saints-Michel-et-Gudule.

Après, il fait défiler sous ses yeux, plusieurs fois de suite, les photos officielles, pour retrouver celle dont le sépare désormais la responsabilité personnelle qu'il prit peut-être dans sa mort et qui l'a arraché à elle vivante.

Photos retouchées, le plus souvent, et qui en remettent sur l'angélisme de la jeune épouse, ne réussissant qu'à l'affadir derrière un voile de gaze ou de mousseline. Qui dirait ses chagrins de petite fille aux allumettes, ses nostalgies de sirène échouée ? Qui saurait comme il avait parfois désiré Astrid, et comme sauvages, âpres avaient pu être leurs étreintes ?

Ici ou là, il s'attarde aux légendes (si bien dénommées) qui accompagnent les clichés. « La Fée a rejoint le Héros », lit-il quelque part. Voici réunis son épouse et son père – comme pour mieux l'exclure, lui, de ce club mythologique.

Plus loin, il se voit assis sur un banc du parc de Laeken, devant une vasque, entre leurs trois enfants orphelins vêtus de blanc. Il découvre que quelqu'un de bien intentionné a écrit à son propos qu'il trouverait un surcroît de popularité dans l'enchaînement des malheurs qui se sont abattus sur sa maison. Il sait que rien n'est plus faux : les gens se méfient du malheur lorsqu'il s'acharne, et même il leur arrive de vous en faire un jour le reproche.

Depuis peu, il arrive à la Reine Mère de délirer légèrement. De s'étonner, à table, au repas du soir, qu'Albert ne soit pas encore de retour. Comme si les morts additionnées dans sa tête s'annulaient.

Tiens ! Je me rends compte que le couple roulait sur la route qui va à Innsbruck – cette ville dont mon père écrivit qu'il était superflu de s'y rendre, si on pensait l'avoir toujours portée en soi.

« Je me livrai à cette cure de sommeil », confie Joy comme si c'était un pléonasme : dormir serait donc guérir ? « Je pariais que, durant cette longue nuit, mon chagrin ne se laisserait pas oublier une minute. Mais, au moins, pour une fois, il ne s'agissait pas seulement d'une maladie – ni physique, ni mentale. Là où cela commençait, c'est que ni les médicaments ni les hommes ne pouvaient plus agir, feindre d'intervenir. C'était une affaire entre la nuit, mon ventre et moi.

— Nous avons fini la journée au *Pueblo español* raconté-je. Une sorte de maquette grandeur nature du village "typique", synthèse de l'Ibérie et déposé là par l'Exposition de 1929, comme le pastiche de l'Escurial que nous avions vu à Montjuich. Monstrueux puzzle où s'emboîtaient des avenues de Guadalajara, une place castillane, un quartier de Gérone, une porte de Prades... Je raffole de ces miniaturisations où tous les arts de vivre – et de mourir – se résument sur un périmètre étroit : cela me rappelle ce qui reste de mon pays, cette miniature en soi. Cela comble mes instincts régressifs. On parcourt en raccourci, parmi des maisons de poupées, tous les mètres carrés de l'aventure humaine. Et on affecte de s'en amuser à la manière d'un gosse – parce que tout se remet à l'échelle de ses moindres cauchemars. Nous redevenions Gulliver, à deux, Rebecca et moi, en fin d'après-midi, parmi les étoffes imprimées et le verre soufflé. Allons ! C'était bien la fin des haricots. Des couples fraîchement mariés venaient se faire photographier sous l'arc de Maya ou au cloître du monastère roman. Nous fûmes fascinés par une mère de famille qui engloutissait goulûment le *betterfood* de son bébé tandis que celui-ci hurlait de faim.

— Ah ! L'Espagne, vraiment ? dit Joy. Moi aussi, j'en sais quelque chose... Mais je ne voudrais, pour rien au monde, en parler maintenant : une navrante lune de miel, dont ce que je vais vous dire fut le prolongement, et même la conséquence... Non, je tiens à vous parler d'ici ; de ce qui s'est passé ici, au retour... Là où on me perfusait, où on m'antidépressait, plus personne ne pouvait entrer. Mon Dieu, quel effroyable repos, tout à coup ! On ne pouvait en dire ni du bien ni du mal. On lui devrait peut-être sa survie.

— Nous avions compris dès la première heure que nous ne nous aimerions pas, dis-je. Nous aurions volontiers fait le tour du monde ensemble en nous le racontant, dans une sorte d'exaltation funèbre…

— *Joy* ! me rappelais-je. Je m'appelle *Joy* ! Comme je portais mal mon nom ! Je reconnaissais cet hôpital où je me réveillais au milieu de la nuit. C'était à la maternité de celui-ci que Samuel était né, que j'étais née aussi. Raoul, quand naquit notre fils, passa la nuit avec sa secrétaire dans une maison de passe (de retour chez nous, je trouvai une carte donnant l'adresse et les spécialités de ladite maison dans la poche d'un veston que j'envoyais à la teinturerie). Situation banale, mais je n'étais pas disposée à y sacrifier.

— Une nuit de pleine lune, au beau milieu d'une plage industrielle de Barcelone que traversaient des trains de marchandises au roulement rauque, j'ai déposé sur mes genoux la nuque légère de Rebecca : elle me confia qu'elle n'avait pas un seul instant cru en un avenir possible pour nous deux. Je convins qu'il en était allé de même pour moi. Nous ne fîmes jamais mieux l'amour que cette nuit-là sur cette plage. *Gran sensación de realismo !… No embrutecen las paredes : la netedad es una gran señal de civilización…*

— Cette nuit-là, à l'hôpital, dit Joy, je me suis relevée. Je me suis dirigée en chancelant vers la maternité. J'ai croisé une vieille infirmière fatiguée qui m'a demandé : "Madame, où allez-vous donc ?" Je lui ai répondu : "Je vais au Pavillon de Chicago, je vais là où est né mon fils. Où j'ai moi aussi vu le jour. Pour tout recommencer à zéro. Pour renaître à nouveau." Elle a haussé les épaules et m'a laissée passer.

— "Où serons-nous demain ?" m'a demandé Rebecca. Je lui ai proposé d'entreprendre une série de voyages de rupture, ou plutôt : de *dé-noces*. Le lendemain, à Amsterdam. Une semaine après, à Londres, ou à Venise. Que nous ne fassions plus jamais rien qui ne soit "pour la dernière fois". "C'est cela ! dit-elle en battant des mains. Et, à Amsterdam, je choisirai moi-même une putain pour toi, si énorme que tu auras l'impression d'en avoir deux, siamoises, pour le prix d'une seule…" »

Joy remarqua que Samuel dévorait à belles dents les croûtes de pain que nous lui avions confiées, l'instant d'avant, pour qu'il les distribue aux canards.

L'île fermait, comme un bistrot.

Tandis que nous nous dirigions vers l'embarcadère du bac, Joy me dit encore : « Je crois que l'histoire de votre mariage, vous devriez plutôt l'écrire. Comme un de vos reportages... "La croisière d'une débâcle", ou bien : "Voyage à travers un désastre conjugal"... »

« Vous êtes les derniers passagers de la journée », nous dit le passeur sur un ton de regret.

Ainsi, ma Joie,

Vous m'avez invité à coucher par écrit l'histoire de mes naufrages. Mais alors, pourquoi ne pas vous la dédier ? Que vous sachiez au moins quels squelettes recèlent les placards de votre doux Barbe-Bleue.

Mais d'abord ceci, qui sera peut-être de nature à ranimer la confiance que mon récit risque aussitôt d'entamer... Jusqu'ici, je suis toujours retourné, avec les femmes que j'ai connues, dans les trois ou quatre mêmes endroits : telle station balnéaire d'une confondante banalité, telle gargote de la rue du Pépin, telle auberge des Fagnes. Absence de curiosité ? Paresseuse routine ? Insensibilité ? Disons : indifférence... Or, de ma vie, je n'avais jamais traversé le lac du bois de la Cambre jusqu'à l'île ! Combien de fois, enfant, mes pas ne m'avaient-ils pas porté du square du Bois-Profond jusqu'à l'embarcadère du bac, pour la contempler *de loin* ? (L'îlot se dressait, sans doute, à moins de soixante mètres des rives de l'étang mais, à cet âge, je n'y voyais, si j'ose dire, que du feu, et le mondain café-restaurant construit « à la belle époque », tout en rondins rustiques et corniches de bois à festons, avait conservé le charme et l'inaccessibilité d'un mirage.) L'habitude une fois prise, même en grandissant, je ne mesurai jamais la dérisoire distance qui m'en séparait. Par superstition, je n'osais m'embarquer : j'avais formulé le vœu que je ne tenterais, pour la première fois, la traversée qu'au bras de la femme de ma vie… Le ciel m'est témoin, chère Joy, que je suis resté fidèle à ce serment de jeunesse ; j'ai tenu parole et j'ai donc su attendre. Que de chagrins je me suis payés, sans m'offrir cependant l'inutile consolation de cette « croisière » ! Parfois, je regardais le chalet Robinson en rêvant, assis sur un de ces bancs publics que la ville a pour touchante habitude de dédier à l'un ou l'autre « ami des arbres et de la nature ». J'entendais, de la rive, les rires des enfants qui assistaient, là-bas, à un spectacle de guignol. L'envie était grande de monter enfin sur le bac… Mais, la gorge serrée, je résistais. Me croirez-vous même si je vous assure que je ne me suis jamais aventuré sur un grand lac : Léman, Garde, Côme, Balaton, Maréotis, Tanganyika ou… mer Caspienne, sans évoquer avec nostalgie la minuscule pièce d'eau qu'à trois pas du square du Bois-Profond la vie a bien failli ne pas m'octroyer le privilège de franchir un jour ? Ils ne me parurent pas plus majestueux.

Il a donc fallu que surgisse avec vous, dans ma vie, une moitié d'insulaire pour que je ne résiste pas à l'envie de lui faire visiter cette miniature d'île… (Ah ! toujours cet amour de la métonymie ! du minuscule comme représentation du cosmique !)

C'est vous dire que le passage, enfin, d'une rive à l'autre, à savoir de la moitié d'un lac grand comme un mouchoir de poche, a été une des grandes aventures de ma vie, et m'a procuré plus de sensations fortes que celui du détroit de Behring ou du cap de Bonne-Espérance !

Je suis tombé de l'enfance dans l'âge adulte sans coup férir. Parfois, je me dis que ma jeunesse manque au livre de ma vie comme un cahier d'imprimerie que, par mégarde, on aurait oublié de brocher. Et qu'aucun lecteur – pas même moi – ne s'en avise… Mon père avait abandonné une littérature qu'il ne pratiquait qu'avec talent, et sans souffrance, pour fonder un studio d'enregistrement de disques. Poursuivi pour indélicatesse à l'égard du fisc, il était parti en Afrique y refaire sa vie, y défaire sa santé. De loin en loin, je recevais encore de lui des cartes-vues de villes où il retournait à sa vieille obsession : Matadi, Libreville, Khartoum existaient-elles ailleurs que dans ses yeux ? Il pensait, à chaque fois, être né là-bas, et qu'il s'endormait tous les soirs dans les bras d'ombres chères et disparues, de nounous au cœur vaste.

Revenu des déserts, lassé par les volcans – encore trop d'hommes et de vie dans les uns, au pied des autres, l'homme-de-la-vie-de-ma-mère, plus avide que jamais d'espaces vierges, était parti pour le pôle Sud afin d'y retrouver l'inaltérable propreté des glaces. Après plusieurs mois d'absence, il téléphonait, à l'occasion d'une sorte de permission, de Nouvelle-Zélande, ou de la Terre de Feu, et maman pouvait lui tenir, durant six ou neuf minutes, des propos plus ardents qu'il ne pouvait s'en tenir entre un homme et une femme en aucun point du globe... Cela semblait lui suffire. Et puis, le glaciologue avouait qu'il avait fait le tour de la question, qu'il songeait au retour. On pouvait s'y préparer.

Un jour, je me réveillai en sursaut comme un spectateur qui se serait endormi durant un drame et s'apercevrait qu'il n'y avait plus un acteur en scène, que la pièce était finie depuis longtemps, qu'il demeurait seul face au rideau rouge dans un théâtre vide.

Mais brûlons donc, un peu, les étapes, par les deux bouts comme des mégots de clochard. Rebecca fut devant moi. « Rebecca, me dit-elle, je m'appelle Rebecca, et figurez-vous que je ne suis même pas juive... Ces choses-là n'arrivent qu'à moi ! » Et, peu de temps après : « Je ne suis *pas attachante*, vous savez ? Attachez-vous donc à moi ! » Et un peu plus tard, comme je ne me montrais guère entreprenant : « Est-ce que tu ne pourrais pas me prendre dans tes bras cinq minutes, de temps en temps, montre en main ? Je crois que ce ne serait que juste... » J'en convins. Ainsi fîmes-nous. Une nuit, je la tins dans mes bras, debout, sans bouger, de 11 heures du soir à 4 heures du matin. Je n'avais absolument pas envie d'elle. Je la soupçonne de ne pas m'avoir désiré davantage. Elle tremblait, mais c'était de colère. Après cela, elle me remercia et s'en alla, en claquant derrière elle toutes les portes qu'elle trouvait sur son passage. Je la comprends.

Une fois, nous avons pris un bain ensemble, et nous nous sommes mis à détailler, point par point, toutes nos imperfections physiques respectives. Elle se trouvait un peu plate, et je me considérais trop velu. Tandis que l'eau refroidissait, nous sommes convenus que nous ne ferions pas d'heureux concubins. (C'est peut-être comme ça qu'a germé l'idée de nous marier.)

Elle pleurait, elle se mettait à loucher. Je savourais l'odeur de fer qu'elle avait lorsque venaient ses règles. Sous la pluie, elle se mettait à rouiller comme une machine-outil à l'abandon.

Nous nous demandions, éberlués, comment nous pouvions nous aimer aussi peu. En fait, nous éprouvions la même stupeur de vivre. Et quelque chose nous mettait pareillement hors de nous. Mais : « C'est curieux, constatai-je un jour, je t'aime encore moins qu'hier… » Voulant sans doute me justifier, j'ajoutai : « C'est sûrement parce que je ne crois pas assez en Dieu. » Elle m'a giflé. Je me suis rendu compte que je ne l'avais pas volé.

« Pourquoi mêler Dieu à cela ? » hurla-t-elle. Elle me dit qu'elle s'était mise à y croire depuis que nous nous connaissions, même si je n'y étais pour rien. Pour compenser ce « rien », peut-être ?

« Je ne demande même pas à aimer Dieu, dis-je. Mais j'aimerais le craindre. Au moins, il y aurait de l'espoir. » Je pensais que je deviendrais bon par fainéantise et, ainsi, mériterais tout de même l'enfer. Que je finirais par faire des enfants, par curiosité.

« Dieu, cria-t-elle encore, est autour de nous comme l'océan autour des crabes.

— La femme est l'abysse, dis-je, et l'homme, le poisson rouge. »

Nous ne nous en tirerions pas comme ça : avec des métaphores.

Je découvris que Rebecca ressemblait à Danielle O. Je pouvais retrouver Danielle tout en la fuyant. Je rejoignais celle-ci, enfin, tout en lui échappant. C'était d'une pierre deux coups.

Quand nous fîmes l'amour pour la première fois, elle abusa d'une mousse contraceptive, et des bulles irisées s'envolèrent tout autour de nous. Je lui révélai que, sans le savoir, elle venait de me voler mon pucelage. Elle fit semblant d'y croire.

Au fond, cela ne me déplaisait pas de devenir l'erreur, l'aberration de la vie de quelqu'un. Son irréparable folie. Si l'enfance fut un crime, pourquoi l'union de deux enfances n'en serait-elle pas l'impossible expiation ? Je pensais que nos deux négations se détruiraient. Comment aurais-je pu croire qu'elles allaient s'additionner ? Je pariais que nos enfances se neutraliseraient. Comment auraient-elles pu renchérir l'une sur l'autre ? Or, elles se firent une concurrence effrénée : jamais le poison de l'une n'agit sur l'autre comme antidote. Quand on ne se pardonne pas le passé, on est déjà mûr pour saccager l'avenir et battre tous les records de noyade.

Alors ceci, Joy, que je ne puis adresser qu'à Rebecca, même si je m'en remets dans cette lettre à vos « bons soins » : « Tu avais la disgrâce, l'âcre ingratitude de mes premières années, tu leur permettais de se survivre. Tu avais la physionomie et l'odeur de mes plus vieux chagrins. Ce fut ton infortune de m'y faire toujours irrésistiblement penser. Comment, au début, nous serions-nous passés l'un de l'autre ? Nous nous interdisions l'un à l'autre de grandir. »

Enfant cherche enfant. En vue de massacre réciproque et mariage calamiteux.

Nous étions comme pédophiles l'un de l'autre.

Parfois, j'avais envie de lui dire : « Laisse donc cela ; ce n'est pas de ton âge. »

Notre mariage ne mit pas fin à notre enfance : il l'*aggrava*.

Pour nous : pas d'entrée en rade, pas de bateau blanc, pas d'appels de sirène émouvants comme ceux d'une baleine confiante, pas de banquettes de velours grenat, pas de passerelle jetée sur le quai pour le guide assermenté. D'ailleurs, nous n'arrivions pas à bon port : nous levions l'ancre, plutôt.

Pour notre nuit de noces, nous avons même gardé un ami à la maison, fin saoul, qui nous demanda vers 4 heures du matin « si c'était bien ensemble que nous nous étions mariés : Vous êtes parfois si curieux… ». Je dis à Rebecca que je devais être allergique aux pollens d'à peu près toutes les fleurs qui nous entouraient et palpitaient comme des méduses entre deux eaux, que c'était pour cette raison que je dégueulais partout.

Nous pouvions enfin commencer de rompre. Ouf ! Sans perdre une minute.

Nous ne couchions pas « ensemble » mais contre tous les autres. Nous étions, tour à tour et simultanément, l'un pour l'autre, chienne et os jeté à la chienne.

Pourtant, il me reste un ou deux souvenirs qui pourraient faire croire qu'un jour, une heure peut-être, nous nous sommes aimés. Nos voitures se suivaient dans le trafic : à chaque feu rouge, Rebecca descendait de la sienne pour venir m'embrasser dans la mienne, ou *vice versa*, au milieu des lazzis et des coups de klaxon. Une fête, quoi.

Et puis, elle me dit qu'elle avait cessé de croire en Dieu. Comme si c'était seulement la faute de Dieu, comme s'Il ne croyait plus en elle. Comme s'Il avait mal tourné depuis notre mariage.

Elle me disait qu'elle parlait à *tous* les hommes, qu'elle recueillait *toutes* leurs confidences : celles des chauffeurs de taxis, des policiers de quartier, des témoins de Jehovah, celles des représentants de commerce. Des aiguiseurs de couteaux. Elle me disait qu'elle pouvait, à volonté, les rendre tous autant qu'ils étaient amoureux d'elle. Et il est vrai qu'elle faillit bien rendre fou de passion un représentant en encyclopédies. Lorsque celui-ci vint, la première fois, nous présenter un spécimen du monumental ouvrage, il avoua qu'en le consultant lui-même il était resté pour longtemps « abasourdi ». Après, ce fut de Rebecca qu'il demeura ahuri. Comme je lui reprochais l'état dans lequel elle plongeait parfois le premier venu, elle me dit que « mes scènes de jalousie répétées lui donnaient envie de vomir ».

Elle parlait de moi comme si je trafiquais mes sentiments au marché noir. Comme si, dans la guerre des sexes, je me conduisais en incivique.

Elle m'expliquait « que je n'étais pas l'ami des femmes ». Je rétorquais qu'au contraire j'avais de l'« affection » pour elle en tant que femme, mais qu'il fallait entendre le mot « affection » dans son double sens. Je souffrais de la maladie de la femme, j'avais mal aux femmes : celui que je leur faisais, celui dont je souffrais par elles.

De plus en plus, la vie de notre couple se passait à commenter les progrès de sa submersion. Dans l'analyse fascinée de notre échec, Rebecca recouvrait une ferveur, une excitation, presque une euphorie dont je ne l'aurais plus crue capable. L'évocation récurrente de cette catastrophe en train de se produire sous nos yeux la transformait en un pur spectacle auquel elle n'eût, semblait-il, préféré aucun autre. Je la voyais s'animer, s'enfiévrer, s'empourprer, alors, comme dans le plaisir. Je me réjouissais pour elle qu'elle pût encore se mettre dans cet état. Avec Rebecca, le désamour devenait une grisante quoique mortelle aventure. Il nous a suffi sans doute, un temps, d'éprouver des sentiments inconnus, hors catalogue, aussi forts que l'amour, et qui en tenaient désormais lieu. On pouvait, croyais-je, à l'envi prolonger l'agonie. Pour elle, ce devait être un jeu et, beau joueur, j'acceptais d'y perdre avec elle.

Pourtant, un jour, il fallut se rendre à l'évidence : elle fut guérie de moi, décrochée comme d'une drogue. Avec une brutalité qui me stupéfia : ne rompions-nous pas depuis si longtemps, peu à peu, comme si nos atomes se déliaient imperceptiblement les uns des autres ? Je me retrouvai aussi démuni que si je l'aimais encore.

Je ne me pardonnais pas notre rencontre, mais la séparation me remplit de honte.

Délit de non-assistance à duo en danger.

Alors encore un petit salut, en passant, à cette chère Rebecca. Auparavant, aux feux rouges, tu descendais de ta voiture, tu accourais vers moi. Tu montais dans ma voiture, ou bien, par la vitre baissée, tu te penchais, et nos lèvres se joignaient. Maintenant tu courais toujours, mais dans l'autre sens. Tu t'éloignais à toutes jambes. Tu brûlais même les feux rouges.

Nous rompions dans tous les coins et recoins de la ville : nous les essayions tous. Une rupture dont je me souviens, au centre du square du Bois-Profond. Sans un regard pour moi, d'une voix monocorde, elle dressait l'inventaire de ses griefs. Au soleil. J'avais l'impression de traverser la place au risque de ma vie, sans un coup d'œil ni à gauche ni à droite. Je n'arrivais pas à me concentrer sur ce qu'elle me disait. (Je pensais que j'avais tout intérêt à ne pas entendre.) Mon attention était seulement absorbée par des réclames et slogans publicitaires qui, imprimés sur les flancs de trams jaunes qui passaient lentement devant moi, déroulaient leurs avertissements comme une bande lumineuse, : « Pour rester jeune et vert, buvez Krüger » ; « *Delicious Death* » ; « L'assurance coûte cher avant l'accident » ; « *The murder is announced* »…

Elle voulait que nous échangions le plus possible d'objets personnels. Une après-midi que je quittais notre appartement, les bras chargés de quelques livres, de disques, d'une lampe de bureau, d'une poupée caraïbe, je croisai un colocataire qui me demanda : « Vous revenez d'une distribution des prix ? »

Elle pleurait silencieusement « toutes les larmes de son corps ». Le tapis plain du living était jonché de mouchoirs en papier.

Elle buvait de l'eau minérale au goulot d'une bouteille en plastique, pour se réhydrater au fur et à mesure.

Elle exigea la restitution de divers cadeaux, fétiches, lettres et photographies. Elle avait, pour la circonstance, mis au point un scénario de roman noir. Il convenait de déposer au parking, dans la boîte à gants de son Austin-Morris, les correspondances, photos et grigris litigieux. Je me retrouvais dans la peau d'un détenu qui, avant de gagner sa cellule, doit remettre au maton le contenu de ses poches. (Encore est-il assuré, lui, de retrouver à sa sortie ses objets personnels…)

Bien sûr, je tentai de tricher. Je suis avare de mes souvenirs. J'espérai qu'elle ne se souviendrait pas de m'avoir confié telle photo où, adolescente, elle mordait dans une pomme verte, telle autre où, sur une plage, elle dissimulait la moitié de son visage derrière une épine rocheuse, telle autre encore où elle se passait, face à un miroir, un collier autour du cou. Une autre où elle se découpait au sommet d'une colline en Espagne, sur fond d'orage. Une dernière, à l'avant-plan d'une fantasia, à Marrakech.

(J'observai que, sur toutes, la lumière coupait en deux son visage, comme pour obéir aux règles du clair-obscur.)

Je me dis que si elle ne voulait laisser, derrière elle, aucune trace, c'est qu'elle pensait avoir tracé un chemin dans ma vie ?

Je lui rendis ses clichés au compte-gouttes, un à un, après les avoir photocopiés. La photocopie leur conféra comme une patine dorée qui ne fut pas sans me séduire.

Au pays où nous tentons de vivre, un divorce par consentement mutuel se serait étiré à l'horizon de nos vies. Nous aurait massacrés à petit feu. Nous engageâmes une procédure de séparation – aux torts réciproques – à Clermont-Ferrand. À cause d'un des rares films que nous avions aimé tous deux et qui se déroulait dans cette ville. (On y voyait un homme passer une nuit de Noël à côté de la femme de sa vie, et en épouser une autre. La prise de vues était d'une qualité exceptionnelle.) Parcourant les avenues spacieuses et les opulentes places de cette cité avant de rencontrer nos avocats respectifs, nous eûmes le sentiment de nous promener dans un studio d'enregistrement. Mais, après tout, ne jouions-nous pas nous-mêmes notre divorce de la même façon que nous avions joué à nous épouser ?

Comme nous ne nourrissions nuls griefs légaux à l'encontre l'un de l'autre, nous dûmes inventer, de toutes pièces, ceux qui convaincraient le juge. Dans le chef de Rebecca : abandon éhonté du domicile conjugal par son mari ; dans le mien : réception de lettres outrageantes (mon conseil avait préparé quelques modèles libellés sur papier jaune, mais ces brouillons nous parurent si mièvres que nous passâmes la moitié d'une nuit, à l'hôtel, à en rédiger d'autres dans des termes orduriers – et parfois inédits). Le magistrat s'en empara du bout des doigts et les lut d'un air dégoûté.

En sortant bras dessus, bras dessous, du palais de justice, nous nous dîmes dans un accès de joyeuse méchanceté que, décidément, « tout aurait été fictif – quasi expérimental –, de bout en bout, dans cette histoire, y compris les raisons d'y mettre fin ». Nous convînmes, dans le hall de la gare où nous allions chercher des trains qui partaient pour des directions différentes, que nous ne la raconterions jamais à personne tant, en dépit de quelques crises d'hilarité, elle nous remplissait de confusion. Je fus cette fois également pris d'une violente nausée. Ce mariage qui s'était noué dans les vomissements se dénouait de même.

Pourquoi estimé-je aujourd'hui, chère Joy, que je ne suis plus tenu par les prescrits d'airain de cette *omerta* ? Je suis assez conscient de vous avoir raconté mon mariage comme s'il s'agissait d'un *serial killer* – et je ne pense pas que les fautes de goût du désespoir puissent jamais être frappées par la prescription.

Vous seriez en droit, après avoir entendu mes aveux complets, de vous éloigner de moi, d'éloigner aussi le petit Samuel, dont l'idée qu'il se fait de la jungle n'englobe pas certains fauves humains. On peut être Barbe-Bleue avec une seule femme, sur qui on n'a jamais pensé porter la main. On peut être mille et trois fois Don Juan, en moins d'une seule minute. Savez-vous même, en lisant cette lettre, s'il y a encore place pour nous trois au square du Bois-Profond, vous qui poursuivez l'impossible rêve d'une vie qui n'aurait pas déchu, Samuel qui espère, chaque fois que le monde ne lui paraît pas bon, qu'il vient certainement de faire un cauchemar, et moi qui me comportai comme une sorte de Landru, moins à l'égard des femmes qu'à l'endroit de ma propre vie ? Mais est-on moins assassin si l'on n'a assassiné que soi dans la vie des autres ?

J'arrête ici cette lettre, non qu'ici elle s'achève, mais parce que s'en épuise le projet…

Prenez-la comme celle d'un rescapé, ou d'un revenant. Même si elle ne parle que d'un aller simple pour l'enfer, elle ne prélude qu'à un retour.

Mon cher Pierre,

Chacun peut choisir l'heure où il cesse de patauger dans les marais de la mort. L'autocritique est un genre mineur : s'y attarder limiterait bientôt vos chances de résurrection.

Ne seriez-vous pas plutôt le Landru d'un Landru, le Barbe-Bleue d'un Barbe-Bleue ? Soyez donc un Commandeur broyant, dans sa poigne de pierre, la main de cet autre Commandeur qui vous étrangle ! C'est tout le bien que je vous, que je nous souhaite.

Joy

Un serveur au souple abdomen passe entre les tables, emportant la lumière sur son plateau. Je n'ai pas ouvert le parasol. Le soleil tombe sur nos épaules comme un carcan cuivré. Samuel gagne la plaine de jeux et je l'entends qui rit, dans mon dos, en se balançant sur une escarpolette constituée d'un pneu de poids lourd entraîné par deux chaînes rouillées et plaintives.

« Vous pensez que c'était une bonne idée de l'amener ici ? demandé-je à Joy.

– C'était surtout une heureuse idée de m'y amener, moi…, dit-elle. Une idée… insulaire ! Cela fait si longtemps que je ne suis plus venue dans l'île Robinson… » Elle prononce « Robinnesonne », et je trouve cela très charmant.

« C'est pourtant à un jet de pierre du square…

– Encore faut-il avoir une pierre à jeter… »

Sur le bac, un facteur des postes apporte le courrier au chalet. On aperçoit le ventre blanc des barques retournées sur la rive.

« Il paraît que c'est de mauvais augure lorsqu'un cygne lisse ses plumes… », dit quelqu'un, sur un ton indifférent, à une table voisine. L'après-midi n'élève pas la voix. Nous voyons passer un rat le long de l'eau.

« Quand j'étais petite, dit Joy, je pensais qu'ils dévoraient l'île à petites bouchées. »

Je n'arrive pas à me défaire d'un bout de phrase qui me trotte en tête : « … l'ombre blanche des femmes qui passe sur la destinée des hommes… »

Je ne demande pas à Joy Strassberg si le nom de Fausto Coppi lui dit quelque chose. Je lui dis : « Fausto Coppi avait des muscles longilignes, un thorax profond comme un jeu de grandes orgues, et un cœur si lent qu'on s'étonnait qu'il n'oubliât pas de battre… Il avait épousé son vélo au point de ne plus savoir marcher normalement et d'apparaître bossu. Il n'était à l'aise qu'en selle. Il enroulait des développements énormes, la tête enfoncée dans les épaules. En course, il ne plaçait qu'un seul démarrage, décisif. Il creusait des écarts insensés, inutilement humiliants pour ses poursuivants. Cela lui tenait lieu de débauche. Personne depuis ne s'est plus jamais livré à de semblables orgies, que seule encourageait une ineffable horreur de perdre. Ou bien, hagard, olivâtre, il arrivait hors des délais, ou encore abandonnait sans gloire. Pour améliorer son rendement, le tranchant de ses courses, il se consumait dans des alchimies diététiques qui, à la longue, décalcifièrent son squelette. À chacune de ses chutes, il se brisait un os, il était devenu aussi fragile que de la craie. C'était un mélancolique. Ses dons exceptionnels, ce fut un masseur aveugle qui les devina le premier. Il avait épousé très jeune une femme souffreteuse et timorée qui priait pour qu'il abandonnât la course. Mais le corps déjà épuisé de Fausto conçut, soudain, un faustien et formidable appétit de vivre enfin… Une autre femme le fascina alors, qui, sur le bord des routes, lui faisait signe, tout de blanc vêtue et les yeux cachés par des carreaux noirs, à la façon de Silvana Mangano. Elle n'était même pas vraiment belle. Il était membre du parti communiste et fut condamné pour adultère, avec sursis. Un procureur le menaça de lui faire retirer son passeport. Les paparazzi – et ses rivaux sur la route – s'intéressaient autant à sa vie privée qu'au contenu de sa pharmacie, à ses secrets médicinaux, à sa toxémie musculaire. Sa compagne dut aller accoucher en Argentine d'un petit Faustino. Pour subvenir aux besoins des deux femmes, et quoique son frère soit mort en course, il refusa de raccrocher, au point de se couvrir de ridicule et de se construire, à la fin, un palmarès de toquard. Quelle connerie : il mourut d'une maladie non diagnostiquée et d'une crise de paludisme, au terme d'un safari publicitaire en Haute-Volta. »

Je ne compris qu'en arrivant au bout de ce récit pourquoi j'avais éprouvé le besoin de le conter à Joy Strassberg. Ce n'était pas seulement par souci de rapporter la noire légende d'un homme en proie à l'éternelle blancheur d'une femme…

Une fois déjà par le passé, je l'avais racontée à une femme. Celle qui avait été ma femme.

« Au cours d'une des seules heures de bonheur qu'il nous a été donné de vivre ensemble…, dis-je. Lors de ce voyage à Barcelone que je vous ai raconté. Un dimanche, il y a vingt ans de cela. Or, en dépit de ce bonheur même, cette histoire, je n'ai pu m'empêcher de la romancer légèrement, de la maquiller, de la tourner en légende… Comme pour m'assurer que je pouvais encore émouvoir Rebecca. J'en remis un peu sur le glorieux passé antifasciste du *campionissimo*. Je ne mentais certes pas pour la leurrer. Mais pour embellir, sur un point de détail, l'apparence du monde. Je ne prêtais qu'une minime prothèse, un coup de pouce, au monde tel qu'il était. En somme, l'unique fois que je fus heureux avec Rebecca, ce fut encore au prix d'une imposture. Un mensonge d'autant plus inutile qu'il ne donnait pas matière à un aveu… Aujourd'hui, dans l'île Robinson, je n'ai pas cru nécessaire de vous le faire à l'épate… »

Avec Joy, pensai-je, le monde me suffit. Il est à prendre ou à laisser. Il est plutôt à prendre…

« Est-ce qu'on peut encore rester ici deux heures ? demande Samuel.

— Voyez comme il négocie bien, observe Joy. Il ne demande ni une heure, ni toute l'après-midi…

— Nous pourrions rester trois heures, non ?

— Par une étrange coïncidence, dit-elle, j'ai aussi passé ma lune de miel en Espagne. D'ailleurs, je vous l'ai dit tantôt.

— Pour moi, ce n'était qu'un voyage de noces vécu sur le tard, pour compenser celui qui ne s'était pas fait en temps utile…

— Porte de la Chapelle, première panne. Réparation de fortune.

— C'était le jour du championnat du monde cycliste, sur le circuit de Montjuich…

— De là, nous passons au Portugal. À Lisbonne, j'ai senti la fièvre monter. J'ai traversé les *bairros de lata* en claquant des dents. J'ai cru que c'était à cause du spectacle…

— Toutes les demi-heures, de la terrasse de la *fonda* où nous déjeunions, nous voyions le peloton précédé par des commissaires de course qui, debout dans leur voiture, une baguette de chef d'orchestre à la main, faisaient signe aux *aficionados* et aux *tifosi* locaux de remonter sur les trottoirs…

— Nous avons gagné Cordoue en catastrophe. Je me suis évanouie au pied de la cathédrale. Un médecin est venu à l'hôtel, qui a diagnostiqué "un peu d'anémie"…

— Nous étions enfermés par la course. Condamnés à la regarder jusqu'à son terme. Au début, cela nous irrita. Sans cesse, des haut-parleurs, tombaient des communiqués sur le déroulement de la compétition, martiaux et grésillants…

— Je me suis alitée. Je ne sortais plus de la chambre. Je ne mangeais plus que du foie cru. Raoul attendait que ça passe. Il avait déjà connu un premier mariage avec une femme malade une semaine sur deux, qui buvait seule, le soir, dans de grands restaurants…

— Nous étions captifs comme d'une île. Nulle possibilité d'évasion. Le temps était suspendu : seul subsistait celui de la course. Cela conférait à notre duo une sorte d'éternité. Nous aurions voulu alors que les coureurs ne parviennent jamais jusqu'à la ligne d'arrivée. Même la vulgarité ambiante décuplait la magie de ce huis clos…

— Raoul parcourait la ville, dans une anxiété grandissante, en quête du garage où on pourrait réparer le joint de culasse défaillant dont souffrait le moteur de la Renault. L'hôtelier commençait à s'inquiéter, demandant si nous comptions nous attarder ou poursuivre notre voyage. Insinuant à mi-mot que son hôtel n'était pas un dispensaire... De mon lit, je regardais le soleil jouer sur le treillis de la moustiquaire. Quelle étrange jeune mariée je fais ! me disais-je.

— Vous saviez qu'il y a même un toboggan ? demande Samuel.

— Je renonçai à décrire à l'intention de Rebecca les curiosités de la ville ; je ne lui dis rien du Tibidabo, ni des grandioses rococoricos de Gaudí à l'église de la Sainte-Famille, je ne reparlai pas des corridas à la Plaza de Toros monumental : "Je voudrais en voir une, m'avait pourtant dit Rebecca, bien que je sache que ça me soulèvera le cœur."

— Raoul visitait aussi les monuments de Cordoue, histoire de n'être pas venu pour rien, avec un désespoir et un mutisme galopants. Un toubib, délégué d'Europ-Assistance, finit par dire sur un ton jovial que "j'étais en ordre de marche". Nous sautâmes dans la Renault trafiquée pour rallier Madrid dès que possible, rattraper notre retard. Le temps de quelques Velasquez au Prado, et je me sentais plus malade que jamais. (Au fond, j'aurais dû aller voir une corrida, pour qu'elle m'inspirât cette horreur à laquelle votre femme aspirait...) Le radiateur de la Renault était irrévocablement grillé. Je commençais à me demander si le mariage n'était pas un sport dangereux. Un rodéo ou une cascade...

— Je lus à Rebecca la carte du restaurant dans sa version française ; je l'ai retenue à peu près par cœur — faute de mieux, j'ai la mémoire de ces choses-là : "La composicion du menu c'est à part. Prics tout ensemble. Si être fini el plat du menu du iour, le cliant pourra exigé un plat de la karte, aux cink variacions. Menu baucou et pas sher"...

— Dans l'antichambre de l'hôtel, la télé qui marchait en permanence diffusait une dramatique vociférante. Je me dis que, le soir, les cris des protagonistes couvriraient bien les nôtres, si nous devions enfin en pousser. Ou bien ceux des chats en rut dans l'arrière-cour. »

« Cela fait une heure, dit Samuel en noyant son visage dans les jupes de sa mère, que je ne reçois plus de câlins de personne… Comment vous faites ? Est-ce qu'il faut que j'aille jusqu'en Espagne, ou quoi ?

— À Rebecca, je ne parlai que de coureurs. Cela parut la passionner. Sans doute parce que j'attribuais à chacun d'eux un *curriculum vitae* inattendu… » (Je faisais toujours ainsi à propos de mes idoles. Je les imposais par le paradoxe ou le coup de théâtre. Richard Strauss n'avait jamais été nazi. Churchill n'avait pas vraiment bombardé Dresde. Kim Novak avait pour auteur de chevet Kierkegaard, et Brigitte Bardot ne jurait que par Flaubert. Rebecca affecta de me croire. Ses yeux brillaient d'une sorte de convoitise. Plus rien de trivial, tout à coup, rien que de l'épique ! Bref, je séduisais ma femme – hors des délais.)

« Comme j'avais tendance à m'évanouir un peu dans tous les coins, dit Joy, on finit par me rapatrier. Au Pavillon de Chicago de la clinique Édith-Cavell, on décela une hépatite virale – et que j'étais enceinte. On avait perdu beaucoup de temps. Je devais retrouver la santé et mon mari, porter un enfant, tout cela à la fois.

— Bien sûr, après la course, qu'un Italien avait remportée Gimondi ? Moser ? Nencini ? – devant celui que, chez nous, on appelait l'Ogre de Tervueren ou le Cannibale, la ferveur retomba un peu… On nous invita à payer la note, nous rejoignîmes le circuit jonché de canettes, de tracts, de papiers gras. Les pigeons de Montjuich s'étaient minéralisés dans le bitume. Nous achetions, à des marchands ambulants, des berlingots de lait d'amande qui attisaient encore notre soif. Et puis nous retournions au rhum blanc. Dans cet océan de pierre et de ciment, nous réapprenions à nous taire. Rebecca, comme toujours, fut la première à se demander combien de temps nous mettrions à nous séparer… C'était un jeu, que nous jouions comme deux flambeurs, depuis des années, et où nous devions tous les deux perdre. Seule cette exaltante perspective nous maintenait ensemble.

– Durant plus de trois mois, raconte Joy, je n'ai plus trouvé le sommeil. Mais pas un instant je n'ai exprimé ce que je ressentais. J'en *oubliais* de dormir. Dans la rue, je frôlais les camions. Or je vous jure que je n'étais pas suicidaire. Il ne s'agissait pas d'un défi. Je m'étonnais seulement que la vie s'éloigne de moi. Je voulais sans doute savoir jusqu'où cela irait. Jusqu'où cela n'irait pas. Où cela s'interdirait d'aller désormais.

– Nous marchions comme des somnambules en plein midi. La chaleur mettait à l'agonie les toits de la ville. Quand Rebecca émergeait, en pleine clarté, d'une ruelle ombreuse, elle semblait nous donner une chance de vivre ensemble une heure de plus, mais c'était simple ruse de sa part, pure malice, évidente même pour elle, et ni elle ni moi ne pouvions en être dupes : la flamboyante lessive du ciel, entre l'ocre des façades ponctuées de fer forgé, n'était qu'un leurre exaltant. Des rythmes flamencos parvenaient jusqu'à nous. Ce qu'il subsistait en moi d'amour ne m'enthousiasmait pas, m'abrutissait plutôt. »

Le 9 octobre 1939, donc, l'Allemagne nazie jeta les bases de la grande offensive qui lui permettrait, en traversant la Belgique, le Luxembourg et la Hollande, de se rendre maîtresse de l'Europe occidentale. Le 9 mai 1940, les permissions furent rétablies dans l'armée belge – histoire de rendre le moral aux soldats, et on put en voir se promener un peu partout dans Bruxelles (et jusque sur l'île Robinson).

Je me retrouve, à la Bibliothèque royale, en face de la gracieuse lectrice qui approfondit sa réflexion sur les problèmes éthiques posés par la fécondation *in vitro*. Je l'envie : que ceux-ci doivent paraître simples par comparaison avec les péripéties que j'aborde !

Le 10 mai 1940, un petit pays cramponné à son indépendance voit ses frontières saignées à blanc. Le fort d'Eben-Emael, chef-d'œuvre d'infrastructure militaire, est enlevé en moins d'un quart d'heure. Une guerre d'un type nouveau vient d'être déclarée à une nation qu'elle rejette dans les ténèbres du passé. Comme si allaient devoir s'affronter, sur l'étroit champ de bataille, des combattants qui n'appartiendraient pas à la même époque. Quinze jours plus tard, peu avant l'aube, un Premier ministre, Hubert Pierlot, un ministre des Affaires étrangères, Paul Henri Spaak, et deux autres encore arrivent à joindre le Roi, en son quartier général, à vingt kilomètres d'Ostende, dans un château restauré à la façon féodale. Il vient de rentrer d'une visite au front, il s'est couché tout habillé. Ses visiteurs ont, à la faveur d'une trêve, parcouru une campagne rendue à la douceur de mai, que la guerre aurait contournée, si ce n'est qu'ils avaient croisé des colonnes motorisées montant au front dans un ordre apparent. Ils s'étaient sentis réconfortés. Le Roi, lui, voyait son armée acculée à la mer, accrochée à la Lys, vouée à faire retraite vers le nord et ne recevant plus le secours de l'aviation alliée. (Churchill réservait ses Spitfire pour la défense du ciel anglais.) Ils furent, au terme d'une nuit, réunis ainsi dans une sorte de salle d'armes pour château hanté, illuminée par des éclairages qui durcissaient leurs traits et étiraient leurs ombres. Au début, le Roi, fou de fatigue, d'anxiété, d'exaspération, ne pria même pas ses hôtes de s'asseoir. On se parla debout, chacun fort sinon de son bon droit, du moins de son jugement sur la situation. L'un était le nez sur l'événement, les autres le devinaient seulement dans la brume. Cette solitude de chacun voua bientôt le Roi à ne plus éprouver qu'une rage d'enfant.

Arrivé ici, j'aimerais, par-dessus la table de lecture, m'adresser à la lectrice qu'intéressent tant les procédures artificielles de mise au monde pour la prendre à témoin.

« Mademoiselle, lui dirais-je, ils sont cinq – ou même plus, pourquoi pas ? – dans cette salle qui ressemble tant à un mauvais décor construit pour quelque reconstitution d'un débat d'autrefois sur une guerre d'antan ; mais le Roi, d'emblée, ne s'est choisi que deux interlocuteurs : le Premier ministre et le ministre des Affaires étrangères. Le premier l'exaspère, mais lui impose encore du respect ; il aime le second, s'il n'a guère confiance en lui. Il n'a déjà plus d'yeux que pour ces deux-là, oublions les comparses. C'est un drame élisabéthain, une histoire d'amour, d'honneur et de folie qui se noue entre ces trois hommes.

» Or, mademoiselle, rendez-vous compte que, si on ne désigne les souverains – et aussi les coureurs cyclistes – que par leur prénom, voire leur diminutif ou leur sobriquet, il faut toujours qu'on rappelle le lourd patronyme des politiciens. Que diriez-vous si nous les mettions à égalité avec leur interlocuteur ? Cela ne les rendrait-il pas à une nudité première ? Et si nous décidions aussi de ne plus évoquer que ces deux-là : Hubert (Pierlot) et Paul Henri (Spaak), dans leur débat avec Léopold ? Laisser la parole aux autres rendrait la distribution de la pièce un peu pesante et jetterait sur toute cette histoire plus d'obscurité que de lumière. Savez-vous qu'ici encore, mademoiselle – cela devrait vous intéresser –, il sera question de naissance, d'avortement, de procréation expérimentale ? Même si, cette fois, seule l'Histoire fera les frais de cette conception – ou de cette contraception… »

Cela fait deux semaines, pense le Roi, qu'ils se tiennent à l'écart du chaudron où cette guerre bout comme un brouet d'enfer, et ils croient pouvoir en décrire la recette. Ils ignorent qu'elle ne ressemble à rien de connu. Ils se sont forgé une opinion bien à l'abri de l'odeur de la poudre et des balles. Nous

nous étions préparés à l'éventualité de cette guerre, mais pas à devoir assister à la répétition générale d'une apocalypse. Ceux qui n'ont pu suivre qu'à distance le déroulement des opérations, comment sauraient-ils que tout espoir de résister longtemps fut bientôt perdu ? Et que nos sacrifices se révéleraient dérisoirement inutiles ? L'aviation ennemie poursuit dans notre ciel, sans relâche, son ballet meurtrier, qui nous oblige jour après jour à des retraites inattendues, des replis précipités. L'épouvante qui s'est emparée des villes, la terreur superstitieuse qu'inspire la menace des parachutistes, le concert lugubre et incessant des sirènes, ont jeté sur les routes des centaines de milliers de civils qui viennent s'enchevêtrer dans le déploiement des colonnes militaires, au risque, parfois, que les unes prennent les autres pour cible ou que les autres entravent le mouvement des premières. Lorsque fugitifs et soldats se rencontrent, le spectacle qu'ils s'offrent les uns aux autres accroît leur désarroi respectif. L'errance hagarde des civils en remet sur la désolation humiliée des troupes, et dans les regards qui se croisent on lit que tous savent scellé leur destin.

Nous nous installons déjà dans la routine de la défaite. Enfoncement des positions sur le canal Albert. Abandon de celles d'Anvers-Louvain, que nous pensions les mieux assurées. Abandon de matériel. Déferlement de fuyards qui se portent inconsciemment au-devant du danger. Désastre français. Les généraux eux-mêmes jouent à cache-cache et n'arrivent parfois plus à communiquer entre eux. Rien n'arrête les Panzerdivisionen. Je protège tant que je peux le corps expéditionnaire britannique et lui permets de rembarquer à Dunkerque. M'en saura-t-il gré ? Pas sûr. La bataille sur la Lys s'étire dangereusement. La corde est tendue et menace de rompre à tout moment. Ma parole : ces ministres se croient toujours en 1918 !

Et, pendant ce temps-là, on proclame en France que « nous irons de catastrophe en catastrophe… jusqu'à la victoire finale » ! Ou bien : « Nous vaincrons parce que nous sommes les plus forts. » On dit, en Grande-Bretagne, que « les démocraties ne sauraient périr ».

Notre cher Premier ministre qui, peu de temps avant l'invasion, voulait démissionner – si bien que j'ai dû le rattraper par ses basques –, et qui au début du mois de mai assurait encore plaisamment que « la Belgique n'était plus un champ de bataille ouvert aux querelles d'autrui », réclame aujourd'hui des Alliés qu'ils accomplissent « des représailles contre les villes allemandes »… Il y a un instant encore, ce fin stratège me disait considérer que nos troupes n'étaient pas fatiguées. L'idée m'a traversé de lui chercher un uniforme, et de l'inviter à les rejoindre aussitôt !

On pourrait se contenter de rire de ces matamoresques professions de foi si, au fond de la nasse où croupit notre armée encerclée, on ne se mettait à connaître le prix du sang. Bétail sacrificiel. Ceux qui pensent entrer dans l'Histoire en gonflant les pectoraux et en haussant le ton se doutent-ils seulement que chacun de leurs coups de gueule se paie ici comptant, à l'écart de l'ombre tiède et douillette des chancelleries ?

J'observe mes visiteurs. On les dirait effondrés, surtout, de vérifier combien la noire réalité s'inscrit en faux contre leur pronostic et vient démentir leurs espérances. À Bruxelles ou La Panne, leur ignorance les préservait contre cette cruelle révélation. Pour un rien, ils me rendraient personnellement responsable du pire, pour n'avoir pas, comme eux, su m'aveugler et prévoir une autre issue : j'ai déjà tort à leurs yeux de m'incliner devant l'évidence et de présumer la défaite. Loin d'acquiescer à ma lucidité, ils voient en moi le porteur de mauvaises nouvelles. Ils me trouvent défaitiste. Demain, ils feront de moi un capitulard.

Je me retrouve dans la position de qui serait resté sobre, seul au milieu d'une assemblée d'ivrognes.

Je regarde mon roi, songe Hubert, et je me dis qu'il est peu d'institutions, de valeurs même, auxquelles j'ai cru dans ma vie comme à la monarchie. Or ce Roi-ci m'a toujours mis mal à l'aise : en sa présence, aussitôt, je perds toute spontanéité. Dès avant l'invasion, quand il m'a décrit la stratégie que pourrait appliquer la nation en cas de déroute, le terrible soupçon m'est venu qu'il ne jouerait pas la carte des Alliés, mais se résignerait bientôt à pactiser avec l'Allemand, au point de signer une paix séparée avec lui. Et, cette nuit, il est là, échevelé, hagard, crispé, larmoyant. Il est comme paralysé par ce qui lui arrive. Alors, je me demande : la royauté serait-elle donc un mirage qu'il faudrait chasser comme un essaim de mouches ? Il est clair que cet homme n'est pas, ou n'est plus, à la hauteur des circonstances. Il ne saura jamais combien j'en souffre pour lui. Jamais je n'ai vu un puissant être aussi sincère, mais s'entourer aussi mal. Tous ces conseillers, politiques et militaires, qui se haïssent les uns les autres, se tendent mille pièges, se disputent la moindre miette de pouvoir, se réconcilient, cependant, et s'unissent pour l'égarer ensemble... Un expert militaire qui parle de la bataille en cours comme si c'était sa propriété privée ; un idéologue socialiste qui flirte avec le fascisme et attend la défaite en grimaçant d'allégresse, puis qui l'accueillera, soyons-en sûr, avec une euphorie masochiste ; un jurisconsulte constitutionnaliste, toujours prêt à se tromper de doctrine et sollicitant ses thèses... Hélas, Sire : Vous serez demain jugé sévèrement par des hommes sans reproche, et idolâtré par une théorie de fripouilles fanatisées et quelques médiocres...

Voici donc mes ministres, pense le Roi. Il faudra bien s'en contenter. Le Premier, que ses principes galvanisent et consument à la fois. Que ses scrupules, à la lettre, étouffent. On dirait que cet homme n'adhère à certaines valeurs sûres que pour être dévoré par elles. Même le sens de l'honneur, dont il est si imbu, il arriverait à le rendre emmerdant. Il ne doit bien vivre qu'une unique rencontre : la sienne avec la Vertu. L'en voici si pénétré qu'il en a acquis la conviction d'une sorte d'infaillibilité ! Il est donc perdu. Il se tue à la tâche comme pour en faire reproche à tout autre.

On ne pourrait lui faire grief de rien. Sinon du coupable ennui qu'il dégage. Chaque fois que je me suis entretenu avec lui – de la Nation, de son indépendance, de sa neutralité, du bien-être de la population –, j'étais épuisé d'avance. Dans ses exposés, il ne s'épargnait aucun détail – comme s'il fallait, à tout moment, me *recycler*. La droiture incontestable, les principes moraux, la bonne conscience de ce personnage m'assomment. Ne serait-on pas en droit d'exiger plus d'un homme d'État que cette austérité qui ne s'autorise nulle aura ? Quand le sens civique ne vibre pas, et que l'intelligence ne rayonne jamais, mais qu'ils n'en imposent que par leur froideur même, c'est que, déjà, ils n'espèrent plus et démissionnent. Comment ce pisse-glace le saurait-il ?

Mon ministre des Affaires étrangères, c'est autre chose… Un sentimental, porté même à la sensiblerie. Toujours prêt à mélanger émotions et sentiments. Toujours prêt à croire que les sentiments sont trahis, quoi qu'on fasse, et donc disposé à trahir lui-même, le premier, au nom de sa déception… Dès que je l'autorisai à s'asseoir, il se vautra dans un fauteuil club, la tête rejetée en arrière, comme de quelqu'un d'échoué – ou de noyé à sec par l'Histoire même, c'est selon –, ses bras pendant de part et d'autre, comme au bord de le quitter ; mais au bout des bras, il y avait ses mains, ses admirables mains de femme, de pianiste – jouant en virtuose sur tous les claviers… Paul Henri, c'est mon contemporain. C'est mon frère, ma sœur. C'est ma faiblesse. Il me trahira, c'est sûr, comme une fille. Mais quel charme ! Sur tout ce qui nous attend, il improvisera de brillantes variations. Et j'affecterai d'être dupe. J'aurais bien aimé, cette nuit, qu'il me jurât fidélité. Il avait bien envie de le faire. Mais il avait autant besoin de m'abandonner. Pour un rien, je l'aurais rassuré ; je lui aurais dit : Partez donc, cher ami, la fidélité n'a jamais été votre fort, je le sais ; mais, à la fin, nous nous retrouverons. Cela m'a traversé. J'aurais dû le lui dire. Mais l'heure était grave. Et nous avions sur nous le regard du Premier ministre, en acier trempé, inquisitorial : nous n'allions tout de même pas nous abandonner à un élan de tendresse sans lendemain ? Sacré Paul Henri ! Affaissé. Prostré. Me demandant si je savais que le pays était perdu, alors que la bataille l'était, ce qui ne voulait pas dire la même chose… Il avait décidément manqué à ces bourgeois d'assister, en 14, à l'âge d'enfance, aux amputations dans les ambulances. Jambes et mains tombant dans des seaux d'émail : songez donc à vos belles mains féminoïdes, cher Paul Henri ; n'en auriez-vous pas eu le frisson ? J'ai vu, moi, le corps martyrisé de celui qui palpitait encore si fort sous anesthésie, j'ai vu le corps d'un autre où nidifiaient les vers, j'ai vu les chairs qu'on brûlait dans les chaudières. J'ai vu les blessés qui arrachaient leurs pansements à coups de dents. Vous pensez peut-être que la formation d'un dauphin de roi est de tout repos ? On m'amenait là comme on emmène les jeunes princes au chevet des sous-prolétaires – et, entre nous, vous ne vous interposez jamais, bourgeois : ce spectacle, au moins, vous est épargné –, et j'entendais mon père qui me répétait, inlassablement : « Tu vois ça ? Souviens-t'en ! Plus jamais ça ! Ne le permets pas ! Ne l'autorise à aucun prix ! », vous savez, celui dont vous avez fait un roi-soldat, un roi-chevalier, et qui n'était qu'un roi pacifiste… Que fallait-il donc faire aujourd'hui ? Je me retrouvais à sa place, avec de la chair pourrie sous les yeux. Cette fois, j'en avais la responsabilité. Elle pourrissait sous mes yeux, mais aussi sous mes ordres. Alors, je me rappelais cette parole de mon père, une de ces paroles mêmes pour laquelle vous l'aviez tant admiré : « Dans les cas difficiles, il ne faut penser qu'à bien faire et laisser venir la gloire après la vertu. » Mais je me trompe, je confonds. Cela, mon père ne l'a jamais proféré : c'est une citation de Condé. Mon père, qui était un homme simple, au fond, n'a dit que ceci, me l'a dit au moins à moi : « Dans le doute entre deux solutions, il faut choisir celle qui exige le plus de soi-même. » Quand le roi Albert disait cela, Hubert, vous le pensiez sûrement aussi. Il a fallu que je le croie à mon tour, puisque vous ne le pensiez plus. Je vais capituler demain. Vous le savez. Vous en souffrez. Vous en pensez même beaucoup de mal. Tel est votre privilège. Tandis que l'aube s'en vient, plus j'ai envie de vous rendre hommage, à vous, à votre droiture froide, votre raide intransigeance, votre dévouement sans chaleur, vos convictions avares, une sincérité qui ne vous rend même pas heureux, votre pureté dépourvue d'ardeur, plus je pressens que le jugement que vous poserez sur moi, sur ce qui est arrivé cette nuit, sera implacable. Vous vous tenez là, devant moi, blanc comme un linge – la pâleur vous tient lieu d'émotion. Vous me condamnez, c'est certain. Et quant à ce cher Paul Henri, notre ministre des Affaires étrangères, un peu femelle mais qui a La Foi – enfin, *plusieurs* Fois différentes –, il s'affaisse… Il me jette un dernier regard, il me dit, à sa façon, qu'il m'aime – et je le crois. Mais il s'en va. L'Histoire, bien sûr, lui donnera raison. Devra-t-il s'en vanter ? C'est une autre histoire. Et cette histoire ne jugera pas. Elle s'oubliera, seulement. Nous n'aurons pas, vous comme moi, de quoi en être fiers.

S'il a voulu rester debout aussi longtemps, se dit Paul Henri, ce n'était sans doute pas pour nous humilier, ou pas seulement, ou nous signifier ainsi que l'entretien ne s'éterniserait pas. Mais par crainte, vraisemblablement, qu'une fois assis il ne s'effondre. J'ai bien peur que ses nerfs ne le lâchent. Au terme de cette nuit blanche, chacun a pu miser sur la fatigue des autres pour faire triompher ses thèses. Ce fut comme une molle échauffourée, une bousculade incertaine de funambules. S'il a tant de fois invoqué son père dans la discussion, ce devait être dans l'espoir que le grand spectre vînt lui prêter main-forte au cœur de ce débat où il se sentait encerclé, désavoué par ses sujets. Il est comme Philippe II, à l'Escurial, dont, de son bureau, la vue plongeait sur l'effigie de son père. Il est hanté. Mais sait-il par qui, par quoi ? À trop évoquer son père, on avoue se cramponner à un destin devenu trop grand pour soi. Il s'est réclamé de lui pour annoncer sa propre reddition ; il s'est revendiqué de lui, encore, pour fonder son intention de rester ici, de subir le sort de ses soldats, tout en tombant de ce fait au pouvoir de l'ennemi. Or une guerre n'étant pas l'autre, il risque bien de trahir le modèle paternel en calquant, à la lettre, son attitude sur celui-ci. Il ne s'avise pas que la reine des Pays-Bas, qui entre parenthèses ne lui arrive pas à la cheville, en passant en Angleterre, lui dame le pion, et fait preuve de bien plus de jugeote que lui. Mais là où il campe désormais, il ne prend plus de consignes que de lui-même, il ne reçoit que de lui son ordre de mission, il devient sourd à toute autre considération : seule lui est encore précieuse cette solitude où il s'enferme. Il y a des moments où j'aimerais être à sa place. Avoir tort à ses côtés, plutôt que d'avoir raison contre lui. Quand il m'a demandé, ainsi qu'aux autres, de demeurer auprès de lui, l'envie fut immense d'obéir. Tout me pousse violemment vers cet homme, mais j'entends me défendre contre les émotions qu'il me suggère. Nous avons le même âge, ou presque : l'Histoire nous a entraînés en même temps dans ses remous… C'est moi qui l'ai accueilli, sur le quai de la gare, lorsque sa femme est morte ; ce jour-là, j'aurais souhaité qu'un instant il ne fût plus roi, et que je n'eusse pas pour fonction d'incarner le chagrin d'une nation entière : sa fragilité m'a bouleversé. Derrière l'orgueil qui le cuirasse, il dissimule une sensibilité de chérubin et il étouffe des cauchemars de gosse ; j'ai eu honte de ma paresse – de ma paresse de cœur, veux-je dire –, j'aurais aimé le prendre dans mes bras, mais je n'ai ânonné que quelques formules de consolation un peu convenues, préparées la veille, tel l'exorde d'un discours au Sénat. Hubert m'a conjuré, tout à l'heure, de l'accompagner en France, d'abandonner le souverain à sa fanatique cécité, à ses sombres et myopes résolutions de prince shakespearien – il y a plus de choses, Horatio, entre la terre et le ciel de Flandre que dans toute ta philosophie –, ce ministre guindé et frigide m'a même convaincu, en évoquant ses enfants et l'exemple qu'il voulait leur laisser… Ainsi, tous, quand l'aube pointa dans la salle d'armes de ce château qui ressemblait au crépusculaire décor d'un drame de Walter Scott, nous ne nous débattions plus, chacun pour soi, raccroché à des principes, qu'avec notre conscience, nous ne cédions plus qu'à des états d'âme – et tel sera encore le cas demain, lorsque avec le Premier ministre je franchirai la frontière française, convaincu d'avoir raison et confus d'abandonner à son prochain exil un roi fourvoyé.

Il arrive à Samuel d'avoir des insomnies. Alors il n'appelle plus sa mère, il ne veut pas déranger, il se relève, il va au salon, il allume la télé et il zappe en grignotant des Cadbury's fingers jusqu'à ce que le sommeil revienne. Au petit déjeuner, il raconte ce dont il se souvient, avant de partir pour l'école. Il ne tient aucun compte des passages d'une chaîne à une autre, si bien qu'il ne relate qu'un seul et même récit, où un débat sur la guerre au Proche-Orient, un docu sur les ravages du Sida, un match de boxe retransmis du Madison Square Garden en direct (compte tenu du décalage horaire), une biographie de Mozart où il est surtout question de son manque de manières et de ses pertes au jeu et un feuilleton familial californien, tissant et entretissant les épisodes d'une saga un peu compliquée mais dramatique, colorée, dont on ne saurait deviner l'issue... Il n'y a que pour le porno que Samuel fasse une nette distinction et qu'il raconte à part. Je pense que c'est parce qu'il n'arrive pas à y croire vraiment : « Le mecs ont des quéquettes comme des canons, observe-t-il, elles doivent être fausses, non ? Et les gonzesses les lèchent comme des cornets de glace : ça doit leur faire mal, aux types, tout de même ? »

Mais, bien sûr, rien ne l'impressionne autant que les histoires de mésentente conjugale, de liaisons problématiques, de carrières entravées dans des milieux friqués, et il est tout heureux de nous tenir, sa mère et moi, au courant d'un rebondissement inattendu : « Gladys a dit à John qu'il devrait choisir entre elle et Patricia » ; « Michaël a largué sa bonne femme » ; « Entre Éric et Sue, ça a l'air de s'arranger... mais, après ça, il y a eu la pub et on ne sait pas ce qui va suivre... »

À tous ces personnages que Samuel, d'un air informé, s'obstine à appeler « les gens de la haute », vient tout à coup se mêler « une méchante reine » – d'un autre pays et en une autre époque – qui s'acharne à empêcher un beau mariage entre son fils et celle qu'il aime : Samuel ne fait aucune différence entre les sordides querelles pour adultes qui sont censées se dérouler, aujourd'hui, sur la côte Ouest des États-Unis et les légendes destinées aussi aux enfants de son âge que, par inadvertance sans doute, on a programmées à des heures nocturnes… Mais il ne cache pas sa préférence pour celles-ci : bientôt, il souhaite qu'on lui offre, pour son anniversaire ou en quelques autres occasions festives, *My Fair Lady*, *The Sound of Music*, *Mary Poppins* et tous les volets de la vie de l'impératrice Sissi.

À l'école, ses camarades s'étonnent de tels choix : « Ce sont des histoires de filles… », lui disent-ils. Mais il répond, sans complexe : « Normal. Ce sont les filles qui m'intéressent ! »

Les filles de sa classe, justement, il n'arrête pas de s'interroger sur leur attitude à son égard : « Aujourd'hui, je préfère Jamila à Consuelo… Mais c'est à côté de Vanessa que j'aimerais m'asseoir en classe. » Et, comme il ne se fie pas à sa séduction naturelle, il s'en remet volontiers à la douce acidité des bonbons Fruitella (la réglisse, c'était quand il était petit…) pour vaincre la résistance de celles qu'il souhaite conquérir. Fruitella : tel est le nom que porte, pour lui, désormais, le philtre d'amour. C'est aussi la menue monnaie avec laquelle il compte les acheter.

« Heureusement qu'il y a Fruitella ! » nous dit-il, sans illusion sur la sincérité de leurs sentiments.

Un matin d'amertume, il nous livre : « J'aimerais vivre au XXIe siècle… »

Ce fut sûrement pour complaire à notre pays que les spationautes américains Aldrin et Armstrong choisirent le jour de notre fête nationale pour poser le pied sur la Lune. (N'est-il pas des jours où, pareille à cet astre, la Belgique n'apparaît que comme un satellite de la Terre ? Le 21 juillet 1969, à 3 h 57, ils furent définitivement jumelés.)

Quelques heures auparavant, Eddy Merckx avait remporté le Tour de France. Requis par un journaliste de mettre en balance les deux exploits, il y réfléchit sérieusement et donna la préférence à l'alunissage. Seule une extrême humilité explique ce choix, car il y a fort à parier qu'on organisera, avant longtemps, un Tour de la Lune cycliste quand aucun Martien ou autre n'aura encore remporté sur terre ne fût-ce qu'une course de kermesse.

Après quoi, le coureur brabançon, revêtu d'un strict costard de couleur bleu nuit, s'en fut porter son solaire maillot, préalablement lessivé, au roi Baudouin.

« Y en aura pour longtemps ? » demanda-t-il d'une voix lasse lorsque, au téléphone, je sollicitai un rendez-vous. Il avait dû saisir que mes questions n'auraient pas le sérieux ni l'objectivité de celles d'un journaliste. Il se doutait que j'étais à la recherche de tout autre chose que le rappel banal et arithmétique d'un palmarès incomparable. Bien la peine de s'inscrire en tête d'une hiérarchie, avec des performances indiscutables, si celui qui vous interroge n'accorde de prix qu'à des *impressions* ! Qui remporte trois Tours de France et bat le record de l'heure, on devrait savoir ce qu'il vaut, et que sa vie est sans mystère... À quoi bon musarder dans les coulisses de tels exploits ? Je percevais sa réticence et, jusqu'à un certain point, je la comprenais. Tandis que je lui exposais évasivement mes raisons, je parcourais les pages d'un tout autre *Palmarès* que celui qu'il s'était taillé sur les routes : celui qu'avait établi le lycée Mercator pour l'année scolaire 1957-1958 et où, tandis que je terminais en cinquième position mon ultime année d'études gréco-latines, l'élève Édouard Merckx se classait dix-septième, calfeutré dans le peloton, au terme de sa première année... Je renonçai à l'idée saugrenue de lui apporter cette relique – comme si, un instant, j'avais pensé, par le rapprochement fortuit de nos deux noms dans ce bulletin, légitimer ma démarche... Qui sait s'il n'y aurait pas vu un soupçon d'ironie ?

Je suis arrivé beaucoup trop tôt à Meise, tant l'itinéraire qui conduisait jusqu'à lui allait de soi et, sur la fin, apparaissait même fléché. Dès la sortie de l'autoroute, et aux abords du village, le nom du champion surgissait de partout sur panneaux et pancartes. D'ordinaire, lorsqu'on se fait expliquer un trajet à suivre, on imagine malgré soi des paysages, on se figure l'arrivée dans la ville inconnue, on se représente éventuellement l'accueil qu'on recevra dans un décor déjà presque précis, mais rien ne se passe comme on l'avait pensé et toutes ces images sont infirmées par celles qu'on découvre à mesure.

Or, cette fois, j'avais l'impression de reconnaître un chemin déjà mille fois parcouru. D'autant plus que les indications fournies par celui que j'allais retrouver, aussi pauvres fussent-elles, laissaient tout prévoir de l'aventure… L'église était bien plantée là où on l'attendait, et le cimetière municipal, et la pompe à essence. On aurait pu venir ici les yeux fermés. C'était absolument sans surprise, et même décevant.

Tandis que je parquais le long d'une prairie à cent mètres de la maison du *campionissimo*, par discrétion, en attendant l'heure du rendez-vous, des moutons vinrent brouter près des clôtures. J'allumai la radio de bord pour écouter le bulletin d'informations : affrontements en Somalie, situation chaotique en Europe centrale, un ouragan au nom viril menaçait la côte sud-est des États-Unis.

Je résolus de visiter le village. C'était le premier jour du printemps. Des hirondelles dodelinaient sur les fils télégraphiques. On annonçait un concert de musique baroque et un concours de tir à l'arbalète. On pouvait se faire tirer le portrait au salon de coiffure. Le marchand de journaux vendait des graines, des pousses et des semis. J'aurais aimé boire un café au « Salon » qui offrait aussi des crêpes et des gaufres, mais il n'ouvrait que l'après-midi. Des pépiniéristes me regardaient passer et repasser avec méfiance. La plupart des petites villas « à bel étage », entourées de leurs jardinets méticuleux, semblaient de construction récente.

Il ne s'agissait pas d'un village qu'un homme aurait rendu fameux en venant s'y établir. On pensait plutôt qu'il s'était édifié grâce à cet homme, et regroupé autour de sa fortune. Comme si les ateliers de fabrication de vélos à son effigie constituaient l'unique but de promenade à des kilomètres à la ronde, le champion retraité ayant aussi, naturellement, le sien.

Il vivait, replié, dans une forteresse toute en longueur à la façade aveugle. Dès l'antichambre, on l'apercevait, assis dans son bureau, dont le hall d'exposition n'était séparé que par une paroi de verre.

Une petite secrétaire asexuée comme une nonnette, blette et surie, me pria d'attendre. Elle me proposa un Coca-Cola. Une autre femme – plus imposante : peut-être l'épouse ? – était occupée à remballer un représentant en tapis d'Orient : « Nous avons beaucoup d'animaux ici… Alors, les tapis, ça ne nous intéresse pas. » Le père d'un garçon qui « avait réussi ses études » venait lui faire faire un vélo de course en choisissant chacun des accessoires. On commençait par prendre les mensurations de celui-ci en lui demandant d'enfourcher un cadre de bois. Mesure de l'entrejambes, du périnée à la pointe du soulier. On n'était pas au royaume du prêt-à-porter : l'addition faite, la bécane coûtait plus cher qu'une petite bagnole dix ans plus tôt.

Je m'étonnai qu'un recordman de vitesse ne reçoive pas à l'heure. Parfois, il passait devant moi : « Deux secondes, si vous voulez bien… » et, un quart d'heure plus tard : « Cinq secondes, n'est-ce pas ? » Je fus surpris qu'il s'exprimât aussi légèrement en termes de secondes, lui dont le temps et ses infinitésimaux fonctionnements avaient gouverné l'existence. Au bout d'une heure, il ne s'excusa plus du tout.

Mais je ne trouve pas le temps long. Je me rince l'œil avec les cadres en carbone monocoque, les tubes colombus nivacrom, les boîtes de pédalier, les couronnes de fourche, les casques futuristes, les paires de gants aux doigts coupés, les maillots Lugano en nylon fluorescent couleur massepain, framboise, menthe ou grenadine.

J'aimerais penser que le virtuose était devenu luthier ou facteur d'orgue. Mais qu'eût ressenti Stradivarius s'il avait été Paganini dans sa jeunesse ?

Il me reçoit enfin, l'air renfrogné d'un vieux bébé boudeur. Encore une fois, je m'interroge sur cette apparente mollesse, cette langueur d'un homme qui, en course, pouvait faire montre d'une hargne homicide. Quel secret me livrera ce visage un peu négroïde ? Quelles images fulgurent encore derrière ces paupières lourdes ?

Derrière lui, tout autour de lui, des tableaux hyperréalistes qui le représentent en plein effort, menant la meute. Quand son regard passe sur ces toiles d'une médiocre facture, mais où sa violence éclate, où s'exprime sa rage de vaincre, que ressent-il aujourd'hui, le morne petit chef d'entreprise que le téléphone interrompt sans cesse et persécute ? Il s'en revient à peine d'Oslo, demain il va chercher un client de Kyoto à l'aéroport, après-demain lui-même s'envole pour Manille – loup devenu chien ? Qu'arrive-t-il lorsqu'on passe de l'épopée tonitruante des courses au babil de tirelire de la représentation de commerce ? Des stridences d'une légende incarnée au stress *mezza voce* de l'import-export ?

« Tout de même, lui dis-je, cette retraite précoce, brutale même, pour certains inexplicable… (J'allais dire : « Cet abandon de l'outil », et je me suis repris juste à temps. Je pensais : « Cette abdication anticipée », et j'ai ravalé la métaphore ; ce « recyclage », et j'ai eu honte du calembour.) Aucun regret, vraiment ? »

Il me regarde avec au fond des yeux une sorte de doux reproche. Il se dit : Allons ! il ne venait donc que pour me poser cette question là ! Que n'est-il allé droit au but ? Nous aurions gagné du temps…

« Non… », dit-il.

Mais, depuis qu'il s'est mis à répondre à mes questions, il inaugure toutes ses phrases par ce « non » décourageant, même si on s'avise ensuite qu'il n'apporte ni démenti ni contradiction. « Écoutez… », dit-il ensuite, et il répète : « Écoutez… » même s'il n'espère plus, depuis longtemps, que quelqu'un l'écoute vraiment, et s'il ne débite ensuite que des banalités…

« Non… », répète-t-il : l'entraînement ne lui pesait pas, mais plutôt cette *pression* constante sur ses épaules… Le poids de la course… Cette exigence qu'il soit le meilleur à chaque fois. La certitude que toute défaite deviendrait bientôt injustifiable et, pour beaucoup, une réelle aubaine… Il n'ajoute pas qu'au bout d'un temps, à son propos, les reporters se demandaient – toutes surenchères épuisées – comment se renouveler encore ? Quand il gagnait, la presse sportive ne se vendait plus nulle part en Italie. S'il perdait, c'était la ruée. Il n'écrasait pas seulement la compétition mais toute paraphrase de celle-ci. Il savait que, désormais, ses déroutes se vendaient mieux que ses victoires et qu'après tout c'était normal.

Qui donc se représente ce que cela signifie de se lever chaque jour que Dieu donne en pensant non plus seulement : « Je veux gagner », mais : « Je vais – très probablement – l'emporter… » ? Il ne parle qu'à peine de la rancœur que finit par susciter un tel excès de victoires. « Écoutez, écoutez… On produit tant d'efforts, il faut bien que cela ait sa récompense, n'est-ce pas ? On gagne tout ce qu'on peut, quoi… » Il ne dit rien des lettres d'insultes, des coups de téléphone anonymes, de la fureur des Flamands parce qu'on s'était marié en français… N'a-t-il pas baptisé ses enfants Axel et Sabine – au lieu de Didier et Laurence – parce que ces prénoms n'étaient ni français ni flamands ?

« À propos… », dis-je – mais ce n'était à propos de rien, car le sujet n'a même pas été effleuré –, « comment jugez-vous ceux qui souhaitent la division de ce pays ?

– C'est triste…, dit-il, et il se rembrunit davantage. Mais comment les athlètes pourraient-ils prendre position dans ce débat ? »

Qu'il doit être fatigué !

« Écoutez…, écoutez…, assure-t-il, je n'ai aucun regret… Il faut se retirer à temps… »

Je devine que, de tous les mots convenus qu'il vient d'employer, seul le dernier, la notion de temps, doit être pris en compte. N'a-t-il pas guerroyé toute sa vie contre celui-ci ? Comment pourrais-je en remontrer sur ce terrain à un tel homme ? N'en sait-il pas bien plus long que moi ?

« Êtes-vous satisfait de votre nouvelle vie ?

– Naturellement, confesse-t-il, j'ignorais que cela se passerait ainsi…

– Et si c'était à refaire ?

– On refait toujours les mêmes erreurs ! » s'exclame-t-il, en éclatant d'un rire un peu forcé. « Écoutez… », dit-il. Et soudain, il s'emporte, comme s'il redoutait vraiment d'être mal compris. « Vous savez ce que c'est : on a des dispositions, on ne le savait pas, on le découvre un peu par hasard. Une morphologie *idéale*, un rythme cardiaque lent : quarante-quatre pulsations par minute, de longs fémurs, une grande faculté de récupération. Dès qu'on enjambe une bécane, on devient un peu conscient de tout cela, mais le père n'y croit pas trop, la mère a peur des conséquences, du danger que ferait courir une vie vouée au vélo, il y a même un médecin sportif qui estime que vous ne pourriez pas avaler sans danger une côte de pourcentage modeste sans vous mettre le cœur à mal… On insiste, on passe un électrocardio-gramme de contrôle, on se retrouve coureur amateur, et on gagne le championnat du monde de la catégorie à Sallanches : on avait donc raison d'y croire un peu, on téléphone le résultat à la mère en la ménageant, de peur qu'elle ait une trop forte émotion, on sait que, quoi qu'il arrive, on ne sera plus jamais aussi heureux que ce jour-là (et on avait raison : cela se vérifie, après qu'on eut comme professionnel remporté cinq cent vingt-quatre victoires), mais le père dit : " Ce n'est pas un métier… ", et soi-même on reste inquiet : tant d'amateurs n'ont jamais confirmé…, on ne sera plus jamais insouciant, on a fait trois années de latin au lycée Mercator, on a même joué, pour la distribution des prix, dans deux scènes de l'acte I des *Femmes savantes*, on a pris le temps de se pencher sur l'éveil de la pensée scientifique au Moyen Âge, on n'était pas fort en latin, exécrable en anglais, on a gagné ses premières courses à l'insu des parents, mais un simple toubib de famille puis un soigneur professionnel tiennent des propos encourageants, on ne sait plus vraiment, non, de quelle manière cela a réellement commencé, sauf qu'on a toujours voulu courir, qu'on avait l'*esprit à cela*, on serait coureur ou épicier, il n'y avait pas d'autre choix, bref on a eu de la chance… N'est-ce pas beaucoup plus important que de savoir pourquoi, comment et quand on a arrêté ? » Il marque une pause, s'interroge sur l'effet produit par ses dernières paroles. « Depuis lors, tout ce que j'ai fait, on l'a grossi ou diminué, ou déformé… Oui j'ai eu de la chance, oui cela tenait du miracle, oui j'ai pu compter sur une formidable équipe de serviteurs à ma solde ; mais chacun de ceux-ci préférait, sans doute, me servir plutôt que croire qu'il pourrait gagner lui-même : allez donc leur demander pourquoi ! Il y a peu de coureurs, vous savez, tout compte fait, qui prennent la responsabilité de vaincre : les uns veulent conquérir le monde, les autres se contenteraient déjà d'une villa en Flandre, avec bungalow… Il faut y croire, n'est-ce pas ? Ce n'est pas si facile… Pour moi-même, au bout d'un temps, le succès était devenu suffocant. Je n'avais plus qu'à le gérer, désormais. Non, je n'ai de nostalgie d'aucune sorte. Je n'avais plus rien à prouver, comprenez-vous ? Je pouvais enfin changer de vie ! » En changer, oui, champion. Mais la mettre au trou ? On dirait, ma parole, que cela me fait plus de mal qu'à lui…

Un coureur vient d'entrer dans le bureau, rutilant, multicolore comme un arlequin. Pour un rien, son incongruité le ferait apparaître travesti.

Mais il a les joues en feu, et il ruisselle sous son survêtement.

« Voilà le fiston… », dit le Cannibale. Et, pour la première fois, un pâle sourire éclaire son visage. « Ça va, l'entraînement ?

– Difficile. Je vais me doucher.

– Il n'est jamais content de lui ! dit le Cannibale. Tout le monde pense qu'il en fait trop. C'est vrai que quand il est à moitié mort, il trouve encore des ressources pour attaquer. C'est une année importante pour lui : il doit exploser ! Je suis le conseiller, c'est tout… Sur la route, il n'a que lui. »

À travers la paroi vitrée, on aperçoit la femme du champion qui épluche les comptes. Le fils qui boit une canette. L'Ogre de Tervueren a tout son petit monde sous la main – famille et bizness –, ses deux téléphones qui crépitent à tour de rôle et son courrier à signer… Que ressent son fils lorsqu'il quitte cette morne forteresse, que des canaris en cage n'arrivent pas à égayer, pour s'élancer sur la route de Boom ou d'Anvers, toujours, au départ, si chargée de promesses ? La même sensation de délivrance qu'éprouvait son père, au même âge, quand il s'évadait de l'épicerie paternelle ou de la classe d'études au lycée Mercator ? Le sentiment que seule la course lui permettrait d'*échapper* ? Avant de retourner, comme son père, dans une sorte de prison.

« On ne pourrait pas faire un tour par les ateliers ? » demandé-je.

Eddy m'y précède de sa démarche pesante. Ici il se sent à l'aise, comme un vieil enfant fier de ses jouets. On coule, on chauffe, on soude, on peint. Assemblage et brasage du cadre, montage, finition, contrôle de la géométrie.

Le Cannibale, émerveillé comme au jour où son usine s'ouvrit, considère, extasié, les roues d'aluminium qui flambent comme des crêpes sous les arcs à souder. Il n'en revient pas… Des ouvriers qui font une pause et croquent un sandwich au thon entre les machines rutilantes regardent passer leur patron avec une ombre de tendresse ironique… Eux non plus ne se sont pas lassés de vérifier, à chaque fois, la curiosité passionnée qui s'empare de lui.

Il ne regarde plus sa montre, prend tout son temps, deviendrait même volontiers loquace, et d'ailleurs se souvient que, quand le roi Baudouin lui a fait l'honneur d'une visite, celui-ci lui donnait l'impression de s'attarder par plaisir, par intérêt : il posait mille questions. « Déjà le roi Léopold, son père, m'a tellement encouragé à l'aube de ma carrière… Et puis il est allé à Mexico pour voir battre le record de l'heure d'Ole Ritter… Rien ne les obligeait à cela ni l'un ni l'autre, n'est-ce pas ?

– Si…, dis-je.

– Vraiment ? Vous croyez ? demande-t-il, étonné, ou pour la forme.

– Mais si… Mettez-vous à leur place… »

Alors, il sourit de nouveau. Il sourit de bon cœur.

Allons ! Peut-être n'a-t-il pas perdu tout à fait sa matinée !

« Néanmoins, lui dis-je, depuis que vous vous êtes retiré, ce sport n'est plus le même, l'épopée s'est envolée ; on peut être modeste et reconnaître au moins cela ? La course est orpheline de vous…

– Écoutez…, écoutez… On dit ça, on ne dit rien. Au temps où je courais, on affirmait que je tuais la course. Que je paralysais le peloton. Je sais bien que, pour plaire aux gens, j'aurais dû faire quelques courses de trop, mordre la poussière. Auraient adoré ça… Le déclin, ils en raffolent. Il y a eu la disqualification au

Giro pour dopage prétendu, le coup de poing dans le foie sur les pentes d'un col, et beaucoup de haine, tout au long, beaucoup de fausse amitié, de services rendus sans retour : je ne savais pas dire non, on me mettait à toutes les sauces…

– Vous ignoriez ce qui vous attendait ? Tous ces loups autour de vous…

– Oh ! Quant aux loups, ils sont partout… »

Pourquoi leur échapperait-on ? se demande-t-il : j'étais des leurs. Son bon sourire ne l'a pas abandonné. Un sourire de loup…

Sur le chemin du retour, je m'efforçai plusieurs fois de revisiter le décor : le bureau de PDG où siégeait, drogué d'ennui, un homme qui, sur des routes abasourdies de chaleur ou balayées par des grêles acérées, avait, en étirant son corps, en exigeant tout de lui, proclamé une violence insensée – et toute vie ne se rassemble jamais qu'autour d'un unique secret : prendre ce rendez-vous avec sa propre violence, heureuse ou terrible, ou les deux à la fois, ou bien le refuser : c'était peu dire qu'Édouard Merckx ne s'y était pas soustrait, qu'il avait essuyé de plein fouet le choc en retour de la tempête qu'il avait lui-même déchaînée… Il devait se dire que c'était non pas dans sa jeunesse, mais dans une autre vie : aujourd'hui, s'il ne lisait les livres d'histoire, il pourrait douter même d'avoir vécu cela – cet homme encore jeune, un peu enveloppé, doux pachyderme qui, de là où il siège, peut à présent contempler sa femme, sa fidèle compagne, absorbée dans ses calculs, et entre eux deux, passant et repassant, un tout jeune homme, leur fils, endossant à son tour l'habit de lumière du père ou sa tenue bigarrée de clown, dans l'espoir fou d'au moins ne pas le faire rougir. Quel encerclement, quelle autarcie ! Pourvu, jeune homme, que vous ne sachiez pas seulement que votre père vous aime, qu'il peut être très généreux, souvenez-vous qu'en course il n'était tranchant et inabordable que lorsqu'il avait laissé au vestiaire, pour des raisons inconnues de lui-même, toute pitié, toute merci… (Quand, au départ de la course, on l'interrogeait et qu'il avait l'air bougon, un peu teigneux, nous étions rassurés : il gagnerait. Lorsqu'il avait l'air décontracté, serein, nous étions consternés : il ne se passerait rien, ce jour-là, il ne l'emporterait pas, et même : *personne ne gagnerait*.)

On disait qu'il faisait « la course en tête ». On devait l'entendre dans deux sens : il ne la concevait que devant tous les autres et la confectionnait *dans sa tête*.

« Encore une question, lui avais-je dit en le quittant. Van Looy, vous ne lui avez pas pardonné ?

– Rik ? demande-t-il, surpris. Il a cru devoir m'humilier à mes débuts. C'était un grand champion au bout du rouleau. J'allais lui succéder. Il voulait retarder le passage du relais. C'était peut-être de bonne guerre. Mais je l'ai haï, à l'âge, à l'heure où je devais le haïr. Ces choses-là ne s'arrangent jamais. Pour son histoire comme pour la mienne, qui sait si cela n'est pas mieux ainsi ? »

Parfois, Joy, je te regardais à la dérobée.

Et puis, *à côté*, je considérais le gâchis pyramidal de ma vie (un ossuaire de souvenirs) d'un regard désormais magnanime.

La nuit, il t'arrivait de rire à gorge déployée dans tes rêves. J'ouvrais les yeux. Toi pas. Pourvu qu'il en soit toujours ainsi, pensais-je.

Et pourvu que je vive assez longtemps pour voir grandir, vieillir Samuel : lui voir pousser au menton une barbe de patriarche, et qu'il pense alors à m'accueillir dans son large manteau, le jour où j'aurai seulement un peu froid.

Qu'il n'y ait plus de rafles du Vel' d'Hiv au vélodrome d'été de la vie refaite.

« Tout de même, Pierre, expliquez-moi ? Vous reconstituez cette histoire si ancienne, déjà classée… Le monde a tellement changé, depuis lors !

« – Détrompez-vous. Cela s'est reproduit, sous d'autres formes. La très enfantine histoire des rois et des champions cyclistes ne formule qu'une géométrie, les règles d'un rituel, tisse la toile où nos obsessions les plus secrètes s'engluent les pattes. Les historiens se gardent bien de raconter cette histoire-là : ils lui font seulement la morale, lui attribuent des bons et, plus souvent, des mauvais points. Moi, je l'accompagne seulement un bout de chemin. Je lui fais un brin de conduite. »

Il y a des hommes qui tombent dans l'Histoire comme des fruits de la branche d'un arbre. Mûrs, ou déjà blets. Ou déjà pourris.

Le président du Conseil français, Paul Reynaud, envisagea la capitulation pour son grand pays quelques jours à peine avant que Léopold ne la prévoie pour le sien si petit. Mais il sut attendre. Quelques morts de plus au front paieraient volontiers la note d'une gloire déjà compromise.

La reddition de Léopold constitua, pour ce menu mythomane qu'humiliait l'évidence de sa propre déroute, une aubaine inespérée. La France aux couplets grandiloquents était déjà enfoncée : abandon d'Abbeville, écrasement de Sedan, la ligne Maginot ayant tenu le temps qu'on posât pour une photo de groupe – et c'était le Roi des Belges qui, le premier, demandait grâce ? Divine surprise ! Au lieu de devoir répéter à Churchill : « Nous sommes foutus ! », on pourrait créer une diversion, agiter la muleta délavée d'un torero tricheur et annoncer la bonne nouvelle : « Ce sont les Belges qui nous ont trahis ! » Pour sûr, on ne s'en priverait pas, on ne laisserait pas passer l'occasion.

Alors, le 28 mai 1940, un personnage courtaud, râblé, d'une arrogance crispée, va prendre la parole dans un studio de radiodiffusion. Avant de se pencher vers le micro au diamètre de ventilateur tropical, il cambre une dernière fois sa taille de matador poids mouche, ses yeux de mouette fixent la ligne bleue des Vosges, il flatte d'une main légère les cheveux gominés que partage une raie médiane de danseur de banlieue, il invoque intérieurement Jeanne d'Arc, pense très fort à la France – parvient à oublier un instant que celle-ci est déjà défaite –, prend bien appui sur ses talonnettes, inspire un bon coup : plus durement je parlerai, pense-t-il, plus je croirai moi-même à ce que je dis, et plus j'aurai l'assurance que je sortirai d'ici plus grand que je n'y suis entré. Il jette alors en pâture au pays à l'écoute cette « capitulation en rase campagne » d'un Roi traître et félon ne prenant même pas la peine d'en prévenir ceux qui avaient volé à son secours… L'accusation est si lourde qu'elle ne peut être que juste. Il avait commencé de la proférer qu'il n'était pas encore convaincu de son bien-fondé ; il acheva de l'assener qu'il s'était autosuggestionné. Il estimait sans doute qu'on pouvait plier la réalité même à la virulence de quelques formules fortes et patriotardes, et les marteler de bonne foi. Plus une calomnie décolle à la verticale, plus il y a de chances qu'on n'aperçoive bientôt plus la cible même qu'elle se proposait. Et il est peu de sentiments qui se nourrissent autant d'eux-mêmes qu'une haine sans véritable objet, et qui ne s'abreuvent aussi bien aux sources de l'opportunité. On ne doit même plus craindre alors d'assurer que la forfaiture constitue un fait absolument « sans précédent dans l'Histoire ». Plus on en rajoute, plus on gagne en crédibilité. On sait aussi que rien n'aura la vie aussi dure qu'un grand mensonge.

Encore le Président Paul a-t-il pris la précaution de faire peser sur les épaules des ministres belges repliés en République tout le poids d'un chantage : ils ne doivent point perdre de vue qu'un million et demi de leurs compatriotes sillonnent à présent les routes de France sous l'emprise de la panique. Comment seront-ils accueillis par la population locale si le gouvernement en exil ne désavoue pas formellement le monarque renégat ? Bref, il les tient en otages : leur sécurité vaut bien un cinglant désaveu de la reddition du souverain, hum ? La rumeur ne court-elle pas déjà qu'ici on refuse à boire aux réfugiés qui passent, que là-bas les médecins refusent de les soigner, que çà et là on leur crache à la figure, ou qu'à la campagne on menace de les chasser à coups de fourche ? Tel s'est vu de même refuser le change de sa monnaie et un officier arracher ses décorations. Des locataires belges sont jetés à la rue. « On prétend même, dit le président Paul, avec un féroce amusement, que les putains de chez nous se refusent à coucher avec des clients venus de chez vous ! » Puis son sourire se fige et, gravement, il suggère : « Tout de même, vous Belges, vous devriez vous soulever en masse… et adopter la Constitution française ! » Hubert, un instant, songe à rire de ce qu'il prend pour une boutade.

C'est tout juste si le Président Paul ne pousse pas vers le Premier ministre belge le micro où celui-ci affirmera que le roi a traité avec l'ennemi, mais que la faute d'un seul homme ne saurait rejaillir sur une nation tout entière. Le discours est comme à moitié suggéré par Paul lui-même ; et il reste cependant, et c'est heureux, assez de scrupules et de clairvoyance à Hubert pour amender un tantinet les termes. À partir de là, l'opprobre jeté sur la décision royale n'a plus qu'à débouler et grossir en avalanche. Les parlementaires belges réunis à Limoges jouent à renchérir les uns sur les autres et réclament, qui la destitution du roi, qui sa déchéance. La machine s'emballe, et c'est à qui en remettra le plus dans le désaveu et l'outrage. Hubert n'en mène pas large mais ne perd pas tout sang-froid : au fond de lui-même, il méprise assez ces vociférations de bateleurs et il en appelle au respect de la Constitution de leur pays pour tempérer les ardeurs véhémentes de ces citoyens ivres de rancœur. Tous ces gens qui ne laissent parler que leur basse colère ne peuvent deviner qu'en Hubert c'est un chagrin plutôt, un désespoir sans remède, qui s'installe. Pourtant, ils l'ont congratulé – ovationné parfois – pour la fermeté de son discours. « Il m'a fallu venir jusqu'à Limoges, grommelle-t-il sans illusion, pour entendre crier : "Vive Hubert Pierlot !" » Il vaudrait mieux être mort que de vivre ce déchirement dont plus rien d'heureux, jamais, ne saurait sortir…

Quant à Paul Henri, il entreprend déjà cette navigation à vue qu'il pratiquerait des années durant au cœur d'un tumulte où ses propres humeurs et celles de la foule, tantôt s'épouseraient, et tantôt se contrarieraient...

Un peu partout dans le monde, la sentence du Président Paul a pondu des œufs dans les plaies qu'ouvre l'image inacceptable de la débâcle. Des anciens combattants de la Grande Guerre proposent que « le pantin royal » passe en cour martiale. « Le sang allemand s'est réveillé dans les veines du Roi », assure le comte Maeterlinck, grand observateur de la vie des termites et qui n'évoque volontiers, dans ses pièces, que des seigneurs et des suzerains désincarnés et hors du temps, collectionneurs de flou et de vague, d'énigmes vaseuses, qu'aucune préoccupation trivialement séculière n'effleurerait jamais. Le miel de ce butineur d'afféteries se fait soudain fiel lorsqu'il assure : « Le nom de Judas est encore trop beau pour qualifier un tel acte de trahison. » Mais quel intérêt soudain pour l'Histoire que notre précieux abandonne d'habitude sur le seuil de ses châteaux de nuées ! Son confrère H. G. Wells, délaissant pour un instant l'univers de l'anticipation, se contente de réclamer une corde pour qu'on pende le souverain haut et court. « Fasciste couronné », « Un serpent sur le velours du trône », « Le premier des collaborateurs... », titrent des journaux à grand tirage. Lloyd George écrit, dans un hebdomadaire londonien, que l'on « fouillerait en vain dans les noires annales des rois les plus maudits de la terre pour trouver un exemple de perfidie et de lâcheté plus sinistre et plus misérable que celui qui nous a été donné par le Roi des Belges », et Churchill, moins vindicatif mais plus méprisant, se contentera de voir en Léopold « un minable et parfait représentant de son peuple ».

La plupart de ceux qui formulèrent ces jugements les rétracteraient ultérieurement, mais ils mettraient des années à s'y résoudre. La diffamation aurait fait cent fois le tour du monde avant que la vérité sur cette affaire eût eu le temps de se tailler la barbe.

On crut au message que portait la voix de crécelle rouillée du Président Paul (dont on peut deviner, sur les portraits, le visage qu'il dut avoir enfant : celui d'un vieillard précoce avec des yeux en trou de pine).

Or, quelques semaines après, Pétain se rendait à l'ennemi bien au-delà de ce qu'avait fait le monarque du pays voisin. Et plus tard, souvent, fraterniserait avec son Occupant. Et les ministres belges pensèrent à un armistice avec l'Allemagne : ce fut encore le Roi qui, en ne donnant pas de suite, les sauva du déshonneur. Ils ne lui en surent pas vraiment gré. Pour avoir servi à l'accomplissement d'une éphémère manœuvre de diversion, il se retrouva ruiné. Blanchi trop tard, il apparaîtrait mûr pour essuyer tous les reproches : ceux-ci s'adressèrent désormais à tout ce qu'il faisait, tout ce qu'il ne réalisait pas.

Tandis que le Roi s'installe prisonnier dans son propre palais – comme pour demeurer au centre de la toile d'araignée que constitue un pays tout entier captif –, les ministres vagabondent dans cette France dont ils pensaient qu'elle pourrait durablement lutter. De l'invasion de la Belgique à sa reddition, de la capitulation belge à l'effondrement français, ils se transportent de Bruxelles à Ostende puis à La Panne, ensuite ils passent à Sainte-Adresse puis à Paris, ils vont de Limoges à Poitiers : à chaque étape, leur désarroi s'accroît, soit que l'Histoire les rattrape, soit qu'elle les répudie.

Le 17 juin 1940, alors que le « Père-la-Victoire » de 1914 devient le Papa-la-Déroute de la guerre suivante, les ministres belges en exil s'installent à Bordeaux, sur ce navire où ils me retrouvent et où, d'après ma mère, l'un d'eux trouve encore le temps de me faire sauter sur ses genoux, ce qui tendrait à prouver qu'ils ont malgré tout des loisirs – ou le sens des vraies valeurs, et de l'avenir. Ils n'en atteignent pas moins tous le comble du découragement. Le lendemain, dans un auditoire délabré au siège de la compagnie des Chargeurs réunis, ils s'effondrent. Le local alloué à ces notables, rue Blanc-Dutrouilh (y eut-il vraiment quelqu'un qui porta un jour ce nom et, en partant, le confia à une rue ?), leur proposait une table de cuisine entourée de quelques chaises : la plupart durent s'asseoir sur des caisses à vin ou des appuis de fenêtre. Ils allumaient nerveusement leurs cigarettes, mais la pièce apparaissait comme enfumée d'avance. Pourtant, il ne fût venu à personne l'idée de se plaindre d'une tabagie qui correspondait autant à l'histoire qu'on vivait. Les mêmes qui n'avaient pas admis que le guerrier qui menait en leur nom la bataille se fût résigné lentement à la défaite s'avachissent ici tous ensemble (ou presque) comme un seul homme, imaginant, sans vergogne aucune, des gages à offrir à l'ennemi, que celui-ci même ne leur réclamait pas…

Le soir, dans un restaurant, Marguerite Spaak prit les collègues de son mari à témoin : « Comprenez-vous ce que *tout cela* signifie ? Qu'*il* ne pourra jamais plus s'occuper de politique ? » Comme si c'était là l'enjeu essentiel de la guerre en cours. On prit l'air affligé comme si on venait d'apprendre la plus funeste nouvelle.

Au cours de la réunion de la rue Blanc-Dutrouilh, ils n'ont voulu envisager que le pire. Ils ont pensé démissionner – et ce sera le roi qui les empêchera de céder à la tentation.

Seul le ministre de la Santé publique avança qu'il fallait s'en remettre dès lors aux Anglais. (Pour avoir eu raison trop tôt et avoir rallié avant les autres la Grande-Bretagne, il sera renié par eux. C'est lui, maintenant je m'en souviens, qui, selon maman, aurait joué avec moi, m'aurait pris sur ses genoux, dans l'entrepont de la malle *Baudouinville* à jamais à l'ancre… Pour un rien, je le reconnaîtrais… Car j'aime bien ceux qui voient juste avant qu'on puisse leur en savoir gré : c'est un trait de caractère. Pourtant, je crois avoir appris que, dégoûté, il n'aurait passé qu'une seule nuit sur le bateau, qu'il serait parti aussitôt… Que l'Histoire est donc compliquée! Dès qu'une de ses péripéties obéit à la logique qu'intuitivement nous lui attribuons la voici aussitôt infirmée…)

Après cela, ils iront à Sauveterre-en-Guyenne, où il y avait des puces et où un émissaire venu de Belgique leur apprend que, là-bas, ils sont *vomis*. Paul Henri et le ministre des Finances qui, à l'hôtel, jouaient à ce moment une partie de billard, en bras de chemise, en laissent tomber cannes et boules. Faut-il que le peuple soit ingrat !

Et puis Vichy où, par bonheur pour eux, ils sont mal reçus. Où, par bonheur, ils découvrent que le même Président Paul qui fulminait contre « les Belges sans honneur » – au moment où un cessez-le-feu français était déjà envisagé – retenait toutes les informations et tous les messages qui auraient dû les éclairer sur la situation et leur volait leur courrier, tandis que la parole de son pays était muselée. Alors Londres, finalement Londres, via Madrid. Londres qui gagnera au bout du compte la guerre et, accessoirement, sauvera les ministres. Mais pour qu'ils retrouvent une image d'eux-mêmes plus flatteuse, il aura fallu qu'ils soient entre-temps séquestrés en Espagne et s'en évadent audacieusement. Alors, leur dignité leur fut rendue.

Je savoure que, durant toute cette période de débandade, ils aient fait comme du tourisme, passant de ville en ville, songeant parfois à s'installer, tant ils trouvaient de charme à leurs villégiatures successives : l'un d'eux ne songea-t-il pas à acquérir un petit château près de Cahors ? Et, au fond, cela m'attendrit que, çà et là, ils aient joué. À Sauveterre, comme je l'ai dit, ce fut au billard. À Madrid, Paul Henri apprit à un de ses collègues ce jeu de cartes très belge : « le couillon », ainsi nommé parce que ses règles se moquent d'elles-mêmes. À Nice, on fit consciencieusement la tournée des bars. À Londres, on ferait de longues parties de golf.

Il n'y a sans doute que les enfants pour imaginer que, durant les guerres, on ne s'amuse plus et qu'on se bat seulement. Plus tard on découvre, tantôt avec horreur tantôt avec plaisir, qu'aux pages les plus sombres de l'Histoire la plus sanguinaire, les protagonistes connurent des heures de loisir, de joie, des foucades et des fous rires : selon qu'on est porté à l'optimisme ou à la misanthropie, on en accrédite l'espèce humaine ou cela, à nos yeux, achève de la déconsidérer. La guerre même sécrète ses puritains qui voudraient qu'on la livrât à plein-temps.

Bref, on dut apprendre, tant bien que mal, à respecter les états d'âme, à admettre le ludisme des conseillers. On n'avait pas le choix.

Mais, en tout état de cause, on eût aimé que le Roi demeurât figé dans son rôle.

On eût apprécié que le Roi des Belges, une fois rendu et fait captif, se cloîtrât. Ce sont les enfants qui rêvent des rois. C'est ce qui persiste d'enfance chez les grandes personnes qui permet aux dynasties de subsister. Mais que le roi trahisse ou brouille son image convenue et l'enfant est le premier à protester. Tout être qui, à l'aube de sa vie, est soumis à des règles, comment admettrait-il qu'un roi y dérogeât ?

Dans son palais, le Roi tourne, comme, en cage, un lion aux griffes limées. Il ne voit qu'à peine passer les saisons. Il n'a plus guère de débat qu'avec lui-même, et sa vision des événements s'embue.

La solitude, ajoutée au malheur, peut être mauvaise conseillère : il arrive qu'elle étourdisse l'intelligence, quand elle devrait plutôt l'aiguiser. Elle agit comme un alcool frelaté : elle provoque une légère griserie qui, ensuite, retombe en amertume. D'avoir été abreuvé d'insultes quand la décision de rendre les armes fut honorable l'a peut-être convaincu qu'il aurait désormais raison en tous ses choix, quelque réserve qu'on émît à leur sujet.

Pendant tout un temps, le souverain et les ministres paraissent proches de se réconcilier. Il revient à Léopold que ce cher Paul Henri, auquel il s'étonne lui-même de toujours songer avec tendresse, a en plusieurs occasions justifié le choix du Roi de rester au milieu de son peuple : sans doute estime-t-il que, lui à Laeken et eux à Londres, en dispersant la nation, ont comme inventé pour elle une manière de salut et lui assurent une forte survie…

On dirait que, pour les ministres, le temps des erreurs est révolu. On dirait aussi que, pour le Roi, les occasions de se tromper à son tour vont se multiplier.

Au lendemain de la capitulation, il a une première fois envisagé de rencontrer Hitler. (Celui-ci en aurait manifesté le désir.) L'idée d'une telle entrevue le trouble bien un peu, mais Henri de Man, ce conseiller dont les ambiguïtés le fascinent – prônant naguère un ouvriérisme de gauche radical, il n'est pas loin aujourd'hui d'adhérer au culte du surhomme, et sa germanophilie obscurcit désormais des idées qui furent brillantes –, le pousse à accepter un tête-à-tête dont il ne veut pas apercevoir le caractère compromettant.

Il est possible que le méchant discours du Premier ministre ait eu au moins cette heureuse conséquence de le dissuader.

Mais voilà qu'une nouvelle occasion lui est donnée d'aller voir le Führer à Berchtesgaden. Il devrait s'agir d'un entretien d'ordre « privé » – comme si on pouvait accepter le dialogue avec cet homme sans faire de la politique ! Et sans déchoir ? À jouer avec lui, on perd toujours. Mais il ne sait pas encore, à cette date, qui est Hitler – et très peu le savent. Léopold peut naïvement croire qu'il a de bonnes questions à lui poser, de sérieuses doléances à faire, et des mansuétudes à lui arracher. Le sort des prisonniers de guerre et le ravitaillement du pays ne constituaient-ils pas un souci majeur – et n'eût-ce pas été céder à un commode angélisme que de ne rien tenter pour leur amélioration en refusant tout contact avec le brutal énergumène ?

Alors, il se rend au Berghof. Après avoir suivi les lacets d'une route qui surplombait des abîmes, il est introduit au cœur de la citadelle que hante le hideux maître de ballet qui a entraîné l'Europe entière dans sa macabre danse : elle est bâtie, enfouie dans la roche même, on franchit une sorte de pont-levis en bronze, on s'engage dans un couloir éclairé en permanence, on monte dans un ascenseur qui vous rejette dans une pièce en demi-cercle où, par des baies non vitrées, le regard s'engloutit dans des gouffres d'une sauvagerie démente.

Ce ne fut qu'au moment d'être introduit sur la scène de ce théâtre farouche, où l'œil ne pouvait plus s'accrocher à rien d'harmonieux dans le paysage, qu'il découvre qu'il ne fallait pas venir ici, que cela n'avait aucun sens, qu'il est tombé dans un piège grossier. Il le devine, mais il ne se l'avoue pas. Il ne le reconnaîtra jamais. Et c'est d'une voix très blanche, encore un peu plus étouffée qu'à l'ordinaire, qu'il adresse mécaniquement ses requêtes : retour des prisonniers de guerre…, fin du rationnement…, indépendance du pays…

Y croit-il vraiment lui-même ? Un grand vide s'est creusé en lui, et il songe un instant que c'est le vide menaçant de cet homme s'agitant en face de lui qu'il contemple – et qui pourrait le contaminer ; il en a le vertige, il se dit : Mais cet homme n'est rien, il est animé par un montreur de marionnettes, il n'est que le double, le sosie grimaçant d'un vrai chancelier absent, on s'est moqué de moi. Il se cramponne de toutes ses forces à la conviction qu'il ne faut pas y croire, tomber dans cette illusion, car ce serait céder à l'attrait de l'abîme.

Il ne veut pas comprendre que le tyran ne présente, au contraire, pas la moindre vacuité. Aucune faille. Qu'il est comme gavé de son propre sang – au cas où celui de ses victimes, versé sur tous les champs de bataille d'Europe, viendrait à lui manquer… Que le pouvoir dont il est assuré jusqu'au délire le remplit à ras bord.

Léopold ne devine pas que le vide n'est qu'en lui, et qu'avant même de prendre la parole son interlocuteur a déjà, comme un vampire, sucé toutes ses certitudes.

Un interprète officiel qui fut témoin de la scène décrit le Roi comme un écolier se rendant contre son gré à un fastidieux cours du soir, dans l'attente harassée que la classe se termine…

Par malchance, le professeur est fou. Par malchance, il s'agit d'un cours d'histoire. Mais d'une histoire occupée à se dérouler sur-le-champ, au fur et à mesure que le dictateur l'assène à ce mauvais élève, à ce cancre qui, de toute évidence, ne réussira pas l'examen.

Celui-ci peut encore croire qu'il obtient gain de cause. Il ne sait pas qu'il s'en retournera bredouille, qu'il repartira les mains à peu près vides, mais que, dans un sens, cela le sauve – car ne rien devoir à Hitler, c'est encore la seule fortune que Hitler puisse vous accorder. « Il faut que vous sachiez que je ne toucherai pas aux prérogatives et privilèges de Votre Maison, grommelle celui-ci. Mais l'Allemagne n'est tout de même pas là pour jouer les gouvernantes ou les jeunes filles au pair auprès des petites nations ? »

Qu'est donc devenu le monde, que devient son histoire ? se demande le Roi au retour de l'entrevue ; qu'est-ce que cela signifie encore d'être roi si nous jouons tous une aussi mauvaise pièce ?

Il ne comprend pas que, si la pièce avait été bonne, et la négociation fructueuse, il s'y serait englouti pour de bon.

« Oh ! Il n'y a plus rien à raconter, m'assure cet ex-consul honoraire, et puis, dans ma position, vous comprenez, c'est délicat… », mais étrangement, il me retient au téléphone, comme si cela lui faisait malgré tout plaisir que je l'aie appelé. « Il est exact que j'étais très proche de Sa Majesté jusqu'à la veille de sa mort… Mais, justement, si je vous disais certaines choses, on saurait tout de suite que c'est par moi que vous les auriez apprises… »

Plus il confirme qu'il n'en livrera aucun, plus il sous-entend qu'il y aurait de terribles secrets à divulguer.

« Je suis à présent un vieil homme, dit un ancien conseiller, et j'aspire surtout à la paix… Plus rien de bon ne saurait encore sortir du chapeau, vous savez ? »

« Nous, aristocrates, nous ne parlerons pas… », me dit l'un d'eux qui, parce que le contact avec ses semblables lui est pénible, s'en est allé élire domicile dans une péniche, à l'estuaire d'un fleuve. « C'est un peu l'*omerta*, comprenez-vous ? Cela vaut mieux ainsi, croyez-moi… »

Un colonel à la retraite : « Devoir de réserve, cher monsieur : on ne saurait s'y soustraire ! »

J'ai beau expliquer à chacun : « Je ne suis pas à la recherche de secrets d'État, tout de même ! Ce que j'aimerais entendre, ce seraient plutôt des anecdotes significatives… La description de traits de caractère… Des souvenirs personnels… »

« *Personnels* ? Mais c'est très délicat, monsieur, dès qu'on touche à un roi. C'est tout de suite *trop* personnel, justement… », rétorque un bourgmestre flamand.

« Je ne cède pas au voyeurisme… », dit un autre.

« Mais quiconque s'intéresse aux rois devient voyeur malgré lui ! » conclut un autre encore.

Je me convainquais que la plupart, dans leur souci de respecter la loi du silence, ne camouflaient pas tant des informations inédites que des secrets de Polichinelle. Moins d'effroyables histoires que d'une effarante banalité.

À moins que la raison d'État, toujours invoquée, ne devînt un passeport idéal pour autant de mensonges par omission ?

Je finis même par tomber sur un personnage hystérique et terrorisé qui, avant même que je lui aie posé la moindre question, me conjura : « Ne croyez surtout pas que j'aie collaboré durant la guerre ! Bien sûr, on vous l'a dit, et c'est là-dessus uniquement que vous êtes venu m'interroger… Si, si, j'en suis persuadé ! Cela devait arriver un jour… Et rien n'est plus faux, rien n'est plus faux. »

Dans un sens, cela m'intéressait, toutes ces portes fermées, ces fins de non-recevoir : dans ce refus même de se confier, il y avait une confidence faite et qui me donnait l'illusion d'en apprendre chaque jour un peu plus sur le roi défunt.

Je poursuivais une enquête que personne n'aimait me voir mener, que tous s'ingéniaient à entraver. (Or cette enquête portait surtout sur ma propre jeunesse et la fin de celle-ci…)

Il n'était pas jusqu'aux coureurs cyclistes qui, de prime abord, ne se fissent peu engageants. Il avait fallu apprivoiser Vanco et le Cannibale. N'acceptant l'entretien que par lassitude. De l'essentiel, tout n'avait-il pas été dit cent fois et, quant au reste, n'avait-on pas tout oublié ? (Après cela, le dialogue s'était prolongé au-delà de ce qu'ils voulaient m'accorder de leur temps, même si une indicible tristesse planait sur nos propos.)

C'est lorsque j'appelai au téléphone l'Empereur d'Herentals (*alias* le Tigre campinois) que je pris soudain conscience de l'incongruité de ma démarche. Lui-même, d'une voix sans couleur, un peu fluette et presque de fausset, d'eunuque – je la reconnus aussitôt car, déjà quand il accomplissait ses exploits, elle détonnait par comparaison avec ceux-ci lorsqu'il faisait une déclaration au micro d'un reporter –, il m'avoua qu'il ne voyait pas l'utilité ni le sens de notre rencontre et qu'il doutait que cela puisse l'intéresser… Ni la fatuité ni l'avarice de son temps, je le sentais bien, n'entraient pour rien dans cette conviction qu'aucune des questions que j'avais à lui poser ne lui importerait vraiment…

Je ne m'affolai pas. Sans doute m'étais-je mal expliqué. Je découvris que Rik Van Looy m'intimidait bien davantage que tous les interlocuteurs que j'avais approchés jusqu'ici. Aucune tête couronnée d'aucun royaume ne m'aurait impressionné autant. C'est qu'au fond mon admiration pour le *campionissimo* flamand avait dû rester intacte dans un repli de ma mémoire et que, sans l'avoir voulu ni même su, j'étais resté fidèle à un enthousiasme d'enfance… Et à cette époque même d'où je n'étais jamais tout à fait revenu. Seulement voilà : c'était sans doute cela qu'il ne s'expliquait pas, le champion – pas plus que les éminences grises que j'avais croisées dans les coulisses du Gotha ; tous pressentaient que je voulais en passer par eux, mais pour dire d'eux quelque chose dont ils ne se savaient pas dépositaires ; et c'était un peu comme si je les amenais à livrer un aveu qu'il n'avaient pas prévu de faire et dont eux-mêmes ne reconnaissaient pas la nature… Qui sait même si cela ne réveillerait pas quelque douleur cachée – depuis longtemps enfouie ?

Loin de se montrer indifférent, on redoute alors que quelqu'un remue ce passé, fouille la plaie des regrets, réveille des esprits. Sunset Boulevard pourrait-il parfois adopter la forme en anneau d'un vélodrome ? La route ne conservait pas, comme une peau, le tatouage des exploits qu'on avait signés sur sa surface !

« Tout cela est si loin maintenant…, dit le champion après un silence. Tu as déjà suivi des courses ? Tu sais comment ça se passe ? »

Peut-être, après tout, ne souffre-t-il que de cela : le sentiment qu'on ne lui a jamais posé une seule question précise sur la matière, l'essence de son expérience. Il découvre que cela lui a toujours manqué qu'on ne formule pas même un semblant d'explication de cette folle aventure…

Il ne m'a tutoyé que parce qu'il est flamand, mais cela m'a rendu courage.

« Je ne vous prendrai qu'une ou deux heures, Rik, si vous le voulez bien…, dis-je. Ce sera l'occasion d'évoquer… je ne sais pas… quelques souvenirs communs…

– Tu crois ? dit-il en riant. » Il doit trouver que je dis vraiment n'importe quoi. « Alors, tu viens me voir là où aujourd'hui j'entraîne les gosses. Peut-être que ça va t'intéresser aussi ? »

Comme s'il avait dit : le passé, c'est bien ; mais maintenant il y a ces enfants qui roulent avec moi dans la grande forêt de bouleaux. C'est de cela surtout que j'ai envie de parler maintenant. Histoire de ne pas être mort.

Je suis arrivé beaucoup trop tôt, comme à mon habitude, et lui m'a rejoint avec une heure de retard. Il sera dit que les champions sont coutumiers du fait. Cela n'avait pas beaucoup d'importance. La ponctualité ne doit pas être la politesse des empereurs… Quoi qu'il en soit, j'avais donc vraiment tout mon temps.

Le pays est si petit : encore une fois, je l'avais surestimé. Difficile d'accepter qu'on vive là où l'on n'est loin de rien.

Pourtant, c'était comme de se retrouver en Russie, du temps de Tchekhov, à cause des bouleaux, des étangs (y a-t-il des étangs chez Tchekhov, je n'en suis même plus sûr, mais qu'est-ce que cela change ?), ou au temps de Staline et Jdanov, à cause des terrains de sport, des stades et des piscines… On trouvait, dans des clairières, comme des datchas aux volets baissés à l'heure de la sieste.

J'avais déjà trouvé dix fois l'occasion de me perdre dans la minuscule cité d'Herentals : du coup, j'avais prêté l'oreille au carillon de l'hôtel de ville, j'étais passé devant la chapelle de Notre-Dame-Consolatrice-des-Affligés et j'avais aperçu le monument de la guerre des Paysans (en souvenir de leur révolte contre le régime français, en octobre 1798) ; j'avais traversé le béguinage et j'avais salué au passage le moulin du Haut-Chemin, je m'étais rendu à la Maison des Têtes où je pus contempler un millier de boîtes crâniennes de mammifères, d'oiseaux et de reptiles originaires du monde entier... Je n'eus pas le temps de pousser jusqu'à l'*arboretum* ni l'étang des bécasses.

Au détour d'une rue, le vent me jeta aux yeux une poignée de sable. Une péniche qui descendait la Petite Nèthe, invisible derrière les roseaux, paraissait dériver sur les champs. J'éprouvai la proximité de la mer. Dans un troquet où j'allai demander ma route, on me réserva bon accueil au milieu d'une partie de billard, on m'offrit un plan de la ville en même temps qu'un sandwich au fromage. Une photo du champion triomphant dans Milan-San Remo, en 1952, au bout de la Via Roma, surplombait le comptoir. « Une fameuse année... », dis-je. « Il y en eut d'autres ! » me dit le patron. Il avait raison. Que j'étais donc bête ! J'en oubliai dans le bistrot la liste des questions que j'entendais poser à Van Looy. (Cela n'avait guère d'importance, à vrai dire : ne voulais-je pas *tout* lui demander ?)

Dans la forêt aussi, je faillis m'égarer. À quelques bornes de Bruxelles, les panneaux et les arbres fléchés ne parlaient déjà plus que flamand : *Natuurpad – 't Peertsbos – Vlaams Bureau Top-Sport... Vorsebaarslaan – Bloso Centrum – Vlaamse Wielenschool.* On pouvait parcourir trente kilomètres et rester chez soi comme en terre étrangère.

Je m'assis dans la salle d'attente du centre sportif où j'avais rendez-vous. D'une cour de récréation toute proche me parvenaient des cris d'enfants. Les cris d'enfants sont les mêmes dans toutes les langues. Je n'étais plus dépaysé. Lorsque s'entrouvraient les portes vitrées du hall des feuilles mortes s'engouffraient par saccades, en crissant, en crépitant sur le sol cimenté, alors que le printemps, tout autour, semblait près d'exploser.

Au-dessus de ma tête, derrière moi, il y a encore un poster le représentant, *Lui*, avalant le mur de Grammont, les mains sur les cocottes, tirant un peu la langue.

Il tardait tellement que je me dis : pourvu que je ne me sois trompé ni de jour ni d'heure ; pourvu que je le reconnaisse quand il surviendra, s'il finit tout de même par arriver ; pourvu qu'il ne porte pas de barbe, ou qu'au moins je le remette s'il en a laissé pousser une… Et puis je me dis aussi : pourvu qu'au dernier moment il décide de ne pas me recevoir.

Les haut-parleurs dans la cour de récréation voisine déversent à présent des couplets anglais des années cinquante. Nous étions presque en l'an 2000. Il y a des périodiques exposés sur des présentoirs de fer qui montrent des gosses à cheval sur des montures futuristes, des adolescents d'un temps qui n'aurait même pas encore vraiment commencé. Cadres plongeants ou surbaissés, guidons torturés de triathlon, roues opaques, à rayons droits ou plats, à bâtons ou à lancettes. (Et pourquoi pas, tant qu'on y est, à rayons X ou ultraviolets ?) Casques profilés de mirmillons modernes. On ne sait qu'inventer pour aiguiser l'aérodynamisme des coursiers et réduire à quasi-rien la résistance de l'air sur leur passage.

« Tu trouves ça beau ? Non ? Tu as raison… Mais, tu sais, le vélo sur la route pèse toujours à peu près le même poids et les braquets n'ont pas vraiment changé. Quoi qu'on fasse, au parc des Princes ou au sommet de l'Alpe d'Huez, c'est encore toujours le coureur qui importe. Aujourd'hui, on développe ta musculation et on fait vibrer tes nerfs jusque dans leurs moindres fibres, mais, en même temps, l'athlète est moins libre qu'avant de se donner et d'improviser la course… »

Rik II se tient à côté de moi, il sourit d'un air goguenard, souhaitant, je pense, manifester seulement de l'ironie devant ce délire de sophistication auquel le sport qu'il a pratiqué naguère cède depuis que lui-même est parti à la retraite. Mais je perçois que le regard qu'il pose sur l'absurde vélocipède de l'an 2000 se voile d'un peu de désarroi. On croirait qu'une détresse secrète l'emporte chez lui sur la perplexité.

« Tu dois m'excuser pour le retard… J'ai dû aller chez un docteur. Je me suis fait une élongation, hier, après avoir suivi le circuit Het Volk. En descendant de ma voiture, le soir, j'ai senti une douleur… »

Alors je considère mieux ce jeune homme de soixante ans, sec et noueux comme un tronc d'olivier, son visage aigu, en lame de surin, pas rasé : à contre-jour, il semble qu'il n'ait pas un cheveu de gris. Il a seulement ces pattes d'oie au coin des paupières, mais elles ne datent pas d'aujourd'hui : on reconnaît celles qu'il avait déjà dans les années soixante. Il est possible que l'incomparable sourire, comme extasié, qu'il arborait chaque fois qu'il passait la ligne d'arrivée en vainqueur les lui ait peu à peu imprimées sur le visage. (Étrangement, c'est le même réseau de fines rides qui marquaient le visage de Léopold lorsque celui-ci, au fond d'une jungle ou au sommet d'une montagne, réglait la mise au point de son Rolleiflex pour s'assurer une bonne prise de vue.)

Pour la première fois, l'Empereur scrute à son tour celui qui est venu l'interroger sur son éclatant passé. Il remarque sûrement mes cheveux blancs : peut-être ceux-ci le déçoivent-ils un peu et eût-il apprécié de se découvrir un admirateur plus récent ?

Dans l'idée peut-être de me rajeunir, il m'invite à m'asseoir dans son bureau où il me fait apporter une limonade. Je crois bien que je n'en ai plus bu depuis l'enfance et, en ce temps, je détestais ça… Mais celle-ci, je la déguste à petites gorgées… À vrai dire, je voudrais que cette limonade ne s'arrête jamais.

Comme s'il se voyait lui-même ramené à cet âge de la vie qui vient ici de se rappeler à moi, et sans que j'aie à lui poser de questions, il raconte : « J'ai couru ma première course à quatorze ans. Sur le vélo de réserve d'un coureur oublié depuis. À l'époque, je livrais des journaux à domicile et, ainsi, je roulais cinq à six heures par jour : le meilleur des entraînements ! Tu te souviens de Van Impe ? Lui, il coltinait des cercueils ! Dans la catégorie des amateurs où j'étais inscrit, je n'ai pas vraiment brillé. Non, durant deux ans, je n'ai rien gagné. Puis, je suis passé professionnel : au début, cela ne marchait pas très fort non plus. Je me rappelle une étape, au Tour d'Italie, où je suis arrivé hors des délais, alors qu'on démontait déjà les tribunes ! Et je me rappelle aussi un Tour des Flandres où je me suis défoncé jusqu'à quinze kilomètres de l'arrivée et où je me suis écroulé d'une pièce sur les pavés. Mais c'était assez pour que Bobet me remarque, et que Rik Van Steenbergen demande autour de lui qui était ce garçon aux cuisses courtes mais énormes… Justement eux que j'admirais le plus, avec Fausto Coppi et Fiorenzo Magni ! Et voilà que, peu d'années après, tout d'un coup, je me suis mis à les égaler, j'ai été des leurs ! Naturellement, à l'époque où je te parle, je commettais encore beaucoup d'erreurs, je ne me souciais pas de tactique et l'esprit d'équipe m'était étranger… Je me sentais, je me voulais seul contre tous : telle était l'idée que je me faisais de la course, et je la rêvais déjà comme ça quand j'étais gamin. Plus clair, plus simple ! Pas de petits conflits, rien qu'une guerre totale… C'était le bon temps ! Ça ne pouvait durer… On disait que j'étais trop fier. En fait, ça m'arrangeait de devenir l'ennemi public, *l'homme à tuer* : c'est ainsi qu'on dit en français ? Alors, souvent, ceux qui me laissaient faire la course en tête et me suçaient les roues me débordaient au dernier moment et m'ajustaient sur la ligne. Les choses ont changé quand un directeur sportif a décidé de constituer une équipe autour de moi, une qui se mettrait complètement à mon service. »

Il en parle comme d'un orchestre recruté en fonction de son chef, ou de satellites gravitant autour d'un astre…

« On pourrait dire que tu as renoncé à l'héroïsme pour t'engager dans la stratégie ? » lui demandé-je. À ma grande surprise, je venais de recourir, moi aussi, au tutoiement.

« Mais il n'y a pas d'héroïsme sans stratégie ! se récrie-t-il. Il y a une course dans la course. Le plus souvent, le public et même les journalistes n'aperçoivent que le dénouement de l'affaire. Quand tu fais tout ce qu'il faut pour devenir le meilleur, cela commence à se savoir dans le peloton avant même que tu n'aies obtenu le moindre résultat, et ceux qui s'occupent de toi le savent avant toi. Un vainqueur, ça se fabrique. »

On disait de lui qu'il était méticuleux jusqu'au fétichisme. La bête noire des mécanos… À la fin, lui-même, dans sa cave, et parfois le matin même de la course, en fonction des renseignements qu'il avait glanés au sujet du parcours, du kilométrage, de l'état de forme et des intentions de ses adversaires, il bricolait sur le vélo qui allait lui servir, ne laissant plus le soin à personne de tester ses braquets ou de modifier la position de sa selle ou de son guidon. Au Paris-Roubaix, il utilisait un vélo muni d'une fourche incurvée et des boyaux en soie pour réduire les risques de crevaison. Il se montrait attentif à son régime alimentaire et mettait au point de stupéfiantes et draconiennes recettes personnelles. Était-il vraiment « trop fier » celui qui, de la sorte, ne négligeait aucun détail, ne laissait rien au hasard ? Cent fois il échafaudait le scénario idéal de sa course comme s'il allait plier mentalement ses rivaux à sa volonté.

« C'était un fameux coupeur de cheveux en quatre ! M'avait dit le soigneur Pierrot Lenoir, avec un affectueux agacement. Mais il arrive qu'on ne puisse qu'ainsi se payer le scalp de tous ses concurrents… »

« Quelle victoire t'aura laissé le meilleur souvenir ?
— Toutes et aucune… On ne choisit pas. Il n'y en a pas de grande, de moindre ou de petite. Toutes les victoires ont la même saveur et toutes les défaites sont amères. J'avais l'impression d'effacer mes victoires au fur et à mesure : la seule qui m'importait, c'était toujours la suivante, celle que je n'avais pas

encore remportée. Chaque course a sa valeur, et on peut ne pas se pardonner telle exhibition ratée, sans enjeu réel, dans un critérium de village… On ne se trouve jamais d'excuse. Et une deuxième place est un drame. Tu sais, le Cannibale pensait cela aussi et c'est pourquoi il est devenu le meilleur. Tu ne peux pas gagner si tu ne penses pas que la pire chose au monde serait de perdre !… Enfin, pour répondre à ta question, je revois comme si ça datait d'hier mon premier succès à Gand-Wevelgem, mon premier triomphe à Paris-Bruxelles ou ma victoire sur Miguel Poblet à San Remo… »

Son regard se perd comme s'il visionnait vraiment ces séquences aux couleurs criardes, stridentes, que le temps n'a même pas délavées.

Je m'en projette d'autres à côté de lui. Celle où on le voit, au championnat du monde, à Berne, en 1961, placer un démarrage d'une telle violence, lorsque le sprint s'emballe, que sa roue arrière explose ; il est déjà tellement lancé que sa monture, par miracle, ne se dérobe sous lui qu'après le passage de la ligne… Celle aussi, en forme d'*adagietto*, où on assiste à son troisième triomphe dans Paris-Roubaix, en 1965, alors qu'après une longue série de revers on commençait à le dire fini : sur le vélodrome, il a débouché tout seul, le dos rond, la tête baissée sur le guidon, l'air penaud, aurait-on dit, effondré, se relevant bien avant l'arrivée, qu'il passe presque dans une posture de vaincu : l'émotion l'a brisé. Ce fut l'unique fois où on le vit pleurer.

« Eh bien, non ! Je viens de réfléchir : je ne préfère même pas ces victoires aux autres… Un jour, j'ai compris que c'était *l'ensemble* de mes victoires, mises bout à bout, qui m'importait, comme si elles n'en formaient qu'une, et que c'était cela, ma vie. Or j'ai souvent perdu, et parfois d'un rien : à chaque fois, tout était à refaire. Il fallait alors forcer l'entraînement. Rouler à du 46 à l'heure quand, la veille, tu roulais à du 45. Quelquefois, je me demandais si cela avait un sens ; mais cela devait bien en avoir un, puisque j'étais si populaire, n'est-ce pas ? C'est ce que tout le monde *attendait* ; donc, que faire d'autre ? On a couru pour gagner de l'argent, pour simplement vivre ; certains jours, on s'est dit que ce serait de plus en plus dur, que ça ne finirait jamais… Mais voilà, ça finit quand même et, lorsque tout est terminé, on découvre qu'on est bien le seul à avoir gagné un si grand nombre de courses – aucun Tour de France, d'accord, mais trois cent soixante bouquets rien que chez les pros ! On se dit qu'on a eu une belle existence. Qu'on pourra bientôt s'acheter une maison très moderne, avec beaucoup de fenêtres et une grande véranda. (Tiens ! Tu sais que Felice Gimondi s'est ruiné en retapant un château en ruine ?) Et on sait qu'on y rencontrera plus souvent que par le passé cette femme qu'on a choisie au début de cette histoire et sans qui rien n'aurait eu lieu…

— Elle aimait la course ?

— Elle aimait la course quand je la gagnais… Donc elle l'a aimée souvent ! Le reste du temps, elle avait peur. Elle aurait, j'imagine, préféré que je gagne n'importe quoi d'autre.

— N'avait-elle pas raison de craindre pour toi ? Il y a tout de même eu cette chute entre Bayonne et Pau…

— Ce jour-là, j'ai pissé du sang, mais après tout je ne suis pas mort en course, n'est-ce pas ?

— Il faut quand même que je te raconte quelque chose qui m'a fort impressionné, il y a des années de cela. J'avais été te voir dans une petite course, pas loin de chez moi, près du lac de Genval. Tu avais bondi hors du peloton dans une côte, le long des papeteries ; je me suis penché par-dessus une barrière de protection… le temps de voir que Stan Ockers se lançait à ta poursuite en rasant la bordure du trottoir. Je me suis rejeté en arrière, il m'a frôlé : encore un peu et nos têtes se heurtaient, explosaient… Je crois qu'il t'a rejoint et battu, si je me souviens bien ? Or, quelques jours après, il se tuait au palais des Sports d'Anvers…

— Tu ne savais pas que j'étais tombé en même temps que lui et ce Hollandais, Voorting ? Son crâne a heurté le bois dur de la piste. On l'a emporté, nous n'avons pas su tout de suite qu'il était mourant.

— Et puis, il y a eu Rivière, Simpson, Coppi…

— Ce n'est pas tant la dope qui a tué Tom que les défis qu'il se lançait, les situations sans issue où il se mettait. En pratiquant un autre métier, il se serait peut-être tué aussi. Ce n'est pas non plus la course qui a tué Fausto, mais cette malchance idiote qu'il est allé chercher jusqu'en Afrique, parce que l'Italie ne l'acceptait plus ni vainqueur ni vaincu.

— Excuse-moi de revenir sur le sujet, mais, de la peur, vous en parliez, ta femme et toi ?

— De la sienne ou de la mienne ? De la sienne, elle n'aurait pas pu me parler, car elle savait que cela me paralyserait sur la route… La mienne, je ne la ressentais jamais qu'entre les courses : tu sais, quand les images reviennent en mémoire, de tel virage qu'on n'avait pas prévu, ou de tel coureur qui fait soudain un écart inattendu ; mais quand on dévale un col à 90 à l'heure, on n'a pas le temps de l'éprouver… Finalement, je suis tombé peu de fois sur vingt-deux années de carrière ; j'ai fait vingt-cinq cabrioles, peut-être, en tout et pour tout, à peine un peu plus d'une par an ; je ne me suis brisé qu'à cinq reprises une clavicule – quatre fois la gauche, une seule fois la droite –, je ne me suis cassé qu'une fois un bras, ma tête n'a heurté qu'en deux circonstances le sol… » Il eut un petit rire joyeux. « Il y a bien eu ce rein, oui…, et la vessie que le guidon d'un motard a perforée entre Pau et Bayonne… Mais des séquelles, non ; on l'a dit, mais non, vraiment je ne pense pas. La plupart des chutes, deux heures après les avoir faites, on n'y pensait plus ! C'était beaucoup moins dur qu'un accouchement, non ? C'est ce que les femmes disaient, alors… Ça doit être vrai ! »

Ainsi que lui-même reliait entre elles ses victoires successives comme s'il ne s'agissait que d'une, interminable, quasi monotone, je me surpris à récapituler mentalement ses chutes s'enchaînant les unes aux autres. J'en eus le vertige.

Bonheur donc à celui qui peut se vanter de n'être pas tombé plus de vingt-cinq fois sur l'espace d'une vie, et d'avoir peu cassé de ses os ! Gloire soit rendue à son sens de l'équilibre...

Rik, en « raccrochant », acquit un haras. Fut-ce pour demeurer, plus que jamais, centaure ? Harmonieuse reconversion !

« Nous n'avions que quelques pur-sang, que nous préparions pour les concours hippiques. Nous étions très fiers : c'étaient des bêtes magnifiques. Puis, nous avons vu le traitement qu'on leur fait subir pour qu'elles donnent le meilleur d'elles-mêmes. Avant de les lancer sur le parcours, on leur frictionne les jarrets avec de l'ammoniaque, ou bien on leur emmaillote les pattes dans des fourreaux farcis de verre pilé ou de capsules de bouteilles de bière : si elles touchent l'obstacle, la souffrance qu'elles ressentent les pousse à sauter plus haut et elles survolent la haie suivante... Ça ne nous a pas intéressés longtemps... Au moins, un coureur qui se shoote ne s'en prend qu'à lui-même ! Alors autant revenir au vélo, et s'intéresser aux gamins qu'il fait encore rêver...

— Préparer les champions de demain ?

— Mais non ! Pour rien au monde ! Jamais je ne pousserais aucun de ces gosses à choisir ce destin de fou ! Je les considère tous avec le même regard : parfois, ils ne savent même pas qui j'ai été autrefois... Cela m'arrange bien : je ne souhaite pas qu'aucun d'eux bouleverse sa vie à cause de moi, tu comprends ? À cause de ce que j'aurais fait au moment où je l'ai accompli... Il fut un temps où on vendait des chaussettes marquées à mes initiales. Elles figuraient aussi sur des parapluies et des chapeaux, tu te rends compte !... Par bonheur, il y a une éternité que tout cela a disparu de la circulation ! »

Il a à nouveau un petit rire sec comme une toux.

« Si l'un ou l'autre aspire vraiment à devenir coureur, alors il peut toujours m'en parler et il découvre combien dure, au fond, a été ma vie… Souvent cela le décourage, et il renonce… »

Une belle vie…, avait-il dit un instant plus tôt. Et à présent : une dure vie… une vie de fou ! Et c'était pourtant bien la même. Une vie follement dure et belle. Mais les enfants qui venaient le consulter l'entendaient-ils ? La souffrance et le bonheur de cette chose n'étaient-ils pas pareillement impossibles à traduire ?

« Merckx te reproche de t'être accroché trop longtemps… Il pense que tu aurais dû te retirer en pleine gloire, sans courir une course de trop…

– Il a dit ça, je sais. Moi, je regretterais à l'inverse que lui-même soit parti un peu tôt… Il laissait un tel vide derrière lui ! Comment lui succéder ? Aucun héritier n'était prêt. Cela valait-il mieux, tu trouves ? C'est une question à laquelle j'ai beaucoup réfléchi, et je crois à présent qu'il n'y a pas d'heure idéale pour la retraite. Chacun choisit celle qui lui paraît la bonne. Tu sais, le grand Fausto dont nous parlions tout à l'heure ? À la fin, c'était un vieux coureur, il tombait souvent et il se relevait de plus en plus difficilement : il arrivait parfois avec un quart d'heure de retard sur le peloton…, mais il n'avait pas abandonné ! On pourrait l'admirer aussi pour cela. Tu crois que quand tu as pris, un jour, près de trois quarts d'heure dans l'Izoard à tous les poursuivants, cela a encore de l'importance de "bien finir" ? »

Je repensai à la course de Genval où Ockers avait débordé l'Empereur. Coppi, lui, n'avait mené qu'un tour puis était rentré dans le rang. Il avait l'air d'un histrion mélancolique. On l'avait ovationné. Rik avait raison : ce n'était pas le Coppi d'alors que l'on venait voir courir, le mauvais cheval, le tocard, mais l'invraisemblable sosie d'un héros de légende. Il peut toucher au sublime, celui qui ne craint pas d'exhiber son déclin et ne se laisse pas oublier à l'ombre de sa déchéance.

C'est une loi du genre que tout superchampion doive perdre un jour sa couronne. Il a sans doute droit à l'estime s'il sait s'effacer au bon moment. Mais il est permis de préférer ceux qui ne cherchent même pas à finir en beauté et courent le risque d'offrir en prime à leurs fans le spectacle de qui ne s'incline jamais, même pas devant l'évidence d'une longue théorie de défaites et l'urgence d'une passation de pouvoir : ainsi nous annoncent-ils qu'un jour proche ils ne seront plus là. Ils nous inspirent la même nostalgie qu'un soir d'été finissant, la confidence fragile d'un père nous révélant qu'il a vieilli. Le deuil, alors, peut doucement commencer.

« Moi, dit-il, jusqu'à la fin, je me battais encore comme un débutant qui a tout à prouver. Je roulais aussi contre Eddy. J'arrivais parfois à le battre, ou à l'empêcher de gagner. Mais j'avais trente-cinq ans, il devenait le plus fort. Un jour, j'avais longtemps "chassé" derrière lui, j'ai pris sa roue, j'ai refusé de mener. C'était de bonne guerre, non ? Néanmoins, il m'en a beaucoup voulu... Or il avait plus de dix ans de moins que moi. Qu'aurais-je dû faire ? L'amener à l'arrivée dans un fauteuil ? »

« Écoutez..., m'avait dit le Cannibale. (Cela me revenait.) Comment vous expliquer, monsieur ? Rik cherchait à me diminuer, il me narguait, sachant que nous perdrions tous les deux cette course... Il y a eu un froid entre nous, c'était inévitable, et ça a été irréparable. »

« Cela ne l'a pas empêché, commente l'Empereur, de devenir le meilleur coureur de tous les temps... »

Mais cette humiliation, à l'aube de la carrière de l'un, au crépuscule de celle de l'autre, n'avait jamais été ravalée. Comment ne pas les comprendre tous deux ? Soudain, j'avais envie de retourner chez le Cannibale. De dissiper ce malentendu, d'effacer cette querelle. Oui : n'étais-je pas celui qui pourrait le mieux les réconcilier ? Ils n'avaient plus jamais créé ni trouvé l'occasion de se reparler dans les pelotons. Ils resteraient sur ce sentiment de discorde, n'était-ce pas absurde ? « L'Empereur ne tient sur vous que les propos les plus élogieux, le saviez-vous ? » demanderais-je au Cannibale. « Tous deux, vous vivez encore au milieu des bécanes : vous, Eddy, vous en vendez jusqu'à Singapour et en Corée... Lui règne sur sept cents jeunes débutants... » Et puis, non : je voyais bien que mes arguments ne porteraient pas. Si j'en faisais à ce point une affaire personnelle, n'était-ce pas que j'entendais surtout renouer les fils de deux périodes de ma propre vie, recoller les morceaux du passé ? « Je ne crois pas que cela va m'intéresser », m'avait dit l'Empereur, au téléphone...

« La passion de courir ne m'avait pas quitté, épiloguait le Tigre de Campine, mais tout ce qui entourait la course me pesait. J'avais trente-sept ans, deux ans de plus qu'au moment de l'affaire avec Eddy. Je me rappelle une kermesse dans le Limbourg. J'étais arrivé huitième. Tous mes anciens compagnons s'étaient dispersés dans d'autres équipes. Je me sentais devenu comme un étranger dans le peloton. J'ai décidé d'arrêter. Et que je ne ferais même pas une "tournée d'adieux". Mes adieux, je les adresserais en une seule fois... Ma décision d'arrêter sur-le-champ, je l'ai annoncée à ma femme en rentrant à la maison. Je n'étais pas triste. »

Si, ce matin, sur la route qui me conduisait ici, j'avais éprouvé une joie presque puérile et, au fur et à mesure que je me rapprochais, je m'étais senti la gorge serrée, n'était-ce pas que cette rencontre tardive, presque saugrenue, avec un champion cycliste qui avait – Dieu sait pourquoi – enchanté quelques dimanches de mon adolescence, m'offrait une occasion inespérée de vérifier le passage du temps et de mesurer non pas vraiment la fuite de sa jeunesse mais de la mienne ? Voilà donc derrière quoi *je courais* moi-même ? J'avais traversé les déserts de l'enfance ravinés par mille chagrins, j'avais traversé Rebecca et sillonné les merveilles du monde, titubé en funambule sur le fil de l'existence, et j'avais abouti ici, dans une clairière campinoise éclaboussée de lumière, et rien n'était aussi actuel, contemporain, que mon admiration pour un *has-been* au visage d'hidalgo, si peu marqué lui-même par l'âge et les épreuves. Et je n'étais venu que pour me replonger dans cette préhistoire de ma vie, cette période antédiluvienne et ingrate, que ses exploits avaient parfois rachetée.

Il ne devait même pas être vraiment triste, non, le soir où il était rentré chez lui pour de bon, après un ultime « tourniquet » raté à Walkenswaard. Il devait avoir souri comme il le faisait ici, à l'instant : oh ! ce sourire rusé, comme de qui jubilerait d'avoir, encore une fois, joué un tour au destin, ce sourire dont la photo avait assuré, par ricochets, la pérennité au-delà de toutes les frontières, ce sourire qu'il s'adressait surtout à lui-même : je pensai tout à coup que c'était celui d'un homme qui avait toujours été plus heureux que moi je ne le fus jamais, même aux instants sombres de sa plus noire défaite. Contre l'évidence, je fus convaincu que les rares revers de mon champion préféré me désolaient, sans doute, à l'époque, plus que lui-même. (Tel est, du reste, le désespoir de tout *supporter* qui, à la différence du coureur, du joueur, du pugiliste, lesquels, au moins, peuvent se satisfaire d'avoir bien combattu, d'avoir livré un beau match, reste insatiable, inconsolable. De combien d'amertume il paie ses grandes joies ! Et que cela ressemble au sort de quiconque n'existe que par personne interposée !)

Quelque chose venait de s'accomplir. J'eus le sentiment que, d'un seul coup, tous les étés, tous les dimanches, toutes les heures creusées autrefois par une sorte de misère morale n'étaient plus là, et qu'un rideau de théâtre était tombé, qui m'en séparait à jamais. J'en étais délivré comme d'un charme. Je pouvais, me disais-je, ressaisir le fil des choses là où il s'était interrompu, me réveiller là où j'étais entré en sommeil, reprendre le livre de ma vie là où il avait cessé de s'écrire. Tandis que l'Empereur était rentré un soir chez sa femme pour lui annoncer qu'il ne roulerait plus, j'allais ce soir rentrer au square du Bois-Profond, chez Joy, cette Joy qui m'avait engagé « à remonter sur mon vélo ».

Mais cette impression dura peu : je n'eus pas le temps de m'y attarder, de vérifier qu'elle s'abreuvait bien aux sources du réel.

« Tu n'as pas gardé de relations avec ceux que tu côtoyais alors ?

– Très peu. Deux ou trois… On se revoit en famille… Anquetil, jusqu'à sa mort. Normal : j'avais un peu appris le français à son contact dans les pelotons… On se parlait beaucoup, lui et moi : on ne cherchait pas à gagner les mêmes courses, cela aidait ! Mais quand j'ai arrêté, j'ai voulu rester un peu loin de *tout ça*. »

Machinalement, je me suis levé, comme si je pensais que l'Empereur venait de me signifier la fin de l'entretien. Mais comme il reste assis et paraît même surpris par mon mouvement, je vais seulement vers la fenêtre et je lui demande encore :

« N'y avait-il pas quelque chose d'essentiel que personne n'aurait jamais dit à ton sujet ? Dont tu aurais été étonné que cela échappe à l'attention de tous ? Une question qu'on ne t'aurait jamais posée ?

– Je ne sais pas… Quelquefois des journalistes m'ont prêté des propos que je n'ai jamais tenus… Je ne leur en veux pas. Moi-même, j'ai dû commenter des courses à la radio flamande… Juger des coureurs qui n'étaient pas de mon époque, à vrai dire, cela ne m'emballait pas : comment comparer ? Je n'avais aucune opinion à formuler sur les hommes. Ils avaient tous vu le feu, tu comprends ? Ils savaient tous ce qu'ils valaient, *qui* ils étaient. Là-dessus, ils seraient incapables de se mentir à l'avenir. Celui qui vomit d'épuisement n'a plus la force ni l'envie de se jouer la comédie. Alors je n'allais tout de même pas leur attribuer des bons ou des mauvais points !… D'ailleurs, à vrai dire, seule la course m'intéressait : tout ce que, dans son déroulement, tu ne peux apercevoir que de l'intérieur. Et aussi les courses les unes par rapport aux autres ; dans le temps, tu saisis ? : vues en perspective. »

Il devenait rêveur. Il devait lui sembler qu'on abordait l'unique question qui lui importât vraiment, mais qu'on n'irait pas plus loin : elle resterait son secret. Nous nous taisions, attentifs à cette énigme, ce mystère qui n'arrivait pas à s'exprimer. Des enfants flamands sortaient de l'école voisine ; je crois bien qu'ils chantaient en anglais.

« Encore un dernier détail, Rik… Est-ce que, dans les années cinquante, il ne t'arrivait pas de t'entraîner en solitaire sur la colline de W. ?

– W. ? C'est bien possible. Mais je ne me souviens que des courses, pas des entraînements. La course efface le souvenir de ce qui la précède. Pourtant là, non, je ne pense jamais y être allé. Pourquoi ? Tu connais l'endroit ?

– J'y allais parfois, naguère. On y rencontrait même des rois, imagine ! Je pensais t'y avoir aperçu. À propos, le Roi t'a, bien entendu, invité au Palais ?

– Plusieurs fois. Baudouin aime bien les coureurs cyclistes. Je crois que c'est parce que nous lui rappelons que son pays existe… Ce serait idiot de le couper en deux, non ? Tu m'aurais vu champion du monde au nom de la Flandre *seulement* ? Pourquoi pas de la Campine, ou de mon patelin ? Ou de ma femme et de moi ? Autant casser en deux aussi nos vélos ! Une roue de chaque côté de la frontière linguistique…

– J'ai sûrement oublié une question ou l'autre…

– Si tu t'en souviens, tu peux toujours me téléphoner après 8 heures à la maison. Allez, je te ramène à ta voiture. »

En regagnant la grand-route, j'ai allumé la radio de la Fiat. On passait justement une émission au cours de laquelle les auditeurs étaient invités à dialoguer avec des spécialistes sur l'utilité de l'institution monarchique. J'ai rigolé à part moi. J'ai coupé. Je quittais Herentals comme sans m'en apercevoir. En passant sous la voûte de la Zandpoort, de la porte de Sable, et en longeant un bout de rempart, j'eus un repentir et je me dis qu'il était dommage de ne pas s'attarder ici, de ne pas chercher au moins un plan de la ville au Syndicat d'initiative, pour conserver un souvenir d'elle… J'étais tellement troublé que je fis une fausse manœuvre : ma roue avant droite mordit sur la piste cyclable et je faillis renverser un cycliste… C'eût vraiment été un comble !

« Oh ! Je sais bien que je ne serai jamais prince…, dit Samuel. Pour ça, je ne me fais pas d'illusion !

— Et il n'arrête pas, dit Joy, de faire de beaux portraits de princesses dans tous ses cahiers… À l'école, l'institutrice a demandé aux élèves de représenter leur maison et leur chambre. Il était fort embarrassé : il ne savait entre lesquelles choisir, puisqu'il vit ici, au square, mais loge souvent chez son père et parfois chez toi… Alors, il a dessiné un grand palais avec des dizaines de chambres pour lui-même, ses parents, la nouvelle femme de son père, et toi… Toi, tu as une chambre au dernier étage, tu es assis devant la fenêtre, et tu écris dans un cahier l'histoire des rois et des reines. Nous étions enfin tous réunis dans le même lieu — princier, comme il se doit… »

Le dimanche, à l'heure de la sieste, Samuel s'assied par terre et dispose autour de lui ses poupées. Il déshabille toutes les filles et les laisse ainsi nues face aux Supermen et aux animaux, il leur attribue à chacun des noms qui changent à chaque jeu — parfois ce sont les nôtres, de sa mère et de son père, et des nouveaux venus dans leur vie —, et il s'emploie à résoudre, calmement, leurs problèmes de cœur. Disputes, réconciliations, départs, retours… Sans cesse il remet en question les couples, les dissocie, les sépare, les apparie autrement, les fait se croiser ailleurs. Cela fait un feuilleton à côté duquel ceux qu'il suit à la télé semblent d'une simplicité et d'une banalité enfantines.

« Tu sais qu'en anglais "Tu me manques" se dit "*I miss you*" ? J'aimerais beaucoup recevoir une "île flottante", au dessert : tu peux rire ! je sais que cela doit dans ton esprit tenir à "mon côté britannique", n'est-ce pas ? Ce matin, en me réveillant, j'ai aperçu un écureuil juché sur la plus haute branche du marronnier et qui nous regardait fixement. À ce propos, figure-toi que Samuel ne supporte même pas qu'un homme me regarde dans la rue. Il se met immédiatement à taper du pied, il dit qu'il va courir jusque chez toi pour t'avertir… Tu vois ce vieil homme qui traverse le square ? Il y a vingt ans qu'il a l'air aussi chenu, qu'il marche aussi difficilement, mais les années passent, et il est toujours là, le même… Ce matin, au marché, j'ai revu mon amie touareg : elle dit que tu devrais me faire un enfant et qu'elle viendrait le garder lorsque nous irions au cinéma. Samuel ? Il croit que, si c'est une fille, nous devrions l'appeler naturellement – « Vanessa ». Tu sais bien : le nom de sa meilleure copine à l'école. Il fait beau : pourquoi n'irions-nous pas à la mer ? Tu savais que Charleville-Mézière est l'une des municipalités les plus illettrées de France ? Qu'est-ce que Rimbaud aurait dit de ça ! Tu repenses encore parfois à notre escapade à Cassis ? Et comme je voulais voir les calanques ? Le temps, rappelle-toi, de trouver un bateau qui en fasse le parcours, un incendie s'est déclaré tout autour de la ville ; et le bateau-mouche est devenu un Radeau de la Méduse où nous recueillions les alpinistes japonais en perdition ! Il paraît qu'il faudra bien vingt ans pour que la flore se reconstitue, là-bas… Tu entends de nouveau cette pie ? Tant qu'elle ne s'en prend qu'au geai, je ne m'en occupe pas : cela se passe entre eux, les grands oiseaux. Hier soir, à la télévision, on a passé un documentaire sur les derniers moments de Staline – quoi qu'il ait fait, j'aime bien cette expression : le petit père des peuples ; il vivait presque seul dans une immense *datcha* aux volets clos en permanence, parmi des meubles recouverts de housses qu'on ne prenait même plus la peine d'enlever ; il s'endormait, le plus souvent, tout habillé, dans sa capote militaire, assommé par la vodka ; le serviteur qui l'a trouvé, un matin, déjà à moitié mort n'a pas d'abord osé s'en approcher... J'aimerais me mettre en marche à côté de vous, mon amour, afin de partir à la découverte de tous les pays que nous ne verrions pas l'un sans l'autre : il doit bien y en avoir ?

Ce coureur cycliste, demande-t-elle enfin, qu'a-t-il pensé de tes questions ?

– Oh ! C'étaient des questions très banales, il n'attendait pas toujours que je les aie formulées pour me répondre. Ce sont plutôt ses propres réponses, je crois, qui l'étonnaient... À la fin, il m'a demandé ce que je comptais "faire avec toutes ces notes" ? "Je ne sais pas trop, une sorte de roman", lui ai-je dit, en manière de boutade, bien sûr. "Un roman ! s'est-il exclamé. Mais je suis tout de même *vrai* ?" Il avait l'air effaré. Cela m'étonnerait qu'il en ait jamais lu un seul. Le roi Léopold, non plus, n'en lisait pas. Il se distrayait, paraît-il, en résolvant des problèmes de mathématiques.

– Un roman..., répète-t-elle, songeuse. Mets-toi donc à sa place : c'est un peu bizarre, en effet... »

Aurais-je dû plutôt parler d'enquête, de reportage ? Je prenais des notes tout le temps, espérant qu'à la fin il n'y aurait qu'à les jeter pêle-mêle dans un grand entonnoir, en sorte qu'elles s'emboîteraient, s'ajusteraient d'elles-mêmes les unes dans les autres. Je les appelais mes « pense-bêtes », et j'en perdais beaucoup ou bien n'arrivais plus à les relire. Mais, à chaque perte, je me sentais forcé de réfléchir plus, de pousser plus loin ma recherche.

On raconte qu'ils se sont connus, le Roi et *elle*, sur des *links* de golf. Que rien ne pouvait la freiner lorsqu'elle ambitionnait quelque chose. Que, bien avant de l'avoir rencontré pour la première fois, elle s'était dit : « J'épouserai, un jour, cet homme-là ! »

Qu'elle l'avait aperçu en 1933 alors qu'il était encore prince, à l'occasion d'une revue des troupes au boulevard de Waterloo. Qu'elle l'évoqua, peu de temps après, dans une dissertation scolaire qui portait sur le sujet : « L'homme que j'admire le plus. » Qu'elle le revit en 1935, en 1937, à des inaugurations officielles. Et aux courses, à l'hippodrome d'Ostende. Que c'est là qu'il la remarqua. En 1934, elle figure à une *garden-party* donnée en l'honneur de la reine Wilhelmine des Pays-Bas. Elle a été éduquée en anglais, comme le Roi et, comme lui, elle est sportive. Elle skie, elle patine, monte à cheval, tire… Sur les photos d'elle qui circuleront plus tard, le plus souvent pour la stigmatiser, la proposer à l'ire populaire, elle arbore déjà ce visage d'une régularité parfaite, un peu dur, de Diane chasseresse, avec ses cheveux noirs en ailes de corbeau, aux reflets bleutés. (Enfant, je trouvais qu'elle ressemblait à la méchante reine qui, dans l'histoire de Blanche-Neige que j'avais reçue, en « Bibliothèque rose », demande chaque jour à son miroir si elle demeure la plus belle femme du royaume. Et, à l'époque, je comprenais mal le miroir lorsqu'il la désavouait.) Cette beauté de Lilian Baels, même ses plus farouches détracteurs ne chercheront guère à la dénigrer : ils préféreront s'en servir comme d'un argument contre elle, ou une circonstance aggravante du crime d'exister à côté du Roi.

Elle est la fille d'un homme qui fut conseiller communal, échevin, député, gouverneur, ministre… Mais on va découvrir qu'il fut armateur, et président des pêcheries d'Ostende. Cela vaudra à Lilian d'être baptisée bientôt la « môme crevette ». (Lorsque, enfant, je l'entendis pour la première fois appeler ainsi, je ne perçus pas la péjoration : je l'imaginai un peu sirène, et j'en tombai vaguement amoureux.)

Mais nous n'en sommes pas là. Revenons à la Capitulation, au discours du républicain Président Paul. Lilian a une altercation avec des officiers français qui insultent le Roi ; ils brisent les vitres de sa voiture, s'emparent de la clé de contact et la jettent dans un caniveau. Au demeurant, elle est infirmière au service volontaire de la Croix-Rouge. Elle écrit une lettre de fidélité à Léopold, qui recevra celle-ci longtemps après. On reproche au père de la jeune femme un abandon de poste. Elle intercède en sa faveur. Elle est décidément vouée aux réhabilitations difficiles. La Reine Mère l'invite au Palais, voyant d'un bon œil de tendres liens se tisser entre son fils et cette belle roturière. Les parties de golf peuvent se jouer aussi à Laeken : l'exercice de ce sport et quelques promenades dans le parc favorisent les épanchements.

Il faut se le figurer, ce roi enfermé dans un parc avec une femme, et la passion de cette femme, sa sauvage, sa péremptoire ardeur, sa beauté sombre. Elle apparaît comme en négatif, blanche, éblouissante au-dedans, et nimbée de noir anthracite... Mais Léopold est photographe : il sait lire le filigrane, l'inversion, la vérité d'une image. Il découvre Lilian en positif. En même temps, ce visionnaire est un naïf, un myope, un étourdi. Que va-t-il donc imaginer – quand il contemple la réalité ? Qu'on saurait, dans un pays mis en esclavage, la lui pardonner ? Il ne voit que la réalité d'une femme, et qu'elle est magnifique pour lui : voilà qu'il peut donc encore aimer ?

Comment n'aperçoit-il pas qu'elle sera, cette image, insupportable à tout autre, ou presque ? Faut-il qu'il soit coupé des réalités de la guerre, donc de ce monde ! Croit-il naïvement avoir encore droit à une vie privée qui s'écoulerait à l'écart de l'Histoire ? Alors que la vie d'un roi n'est privée, justement, que de ce droit-là ! Et que tout bonheur, dans son cas, ne sera jamais qu'usurpé, volé au peuple...

D'un coup, il redevient un homme qui oublie qu'il est un roi qui n'aurait jamais dû le devenir, sans doute. Sinon que nous aurions peut-être besoin, de temps à autre, de tels rois sans vocation particulière. (Des hommes qui auraient plus de transports que de conscience professionnelle…) Nulle constitution nationale ne prévoit le droit à l'amour, fût-ce – ou *a fortiori* – celui des souverains… C'est bien sûr une absurdité, mais comment ne pas se mettre à la place des constituants ? Les amours des rois jetées en pâture au public sont presque toujours ridicules. Et comment ne le seraient-elles pas ? Elles sont faites pour cela ! D'ailleurs, la chose arrange parfaitement tout le monde… Sauf peut-être les rois eux-mêmes. À moins que cela ne les mette à l'abri, sous l'idiotie « iconographique » ?

Léopold tomba vraiment amoureux, le pauvre, dans des circonstances et dans un monde où un tel amour ferait d'emblée scandale. N'a-t-il pas déclaré qu'il se constituait prisonnier de l'ennemi, sur place, pour demeurer solidaire de son peuple ? C'est-à-dire déculotté, tout nu, quoi. Et seul. Or ce peuple de captifs, bien plus que lui prisonnier encore, est privé de femmes… Et les femmes sont séparées de ce peuple d'hommes captifs, emmenés au loin…

Tous ceux-là ressentent comme une pendable amnésie, une ironique trahison, l'idylle du Roi. Alors, parfois, ceux qui, dans leur baraquement, au *stalag*, avaient punaisé un portrait du monarque au-dessus de leur châlit l'ont balancé par la fenêtre ; et leurs femmes, qui l'avaient posé, encadré, sur la TSF ou au-dessus de la cuisinière, l'ont fait glisser dans la corbeille à papier.

« Cet imbécile, pensent beaucoup, s'est laissé marcher sur les pieds par ceux qui se débinent à Londres – comme si on pouvait croire à ces magouilleurs-là ! » Mais cela, on pouvait encore l'accepter… Ils se sont dit : il doit *faire avec eux*, il n'aura pas d'autre équipe sous la main avant la fin des hostilités. En revanche, qu'il se mette à « courtiser » en pleine guerre, comme si de rien n'était, cela dépassait les bornes ! « Car nous, au moins, nous n'avons pas oublié sa première femme, une vraie *princesse*, celle-là, et qui voulait le bien du peuple… »

Il est permis, somme toute, d'être vaincu si on reste veuf. Même si on sait qu'un roi retenu en son château ne partage pas les épreuves de la déportation, il demeure présentable. À condition cependant qu'il respecte la période du deuil. Et seule la solitude d'un deuil quasi perpétuel sied à Léopold. Comment pourrait-il oublier Astrid ? D'autant que tout est devenu noir, l'ignore-t-il ? Il est loin, le temps où le prince héritier pouvait se précipiter vers une femme de blanc vêtue, juchée au sommet d'une passerelle de navire : tout s'est inversé, depuis lors…

Et même le corps de ceux qui n'ont pas été déportés, qui sont passés entre les mailles du noir filet, il est devenu gris, au fil des mois – il emprunte cette couleur à leur fatigue, il survit au prix de mille trois cent cinquante calories par jour en moyenne, au lieu des deux mille sept cents qu'il consommait avant guerre, ou des deux mille indispensables. Contre des timbres dont la trame grossière se souille entre le pouce et l'index, on peut encore se procurer quelques *ersatz*, qu'on ne s'arrache qu'en période de crise : du malt, de l'orge torréfiée, du gruau, du lait écrémé, des œufs en poudre, de la farine de châtaignes, de la poussière de navets, des rutabagas, de la soupe dite « bavaroise » (par dégoût, sans doute, car nul ne saurait dire de quoi elle se compose…).

Comment s'étonner, lorsque les réverbères et le carreau des lampes de poche sont passés au bleu, et les phares de voiture occultés à la nuit tombée, que le marché soit noir, si noir ? Un œuf vaut huit francs belges de l'époque, un kilo de beurre : cent soixante, et un pneu de vélo : plus de mille. On peut encore faire appel aux mineurs pour négocier un peu de charbon. Sinon, on devra bien se contenter des *boulets* de poussier aggloméré ou d'un peu de bois ramassé à la sauvette. Il arrive que les femmes se peignent les jambes pour faire croire au hâle ou au « nylon » (« le brunifiant Mon Rêve remplace avantageusement le bas ! »)

ou qu'elles dessinent au pinceau une ligne bien droite, imitant la couture à l'arrière de la jambe, et elles portent des souliers à semelles de bois, noir lui aussi. On vit à l'heure allemande – et, en hiver, dans l'obscurité jusqu'à 8 heures du matin.

Avec toute cette noirceur alentour, a-t-il pu croire un instant qu'on ne l'attaquerait pas là-dessus, évidemment : qu'il avait dans les faits renoncé à partager le sort des prisonniers, célibataires absolus, à propos desquels, depuis certaine visite malencontreuse à Berchtesgaden, il ne s'exprimait plus ? Ces prisonniers qui, la veille, se convainquaient qu'il était un des leurs – et leurs femmes qui les attendaient, sevrées d'amour, à la maison – découvrirent, en même temps, qu'on pouvait encore, dans la cage dorée de Laeken, roucouler comme des colombes. La Reine Mère est aussitôt soupçonnée d'avoir joué les entremetteuses et d'avoir même abrité, dans les serres tropicales ou le Pavillon des palmiers, la concubine en mal de régularisation matrimoniale tandis que les prisons allemandes ne désemplissaient pas de détenus pourvus de plus authentiques pedigrees.

On ne se prive pas, dès alors, de souffler aux éditorialistes séchant sur leur copie les slogans qui s'imposent : « Allons ! le Roi s'amuse ! » et « Nous vous pensions, Sire, penché sur notre sort quand vous ne l'étiez que sur le sein d'une femme… » (Suivait une longue et envieuse description de la susdite : « Ah ça ! Quelles épaules elle a, Léo, ta concubine ! Rien à dire, à objecter ; on se mettrait volontiers à ta place, déposant un front de roi défait et déchu entre ces épaules-là, et oubliant tout le reste : nation, peuple, vache, cochons, couvée… Dis donc ! Elle a dû te faire craquer comme une allumette ! T'allumer comme un lustre dans une salle de bal… » Ah ! Ce ne serait plus en songeant au veuf soudain consolé qu'on reprendrait en chœur les paroles de la chanson que Marjane goualait alors : « Je suis seule, ce soir… » !

Et puis, aussi : « C'est à la sueur de notre front qu'il entretient sa maîtresse conjugale… » Et bientôt : « Gai, gai, marions-nous ! »

Car mariage il y eut, bel et bien, mais morganatique, dans la plus stricte intimité d'une chapelle, et ensuite un saule pleureur fut planté dans le parc d'Argenteuil. Entorse à la Constitution qu'on apprit par lettre cardinalice. C'était le jour de l'attaque japonaise sur Pearl Harbour.

Dure journée pour la Reine ! La Reine ? Non, justement, l'autorité ecclésiastique soulignait que l'heureuse élue n'avait consenti qu'à condition de ne pas le devenir… Certains n'en déduisirent-ils pas qu'on antidatait peut-être seulement la chose pour légitimer en catastrophe un moutard conçu des œuvres royales ?

Lilian ne porterait que le titre de « Princesse de Réthy » : celui-là même dont Élisabeth ou Astrid se servaient naguère pour protéger leur incognito. Funeste présage. Voilà un demi-anonymat dont pèseraient lourd les implications symboliques. Car, de cette modestie, de cet effacement même dans la simplicité, sinon dans l'ombre, il était moins clair que Lilian, aux yeux du peuple, ne tirerait aucun avantage. À tant faire, il eût mieux valu pour elle, pour lui, qu'elle jouât jusqu'au bout la carte du prestige monarchique : qui sait si celui-ci ne les aurait pas protégés de maintes avanies ?

Quelle histoire, ce nom, quand même ! Un peu comme si Élisabeth disait : « On va faire semblant que tu es la femme de Léopold, mais on sait bien que ce n'est pas vrai… On *joue*. » D'autre part, Léopold, lui, aura voyagé avec trois femmes portant exactement le même nom « d'emprunt ». Étrange affaire.

En se contentant de devenir princesse, elle dont le sang n'était pas bleu, elle s'aliénerait beaucoup d'aristocrates et n'en imposerait ni aux bourgeois, petits ou grands, ni au bon peuple. Allez donc savoir pourquoi, mais cela ne plut pas, surtout à maints socialistes, que cette fille n'appartînt pas au Gotha, et que le souverain – pour une histoire de cœur ou de cul, quelle différence ? – ait porté son choix sur une roturière. À celle-ci, il serait fait reproche de son acte d'humilité même, où on croirait devoir lire comme un embarras, une ultime gêne, et l'aveu d'une sorte de consciente usurpation.

Le Cardinal eut beau jeu de souligner que les très religieuses noces n'emporteraient aucun effet de droit public et n'intéresseraient que la vie privée du monarque. C'eût dû être une évidence, une précision que l'on pût passer sous silence. Mais il est dit que les rois en général, et celui-ci en particulier, ne font jamais, surtout lorsqu'ils n'y songent pas, que de la politique.

Parce qu'elle venait après Astrid, qu'elle n'émanait que d'une « famille honorable » (*dixit* le Cardinal, au terme d'une gratification un tantinet réticente), parce qu'elle renonçait à régner, et qu'il y avait la guerre, jamais hyménée n'apparaîtrait autant comme affaire d'État, et affaire de tous – quand Léopold avait espéré, contre toute espérance, préserver un temps la clandestinité, le secret de cette union. Dans un de ces rares accès de grossièreté, auxquels il ne cédait qu'au tréfonds de l'amertume, il se dit : « Bon Dieu ! Mais c'est comme si nous avions consommé ce mariage dans un étalage des magasins du Bon Marché ! »

Il avait bien tenté de se leurrer, il lui vint peu à peu le pressentiment que, cette fois, on ne lui pardonnerait pas, qu'on ne lui passerait plus rien. Un soupçon pèserait désormais sur tous ses faits et gestes, et toute erreur lui serait imputée à crime. Et pourquoi ceci plutôt que la capitulation, la décision de ne pas gagner Londres ou l'entretien avec le Führer à Berchtesgaden ? Mais parce qu'il s'agissait d'une femme, bien sûr : du choix d'une femme.

Cela lui tomba dessus comme la foudre. Il voulut l'oublier. Il affecta de ne pas le lire partout.

Difficile. Car, toujours, il fallait que les langues de vipères qui commençaient à s'agiter dans les colonnes de certains libelles clandestins comparent, pour mieux la déblatérer, la nouvelle épouse avec l'ancienne. Comme si, dans un drame bourgeois, il avait naguère convolé en justes noces avec « une femme trop bien pour lui » et ne pouvait, aujourd'hui, que se compromettre dans une mésalliance. Comme si épouser qui que ce soit après Astrid ne pouvait sceller qu'un déshonneur.

Depuis ses fiançailles à Stockholm, il n'avait plus, une heure, échappé à la fiction. Dans la vie d'un roi, sans doute une femme ne peut-elle surgir seule, débarrassée des oripeaux d'une légende. Hier conte de fées tout en blanc, aujourd'hui histoire de sorcières tout en noir. (Un éditorialiste anglais parla de Lilian comme d'une « mauvaise fée fascisante », usant de son charme sur le souverain pour sa perte… Ah ! rendez-nous l'Autre ! dirent des nostalgiques : la Douce, la Souriante, l'Inoubliable…, semblant insinuer que le remarié bafouait jusqu'à son souvenir.) La nouvelle venue se trouvait, de prime abord, distribuée dans un rôle conçu par l'opinion, et tous les détails, réglés d'avance, de la mise en scène échappaient aux protagonistes. La pièce était déjà écrite : il n'y avait plus qu'à la jouer. Hélas, car elle avait l'air mauvaise.

Mais on pouvait être sûr d'une chose : on s'en prendrait désormais plus volontiers à elle, la séductrice, l'âme damnée, qu'à lui, le roi faible.

Alors il considérait de nouveau les photos. Or pouvait-il les interroger ? Allaient-elles lui fournir une réponse ? Celles d'Astrid, d'abord, dont la fadeur apparente s'aggravait avec la patine du temps, d'avoir été toujours prises dans des circonstances officielles et où elle paraissait ornementée, « sage comme une image ». Il n'arrivait pas, aujourd'hui encore, à les contempler sans douleur tant il lui semblait évident que la vraie beauté de cette femme était restée méconnue.

D'avoir été ciblée souvent sans bienveillance, Lilian échappait au moins à cette édulcoration, à ces joliesses. Certes, cela faisait mal au mari qu'à cause de l'écrasante préhistoire qu'on lui avait prêtée, on accentuât au rebours la dureté des traits de la nouvelle épouse, la rigidité de son expression, et qu'elle apparût çà et là en superbe garce, une vamp hollywoodienne, la femme fatale installée au château pour y exercer ses maléfices… Devait-il réellement en souffrir pour elle ? Il devinait que cette posture de femme-panthère où on la figeait n'outrageait pas autrement Lilian, dont l'orgueil s'accommodait sans peine de cette malédiction. Après tout, elle ne cherchait pas à plaire à ceux qui la voyaient ainsi, ni surtout à désarmer ceux qui la chargeaient de tous les péchés du monde. Elle qui ne détestait rien tant que l'édifiante statuaire officielle, les poses de rigueur, l'imagerie confite, cela ne devait pas l'offusquer que son portrait passât si mal dans le calendrier des Postes…

Même le chasseur d'images le moins complaisant n'arrivait pas à priver de sa noblesse naturelle, son altière assurance, cette créature avec laquelle n'eût pu rivaliser aucune de ces bécasses blanchottes qui hantaient les basses-Cours d'Europe en cultivant un ennui distingué et contagieux. Aussi ne se lassait-on pas de la brocarder avec d'autres armes.

Ce n'était encore qu'un début. Et, pour longtemps, la « même crevette » deviendrait, sous la plume de certains pisse-copie, « la marchande de rollmops », « la catin d'Ostende », « la maîtresse mariée », « la grue royale »… On en ferait tour à tour l'ancienne gouvernante des enfants royaux ou une espionne d'origine allemande, on l'aurait vue chasser avec Von Falkenhausen, ou jouer au golf avec les geôliers nazis du Palais royal…

Curieusement, parmi tous les clichés dont on usera pour stigmatiser la disgrâce de cette union, à tel point qu'il prendrait valeur emblématique, celui de la partie de golf occupera une place centrale. Comme si, non contents de s'être rencontrés sur des *links*, les deux amants, une fois unis, n'avaient plus cessé de les hanter, narguant de là les soldats en captivité. On put croire que ce fut là, entre deux trous, qu'il oublia son peuple et, ajouta-t-on perfidement, remporta les victoires que le sort des armes lui avait refusées sur le champ de bataille…

On ne joue pas au golf durant les guerres. (Je me suis pourtant laissé dire que le rondouillard ministre Paul Henri ne dédaignait pas, lui non plus, mais à Londres, durant le week-end, de reperdre sur d'ondulantes pelouses quelques-unes des calories que son célèbre coup de fourchette lui avait valu de thésauriser à table, durant la semaine…)

Et voilà notre quasi-plébéienne se faisant anoblir et pratiquant un sport de riche !

À moins qu'il n'y eût une symbolique dans ce jeu, qui rendrait sa pratique plus particulièrement scandaleuse ? Je voulus en avoir le cœur net.

Le Maître du Golf m'invite dans un restaurant de Waterloo. D'ordinaire, j'arrive toujours le premier aux rendez-vous. Cette fois, j'étais attendu. Qui s'en vient dans ce village cossu pensant qu'il va y renouer avec l'Histoire doit bientôt déchanter : ce n'est qu'un corridor, d'où partent des avenues de macadam bordées de villas résidentielles (piscines, toits de chaume), entre une église rococo et un golf-club fameux. On a l'impression qu'à l'écart, au-delà des champs de pommes de terre, le Lion va lever la patte au sommet de son tertre. (N'aurait-on pas posé là Manneken-Pis déguisé en roi des animaux, au faîte d'une reproduction aux proportions brabançonnes de la pyramide de Mykérinos ?)

Derrière un hanap de bière des trappistes, dont il flatte les courbures (celles de quelque Graal intimiste), le Maître du Golf a l'air béat d'un moine qui aurait, en traversant seulement la mer, déserté son couvent pour trouver la vérité sur les *greens*.

Quand je lui ai téléphoné pour faire appel à ses lumières, j'ai tout de suite senti son bien-être, le soulagement d'un homme qui défendait depuis longtemps une cause à laquelle on allait enfin rendre justice.

Celui qui me prie de m'asseoir en face de lui arbore le sourire un peu bête d'un prophète dont on allait recevoir les révélations. Dès qu'il eut tenu son propos initial : « Le golf est l'unique sport dont l'inobservance des règles n'entraîne aucune pénalité… », je sus que je n'étais pas venu pour rien. « Pourtant, il n'est sans doute pas de jeu qu'autant de règles régissent, ajouta-t-il aussitôt. Et il en va ainsi depuis qu'à la Compagnie des golfeurs d'Édimbourg, ou sur les links de l'Old Course de Saint-Andrews, à la fin du XVIIIᵉ siècle, elles ont été codifiées pour la première fois… Ici, cher monsieur, la règle est d'airain, et pourtant nul ne sera juge, en définitive, de sa violation, sinon dans un sens, outre son partenaire, celui qui la transgresse et qui, tôt ou tard, se mettra de lui-même hors jeu… »

J'en eus le frisson. Tant de métaphysique, un tel renvoi au libre arbitre, et l'exercice d'une justice à ce point immanente, tout cela simultanément me ravissait et me donnait un peu froid dans le dos. Ce devait être ici, ma foi, qu'on jugeait les princes – pardon : qu'ils statuaient sur eux-mêmes.

Je ne croyais pas si bien dire. « Vous savez ce qu'écrit Pascal ? me demanda le Maître du Golf. "Que diriez-vous de cet homme qui aurait été fait roi par l'erreur du peuple, s'il venait à oublier tellement sa condition naturelle, qu'il s'imaginât que ce royaume lui était dû, qu'il le méritait et qu'il lui appartenait de droit ? Vous admireriez sa sottise et sa folie." »

J'acquiesçai volontiers, saisissant au vol l'aubaine de tomber d'accord avec Pascal.

« Donc, reprit le Maître, imaginez un corset de normes sur lesquelles on revient, on s'interroge, tous les quatre ans, sur les fonts baptismaux de Saint-Andrews, au cours d'une sorte de concile – et on révise des points de détail, on raffine, on adapte, on va plus loin, mais en même temps il ne s'agit jamais que de mettre au point un code d'honneur et de bonne conduite ! Une étiquette ! Un manuel de savoir-vivre… Tout ici, comprenez-vous, doit aller de soi et obéir seulement à un souci d'harmonie… Considérez cet univers, cette cité, où il n'y a pas même besoin d'arbitrage puisque le seul magistrat qu'on rencontre sur sa route, c'est son propre concurrent, chacun restant quasiment juge du score de l'autre : nous sommes là, face à face, nous échangeons des cartes, nous les signons, les contresignons, et chacun de ces paraphes ne signifie que l'interprétation d'une règle qui nous domine, à laquelle nous nous plions, mais qui ne nous frappe pas... Ah ! monsieur, quelle école de civilité ! Figurez-vous un monde où on ne s'en remettrait jamais qu'à la bonne foi, au fair-play de l'adversaire ! Cela ne devrait-il pas valoir aux inventeurs un prix Nobel de la Paix à titre posthume ? Et inspirer les polémologues, qu'ils trouvent ici une solution préventive à tous les conflits ! Un empyrée d'où n'émanerait aucune pénalisation sinon celle qui viendrait de l'intérieur de soi...

— Et on continue à appeler ça *un loisir* ? Pour moi, ça ressemble plus à une école !

— Une université d'éthique ! Le roi dont vous vous occupez, et qui pratiquait volontiers ce sport, devait ressentir cela comme une métaphore de... de tout.

— Cependant... que faites-vous des tricheurs ? Dès qu'il y a un enjeu, même au Nirvana, il y a de la triche...

— Mais ici on a toute latitude de tricher ! triomphe-t-il, et son œil de mage brille de perversité... Mais pourquoi sévirait-on ? Il ne le sait pas encore, celui qui se déconsidère ici, mais il est condamné d'avance : aussitôt repéré, il racontera, ici ou là, n'importe quoi, il aura l'inconscience de supposer que tel ou tel adversaire qu'il aura voulu duper l'a cru sur parole et a fait semblant de rien, n'en pensant pas moins sur ce médiocre mythomane... Dès lors, il n'y a plus qu'à attendre... Il ne peut pas le savoir, cet imbécile, mais c'est comme si, à son insu, il ne jouait déjà plus au golf. Il a franchi, définitivement, le seuil de la disqualification. On sait qu'il ne progressera plus ! Il va trouver sur son chemin quelqu'un qui l'écrasera, qu'il ne pourra pas tromper. Alors il perd la face, il n'a plus les moyens de son jeu, il va s'en déprendre et disparaître... Cela valait donc la peine de patienter, plutôt que de le saisir la main dans le sac. La vérité finit toujours par se savoir !

« — Et sur ces règles, puisqu'il y en a, dites-moi donc un mot quand même…

— Oh ! Élémentaire. Il ne faut pas frapper dans l'axe de qui se trouve placé derrière soi, ni ralentir sa marche à l'excès… Il convient de ratisser les traces de pas qu'on laisse sur le *bunker* après l'avoir traversé. Bref, on sait bien ce qui est permis et ce qui ne se fait pas ! Et si on l'ignore, on le devine… Ah ! J'oubliais : lorsque le club a arraché une motte de gazon au passage, il est normal qu'on la remette en place telle une pièce dans un puzzle. Comme dans la vie, quoi ! Vous voyez ce que je veux dire ? »

Quelle vie ? me demandai-je. La vie de qui ? Non, je ne voyais pas. Mais je n'eus pas le loisir de m'interroger davantage car surgit alors un personnage qui, d'autorité, s'assit à côté de moi et me déclara *ex abrupto* : « N'écoutez pas ce vieux vaticineur à la gomme ! Pour un peu, il vous ferait accroire que les golfeurs forment une société secrète célébrant je ne sais quelles messes plus ou moins noires. La vérité, c'est qu'on ne le rencontre plus jamais, lui, sur les *links*, trop occupé qu'il est de penser le golf à grande distance ! Tout au plus l'aperçoit-on encore, de loin en loin, sur un *practice* – vous savez : là où on s'initie –, essayant des coups imaginaires, jouant contre son ombre, c'est-à-dire au mieux contre lui-même… » Je trouvai cela pathétique – tout sauf risible comme on cherchait, avais-je l'impression, à me le faire entendre –, mais je ne pipai mot.

Le mage, qui n'accorde pas un regard à l'importun – mais recommande de la bière pour tous –, s'empare cependant de son propos pour le faire rebondir, et c'est à moi qu'il déclare : « Au golf, on ne se bat pas contre un adversaire mais avec un *parcours*… Et le *parcours* est toujours le plus fort ! Ce sport n'est désespérant que pour les esprits faibles et les vaniteux. Le geste qu'on doit poser ici apparaît d'une si rare complexité que, jamais, un vrai champion ne prétendra qu'il en a acquis la totale maîtrise. Celui qui, un beau jour, croit détenir la clé du *swing* court à sa perte et creuse déjà sa tombe ! Le *parcours* sera, tôt ou tard, le théâtre de son naufrage. Il n'y a pas de lieu, en effet, où il faille toujours *à ce point* se remettre en question, tout reconsidérer… Formidable école d'humilité ! C'est sans doute pour cela que votre roi et sa femme l'ont pratiqué ! Enfin, ce que j'en dis… Tout roi, veux-je dire, aurait intérêt à parcourir dix-huit trous une fois par semaine, pour être ramené à sa modeste condition. Vous savez ce que pensaient Bossuet, Pascal… ? Je vous l'ai déjà dit ? Non, je n'ai pas dû vous citer ceci, encore, qui figure dans le Troisième Discours de Pascal, *Sur la condition des Grands* : "Vous êtes environné d'un petit nombre de personnes, sur qui vous régnez en votre manière. Les gens sont pleins de concu-piscence. Ils vous demandent les biens de la concupiscence : c'est la concupiscence qui les attache à vous. Vous êtes donc proprement un roi de concupiscence. Votre royaume est de peu d'étendue : mais vous êtes égal en cela aux plus grands rois de la terre : ils sont comme vous des rois de concupis-cence." Ah ! il faudrait souligner ! Pourquoi pensez-vous que le golf soit pratiqué par tant de têtes couronnées ? Quelques trous, dans la terre : rien de tel pour vous rappeler au sens des proportions ! »

Comment un jeu, pensais-je, peut-il rester si solitaire et se prétendre si convivial ?

« Il n'empêche, grand-père…, objecte l'importun qui lui a déjà fait rater ses effets. Cette soi-disant absence de sanction dont vous parliez tout à l'heure procède d'une conception du jeu un peu paradisiaque ! Si, par mégarde, le club touche le sable avant de frapper la balle, on est tout de même pénalisé !

— C'est autre chose…, rétorque le Maître du Golf qui, pour la première fois, consent à toiser l'intempestif. À ce moment, c'est comme si le coup n'avait pas été donné, comme si la partie était suspendue…

— Cause toujours ! dit l'autre, et, se tournant vers moi : Quand vous pensez, monsieur, qu'on a construit trois golfs rien qu'à

Santa Fe, où on en a besoin autant que d'un trou dans la tête... À quoi bon, je vous le demande ? Hein ? vous voyez un grand message, là-dedans ? » Dégoûté, il se lève et quitte la salle du restaurant sans prendre congé de nous.

« Cet homme est un raté du golf, commente, l'œil fixe, mon mandarin. Il en voudrait à Dieu Lui-même qu'on ne pût accomplir que deux ou trois coups parfaits sur une série de trois cents autres, décevants, approximatifs... Cependant qu'un seul beau coup vous console de tant de tâtonnements, d'errements, de trajectoires manquées ! Celui que ce coup-là ne réconcilie pas avec lui-même, que reçoit-il de la vie ? Il croit être exigeant, il n'est que paresseux. Quand vous pensez qu'on ne joue pas physiquement – ce qui s'appelle jouer – plus de trois minutes sur les quatre heures et demie qu'on met à boucler le parcours... Mais quelle concentration, tout du long, quelle faculté d'anticiper il faut avoir, pour, à chaque coup, penser déjà au coup suivant ! »

Il regarde du côté de la fenêtre, et mon regard accompagne le sien : que peuvent bien chercher nos yeux ? La morne plaine où s'est joué autrefois, pour le meilleur et pour le pire, le sort de l'Europe ? Cet homme évoque tant de stratégies depuis ce matin que, tout naturellement, on serait tenté, à travers les règles d'une démarche qui expliquerait tout, de chercher la clé du monde, le chiffre de l'Histoire.

« En butte aux mille problèmes que vous pose cette entreprise échiquéenne, dit-il, la voix légèrement altérée par l'émotion, on fait le vide en soi, saisissez-vous ? On décompose mentalement chaque geste : rendez-vous compte que c'est le sport qui fait fonctionner le plus grand nombre de muscles dans le même mouvement... Cela vous explique qu'après le match s'entreprend aussitôt son commentaire, je dirais même : son exégèse. Et c'est alors seulement, sans doute, que la partie se joue. Si on ne s'explique pas, dans les moindres détails, ce qui s'est passe, c'est comme si on n'avait pas rivalisé... On doit analyser chaque coup, on en parlera encore longtemps après, on n'en a jamais fini, on ne fait jamais le tour de la question. La partie terminée, on revient au *practice* pour reproduire les phases de tout ce qui fut manqué, pour réfléchir, réparer... Bien sûr, cela demande du temps. Et il s'agit de ne jamais oublier qu'il y a une multitude de coups qui n'ont encore jamais été accomplis, ni même rêvés par personne... »

Cela donne un peu le vertige, il est vrai. Il n'empêche que la fumeuse casuistique de ce théoricien obsessionnel, la conceptualisation ésotérique de ses marches forcées avec *caddy* entre *greens* et *bunkers* commencent tout doucement à me taper sur le système. Comme s'il le pressentait, et se souvenait tout à coup de l'objet de ma visite, il me dit : « Ne vous y trompez pas ! Cela se passe avec grâce et une apparence de légèreté... Entre les coups, on parle de tout autre chose, on aborde mille questions qui n'ont rien à voir avec la partie... Combien de politiciens n'ont-ils pas démêlé là les nœuds qui garrottaient leur réflexion ! Votre roi devait le savoir... », dit-il. Pour la seconde fois, il dit « Votre roi... » comme si c'était seulement le mien. « Mais venez donc..., je vais vous montrer... »

Et il m'emmène au vestiaire du club sous une pluie battante. Chemin faisant, il m'explique que celle-ci ne constitue pas un inconvénient, bien au contraire, qu'il me prêtera d'ailleurs une paire de bottes. « Je ne crois pas trop au golf tropicaliste pour Club Med' sur littoral léché par... le Gulf Stream ! Croyez-moi : rien ne remplace les bourrasques du vent qui souffle à Saint-Andrews ("une ville autour du golf et non des golfs autour d'une ville", précise-t-il, comme s'il s'agissait d'une garantie de sérieux urbanistique), ni les oies sauvages qui passent et repassent au-dessus des *links* d'Irlande : il faut *en tenir compte*, c'est tout...

Nous nous retrouvons face au bac à sable d'une sorte de jardin d'enfants – le *practice* – mais, sous nos yeux, se déploie l'étendue du terrain où se sont croisés, où se salueront encore tant de gens de bonne compagnie. Le vallonnement manucuré de ce sanctuaire me donne le cafard. Je tente, en vain, de suivre la trajectoire de la balle décochée haut dans le ciel par mon professeur et qui me paraît ne jamais atterrir… Comme j'ai sans doute l'air un peu rêveur, le Maître du Golf me dit : « Vous comprenez, à présent, que c'est aussi l'endroit idéal pour tomber amoureux ? Ce qui a dû, si j'ai bien compris, arriver à votre roi… On a tout le temps, ici, de laisser parler les sentiments… » Sans doute, mais dans un désert domestique et fléché.

Le mandarin, avec application, travaille son *swing*. Il déplore qu'aujourd'hui l'initiation se fasse sur un rythme accéléré, que la démocratisation du sport autorise un accès de plus en plus aisé à l'îlot sacré où, hier encore, on ne côtoyait qu'une élite. Il regrette que le professionnalisme ait gâché un peu « l'esprit ». Que les clubs et les balles, même, ne soient plus ce qu'ils étaient. Que l'on puisse golfer, à présent, de l'Algarve à la Costa del Sol, de Monastir à l'Arizona. Que même sur des *links* réputés, *par*, *birdie* et *bogey* ne soient plus dessinés que pour donner au premier venu l'illusion qu'il joue bien… On lui casse un peu son jouet, au mandarin. Il ne conserve son estime qu'à des golfs très fermés, au seuil desquels les listes d'attente se déroulent interminablement : Mortefontaine, Montagel, Saint-Nom-la-Bretèche, Évian, Le Bercuit, Crans-sur-Sierre (le plus élevé d'Europe : 1 600 mètres d'altitude) et le County Club, sur les contreforts du mont Kenya, auquel on accède par la savane : on y trouve une sorte de manoir anglais qui fait accepter l'exotisme… On pardonne à l'océan de verdure junglesque ! « Là, on peut encore retrouver le plaisir de jouer ! Mais vous ne m'écoutez plus… Vous avez l'air triste. »

Il avait raison, je l'étais. Je me disais que, depuis quelque temps, les hasards de mon enquête m'avaient mené vers des inter-locuteurs gens de Cour, – notables, champions cyclistes, golfeurs et autres – qui regrettaient toujours que l'avenir se passât, déjà, comme il se passait. Au fond, ils avaient moins la nostalgie du passé que de ce que l'avenir aurait pu, aurait dû être dans le présent… Le désaveu des roues lenticulaires, des balles de golf en caoutchouc synthétique et des manches de club en acier trempé, ressemblait comme deux gouttes d'eau à celui d'une monarchie devenue républicaine ! « Mon Dieu, disait au fond chacun de mes interlocuteurs, nous voulions tous la démocratie… Mais pourquoi fallait-il qu'elle fût si décevante et si moche ? »

On avait tout prévu, hormis qu'elle manquât de charme.

Je ne comprenais moi-même que trop bien et si mal ces vapeurs de vieilles filles, réactionnaires et passéistes, face au mariage annoncé du monde avec la camelote du futur : solde par pertes sans profits de l'anticipation…

Je devinais aussi ce qui avait dû vous attirer, Sire, vers l'opulente désolation des surfaces gazonnées… Ce mirage d'un terrain géométriquement tracé où, obéissant à des formules mathématiques, se laisserait enfin décoder le puéril destin du monde… Allons ! Obsédé par les chiffres comme vous l'étiez, je soupçonne que nous ne vous rendiez pas ici pour vous délasser…

Il n'empêche : en 1950, alors que la polémique à votre sujet faisait rage, lorsque au cinéma, on vous voyait passer, avec votre épouse, aux actualités « Belgavox », vous sembliez, à peu près toujours, très séduisants l'un et l'autre, mais sur un terrain de golf, décochant un swing qui traversait à 250 kilomètres à l'heure l'azur transparent de Mougins ou d'Évian, ou à Valderama ou dans le Kerry, ou à Waterville, en Irlande – et à chaque fois, succès garanti –, des spectateurs vous sifflaient ou s'écriaient : « Assez ! Mort au traître et à sa pute ! Abdication ! », et d'autres répondaient, en applaudissant ou en clamant : « Vive le Roi ! Retour ! Nous l'attendons ! » Quelquefois, on échangeait des horions au cinéma Vox, ou au Marivaux, ou à l'Ambassador… Les gens se donnaient des coups dans le vide, à tout hasard, sans savoir vraiment pourquoi. Il faut que je l'avoue, comme ça, en passant, ce n'est qu'un détail, mais il tue : j'avais dix ans, Sire, et je vous voyais, à la fin de la guerre, et aussitôt après la guerre, évoluer avec grâce entre *bunkers* (triste mot), obstacles d'eau et *greens* rapides, et j'étais un peu gêné pour vous...

Gêné de quoi, au juste ? Je ne sais trop... C'était compliqué dans ma tête, à l'époque et, pour tout dire, ça l'est resté. À dix ans, en 1950, Sire, j'*évoluais* – ainsi qu'on disait joliment – comme cadet arrière-droit dans une équipe de foot, celle du Racing-Club de Bruxelles, à l'orée de la forêt de Soignes, le dimanche matin, non loin de l'hippodrome de Boitsfort, et si j'en parle, c'est que, dans mes moments de distraction, lorsque le ballon voltigeait à grande distance de la « surface de réparation » – celle dont j'avais à m'occuper : qui s'en étonnera ? –, je regardais, au travers des ramures et des feuillages, courir les chevaux à l'entraînement, parfois ruisselants de sueur, dans un poudroiement de poussière rose – et je ne devais pas être fort doué pour le foot car ce spectacle m'occupait bien plus que le match auquel j'étais censé participer : ah ! le lourd remous des canassons sur la grasse terre de l'hippodrome, le clapotis des sabots sur les voies de traverse jusqu'aux écuries, et le dialogue des turfistes, mots de passe à la vulgarité inimitable : bref, tout cela me fit comprendre, me convainquit que la chevalerie chevauchait là où elle pouvait, quand elle y croyait, où le vent la poussait...

Au fond, Sire, et il me plaît d'imaginer que je m'adresse enfin directement à Vous, à titre posthume, j'en arrive à penser que ce qui nous éloigna l'un de l'autre, ce qui nous sépara vraiment, ce fut ma précoce incompréhension des jeux aristocratiques et ma propre pratique, un temps, des sports plébéiens. Moi, dans l'équipe des cadets du Racing, j'avais pour mission de bloquer, si possible, les offensives adverses, de briser le déboulé de tel extérieur gauche, ou du centre-avant, ou l'élan de tel demi de terrain soudain entreprenant et débordant tout le monde jusqu'à proximité des filets que j'étais censé verrouiller... jusqu'à ce dimanche matin d'automne où un joueur du White Star vint s'enferrer sur notre défense, à proximité du point de penalty, se retourna et voulut shooter du talon au moment même où, malencontreusement, je baissais un peu la tête : sa bottine est passée à côté du ballon mais la talonnade n'a pas loupé mes gencives, qu'elle allégea d'une canine et d'une molaire, incident qui me dota, pour quelques années, d'un faciès de sorcière et me valut le sobriquet de « Gueule de piano »… J'en voulus au monde entier et – allez donc savoir pour quelle raison ? – même à Vous, Sire, qui aviez, quelque temps plus tôt, cassé ma bécane, ce pourquoi, tout d'un coup, avec retard, j'éprouvai un vif ressentiment.

Je laissai ma carte de membre du club au vestiaire et n'allai plus jouer que seul, le dimanche en fin d'après-midi, sur un terrain annexe et désaffecté où ne poussait plus, depuis longtemps, le moindre brin d'herbe.

Il y a des jours où ce spectacle que je m'offrais à moi-même, d'un gamin tapant tout seul sur un ballon jusqu'à la nuit tombée et attendant que s'allument les réverbères, me semble résumer une bonne partie de ma vie. Alors, bien sûr, les tournois de golf et leur exquise convivialité, entre gens du beau monde, me paraissent aussi éloignés de la planète où je vis que les concours d'arbalétriers, en quelque siècle reculé, dans la région valaisane…

C'est ici que mon sujet risque de m'échapper. C'est ici que l'Histoire me désespère par ses piétinements, ses répétitions fastidieuses, ses contradictions inutiles, ses énigmes qu'on n'a même plus envie de percer à jour. Le Roi prolonge son exil en Suisse ; il se dispose à rentrer au pays, mais il voudrait que ce soit dans les meilleures conditions. Il ne peut pas savoir encore qu'il n'y aura peut-être plus jamais de « bonnes conditions » pour revenir en Belgique : ni un jour idéal, ni une occurrence décisive. Il se sent, tour à tour et parfois tout ensemble, appelé et rejeté, invité et renié. Il s'étonne de susciter autant de passions diverses, il s'effare d'inspirer autant de tumultes. Quelquefois, l'amour fanatique qu'on lui témoigne le laisse aussi désemparé que les haines que sa personne alimente : il est débordé par cela et dépassé par ceci. Il commence à soupçonner que tout le monde, à son sujet, se trompe à la fois ; que plus personne n'y verra jamais clair ni ne dira rien de juste. À propos de son retour, des foules s'entre-déchirent sans vraiment savoir pourquoi elles en sont arrivées là ; des hommes, des femmes et des enfants sont jetés dans les rues des villes, du Nord au Sud du pays, qui proclament « oui » ou « non » comme si leur choix ne leur appartenait plus et s'était décidé à l'aveuglette, sur une impulsion subite et d'autant plus forcenée que déraisonnable. Au fil du temps, les malentendus se sont multipliés, les rumeurs ont gonflé, les interprétations de tous ses faits et gestes se sont entrechoquées, au point qu'il lui arrive à lui-même, quand il en lit le compte rendu dans les journaux qui le soutiennent et ceux qui le renient, de se demander, le temps d'un vertige, ce qu'il a vraiment vécu. Ce n'est pas qu'il ne se remette pas en question, mais qu'il a tout reconsidéré trop de fois, au point qu'il se noie. Il y a des jours où il se réveille aussi fort de son bon droit que si rien, jamais, ne l'avait ébranlé ; par ailleurs, il frémit à la pensée du parti que pourraient tirer ses plus implacables ennemis du doute qui le ronge.

La belle lectrice dont un châle de résille ajourait, hier encore, les épaules opalines, et qui s'intéressait tant à la conception *in vitro* et aux manipulations génétiques, ne s'est plus montrée à la salle de lecture : elle doit être arrivée au terme de son enquête, de son recyclage, m'abandonnant à mon sort, me laissant orphelin d'une Histoire elle-même avortée. Il n'est pas bon de se retrouver seul aux prises avec cette chronologie confuse, ces lourdes péripéties, le trouble récit d'une négociation qui piétine et, peu à peu, s'enlise. Des émissaires rendent visite au Roi à Pregny, dans une villa appelée « Le Reposoir » alors que là il ne connaît jamais plus de vrai repos. Des ministres viennent, officiellement ou incognito, lui décrire les discordes qui entourent l'éventualité de son retour d'exil. Il se demande comment tant d'énergie peut être déployée pour le rappeler, comment on peut mettre tant d'acharnement à le refuser. Tant de remous n'autorisent aucune synthèse et aggravent toutes ses myopies. Aussi tergiverse-t-il, il diffère tous les jours sa décision, il s'autorise des délais où sa réflexion, au lieu de se forger, s'égare. Il ne voit pas qu'à chaque heure un peu plus sa destinée titube et devient hagarde. Il apprend que les démocrates chrétiens le pressent, sinon le somment de revenir au plus vite, il découvre que les libéraux souhaitent qu'il s'efface, que les socialistes réclament son abdication, que les ouvriers appellent à la grève totale s'il réapparaît. Mais ceux qui lui rendent visite ne tiennent pas deux fois un langage identique. Le même ministre corpulent et sentimental qui, tantôt, a voulu sa perte, et tantôt lui est presque tombé dans les bras, continue de le fasciner par ses ambiguïtés, ses sautes d'humeur, sa langoureuse versatilité. Le même déplore l'humiliation qu'éprouverait la patrie à récupérer un souverain qui ne la représente plus, et n'hésite pas à évoquer une possible révolution, mais n'a pas peur à quelque temps de là de lui dire : « Sire, tournons la page ! » Ce ministre est, une heure, bouleversé ; des larmes lui montent aux yeux ; mais, s'étant ressaisi, il déclare à l'officier anglais qui le ramène à l'Auberge du Cheval Blanc, où il est descendu à Sankt Wolfgang : « Allons ! c'est bien toujours un fasciste ! »… Et cet autre ministre socialiste, que son zézaiement a rendu célèbre, va une fois prier le Roi de faire ses valises, toutes affaires cessantes, et assurer dans la foulée : « Quand on n'est pas capable de régner, on abdique. » Qui croire, et à quel moment ? Car les alliés et les courtisans ne sont pas moins brouillons lorsqu'ils prétendent que le peuple se lèvera en masse aux côtés du monarque. Jamais on n'en a vu un entouré de tant de complaisance. Le Roi a tort de croire que, demain, il verra plus clair, et qu'il sera plus aimé. Le temps joue bien sûr contre lui, il gaspille une chance après une autre, et ses partisans parfois désespèrent d'un chef qui ne se résout pas à ressaisir plus rapidement les rênes du pouvoir. Mais sait-il encore ce que cela suppose ?

Quand il apprend que la police montée a chargé des manifestants en les frappant du plat du sabre tandis qu'ils dépavaient les rues, l'idée de toute cette violence l'éberlue et il se demande pourquoi tant de haine le prend pour cible ou pour prétexte : il est prêt à croire le pays à feu et à sang, au bord de la guerre civile. Mais il ne se reconnaît pas davantage le droit d'abandonner à leur sort tous ceux qui n'ont cessé de croire en lui.

Il faudra bien que la nation tranche et que se comptent ceux qui disent « oui », ceux qui disent « non », comme s'il ne s'agissait pas seulement d'approuver ou de démettre un roi, mais de se prononcer ainsi sur quelque chose comme Dieu ou son propre destin. Cependant, l'idée même d'une consultation populaire, qui semble s'imposer, est elle-même matière à controverse. On se tâte pour savoir si l'on peut ainsi faire un enfant à la Constitution. La gauche même paraît répugner à reconnaître le droit de vote aux femmes, redoutant qu'elles ne se révèlent majoritairement léopoldistes… Quant au souverain, tandis qu'il assure que sa personne n'importe pas, et qu'il ne se cramponnera pas un jour de plus au gouvernail s'il se sent désavoué, n'espère-t-il pas en secret que les chiffres parleraient en sa faveur ?

Soudain la fatigue me gagne et je suis près de me décourager. La vision de ces émissaires qui font la navette entre Bruxelles et Pregny, et qui ne reviennent jamais dans le même état d'esprit qu'en partant, qui fluctuent sans cesse, le spectacle de ce roi que son indécision retire du monde, tous ces piétinements, ces volte-face, ces rendez-vous manqués : deux pas en avant, trois pas en arrière, tout ce mélange de procès d'intention, d'arrière-pensées, de menues trahisons, de félonies inconscientes, de rétractations : tout cela soudain m'assomme. Non que je pense abandonner mon projet, mais j'aimerais, ici, sauter des pages, des chapitres entiers de cette épopée de l'erreur.

L'envie me gagne d'aller droit au but, c'est-à-dire de courir au dénouement de l'histoire, de ne plus penser qu'à l'abdication.

Au fond, je sens bien qu'il n'y a plus qu'elle qui m'intéresse. Et peut-être en a-t-il toujours été ainsi. Je veux savoir ce qu'est le pouvoir quand on le perd, le sceptre lorsque la main le laisse échapper, la couronne au moment où elle glisse de guingois sur le front, le trône à l'instant où il se dérobe. Il n'y a que ça qui me passionne. Cesser d'être un maître, enfin !… Sire, comme ce dut être bon, presque voluptueux !

Mais ne brûlons pas, encore une fois, ce qui reste d'étapes…

Le Roi paraît patient. Il pense, sans doute, qu'à la longue la haine retombera. Or elle ne fait que s'exaspérer davantage, au fur et à mesure qu'elle perd de vue son objet ou tend à l'abstraire… si bien qu'à la fin, elle ne cible plus qu'un totem. La lenteur est mauvaise conseillère quand elle veut faire passer des hésitations et des velléités pour un sage calcul ou une stratégie éclairée.

Tout au long, on assiste en contrepartie aux virevoltes de Paul Henri qui, tantôt, reconnaît que le Roi est toujours le Roi et, tantôt, veut sa perte. Qui parfois s'exclame : « Quel homme ! », et parfois ne dit plus éprouver pour lui, aux meilleures heures, que de la commisération. Souvent, celui-ci aimerait bien gagner du temps, pour réconcilier son propre parti avec le monarque ; il souhaiterait sincèrement que tous les malentendus, magiquement, se dissipent, et il rêve d'être lui-même l'apôtre de cette réconciliation. Mais ses propres troupes se méfient de lui et lui reprochent son manque de pugnacité et de conviction. Alors, pour donner le change, il reprend la tête des plus acharnés et il espère faire oublier ses états d'âme dans une surenchère volubile. Jamais Léopold n'arrivera à lui en garder rigueur ni à le tenir pour son ennemi ; et bien plus tard encore il dira, du ministre émotif et cauteleux, qu'il ne pouvait résister à sa bavarde exubérance car, à travers tout, ce contemporain absolu le faisait rire : « Je le verrais là devant moi, je lui tendrais encore la main… »

Que manigance, alors, le Régent ? Les deux frères ne se sont jamais aimés, ils se sont quelquefois haïs, ils ne se sont jamais connus. Charles peut croire que leur mère l'a toujours méprisé, lui ; qu'en lui Elisabeth réprimait par principe le cadet négligeable. Il ignore que l'amour maternel pour l'aîné ne s'est manifesté que bien tard, lorsque celui-ci fut aux prises avec l'Histoire, et comme déjà condamné par elle. Alors, enfin, l'effusion s'exprima : cela ressemblait certes à de l'amour, quand il ne s'agissait que d'un orgueilleux désespoir. Mais si dévouée était-elle à son image que tout le monde s'y trompa, et que son relief de camée monté en bague vint toujours s'interposer entre le regard dévot de ses sujets et l'altière froideur qu'elle réservait à ses intimes.

Léopold sut-il jamais combien son puîné primesautier, taquin et frondeur, répugna tout d'abord à accepter la régence ? Soupçonna-t-il que celui-ci ne se résolut au pouvoir que parce qu'il ne pouvait s'y dérober, et qu'il le vécut comme une austère corvée ? Qu'il ne respirait sous le poids dudit pouvoir qu'à ces rares moments où, en tête à tête avec un conseiller, il pouvait tromper sa solitude dans l'ombre d'un palais inconfortable ? Il masquait alors le sens d'un devoir qui l'écrasait derrière des foucades enfantines, des plaisanteries un peu vulgaires... mais cette ébriété durait peu : bientôt, il fallait retourner au charbon d'un pas lourd, avec une gueule de bois boudeuse, et comme déçu de n'être plus un gamin sensuel et capricieux qu'aurait oublié l'Histoire, tout en le retenant par ses basques.

Son angoisse le poussait, d'aventure, la nuit, à appeler son secrétaire ou ceux qu'il se forçait à considérer comme des amis. Quand il avait bu assez sec et longtemps, il se mettait aux orgues dans une grande pièce à haut plafond, derrière des portes capitonnées dont il avait pris soin de faire changer la serrure. Lorsqu'il n'était plus bon, le matin venu, à se rendre à une inauguration, on le récurait, et il y allait en chancelant un peu.

Un soir, à Sandringham, le roi d'Angleterre lui demanda : « Pourquoi vous et moi avons-nous mieux réussi que Léopold et Édouard ? » Il répondit : « Mais parce que nous n'étions pas faits pour cela… » Comment se serait-il douté que Léopold non plus n'avait pas la vocation ?

Quand il pensait à celui-ci et qu'il faisait taire ses vieux ressentiments, il se disait : « Le frère en moi peut le refuser, mais le Régent l'accepter » ; et, lorsqu'il lui avait rendu visite en Suisse, n'avait-il pas prétendu que, si le Parlement n'était pas loin de le répudier, « la nation cependant l'attendait » ? Il se sentait, avouait-il, rempli de mansuétude… Il aimait à y croire.

Il se souvenait que, lorsqu'ils étaient enfants, Léopold avait un jour préféré jeter une montre dans les toilettes plutôt que de la lui donner… Non sans une ombre d'ironie, Charles songeait que son frère avait peut-être commencé d'oublier là l'heure de ses rendez-vous avec la destinée.

Or, voilà : on en vint à consulter le peuple. Tout avait été dit pour qu'on en vînt là, et tout avait été tenté pour qu'on n'y arrivât pas. Les mêmes partis avaient, à ce propos, varié plusieurs fois d'attitude, et de savants constitutionnalistes avaient échangé leurs arguments. On ne s'y résigna que lorsque les tenants des deux thèses furent à peu près sûrs de l'emporter.

Et personne ne l'emporta. Sinon que le Roi obtint que presque cinquante-huit pour cent de ses sujets lui disent « oui », dans sept provinces sur neuf. Mais, en vérité, il n'arracha cette majorité qu'au prix d'une division entre le Nord et le Sud du pays. Pouvait-il régner avec les uns contre les autres ? Ce serait un péril pour l'unité. Mais pouvait-il se résoudre à disparaître, quand le plus grand nombre l'avait, tout de même, plébiscité ? Ce ne serait guère logique. Dans les deux hypothèses, la démocratie fatiguerait comme un vaisseau dans la tempête.

C'était l'été 1950, et la Belgique venait d'entrer en guerre, sur le 38e parallèle, contre un petit pays d'Asie que les gens d'ici, la veille encore, n'auraient même pas pu situer sur la carte. Donc, aux antipodes aussi, mais dans le sang, des Nordistes et des Sudistes étaient aux prises.

Le Roi choisit de rentrer, avec Baudouin et Albert, et de s'adresser à la nation. Lilian l'avait escorté au champ d'aviation. Il s'embarqua à bord d'un Dakota, atterrit le 22 juillet à l'aube, revêtu de son uniforme de lieutenant général. Après six ans d'absence, il foulait le sol de cette patrie problématique qui l'avait traité de tous les noms, des plus orduriers aux plus honorifiques ; il n'avait pas un demi-siècle d'âge... Il serra des mains ministérielles, passa en revue la garde d'honneur et, au fond d'une limousine, prit la route du château d'où il avait été arraché, naguère, entre deux haies de soldats et de policiers, et au milieu d'une liesse et d'une hostilité qui ne se départagèrent pas. Il saluait imperturbablement tout le monde.

Sur le perron, la Reine Mère attendait, comme si seule une mère, en effet, eût pu recevoir ici un fils et qu'il s'agissait d'une seconde naissance. Il faudrait qu'il y eût là plus qu'un retour, se convainquait-elle, et que toute une vie de maldonnes ne se fût pas écoulée depuis leur séparation. Léopold devait éprouver, en cet instant, qu'à ce nouveau baptême se mêlait déjà un deuil secret. À ce peu de résurrection, beaucoup de mort.

Pour les photographes, le Roi se tint longtemps au sommet des marches, les mains croisées derrière le dos, encadré de ses deux jeunes fils qui avaient l'air tout juste un peu trop sages, tandis qu'à leurs pieds s'amoncelaient les bouquets de fleurs que des partisans idolâtres ne se lassaient pas d'apporter, souvent en autocars, des quatre coins du pays. L'ombre d'un nuage glissait parfois sur ces parterres et les décolorait au passage. Je ne règne pas sur une floralie, pensa-t-il, mais sur un cimetière. Plus on vient ici nous fêter, plus cela ressemble à un enterrement.

C'était comme si on avait consulté le peuple pour rien. Ou comme si celui-ci avait choisi l'occurrence pour manifester plus que jamais son inextricable division. La confusion bouillonnait dans les urnes et, de l'isoloir, n'émergeait que le spectre d'une nation coupée en deux.

« Nous lui rendrons la vie impossible... Nous lui ferons une vie d'enfer ! » déclara un notable socialiste.

Bien entendu, Sire, vous commenciez de savoir que tout était perdu, mais vous gagniez encore du temps, pensant à votre fils à qui vous vouliez épargner le joug d'un héritage précoce. Le considérant à la dérobée, vous reviviez votre propre jeunesse meurtrie, trop tôt interrompue – irrémédiablement –, mais derrière laquelle, en secret, vous couriez encore.

Au terme d'une nuit d'été où les protagonistes se rencontrèrent ensemble puis séparément multipliant dans les salons et les couloirs des apartés de vaudeville, Léopold sentit qu'il pouvait enfin lâcher prise. Il se raidit dans la posture que lui commandaient les circonstances : celle d'un vaincu que sa dignité galvanise encore ; mais, par-devers soi, il cachait mal une jubilation secrète. Enfin, il abdiquait, enfin il se délivrait : Allons ! on y était arrivé ! Il n'avait pas voulu, disait-il, être le témoin d'une guerre civile, quasi tribale, il ne voulait pas fournir le prétexte de la rupture du pays. Il eut le sentiment, obscur mais enivrant, de revivre à l'envers le scénario qui l'avait porté au pouvoir lors de son avènement. Même foule, semblable cohue, identique délire populaire, mais, cette fois, l'allégresse qu'il reconnaît ne consomme plus que sa déchéance. Les manifestants montés à Bruxelles de tous les coins de la Wallonie pour déchausser les pavés des rues, tordre les lampadaires et les feux de signalisation, harponner les tramways comme des cachalots, casser la ville, peuvent renoncer à leur projet de feu et de sang, et repartir en chantant.

Au balcon du palais de Bruxelles, le père tend un bras vers son fils sans le regarder : il le désigne à la foule comme pour le lui offrir, mais en même temps le lui sacrifier. Le gamin a l'air penaud : en fait, il est puni. Il reçoit la couronne comme un châtiment.

Durant des années, chaque fois que celui-ci posera un acte d'importance, il veillera à rendre hommage au « Roi son père », comme s'il n'en était jamais que le mandataire, le fragile délégué, la doublure.

Je rameutai les quelques anecdotes et les photos légendées qui évoquaient, dans certains hebdomadaires illustrés, le petit Prince, le futur Roi.

Je me rappelai que, comme moi, il admirait Christophe Colomb. Que, contrairement à moi, il était fort en gymnastique et montait à cheval. Que, pareil à moi, il souffrait du rhume des foins. Qu'il aimait, comme moi, se déguiser en Apache, mais qu'à la différence de moi il se trouvait heureux chez les scouts. Que, comme moi, il prisait fort la chanson « Tout va très bien, madame la Marquise… », mais qu'aux antipodes de moi il avait été élevé dans la religion.

Je me souvins que, comme moi, il avait un jour reçu une jolie bicyclette, mais que la sienne était rouge et que c'était là l'ultime cadeau qu'avait pu lui faire, par-delà sa mort tragique, la reine Astrid. Pauvre enfant. Quant à moi, j'avais encore mes deux parents et même, en prime, une grand-mère qui logeait dans une roulotte. Il semble que nous fréquentions les mêmes plages sur le littoral belge.

Et puis je me rappelai surtout qu'il détestait les histoires pour enfants quand elles finissent mal. Fameuse différence entre nous !

Soudain, ma rencontre avec le Roi-le-Père-de-l'Autre (que, désormais, j'appellerais « le Roi », tout simplement, car, à mes yeux, Il avait d'autant moins cessé de l'être que je me tenais pour honteusement responsable de sa déchéance et que, jamais, Son fils ne m'a paru porter comme Lui l'Histoire à bout de bras, pauvre tsarévitch brutalement hissé malgré lui au faîte du pouvoir), soudain, dis-je, ma rencontre avec le Roi, avec Léopold, ne prenait-elle pas une autre signification ? En tombant de vélo, n'étais-je pas *tombé* aussi sur Celui-là même que j'avais fait tomber de Son trône ? (On n'en sortirait donc jamais ?) En somme, n'avait-Il pas pris alors Sa revanche ? Tout compte fait, nous étions presque quittes… Ainsi en allait-il de la gloire du monde, et je pouvais ravaler mes scrupules. (Qu'on me comprenne bien : jamais je n'ai supposé qu'il m'avait fait chuter exprès ! C'était même ce qui, hélas, nous distinguait. Jamais je ne Lui ai attribué cette volonté terroriste. Je n'ai pas sérieusement imaginé qu'il m'eût recherché, qu'il se soit lancé sur ma trace et qu'Il eût prémédité ce coup fumant !)

Je devinais déjà que, découronné, aucun esprit de vindicte ne L'animait plus contre ce pays, ce peuple, ni ce petit garçon qui L'avait désavoué. Je n'ignorais même pas qu'Il avait rêvé pour Lui une tout autre façon d'employer Son temps et de vieillir : nous y reviendrons encore.

Mais l'événement – la rencontre, la collision – n'acquérait-il pas plus de sens d'apparaître si fortuit ? Comme lorsque, à ma naissance, mes parents cessèrent de croire, en même temps que le Führer décrétait la conquête de notre pays : il n'en allait sans doute que d'une formidable coïncidence, mais cette sorte de hasard a toujours joué dans ma vie un rôle décisif…

Un enchaînement de hasards qui n'en paraissent pas, et de coïncidences suspectes : telle m'apparaît aujourd'hui ma destinée. Un collier d'erreurs – qui, souvent, semblèrent des fautes –, mais surtout de fatalités et de guignes : telle m'apparaît Votre carrière à Vous. (Cela ne Vous blanchit pas tout à fait, car a-t-On bien le droit de régner lorsqu'On accumule autant de tuiles ? On cesse un peu d'être un maître quand On est à ce point poursuivi par la poisse !)

Il était une fois un roi qui ne voulait pas être roi, mais finit par se prendre pour un roi. Au pays minuscule où cela se passait, les rois règnent mais ne gouvernent pas. On affecte de se donner des rois, mais ce sont des rois sans royauté. On les appelle « rois », mais c'est pour la forme. Ils ont droit au mot, pas à la chose. Gare, alors, s'ils se mettent à y croire pour de bon ! Qu'ils se rebellent contre leur humiliante condition, et qu'ils se piquent au jeu, la marionnette s'incarne : elle veut échapper au piège, puéril et sadique, qui la fait se débattre au bout de son fil.

C'était très belge, tout ça : pourquoi un pays qui n'arrivait pas à croire en lui-même se serait-il offert un roi véritable ? Parce que c'est un pays où tout se complique, pour camoufler ses échecs et ses ridicules à l'ombre d'une complexité. Son histoire, qui avait la nudité d'une parabole, on l'a délibérément obscurcie au point qu'elle s'englua dans la métaphysique.

Au fond, les monarchies ne sont que de grands jouets pour enfants. Comment le Roi lui-même ne s'y serait-il pas trompé en s'accordant des résidus de pouvoir, des ombres de privilèges qui n'appartenaient plus qu'au passé ?

Ce roi-ci, plus rêveur et plus crédule, s'était échappé d'un chapitre du roman où on le séquestrait, pour s'enliser dans la boue d'un champ de bataille, et circonvenir le dénouement qu'on avait prévu pour lui.

Je commençais à comprendre pourquoi il m'avait fasciné et tenu en haleine : il ne s'était épargné aucun cliché, nul lieu commun de la tragédie. La perte prématurée d'un père, un veuvage précoce, les champs du déshonneur, la cautèle et la veulerie des courtisans, un amour maudit. De tout cela, il s'évadait, enfin, quand on ne l'espérait plus, il s'en délivrait comme d'un corset de fer, au prix d'une ultime péripétie : il rebondissait dans sa propre vie, il renonçait à régner sur une petite nation et sautait à pieds joints dans le monde qui s'ouvrait à lui.

Il avait trouvé la sortie, il s'était engouffré dans la brèche, il avait découvert l'issue. Comment ne me serais-je pas reconnu dans le délire morose et opaque de cette histoire gorgée de chagrins et qui aboutissait à une consolation inespérée ?

Entre-temps, nul homme n'avait suscité contempteurs et zélateurs aussi vains et peu soucieux de vérité. Je ne me serais jamais intéressé à lui si, à la fin, il n'avait semblé tout perdre pour un peu regagner. Plus on tombe de haut, plus c'est captivant : « Là où meurent les mendiants, les comètes ne tombent pas ! », comme disait l'autre (mais que prétendait-il dire ?).

Je ressemble à ma grand-mère : je ne suis pas monarchiste, si je ne suis pas devenu républicain. Trop de monarques présidentiels ai-je vus à la télévision arrondir leur bouche en cul-de-poule pour adresser au peuple des salutations mielleuses et des vœux de prospérité qui n'engagent à rien, sous la grappe étincelante d'un lustre en cristal de Venise et devant les très riches heures d'une pendule en or massif. À ceux-là, il ne manquait que la ferblanterie d'un sceptre et d'une couronne. Je suis comme ma grand-mère : je n'aime pas qu'il y ait des maîtres, et je ne m'en reconnais aucun. Mais je ne suis pas de la race des rebelles qui abattent les rois dans leur loge au théâtre, quand c'est tout le théâtre qu'il faudrait faire flamber.

Il appartient aux grandes nations d'écrire l'Histoire. Il revient aux petites de conter, çà et là, quelques fables dont la morale est secrète, autant que si elle s'était cachée longtemps derrière une porte.

Tout n'était-il pas dit ?

« Mais enfin, qu'est-ce qui peut bien vous fasciner à ce point dans cette histoire ? demanda Joy. Tant de choses se sont passées ici même depuis lors… Plus personne n'en parle…

— Tout le monde continue au contraire d'en parler, mais sans plus rien nous apprendre de neuf. Partisans et détracteurs du roi se répètent sans s'en rendre compte. Comme si la clé de l'histoire échappait à tous.

— Et vous l'avez trouvée ? Vous allez donc nous faire des révélations ? »

Il aurait envie d'écarter du revers de la main l'ironie de la question. Il se souvient du glorieux champion cycliste qu'il avait interviewé, à l'aube d'un lumineux printemps, en Campine, et qui lui avait dit : « Eh bien ! bonne chance ! Qui veux-tu donc que cette histoire intéresse ? » Quand il avait expliqué au triple vainqueur de Paris-Roubaix qu'il souhaitait surtout raconter cela comme une épopée, une légende, celui-ci avait froncé les sourcils... Le champion avait semblé se méfier, par-dessus tout, d'une démarche intellectuelle dont la fantaisie l'inquiétait. Il n'y mettait aucune prétention particulière : mais pourquoi donc transposer, dilater, transformer ce qu'il avait été si difficile d'inscrire dans la cruauté du réel, et en particulier la souffrance, la fatigue, les blessures, le transport des triomphes, l'amertume des échecs ? Pourquoi fallait-il en rajouter ? En y réfléchissant, ne fallait-il pas se méfier d'un enquêteur que, si on le comprenait bien, la vérité de ces choses n'intéressait pas réellement, mais qui allait s'en servir pour les transporter ailleurs, pour leur supposer une autre importance ? Rik II s'était interrogé : n'était-ce pas faire injure à ce qu'il avait vécu que de lui rendre visite sur le tard, pour lui faire raconter des exploits qui n'importaient plus à personne, et prétendument pour les restaurer, pour les réhabiliter, quand il ne s'agissait que de rêver dessus, que de trousser tout cela comme une histoire pour enfants crédules ? Alors, s'était demandé le *campionissimo* campinois, à quoi bon le sortir de sa retraite, de son long sommeil de cycliste au bois dormant, si c'était pour embellir – ou noircir – les choses, comme si ces choses mêmes n'avaient pas suffi ? Le champion flamand avait peut-être été choqué qu'à l'heure même où on venait à lui pour rappeler ses exploits, pour rendre justice à l'âpre barbarie de sa vie, on ne s'en contentât pas. Cela le choquait qu'on en fît un roman, lui qui ne savait peut-être pas que les romans existaient, et quelles étaient donc l'efficacité de ceux-ci, leur raison d'être, leur bonté, leur déambulation alambiquée mais naturelle vers la vérité.

Pierre Raymond avait beau ne pas penser qu'il en écrivait un, de roman, que c'était encore autre chose, de ni plus ni moins digne, il avait été surpris, attristé qu'on se méfiât à ce point du genre romanesque.

Et voilà qu'à propos du Roi, cela recommençait ! Il aurait eu envie de dire : Nous avons vécu dans une patrie, nous avons connu une époque dépourvues de scribe. Pas un seul écrivain à la ronde, dans aucun des deux camps, et rien que des historiens pour couler en mots cette tragédie sur mesure... Ou bien on parlait d'autre chose, non parce qu'on était inventif, mais par défaut d'imagination. Il aurait eu envie d'ajouter : rien n'annonce les fins de siècle comme le mitan du siècle, c'est en nous souvenant des années cinquante que nous allons voir venir l'an 2000 ! Mêmes promesses non tenues, même absence de paix, identiques cynismes. Mais il craignit soudain, par une pudeur mal placée, de jouer les prophètes de banlieue.

Alors, il choisit de se replier sur l'*affaire* royale, de paraître ne plus parler que d'elle.

« Chère Joy, comment ne voyez-vous pas qu'il s'agit d'une histoire *parfaite* ? Parfois, j'ai l'impression de l'avoir de toutes pièces imaginée... S'il m'avait été donné de n'inventer qu'une seule fable, c'eût été celle-là ! J'ai le sentiment d'être né avec elle, de l'avoir portée en moi toute ma vie. Cette geste lamentable et magnifique, dérisoire et sublime. L'histoire d'un roi qui perdrait tous ses droits sur une toute petite contrée, et qui verrait s'ouvrir devant lui, alors, les portes du monde… Le reste ne serait qu'anecdote fumeuse, souvent cruelle, parfois sordide. Toutes ces complications, ces errements catastrophiques, ces fioritures aussi, pour conclure par une procédure en déposition qui n'en finirait pas… Léopold, ce roi mal foutu qui n'en fut que roi davantage, en théâtralisant tout le gâchis possible d'une vie humaine, va avoir droit à une seconde chance qui va faire de lui le roi des non-rois. En fait, chère Joy, voici la seule histoire que je veuille, que je puisse, que je doive raconter. Elle efface toutes les autres, elle annule d'avance tout autre projet narratif. C'est ainsi.

— Mais qui va avoir l'idée de lire tout ça ?

— C'est déjà ce que me demandait le champion cycliste… Je ne sais pas, moi ? Peut-être tous ces gens qui prétendent ne jamais raconter que des histoires bien réelles, très "républicaines".

— Par exemple, je ne comprends décidément pas votre portrait d'Astrid ! Cet ange à qui vous croyez devoir donner un corps, comme si son aura ne vous satisfaisait pas, comme si sa pureté même brouillait les cartes… Seriez-vous donc incapable d'appeler un chat un chat ?

— Mais au contraire ! Je serais plutôt dans l'impossibilité de *débaptiser* cette chatte… Comme elle a dû feuler, l'"immaculée" Astrid, dans les bras de Léopold ! Il suffit de parcourir les *Albums du Souvenir*, recueils de photos plus que retouchées, mais qu'on ne retouchera jamais assez ! Qui ne voileront jamais l'extrême sensualité, la splendide impudicité des regards échangés malgré tout, envers et contre tous les photographes ! Voyez comme ils brillent ! Je parie que cet altier monarque et cette ingénue souveraine ne se retrouvaient pas, la nuit venue, que pour se manger des yeux… Il y a quelque chose de dévorant, de cannibale, dans les regards qui se croisent, dans les regards qui se fuient, dans les regards *qui ne se reverront plus* car ils auraient trop à s'avouer. Il faut imaginer Léopold et Astrid ardents anthropophages, que l'histoire imbécile des nations et des Gotha n'aurait pas suffi à refroidir ! Pourquoi Astrid serait-elle moins vorace que pieuse, moins carnivore que pure ? Comme on simplifie toujours tout ! Ma thèse, chère Joy, en vaut bien une autre, et je suis assez malheureux que vous n'y souscriviez pas… »

Il se rappelait qu'au lendemain de leur première rencontre Joy ne lui écrivait qu'au verso de cartes postales qui reproduisaient des œuvres picturales ou des clichés de photographes célèbres, pour mieux prêter à ses envois une portée emblématique, et elle y parlait d'eux à la troisième personne.

« *Elle* était émue aux larmes… Au bord de cet abîme qu'*elle* pressentait en *lui*, qui résonnait en *elle*, comme par un effet d'écho, et qui allait se perdre un soir, alors qu'*il lui* parlait de son enfance, de la couleur et de la profondeur d'un océan de bruyères, et que l'image sanglotait encore quelque part entre *eux deux*… »

Soudain, elle repassait à la première personne : « Comme je me suis sentie démunie, ce soir, si désolée de te voir pris de court, et comme jouant le va-tout de tes obsessions, n'arrivant pas à choisir entre des équipées vaines et des voyages impossibles. N'oublie pas, au moins, lorsque tu dormiras sur le pont du bateau, de caler ta couverture, solidement, au coin de ton épaule… »

Enfin, elle concluait en mélangeant les personnes : « Repose-toi, mon amour, retrouve-toi, et puis remonte sur ton vélo et parle-moi de Pierre Raymond… »

Une nuit où il l'avait appelée de loin, sans égard pour le décalage horaire, elle se plut à penser « qu'il était décidément le meilleur ami de tous ses amis possibles ». Il l'avait réhabilitée, prétendait-elle, à ses propres yeux. Ils vivaient ensemble une *Reconquista*, une repossession du monde… Ainsi tout cela s'inscrivait-il dans l'Histoire, avec de grands bonds du cœur : on réapprenait à habiter l'espace, à passer le temps, à mettre un pied devant l'autre. On se rééduquait. On goûtait la saveur de l'air. On prêtait l'oreille à la rumeur des heures qui s'écoulent.

On écoutait le *staccato* feutré du sang qui courait dans les veines. On égrenait le pouls des choses, on se baignait dans leur clarté. Le monde respirait : on ne pouvait parler que de lui, de ce qui *lui* advenait, et de *soi* au beau milieu de lui. On n'était plus ni *je* ni *tu*.

Il s'étonnait que Joy fût si naturellement romancière sans s'aviser qu'elle fît un roman...

Par exemple, lorsqu'il leur arrivait d'évoquer ensemble leur première rencontre au square du Bois-Profond, et qu'ils s'ingéniaient à le topographier, elle précisait avec de fins détails oubliés de lui, et une mémoire remarquable des personnages, des gens réels jadis rencontrés, *et* le kiosque à journaux, habité un temps par un vieillard unijambiste puis par un petit Coréen méprisant, *et* le salon de coiffure où on recommandait, à l'étalage, un recours enthousiaste à la brillantine Roja (cela sans doute depuis l'avant-guerre, tant l'affichette était démodée), *et* la compagnie de trois taxis couleur olive qu'on trouvait alignés gravement derrière la vaniteuse enseigne : « Tête de station »...

Il riait à chaque nouvel écho que cela éveillait dans sa mémoire ; touche après touche, l'image se reformait, fraîche, intacte. Brusquement, il revit l'homme déjà d'un certain âge, habillé en montagnard tyrolien – *battle-dress* de velours vert, culotte courte, socquettes à floche, godasses fatiguées –, qui se hasardait parfois dans le square en rythmant sa marche au bout d'un alpenstock agressif. Lui aussi devait penser qu'il écrivait une histoire en escaladant des montagnes horizontales. Il fallait voir comme, soudain altéré, il buvait deux ou trois lampées à la gourde de fer-blanc qu'il tirait de sa poche revolver, et qui devait avoir traversé victorieusement plus d'un Hoggar !

Pierre Raymond avait beau penser que le retour au square signifiait tout l'opposé d'un départ pour les îles, et qu'il en allait plutôt d'un pèlerinage modeste au natal mouchoir de poche dans les plis duquel tout avait commencé, il s'exaltait de consentir à cette aventure lilliputienne en tournant le dos à tous les pittoresques, à tous les exotismes. Laisser derrière soi des paysages grandioses et de vertigineux panoramas, déserter le théâtre du monde pour revenir ici, où rien n'avait changé depuis si longtemps, et permettre à l'une ou l'autre Pénélope, assise sur un banc, de tricoter calmement sa tapisserie, n'était-ce donc pas terriblement *romanesque* ? On pouvait se stupéfier de rien : de tel coup de corne d'un marchand de glaces achevant sa tournée, ou des échos assourdis d'un orphéon lointain, comme si on allait assister, dans un instant, à la fin du tournage d'un grandiose western urbain. (Du reste, on distinguait parfois, au fond du paysage, comme une insolite traînure de lumière et on pouvait éprouver la crainte de mourir avant de savoir ce qu'elle signifiait : c'eût été alors comme si on avait vécu pour rien.)

On converse placidement avec ces deux petits bourgeois de retour d'un séjour à Minorque et qui n'en reviennent positivement pas d'être allés là-bas – mais, dans le fond, ils sont tout aussi épatés d'être rentrés ici. Une pomme blette vient de tomber dans l'herbe à côté d'eux : nous la regardons ensemble avec bienveillance. Nous nous en remettons à elle, et nous échangeons un sourire de connivence. Un instant, nous n'appartenons plus qu'à cette péripétie paisible. On n'a plus aucune envie de s'abandonner à on ne sait trop quelle mythomanie. On est prêt à rêver désormais sur le non-déplacement, sur l'absence de départ.

Alors, Joy, vous qui vivez en ce no man's land, dans l'œil de la tempête, pourquoi vous méfier, vous aussi, à ce point, de la fiction du monde tel qu'il est ?

Le petit Samuel raconte avec délices une blague apprise, le jour même, à l'école : « Il vaut mieux couper les nouilles au sécateur que couper les couilles au sénateur. »

Et comme cela lui fait se souvenir qu'il a été récemment circoncis, il se plaît à dessiner son zizi « grossi quarante fois », assure-t-il, et couvert de croûtes pour qu'on mesure l'ampleur de l'événement. Il affirme avoir trouvé sur un rayon de la bibliothèque un livre dont le titre ne veut absolument rien dire : *Reconstitution de l'âge et du temps passés*, ou *L'Art de vivre romain*. Il dit avoir demandé à tout son entourage de réfléchir dessus, mais que tous abandonnent la partie au bout de trois ou quatre jours… Il me met au défi de m'en tirer mieux qu'eux. Il s'inquiète de l'état d'avancement de mon reportage, et observe que si je n'en écrivais qu'un seul sur le Roi, sur Rik II, sur sa mère et sur lui, j'aurais moins de boulot ! C'est tout le bien qu'il me souhaite… Il pense qu'un livre, on doit toujours avoir envie d'y mettre tout à la fois, mais pour en avoir fini une fois pour toutes, et pour ne plus jamais y revenir. Lui, quand il en commence un, il ne va jamais au-delà de la première phrase, ou bien il s'interrompt au plein milieu de la seconde : « C'était un matin très beau. Dans ma maison, il y avait un petit garçon qui s'appelait… »

Les années avaient passé. Léopold avait trouvé le temps de mourir, à un moment donné. Mon enquête n'arrivait-elle pas à son terme ? Tout concourait à me le faire croire.

Alors que je désespérais de lui donner un ultime prolongement – et que, pire : je me déprenais d'elle –, un événement la fit cependant rebondir.

Depuis peu, je m'égarais volontiers du côté de La Hulpe. Le printemps naissant m'attirait à la lisière du bois d'Argenteuil. Je ne m'interrogeais pas sur la nature de ces humeurs sylvestres. J'aimais, passant en voiture devant les grilles de certain château, emporter avec moi l'image éphémère d'un règne veuf, d'un pouvoir abandonné, d'une retraite engloutie.

Un jour que je roulais au pas sur la petite route macadamisée qui jouxte le domaine royal, je fus rattrapé par une limousine dont le conducteur, venant à ma hauteur, m'invita à m'arrêter un peu plus loin. Cette vision d'un bolide de couleur foncée qui coupait ma route, j'en fus aussitôt saisi, mais n'eus pas le temps de me rappeler quel souvenir elle ressuscitait. Car, à peine eus-je rangé mon véhicule sur le bas-côté, je vis venir à moi le chauffeur, un peu lourd mais jouant les dégingandés, qui me demanda :

« Monsieur, n'auriez-vous pas vu par hasard un cerf courant près d'ici ? »

Je n'analyserai jamais la force irrésistible qui me poussa à répondre : « Oui. »

L'homme parut soulagé, presque triomphant.

« Pourriez-vous, monsieur, laisser là, quelques instants, votre voiture, monter à bord de la nôtre, et nous indiquer dans quelle direction vous l'avez vu s'enfuir ? »

J'obtempérai d'enthousiasme. Jamais, me dis-je en un éclair, je ne m'étais laissé dévoyer de mon itinéraire et distraire de mon emploi du temps avec autant de maligne satisfaction. Pourquoi avoir menti aussi spontanément ? J'avais dû pressentir qu'il y avait là une chance à saisir au vol, qui ne se représenterait pas une seconde fois.

Je me retrouvai, l'instant d'après, juché sur le caisson arrière d'une Maserati vert bouteille qui redémarra en trombe alors qu'une digne passagère, tournant vers moi son visage aigu, crut bon de m'avertir : « Il s'est échappé de notre domaine et pourrait, dans sa panique, se heurter à l'un des cars de ramassage scolaire qui, à cette heure de l'après-midi, sillonnent la localité… Je ne voudrais pas en courir le risque : les habitants me font déjà assez de misères au sujet d'une vasière, bouchée par les pluies d'orage, qui se trouve sur ma propriété et qui répand, prétendent-ils, des odeurs nauséabondes. Mais la déboucher supposerait que l'on perturbât gravement le rut des cerfs qui s'en approchent à cette époque de l'année. Les écologistes, monsieur, perdent parfois le sens de la hiérarchie des valeurs. Le respect des amours de nos chers cervidés ne l'emporte-t-il pas de loin sur certains inconvénients mineurs et ne nous fait-il pas oublier l'inconvénient fugace de quelques pestilences ? »

Un quart d'heure après, nous croisâmes deux hommes le fusil à la bretelle, aux allures de gardes forestiers, qui nous firent arrêter et nous apprirent qu'ayant traqué le mammifère éperdu ils avaient dû, en désespoir de cause, l'abattre sur place.

La Princesse pâlit, mais se montra belle joueuse.

« Il n'importe, Monsieur : vous nous avez bien aidés... Puis-je vous inviter à prendre le thé au château ? »

En fait, je ne lui avais servi à rien, sinon peut-être à partager quelque chagrin inéluctable. Un larbin me pria, avec beaucoup de déférence, de m'asseoir dans un des fauteuils profonds qui entouraient un âtre où deux ou trois bûches achevaient de se consumer. Là, je m'interrogeai sur le divertissant hasard qui m'avait permis, après mille détours, d'investir la ruche où, pauvre guêpe tâtonnante et aveugle, je désespérais de m'introduire jamais. Les portes, que mille missives implorantes et serviles sur l'objet de mon enquête n'eussent même pas réussi à entrebâiller, venaient de s'ouvrir tout grand devant moi à cause de la fugue tragique d'un animal emballé. Et grâce aussi à la petite forfaiture que je n'avais pas hésité à commettre pour le bien de la cause !

Quand je revis, debout côte à côte, les deux passagers de la Maserati, je compris que le quadragénaire à rouflaquettes, abrité derrière ses carreaux noirs, qui nous avait conduits en souplesse dans les méandres du bois d'Argenteuil dont il devait connaître tous les recoins, n'était pas le chauffeur de l'aristocratique hôtesse, mais son propre fils. Du reste, eût-elle engagé à son service un personnage aussi patibulaire, vieux loubard usé sans doute par une sorte de débauche, et dont la silhouette de flambeur éteint ne portait pas à la moindre confiance ? Ce n'était guère qu'en voiture qu'il pouvait faire illusion, quand il suscitait celle-ci par sa virtuosité de professionnel. Il n'y avait plus là, tombé de sa monture, qu'un jockey empâté, préférant un ballon de cognac à l'Earl Grey de rigueur. Il ne se gênait pas pour ouvrir sa gazette à la page boursière, sous les yeux d'une femme qui, depuis belle lurette, avait choisi de ne plus se formaliser des mufleries, voire des incartades, où se diluait un « Monseigneur » peut-être échangé naguère par mégarde, à la maternité, contre un prince authentique.

Encore un peu et ce nocturne rustre, après avoir allumé un cigarillo, se serait passé les pouces sous les bretelles... Plus il se montrait grossier, plus il m'attendrissait.

Pour ne pas laisser voir le trouble où me jetait « l'usurpateur », je choisis de mieux dévisager la Princesse et de ne plus détourner d'elle mon regard. À ce qu'elle n'avait pas quitté son manteau, je m'avisai qu'on pouvait ici se laisser gagner par le froid. Les châtelains étaient-ils donc désargentés, qu'ils ne jugent plus nécessaire de ranimer le feu ? C'était comme un froid venu d'ailleurs que du climat qui régnait en ce printemps frileux ; un froid qui ne venait pas de l'espace environnant, mais du temps même où il était né, autrefois, telle une maladie sans remède. Cela ne s'arrangerait jamais. Il ruisselait invisiblement dans l'air et devait, à la longue, rouiller jusqu'aux os les visiteurs qui s'étaient risqués jusqu'ici. Je considérai la Princesse comme si le secret de ce froid était en elle. Elle grillait cigarette après cigarette avec une fébrilité qui lui serait venue des déceptions et des meurtrissures de la vie même. J'aperçus, par les pans entrouverts du long manteau en laine d'Écosse, la nudité d'un genou, et je vérifiai avec stupeur qu'elle ne portait pas de bas. Un frisson me parcourut l'échine. Sa prestance naturelle éclipsait tant sa vieillesse que ses rides mêmes me parurent dessinées à la plume ou au crayon. J'admirai qu'elle n'eût pas recouru au camouflage vulgaire d'un lifting. Je pensai, incongrûment, que la prochaine fois que je lui rendrais visite – s'il devait y en avoir une – je lui offrirais des amaryllis. Je ne sus pas définir le sentiment que m'inspirait cette femme, mais je supposai que ce devait être quelque chose qui se situait à mi-chemin de la déférence et de la compassion. Je me dis que sa dureté apparente devait être en partie jouée, et qu'elle avait dû œuvrer passionnément à l'élaboration de sa solitude : que c'était peut-être même là, depuis la mort de son mari, l'unique passion de sa vie, le seul complot où elle eût déployé son énergie envers et contre elle-même.

Comme si elle avait percé à jour une partie de mes pensées, elle me dit alors : « Ce cerf, vous savez, auquel nous devons cette rencontre, nous ne l'aurons pas vu mourir. C'est une chance. Croiriez-vous, monsieur, que, six semaines avant la mort du Roi, un dix-cors est sorti un matin des sous-bois et s'est hasardé jusqu'à la terrasse ? Léopold, qui se trouvait assis dans son fauteuil, au fond du bureau où votre regard vient de capter certains objets et quelques renseignements utiles – vous n'avez certainement pas ignoré l'énorme mappemonde qui appartenait à Léopold Ier ; vous avez, bien sûr, admiré l'un des Winterhalter que nous avons exigé d'emporter avec nous au moment de l'abdication ; vous avez encore dénombré les trophées de chasse rapportés d'Afrique centrale –, bref Il se tenait là, ses jambes recouvertes d'un plaid, et Il a vu venir à Lui, droit sur Lui, lentement, le vieux cerf. "Regarde donc, m'a-t-Il dit : il est malade, il est à bout de course. C'est à se demander qui, de lui ou de moi, disparaîtra le premier. Et j'ai l'impression que, tant qu'il vivra, je vivrai." Lui donnant raison, le cerf revint jour après jour, pour vérifier où en était de sa lente extinction le maître de ces lieux et en tirer des conclusions sur son propre destin, sur l'état d'avancement du mal qui le rongeait lui-même. Il y avait donc une compétition qui les faisait s'affronter, mais aussi une solidarité connue d'eux seuls qui les rapprochait. Une après-midi, le Roi me dit : "Tu vas voir : je mourrai avant lui..." Ce qui advint, peu de temps après. Je n'ai pas voulu alors prolonger inutilement l'agonie devenue inconsolable du vieux chef solitaire, que nulle part sa harde n'accompagnait plus, tant la mort au travail creusait le vide autour de lui. Et je l'abattis de mes propres mains. »

Saurai-je jamais pourquoi ce geste sacrificiel d'une Diane Chasseresse égarée dans son époque ne me révolta pas, ni ne me parut ridicule ? Je pensai que les personnages insulaires, ou tout à fait anachroniques, forcent toujours un peu le respect, et quelquefois même l'envie. Une immolation médiévale au milieu d'un parc où même les ombres semblent exilées ne nous en apprend-elle pas beaucoup sur notre actualité secrète ?

Je demandai où se trouvaient les toilettes. L'idée d'uriner dans les chiottes fastueuses d'un château où, une heure plus tôt encore, je n'aurais jamais imaginé avoir accès m'enthousiasma et m'apporta une grande bouffée de confiance en mon destin. J'aurais voulu pisser très longuement, pour avoir le loisir de rassembler mes idées et de réfléchir sur le parti que j'allais tirer de l'occurrence. Je me sentais engagé dans un jeu où je pouvais, aussi bien emporter et doubler la mise que tout perdre sur une seule maladresse et à cause d'un propos inconsidéré.

En attendant, fût-ce à cause de l'innocente activité à laquelle je me livrais, je m'amusai de la situation comme un enfant (l'enfant que je n'avais pas été). Je trouvai les lieux eux-mêmes assez jolis. L'idée saugrenue me traversa de faire, en partant, le baisemain à la Princesse.

Sur le sol carrelé du vestiaire s'enchevêtraient inextricablement les bois des cerfs qu'on avait abattus dans le domaine au fil des années. Même les clubs de golf qu'on avait posés derrière, dans leurs étuis frappés de l'écusson royal, apparaissaient comme des armes mystérieuses qui avaient scellé le destin des nobles animaux. Je tombai en arrêt devant cet entrelacs et j'y vis la représentation plastique de l'histoire que j'essayais de raconter.

Pour me donner une contenance en regagnant le salon, je m'adressai à la Princesse en recourant à la troisième personne et la questionnai sur la chasse : « Lui arrivait-il encore de tirer du gibier ? » Elle me répondit qu'elle préférait désormais le nourrir.

Son Altesse enchaîna en me demandant, pour sa part, à quelle tâche je consacrais ma vie. Je décidai de ne pas louvoyer et, escomptant un salutaire effet de surprise, je lui révélai de but en blanc que j'étais occupé à écrire un récit où Sa Majesté le Roi se taillait la part du lion ! Je misais gros, car j'aurais pu aussi bien apparaître désormais comme un espion s'étant placé à dessein sur cette route où mon hôtesse m'avait providentiellement ramassé... Mais elle ne parut pas du tout surprise. Je découvrirais à la longue que la Princesse évoluait encore dans un monde où la figure royale, non seulement ne s'était pas diluée, mais gouvernait, chaque jour un peu plus, l'ordre des choses. Et c'est sur un ton un peu las, comme si l'agaçait presque la banalité de la situation, qu'elle me dit :

« Ainsi donc, vous êtes historien ? »

En insistant sur l'extrême modestie de mon entreprise, j'expliquai que je ne troussais qu'une chronique dans une revue touristique « haut de gamme », mais pour réveiller un intérêt que je soupçonnais d'entrer en agonie. Je lui racontai, tout à trac, ma « rencontre » avec le Roi, laissant entendre combien ma miraculeuse chute de vélo avait déterminé et illuminé toute ma vie. Pourtant, non sans une certaine malice, j'en remis tout de même un peu sur la violence du choc, et n'eus même pas peur d'insinuer que la maladresse du conducteur eût pu avoir de plus funestes conséquences...

Son Altesse ne se troubla nullement. Elle répliqua du tac au tac que celui que je désignais comme « le troisième homme » devait être l'aide de camp et se trouver au volant au moment de l'impact ; elle ajouta : « Je me souviens fort bien de lui, c'était un crétin. » Aussi ne se priva-t-elle pas de condamner l'extrême désinvolture de celui qui, me prêtant main-forte sur le chemin carrossable de W., ne s'avisa même pas du bris de mon biclo, ou ne jugea pas nécessaire d'en parler à ses augustes passagers.

« C'est lamentable, convint-elle, et cela me confirme dans l'idée que l'intendance de mon mari n'était pas souvent à la hauteur de la situation... »

C'était un peu comme d'entendre une grande bourgeoise déplorer que, « de nos jours, on n'était jamais plus bien servi ! ».

Un court instant, je fermai les yeux. Je vis distinctement surgir, d'un nuage de phosphènes, le cadre miroitant de mon petit Alcyon, et je pus rêver qu'enfin justice allait être rendue, que *tout allait rentrer dans l'ordre*. Je regrettai violemment que ma grand-mère ne fût plus de ce monde pour vivre le sublime épisode d'une officielle réparation. Je ne pus cependant pas divaguer davantage : lorsque je rouvris les yeux, la Princesse changea aussitôt de sujet de conversation. Ou plus exactement, elle en revint au point focal qui irradiait notre dialogue : le Roi lui-même, et son inscription dans l'éternité. Elle m'interrogea poliment sur la méthode que j'entendais suivre pour m'approcher de Sa vérité.

Je lui dis que, si je n'entendais pas me départir de l'humble point de vue du fantassin perdu dans la cohue de Waterloo, je ne m'étais pas épargné de nombreuses et studieuses lectures dans l'ombre propice de la Bibliothèque royale.

Elle parut s'irriter qu'au départ de mon lumineux périple dans le temps je juge nécessaire de me mettre dans le sillage de ceux qui, sans grand talent ni un immense souci de la vérité, s'y étaient engagés avant moi. Elle observa sombrement qu'ils s'étaient à peu près tous fourvoyés.

« Il faudrait, monsieur, prendre en horreur aussi bien les légendes embellissantes que les calomnies délibérées... Casser la statue. Ne plus apercevoir que l'Homme. »

Ma parole, c'était inespéré : on me prenait terriblement au sérieux ! Pour la première fois, je me demandai si j'en étais digne.

« Mais alors, Madame, le dernier mot de toute cette histoire, je ne pourrais en somme l'entendre qu'ici ? »

Mon aplomb ne l'offusqua pas. Elle dit : « Il conviendrait presque, Monsieur, que je vous installe là, dans le fauteuil du Roi, devant son bureau, et que vous preniez connaissance de ses correspondances ou de ses notes qu'ont si mal lues les chroniqueurs et où, pourtant, entre les lignes, Léopold se laisse tout entier pressentir... »

J'étais abasourdi. Je redoutais cependant de prendre cette invitation à la lettre et me demandai anxieusement si elle ne s'était pas exprimée de façon métaphorique...

« En réalité, Monsieur, ce n'est pas Lui qui a abdiqué : c'est plutôt la Nation elle-même ! Et alors, Il a seulement pu commencer de vivre... Ceux, reprend-elle avec une voix qui tremble presque de colère, tous ceux, oui, qui ont dramatisé l'événement en évoquant un "monarque shakespearien" ou "la nuit tragique de Laeken", ils en seront pour leurs frais face à l'Histoire... Gageons qu'ils ne L'auront pas connu — et qu'ils n'ont sûrement pas lu Shakespeare. En vérité, Il n'en est même pas sorti déçu ou meurtri, puisqu'Il n'espérait plus rien ! Je veux dire : Il n'attendait plus rien de son pays, de ses ministres, et pas plus de ses alliés que de ses adversaires ! Il n'était même pas *entamé*, entendez-vous ? Il en est sorti tout à fait indemne, figurez-vous ! Mais Il n'attendait que tout du monde, et tout du monde Lui fut offert. Voilà ce qu'il faut dire et répéter, voilà ce qu'il faut ébruiter et faire connaître. Cet homme était heureux, voyez-vous, et Il ne pouvait que l'être ! »

J'observai que les joues de mon interlocutrice s'étaient empourprées. Ce n'était pas tant la rage qui l'emportait en elle qu'un étrange sentiment de triomphe, et on devinait que ce credo auquel elle se cramponnait désespérément, elle eût pu le formuler encore de mille autres façons, en répétant toujours ce même geste de la dextre qui balayait l'espace devant elle, faisant table rase des idées fausses qu'elle semblait lire au travers d'un palimpseste.

Je compris combien cette femme qui avait refusé d'être reine avait pourtant régné. Je mesurai l'influence – bénéfique ou redoutable – qu'elle avait pu exercer sur le Roi lui-même. À l'approche du dénouement qui allait précipiter le départ de celui-ci, on faisait courir le bruit que c'était elle qui empêchait le Roi de céder, et qui ranimait son énergie et son intransigeance lorsqu'elle le sentait proche de se réconcilier. Comme si, la nuit, elle annulait les rares concessions qu'il avait faites durant la journée précédente...

Elle le voulait absolument sans merci et sans pardon. Peut-être l'avait-elle rendu plus indomptable qu'il n'y était lui-même porté ? Lorsque tout fut consommé, ne lui vint-il jamais à l'esprit qu'il avait perdu sa couronne par amour ? Et cette même femme qui avait voulu d'un roi pour mari ne l'avait-elle pas peu à peu poussé en bas de son trône ?

Ce jour-là, la Princesse me fit encore les honneurs de la bibliothèque, qui se trouvait au sous-sol, éclairée en permanence. Des rayons de livres, des coffres refermés sur des collections de diapositives, et de lourds fauteuils recouverts de housses blanches. Un tableau mural représentait la Campagne de 1940, avec des drapelets épinglés autour des objectifs stratégiques comme si s'étaient déployées là les ailes de petits papillons morts. Ici, un plan des îles Fidji et Moustique. Là, un portrait autographié de Claudia Cardinale. Ailleurs, des photos montrant le souverain grandeur nature, entouré d'indigènes de toutes races et de toutes origines, qui l'avaient accueilli aux quatre coins du monde avec une cordialité hilare. Je m'arrêtai un instant devant un agrandissement qui représentait Lilian tout de blanc vêtue, pour une fois immaculée, assise sur une chaise de camping, au cœur d'une clairière où pleuvait la lumière, quelque part en Afrique noire...

Je fus souvent réinvité au château ; d'un seul coup, j'en étais devenu un familier. Au début, je ne savais trop qu'apporter : un livre d'art, une collection complète de la revue où je tentais d'écrire, un ballotin de pralines, mais, à la fin, je penchais toujours pour un bouquet d'amaryllis écarlates. Je commettais sans doute un impair. Je m'étonnais à peine que nos relations se fussent nouées aussi facilement. Trop facilement, peut-être. N'était-ce pas presque décevant ? Je me souviens d'une fois où j'eus le hoquet et n'en fus même pas gêné. Bref, je prenais des habitudes.

Un jour, elle évoqua l'accident que j'avais vécu dans l'enfance. Je me dis que l'heure de l'Alcyon avait enfin sonné, et j'imaginai presque qu'un majordome allait pousser vers moi, dans le salon, une bicyclette de course avec double dérailleur ; mais je reçus des mains de mon hôtesse un stylographe, celui avec lequel j'écris cette histoire puisque ce fut pour elle une façon de m'y encourager. « Aux frais de la Princesse... », songeai-je.

Je me dis alors que, depuis quelque temps déjà, je venais moins ici pour traquer l'esprit d'un roi que pour rencontrer sa femme : le lui aurais-je avoué, qu'elle ne me l'eût sans doute pas aisément pardonné. J'eus le pressentiment que l'histoire de ces visites serait étrangement belle, assez brève, et un peu triste.

« Alors, comme ça, demande Samuel, tu l'as vue, la Princesse ? Comment elle était ? Est-ce qu'elle sentait bon ? Pourquoi est-ce qu'elle ne m'a pas invité, moi ? »

J'aimerais bien faire comprendre à Samuel que tout est déjà assez surprenant comme cela... Que moi-même, en bonne logique, je n'aurais jamais dû être invité non plus.

Mais Joy, qui ne souhaite sûrement pas que je m'en tire aussi facilement, ni qu'on réponde n'importe quoi à son fils, me devance :

« Qui a jamais prétendu, Samuel, que les princes et les princesses pouvaient penser à tout ? Moi non plus, on ne m'a pas conviée...

— Ces gens-là, Joy, vous reçoivent un à un... Mais cela s'explique ! Les hôtes actuels du domaine royal n'invitent plus, de loin en loin, qu'un paléographe, le conservateur d'un musée colonial, un coureur cycliste, un champion de billard à trois bandes, un chansonnier zézayant, un auteur de bandes dessinées, l'auteur d'une revue au théâtre des Galeries... Un à un, ou trois par trois, parce que, de tous ceux-ci, la mémoire du Roi peut espérer quelque mansuétude. J'ai vu traverser l'antichambre du château plusieurs quidams : quelques clowns, des joueurs de bridge, des comédiens boulevardiers, un ou deux reporters mondains, comme choisis au hasard. Il n'y a rien à attendre d'eux, pas même le plus petit début d'une réhabilitation de Léopold par quelques-uns de ses sujets. L'issue de cette histoire va se jouer au petit bonheur la chance, à la roulette russe ! Alors, qu'a-t-elle donc à espérer, Son Altesse, de l'évocation, en cinq ou six épisodes, d'un chroniqueur touristique à l'approche de l'an 2000 ?

— Mais je ne te le fais pas dire..., lance Joy. Aussi, pourquoi ne pas recevoir, pour le thé, la compagne de celui-ci, ainsi que son fils ?

— Je sais bien, allez ! dit sombrement Samuel, que je ne serai jamais prince !

— Vous voyez, s'esclaffe Joy, dans quel état, cher Pierre Raymond, vos fréquentations mettent cet enfant ? »

Je me souviens d'une journée d'été où nous déjeunâmes, la Princesse et moi, sur la terrasse. Des noix de beurre fondaient au soleil dans les raviers. Les cerfs, au loin, recherchaient la fraîcheur à l'ombre des marronniers. La Princesse me demanda si j'avais encore ma mère. Je lui dis que oui, et n'allai pas jusqu'à ajouter qu'elle lui ressemblait. Aussitôt, Son Altesse fit couper pour elle des fleurs, dont elle me remit, à mon départ, le bouquet.

Une autre fois, j'invitai Son Altesse dans une auberge d'Ohain. (Nous l'avions choisie de conserve, peu connue, point trop discrète, et je savourai comme un adultère relatif cette semi-clandestinité.) Naturellement, deux ou trois habitués du lieu crurent l'identifier et, dans le reflet d'un miroir mural, j'observai qu'ils interrogeaient le maître d'hôtel, dont le regard émoustillé démentit les signes de dénégation qu'il leur adressa. J'appréciai ainsi qu'il convenait ce faux incognito. La Princesse semblait se protéger, mais jusqu'à un certain point, et ne cherchait pas inutilement à passer tout à fait inaperçue.

Au château, de même, où elle n'allumait pas volontiers les lampes, elle aimait à se retirer à moitié, elle courtisait les lumières tamisées, le poudroiement de l'ombre qui la révélait plus qu'elle ne la dissimulait.

Soudain, elle signifia la fin du repas et se fit reconduire, toutes affaires cessantes, par son fils, lequel multipliait les dérapages contrôlés sur les petites routes de campagne.

Rentré un quart d'heure après eux à Argenteuil, presque essoufflé, comme si j'avais accompli à pied mon périple, aussitôt je me vois pris à partie par la Princesse : « Rappelez-vous toujours, cher Monsieur, que le fils du Roi – je veux dire celui qu'on appelle le Roi, aujourd'hui, parce qu'il est sur le trône – n'a jamais été ni amoureux ni malheureux. Longtemps, il fut quasi illettré. Il ne lisait que des bandes dessinées. En 1960, il fut presque fiancé à une princesse française : quand il apprit qu'une nuit elle avait voulu visiter les docks et les quartiers portuaires d'Anvers, il la répudia aussitôt. Elle aurait pourtant été passionnante à ses côtés, ne croyez-vous pas ? Il avait la foi, comme on dit, mais il n'avait que la foi. Tel fut l'homme qui, à l'automne de la même année 1960, se fiança avec une femme stérile et entreprit un pèlerinage à Lourdes ! Il trouvait cela plus important que de se rendre au Congo qui s'arrachait à la Belgique... Léopold a été furieux d'imaginer son fils se mariant sans amour, sous l'influence du Cardinal. Il aurait dû être curé... Un jour, lors d'un de ses premiers voyages à l'étranger, on a découvert des osselets au creux de son oreiller : une relique dont il ne se séparait jamais, et qui lui mangeait la joue durant son sommeil ! Un autre jour, le Roi, son père, mon mari, lui a dit : "Baudouin, n'oublie jamais que tu n'es payé que pour agir : ton règne sera long, car tu ne gênes personne..." Et, plus tard, il me confia encore : "C'est le roi parfait d'un tel pays : il ne le dérangera en aucune façon." Et vous savez bien, Monsieur, que ce fut vrai, n'est-ce pas ? Que Baudouin et Fabiola ont fait ce que les Belges attendaient d'eux ? Qu'il fut un roi dont la modestie frisait l'inexistence, et qui ne ferait pas de

vagues, et qu'elle fut une reine dont on ne serait pas jaloux ?...
Aux toilettes, ils écoutaient, l'un comme l'autre, de la musique
baroque. »

Je commençai à trouver qu'il faisait froid dans le salon. Je
m'avisai que le soir allait tomber : où ce crépuscule nous emmè-
nerait-il ?

« Il a rencontré quelques-uns des plus grands de ce monde :
Oppenheimer, Paul-Émile Victor, Cousteau, Herzog, Hergé...
mais la rencontre le fatiguait, et il allait bientôt se coucher... Alors,
Monsieur, j'aime mieux me souvenir de cet enfant qui refusait
de mûrir et demeurait à sa façon droit, affectueux, absolument
dépourvu de curiosité. Je me rappelle qu'en bas âge il pleurait
toutes les nuits. On a dû bien vite oublier que je m'étais occupée
de lui, dès que je dus lui tenir lieu de mère, à tel point que "la
princesse roturière" fut présentée à la presse internationale comme
"la gouvernante des enfants du Roi". »

Je la revois encore dans ce salon mal chauffé, ces buissons du
silence où traînait le parfum entêtant des amaryllis, cernée par
une brume qui, sur la terrasse, devançait un peu le soir, et d'où
émergeait encore parfois la silhouette d'une biche.

Elle restait debout. Elle n'avait pas enlevé son manteau. Elle
répondait avec une légère impatience au téléphone intérieur. Il
n'y avait plus autour de nous que ce froid, ces fleurs, l'approche
des ténèbres. Il n'y avait plus autour de nous de monarchie, de
royaume, de pays même, il n'y avait plus de langue à parler.

Plus personne ne ranimait le feu depuis longtemps, personne
n'allumait de lampe. On n'y voyait plus. Mais j'avais peur de le
lui faire remarquer, de rompre un charme, et qu'elle en profitât
pour me signifier mon congé. Quand ma grand-mère, lorsque
je me réfugiais chez elle, tardait à faire de la lumière, le dimanche soir, dans sa roulotte, et que je le lui faisais observer, elle
répondait que c'était voulu, et que nous allions vivre ensemble

« un noir quart d'heure » : celui au cours duquel nous pourrions tout nous dire, y compris ce que nous nous dissimulions d'ordinaire, mais que nous pourrions aussi nous taire, si nous le désirions.

Soudain, je réalise que ce sera là notre dernier entretien. Et que c'est pour cela qu'elle reprend encore une fois un monocorde plaidoyer, qui ne nous apprendra plus rien, si ce n'est sur son idée fixe, son amertume, son unique passion, alors qu'elle se raidit devant l'âtre où le feu de bois achève de s'éteindre, et que le champagne tiédit dans les coupes.

« Il n'a jamais été déçu, comprenez-vous ?, même par le plus mauvais de ses conseillers : Il n'en attendait rien. Les historiens se sont si souvent trompés, y compris ceux qui en disaient des choses élogieuses ; je pense en particulier à Untel qui s'est adressé à moi et qui aimerait encore faire un portrait de la *Princesse oubliée*... "Oubliez-moi davantage encore !", aurais-je eu envie de lui répondre, et assurez-vous de mon bonheur : de mon bonheur d'être oubliée, de m'être tue. Mais à vous, monsieur le chroniqueur, parce que vous avez traversé ma route, un jour où un cerf était en cavale, je puis confier cela : l'abdication Lui a tout apporté ; pas l'ombre d'un déchirement. Que cette perte fut un gain, proclamez-le autour de vous, écrivez-le partout ; et qu'en définitive, c'était *une bonne chose*... Je revois André Gide l'abordant à la réception d'un hôtel d'Ascona, en 1947, et s'exclamant : "Vous verrez : vous aurez bientôt oublié tout cela !..." On a tellement simplifié, vous savez ! Un jour où je parlais des yeux bleus de Léopold à un de ses familiers, celui-ci crut devoir me contredire : « Mais ils n'étaient pas si bleus ; n'étaient-ils pas plutôt gris ? » – alors qu'ils étaient bleus, monsieur, absolument bleus : je suis veuve, peut-être un peu aveuglée, mais comment, n'est-ce pas, me tromperais-je ? »

J'ai encore le temps de me dire que s'achève un opéra, alors que j'aimerais n'en être qu'à l'exécution de l'ouverture.

3

Tout un monde

L'océan confère le sentiment de l'Univers ;
une simple flaque confère le sentiment
de l'instantané.

SHITAO

Il m'arrive, ma mère, d'avoir mémoire de certain verger, de quelque clairière, de ce champ... ce champ, rien que ce champ, rappelez-vous donc ! De cette avenue bordée d'arbres.

Nous avons bien vécu cela, tout de même ? Cerisiers roses et pommiers blancs, tendre sureau, gratte-cul, aubépines, lilas, genêts, gueules-de-lion : vous avez bien dû être à mes côtés, à un moment ou à un autre, si je vous retrouve mêlée à de telles précisions horticoles ? Ah ! couleurs ! ah ! parfums ! On ne peut pas inventer cela, tout de même ? Pas *tout* ?

Qu'est-ce, à vrai dire, qu'un « architecte de jardins » ? me demandé-je. Un homme qui s'immerge dans un décor naturel pour, à la fin, imposer sa vision ? (Il plonge au centre de la terre puis remonte, les bras embarrassés par des trésors qu'il était, sans doute, le seul à savoir enfouis là ?)

Ou bien un géomètre doublé d'un despote éclairé, qui éduque les boulingrins sous la menace d'une férule rationaliste et inculque au gazon comment il conviendrait qu'il pousse ?

Un amoureux pantelant de la chlorophylle ou un superviseur tyrannique des pelouses ? Celui que j'allais rencontrer aurait-il un air conquérant ou une physionomie extatique ?

Je me le figurais déjà quasi englouti par le paysage, faisant corps avec lui, surgissant telle une racine aérienne au beau milieu d'un potager ; autant sculpté que sculpteur, mangé par la mousse, le regard noyé par le rêve du vert ambiant...

En lieu de quoi je me retrouvai, dans une loggia *Jugenstil* face à un petit homme replet et rubicond, sorte de nain de Blanche-Neige qui aurait voulu, par daltonisme, imposer son teint rutilant à l'émeraude panorama...

« La relation du Roi aux parcs et aux châteaux, me demandez-vous en somme ? Que vous dire ? Considérez les serres de Laeken : ce labyrinthe de verre, cette église de fer, ce jardin d'hiver qui ne prétend entretenir qu'un éternel printemps, tout cela fut conçu par son grand-père et son arrière-grand-père... Il n'est pas une corbeille florale, un enrochement, une annexe aux fougères, auxquels ses aïeux n'aient mis la main, dans le sillage des illustres paysagistes à qui ils avaient passé commande...

» Du reste, Léopold II, fuyant l'ennui conjugal et la monotone uniformité adultérine, n'a-t-il pas choisi de rendre le dernier soupir – lui qui ne visitait les empires tropicaux que ramenés aux dimensions enfantines d'une maquette – dans son cher Pavillon des palmiers ? La mort dut lui apparaître comme une façon de céder à l'attrait d'un ultime exotisme, mais qu'on aurait pu s'offrir, ô royal privilège, dans un hoquet d'amertume, rien qu'en laissant retomber sa dextre hors du canapé, au cours de cet hiver de Bruxelles que rien ne rappelait plus autour de lui... Ne s'est-il pas éteint plus perdu que Livingstone ? car aucun Stanley n'eût encore tenté de le retrouver en se frayant un chemin à la machette à travers ses meubles et bibelots d'explorateur immobilier et de collectionneur casanier... On peut supposer que, déjà, les ramifications des *ficus elastica* ou des *strelitzia alba*, les nœuds et les arborescences des gloxinias et des calcéolaires, tendaient des pièges aux pieds des fauteuils Louis-Philippe ou rongeaient gloutonnement la laine des chiraz... Mais – excusez-moi –, il n'y a que Léopold, troisième du nom, qui vous intéresse, je pense ? Lui n'a plus dû qu'entretenir et prolonger la grande rêverie botanique de ses ancêtres...

» Il a, au retour de ses voyages en Insulinde et en Afrique, rapporté des exemplaires rares de sélaginelles ou de primevères, quelques échantillons de *cibotium* royal, de *monstera deliciosa*, tel *placyterium* de java que j'ai à l'esprit... Mais beaucoup de plantes représentées dans les serres proviennent de contrées où il ne s'est guère aventuré ni, surtout, attardé : azalées indiennes, *fatsia japonica*, aracées costaricaines, cyathéacées du Mexique et du Guatemala, canneliers cinghalais, mandariniers chinois, figuiers australiens, boraginacées du Pérou, dattiers californiens ou muracées d'Afrique australe... N'importe : il aura beaucoup enrichi nos serres et aussi notre jardin botanique.

» Mais Léopold, vous savez, je ne l'ai réellement approché qu'à l'heure où, ayant atteint un âge respectable, il se préoccupait plus modestement de la tonte des pelouses et de l'entretien des bordures dans son domaine d'Argenteuil... C'était un homme exquis, qui bourait sa pipe avec un très mauvais tabac flamand. Mais alors : les yeux qu'il avait, cet homme, parfaitement bleus !... Un jour, en traversant le parc, je me souviens, nous avons trouvé, fiché dans l'herbe, le talon aiguille d'un soulier de femme. Il l'a pris en main, l'a considéré longuement ; il avait l'air étonné, presque soucieux. On eût dit que la propriétaire de la mystérieuse chaussure avait perdu ce talon en trébuchant au cours d'une tentative d'évasion... Que fuyait-elle, et pourquoi ? C'était tout un roman que manipulaient avec précaution les doigts du souverain... Vous auriez vraiment dû voir ses yeux : bleus, extraordinairement bleus... Mais, monsieur, pourquoi prenez-vous des notes ?! Vous n'allez quand même pas rapporter ce que je vous raconte ici ? J'aurais l'air de quoi ! Allons, je ne vous dirai rien de plus. »

Le pauvre homme avait l'air terrorisé. La clé de quelle compromettante énigme pensait-il m'avoir ainsi livrée ?

Pourquoi m'obstinais-je donc à penser que, nulle part, je ne m'initierais mieux aux équipées transocéaniques de mon modèle qu'en parcourant les serres où il avait dû, plus d'une fois, surtout à l'époque où il s'était retrouvé captif entre les murs de son propre palais, songer aux lointains « autre part » ? Pressentait-il alors que là-bas l'attendait l'issue de sa course, et qu'il passerait les dernières années de sa vie à voir, pour ainsi dire, pousser dans leur terreau d'origine certaines des végétations qui proliféraient tout au long des galeries transparentes de Laeken ? Quelle incitation au voyage, en vérité, quel appel du large, qu'une telle profusion de couleurs et de parfums ! D'autant qu'on s'y sentait bientôt à l'étroit et gagné par la claustrophobie en progressant lentement, dans une lumière d'aquarium, entre les masses avalanchées d'hortensias ou de *livistonaz Australis*, de pierreux et d'hibiscus. Glauque et funèbre monocordie de cette marche forcée entre les parois d'une forêt artificielle, domestiquée telle une floralie. Encore, lorsque le Roi s'y égarait, pouvait-il s'y recueillir en solitaire ; le bon peuple, quant à lui, n'y avait occasionnellement accès qu'en procession – ce qui n'était pas sans rappeler l'ultime visite d'une foule à la dépouille d'un roi mort, au fond d'une chapelle ardente ensevelie sous les fleurs...

Je me demandai si le monarque lui-même – lorsqu'il venait ici deviner peut-être confusément l'exil où le jetteraient les ingratitudes de son règne, tandis que carillonnaient tout autour de lui les éclats et les arômes entêtants des fleurs transplantées – ne percevait pas que tant de crépuscule, déjà, se mêlait à cette aurore annoncée.

Revenu à la Bibliothèque royale, je conviens que rien ne me sera plus difficile que de reconstituer cette phase, pourtant la plus exaltante de l'itinéraire léopoldien...

Or voici un homme qui avait perdu son pouvoir, mais qui, en contrepartie, allait prendre son envol, gagner le monde. Bien sûr, on ne perd pas son trône comme certains leur montre ou leurs clés : par distraction ou inadvertance... De s'être ainsi allégé d'un poids énorme devait au moins lui laisser quelques courbatures. Il en suffoquait encore, il cherchait sa respiration, comme quelqu'un qu'on viendrait de désensevelir des éboulis de l'Histoire officielle... Lui qu'on eût cru cramponné à son règne, qui sait s'il n'avait pas, de façon rusée, organisé lui-même et de longue date son évasion ? commis ce « péché contre l'État », dont d'aucuns l'inculpaient, pour changer de vie ? Rendu à l'air libre, il était pris de vertige. La disgrâce qui sauve..., qui y eût songé ? Partir ! Partir ! Il ne fallait plus tarder un instant ! Il voulait fuir au plus tôt ce petit bout d'Europe où il n'avait pas vu clair, pensant peut-être qu'au-delà des océans et au cœur des jungles les plus inextricables il se sentirait enfin *chez lui*. Qui n'attendrait du monde qu'il reflétât quelquefois sa propre complexité, l'épaisseur de sa propre énigme, voire sa terrible et magnifique confusion ?

D'où cette aspiration désespérée à rallier l'univers des hommes nus, oubliés par l'Histoire et laissés dans leur état originel.

Il se mettrait en quête du pays amical.

Le conquérant en lui caressait les rêves naïfs des timides.

Dès qu'il fut démis de ses fonctions, renvoyé à ses chères études et placé en chômage technique, on le vit traquant des espèces d'hommes en voie de disparition, là où se partageaient les eaux de l'Orénoque et de l'Amazone. Fuyant les itinéraires établis et fléchés, s'écartant des pistes, escaladant ici des roches granitiques, baptisant là un nouveau-né.

Peut-on revivre les émotions qu'un homme – un grandiose voyou – éprouva près de quatre cent cinquante ans plus tôt ? Mettant ses pas dans ceux de Vasco Núñez de Balboa, le voyageur, s'il suit à la lettre la route empruntée par celui-ci, embrasse à son tour, d'un seul coup d'œil, deux océans.

La même année 1954, le bruit court qu'il s'est égaré en Amazonie colombienne. On demeure plusieurs jours sans nouvelles de lui ni de ceux qui l'ont accompagné au Darien. On le donne pour perdu. Heureux et malheureux qui, comme Balboa, aurait fait un périlleux voyage...

Que ne l'ai-je appris alors ? J'aurais pu me lancer, gamin, sur ses traces, comme fit à plusieurs reprises, peu de temps auparavant, ce Maufrais qui ne pouvait croire à la disparition de son fils sur la route du Mato Grosso, ne s'en consolait pas, et qui défraya longtemps la chronique : dans les notes de journal qu'avait laissées derrière lui le disparu, celui-ci racontait à la fin que tout pourrissait autour de lui, que ses vêtements moisissaient sur sa peau, que même les lentilles de son appareil photo se décollaient ; il avait dépecé et mangé son chien pour survivre un jour de plus ; et les derniers à l'avoir aperçu dirent n'avoir pu identifier qu'avec peine ce spectre velu...

Mais le Roi réapparaît. S'en est-il fallu de peu qu'il n'eût connu un sort identique ? Certes non ! On peut supposer que, même en Amazonie, le baroudeur clochardisé et le seigneur aventureux ne courent pas les mêmes risques de s'engloutir dans l'immortalité. On peut soupçonner que les moyens mis en œuvre en Colombie pour récupérer le monarque paumé furent de quelque ampleur... Celui qui, passionnément, recherchait l'authenticité primitive, avec tous les risques que cela devait comporter, ne se lançait pas pour autant dans l'inconnu – et les autorités locales avaient quelque intérêt à ce qu'un aussi illustre découvreur ne se perdit point... Et puis Léopold n'avait-il pas – enfin – la baraka ?

Je songe à ces petits vieux qu'on rencontre parfois dans les couloirs des trains ou sur le pont des paquebots, et qui ont attendu patiemment l'âge de la pension en économisant sou par sou, leur vie durant, pour se payer un tour du monde en raccourci. J'aimerais me dire que, toutes proportions gardées, le Roi leur ressemblait un petit peu... Sinon que, par une grande chance, l'heure de la retraite avait sonné pour lui beaucoup plus tôt que prévu, lui ouvrant les portes d'un espace infini. Pour sûr, on me jugera irrévérencieux ; alors qu'il suffirait, au fond, d'accepter que, si l'épopée peut se pointer, à tout moment, jusque sur le seuil de notre modeste demeure, un rien aussi peut la compromettre dans un panorama beaucoup plus grandiose. Là où les distances géographiques sont réduites à la portion congrue, il n'y a plus que la folie qui est dans les têtes pour suggérer encore l'idée de l'ineffable... Aujourd'hui, on retrouverait Livingstone en moins d'une heure avec un hélico, mais il appartient aussi bien à notre voisin de palier de se rendre introuvable s'il le veut vraiment. À l'inverse, au cas où le Roi, lui, aurait voulu se perdre au fin fond de la Colombie, il n'y serait sans doute pas parvenu...

Je m'initie aux récits d'exploration. Je me passionne pour les travaux et les photographies d'un marquis, dont la pose – le casque colonial rejeté vers le haut du front, la pipe au bec, les mains accrochées au ceinturon – fait impression, qu'il la prenne aux côtés d'un chef arhuec ou entre deux guerriers motilone, ou encore au centre d'une ronde d'Indiennes colorado. À douze ans, les jeunes filles catio ou cayapa, tatouées du genou au nombril, ont l'air d'en savoir plus long sur la vie que le photographe n'en saura jamais. Une femme chama aplatit le front de son enfant dans une sorte de casque de scaphandrier. « Seuls les parents décident du choix du mari chez les Vichada », assure la légende, qui ajoute : « Les mœurs sont très libres », ce qui apparaît pour le moins contradictoire. Ailleurs, on peut voir une femme couahibo allaiter tristement un singe, et une Jivaro, qui ressemble à Sarah Bernhardt, « enseigner à son enfant le sentiment du bien et du mal » (par bonheur, pour elle et pour son môme, elle semble plutôt se marrer...).

Je parcours çà et là des tables des matières. Je m'intéresse à l'art de la plumasserie chez les Yagua, à la corde à nœuds chez les Bora, à la couvade chez les Ocaina, au pouvoir des faiseurs de pluie omagua, à la coupe des cheveux chez les uns et à la réduction des têtes chez les autres, aux règles du jeu de la pelote chez tous ; j'assiste, comme si j'étais à la maison, à une chasse au curare et à une pêche au barbesco, je fais bombance, en pensée, d'un cuissot de tapir, je me gave d'un sandwich de termites grillées, je partage l'intérêt de celui qui étrangle le boa, éventre le caïman, crève le piranha, écartèle l'aigle de rivière ; j'essuie les lourdes larmes de l'arbre à caoutchouc, je suis celui qui n'a pas rouillé en passant par les forêts inondées, s'est empiffré de mygales, a bu du manioc fermenté et supporté le spectacle des enfants grignotés par les fourmis géantes pour qu'ils se réveillent dans la peau suppliciée d'hommes à part entière »... Et au bout du monotone, assoupissant, interminable tunnel de verdure, il y a toujours la trouée, la détonation d'une lumière insensée sous des écroulements de nuages venus d'on ne sait où ; alors, on a tout juste le temps de se réveiller, ébloui : le fleuve étincelle, mais il n'y a plus moyen d'y croire, depuis le temps qu'on glissait en somnambule sous un jour plus noir que toute nuit. (La forêt entière vivait, s'était mise en marche, mais parce que en proie au délire qui seul animait désormais toutes choses. Il n'y avait plus de corps que secoué par la fièvre, il n'y avait plus d'esprit qu'halluciné, d'âme que hagarde.)

Vais-je parler des singes rougeauds, assis en bandes, qui jacassent d'une voix rauque ? des tatous caparaçonnés dans leurs naturelles cottes de mailles ? des tortues géantes dont on brise la carapace à coups de machette et dont on défonce le plastron comme si on découpait au chalumeau un coffre-fort d'écailles, pour accéder aux saveurs insolites d'un paquet de tripes mousseuses ? Vais-je évoquer les ignames impassibles, ou les orchidées orange qui servent de berceaux aux oiseaux-mouches ? Vais-je m'attendrir sur ces lys géants qui trouvent le temps de fleurir, entre deux pluies diluviennes, et pour quelques heures seulement, dans l'entrelacs échevelé des grands tamariniers ?

Cela en vaudrait-il vraiment la peine ? Tôt ou tard, il faudrait souligner l'amalgame ici de toutes choses, et comme les serpents se déguisent en lianes, comme l'homme se camoufle sous un suaire végétal, comme les minéraux se travestissent en animaux endormis, comme le caméléon lui-même ne sait plus à quoi ressembler... Il n'est pas jusqu'à l'eau et au ciel qui, par moments, ne se confondent : que la pluie se mette à tomber sur le fleuve, et c'est l'immense forêt, avec toutes les bêtes qu'elle recèle, qui bascule elle-même dans l'universelle liquidité.

Ah ! le fleuve, parlons-en ! Lui qui, par endroits, compte jusqu'à trente kilomètres de largeur au point qu'on n'en distingue pas les rives, la verdure infernale de la forêt l'interrompt, le sépare, le déroute, le détourne en mille méandres, lui oppose mille et un îlots, complique son cours à l'envi, le disloque, l'éparpille, de telle façon qu'on ne prend vraiment la mesure de sa souveraine sinuosité, de son majestueux zigzaguement, que lorsqu'on le survole et filme du ciel ses circonvolutions à travers une plaine qui s'étend jusqu'à l'horizon. Alors que plus rien n'échappe de ses carrefours, de l'entremêlement de ses bifurcations, de l'apaisement de ses biefs, il recouvre son émouvante énormité de baleine égarée... On cesse de se dire : où est donc ce Titan toujours inaperçu ? Il est là, pour de vrai, sous nos yeux, immense et perdu à la fois, monumentalement... Ah ! que dire alors qui soit à la hauteur de ce géant ivre qui titube au travers de tout un continent ?

Si je ne devais retenir que deux images tendues et fortes qu'a proposées le fleuve immémorial, je sais celles que je choisirais. Sur l'une d'elles, on n'aperçoit que le visage d'un homme dont le reste du corps est en immersion ; il rêve, les yeux clos, enroulé comme d'une fluide couverture limpide ; il fait la planche, mais sous quelques centimètres d'eau transparente : on devine au cœur d'un remous la charpente musculeuse du chasseur à moitié assoupi, abandonné au courant, confiant dans l'ordre du monde. Il pourrait être mort, ce guerrier amoïneda, et ce ne serait alors que l'ultime reflet qu'il offrirait ainsi de lui-même avant de couler à pic, laissant aux poissons carnivores le soin de faire sa toilette, c'est-à-dire de dévorer sa trace, son souvenir même. Mais il n'y a pas à s'y tromper : ce n'est pas Ophélie dérivant, pâle comme une lampe dans la nuit de l'être, coupant l'eau avec ses cheveux tranchants tels des rasoirs, pour signifier majestueusement le malheur d'avoir marché sur la terre ; non ! les lourdes paupières maquillées ne se sont fermées que le temps d'une sieste aquatique, d'une extase, le temps de mettre un moment au repos les yeux voraces d'un homme empli par la jubilation d'exister, d'appartenir à l'espèce des animés.

Et puis il y a cet autre cliché où on distingue un sorcier éventant au moyen d'un bouquet de feuillage une femme malade, anéantie par la fièvre. Il est assis à côté d'elle, il ne la regarde même pas, il a l'air mélancolique, il exerce seulement son art de guérisseur avec résignation. Elle gît, plus abandonnée qu'une amante. On dirait qu'elle vient de subir un assaut d'amour, ou de s'endormir avant de s'y soumettre à nouveau, qu'elle ne serait plus bonne qu'à ça, que seules les charges de l'homme la maintiennent encore vivante. Pour moitié morte, pour moitié bouillante de vie.

Léopold a-t-il vu des images comme celles-là ? Il semble que non, mais la chose est difficile à affirmer de manière assurée, puisqu'on sait qu'il lui arrivait de céder certaines photos prises par lui à des ethnologues de rencontre, lorsqu'il les avait précédés dans les régions que ceux-ci comptaient parcourir ; et qu'il n'était même pas effleuré par l'envie de les commenter, de les légender lui-même...

« Vous avez vu son regard ? » me demande cet ethnologue français, un jour de juin en fin d'après-midi, alors que nous sommes assis dans son appartement du quai des Grands-Augustins. Les volets qui ferment le balcon sont entrebâillés et une lance de lumière transperce la pièce où nous nous trouvons ; on dirait que le propre regard du savant, qui me scrute, voudrait me traverser : peut-être aperçoit-il en transparence la Seine qui coule derrière mon dos ?

« Ses yeux bleus, n'est-ce pas ? On m'en a déjà beaucoup parlé...

— Mais qui vous parle de leur couleur ? Je ne vous entretiens, moi, que de ce que ces yeux ont vu, et de ce qu'ils ont donné à voir ! Du regard que cet homme a posé sur ceux qu'il a rencontrés : ces indigènes du bout de la terre au-devant desquels ses pas l'ont porté... Vous avez admiré, je crois, ses photos ; avez-vous noté tout ce qu'elles racontent sur lui et ces gens-là, le dialogue qu'il a établi avec eux ? Ça leur appartient désormais, c'est à eux seuls, on ne pourra pas le leur reprendre... Ethnologue, il l'est devenu ainsi, en photographiant ; il laissait à d'autres le soin d'écrire et de paraphraser. »

Je ne pouvais m'empêcher de penser que, décidément, sur ce qu'il avait vécu d'essentiel, Léopold avait préféré se taire. De même qu'aux accusations portées contre lui il n'avait presque pas répondu, de même s'était-il montré, quant aux splendeurs et étrangetés de l'univers qu'il avait entrevues, aussi peu disert que possible, et s'était dépouillé de tout lyrisme.

« Vous savez, dit encore mon interlocuteur, il devait avoir une réelle aversion pour ces récits d'exploration où certains matamores, sûrs de leurs effets, font parler les sauvages comme des enfants tel qu'un instit de province ferait avec ses potaches..., et encore, des potaches particulièrement obtus ! Et quand il filme des pangolins, des ornithorynques ou des potamochères, il ne leur prête pas, au moins, des états d'âme anthropomorphiques... Cela lui aura évité de commettre le genre de bévues dont se sont rendus coupables tant de nos collègues, liant leurs hôtes à une vision préconçue : pour complaire au chercheur qui leur rendait visite, ces gens n'ont pas hésité quelquefois à reproduire un scénario qu'il avait suggéré, se montrant tour à tour pacifiques ou belliqueux selon que lui-même avait présumé de leur amabilité ou de leur soi-disant vocation pour la "violence tribale" ! Léopold, lui, laissait plutôt parler l'image ; et observez comme ses photos, aussi belles soient-elles, ne sont pas en soi des photos d'art : le scrupule documentaire l'emporte de loin sur le souci esthétique. Encore que, bien sûr, la frontière, ici, entre la réalité crue et le rêve qui paraît, çà et là, la sublimer reste difficile à définir. Il peut arriver que le petit fait vrai soit déjà nimbé dans l'aura d'une vision... On n'arpente pas pour rien l'Eldorado, les paradis perdus et les édens cannibales, sans que la vérité ne culmine dans la mythologie. »

Je me dis que c'est, précisément, pour échapper aux mythes, bons ou mauvais, qui avaient escorté son propre parcours, qu'il était revenu sur les lieux les plus mythiques de la terre, qu'il s'était rué là-bas pour s'y oublier, pour reprendre tout par le début.

Il est certain qu'elle dut être mémorable, la rencontre du seigneur blanc déchu avec « les seigneurs de la forêt », en 1957, au cœur du Congo millénaire ; et aussi qu'elle battit son plein, « la fête indienne », en 1964, dans le Haut-Xingu ; et que déjà en 1952, au Venezuela, l'expédition dut se dérouler dans une sorte d'euphorie grave. Une photo me frappe plus que toute autre : un jeune Indien parle, avec une volubilité visible, au visiteur qui lui tend une oreille obligeante... Combien de fois cette scène a-t-elle donc dû se reproduire, où celui qui est parti à l'aventure est censé comprendre tel autre homme qui l'accueille en l'assaillant de questions, et soudain s'esclaffe, ou alors ne se lasse pas de toucher le nouveau venu, de palper ses cheveux, l'étoffe de ses vêtements... Il semble qu'à chaque fois cette incommunicabilité se vive dans la bonne humeur et non le désarroi. Mais la « fête » une fois terminée, ne se réveille-t-on pas avec une sorte de gueule de bois ? Qu'est-on donc allé vérifier aux confins de la terre ? L'universalité familière de l'espèce, ou la définitive étrangeté de peuples qui ne tarderont plus à disparaître sans avoir rien emprunté à « la civilisation » ? Dans les deux cas, comment ne pas se sentir le cœur étreint ? On est allé voir des ethnies en sursis pour se convaincre, la plupart du temps, qu'on aurait décidément tout ignoré de leur façon d'être, des mobiles amicaux ou hostiles qui inspiraient leurs actions et que, surtout, leur joie, leurs rires éclatants constitueraient une définitive énigme...

« Suis-je réellement présent dans ce monde fabuleux ? » se demande Léopold à Porori. Et, pour sûr, il s'émeut de l'exubérance enfantine dont font montre ceux qui le reçoivent. Il est sensible à la fraternité que lui témoignent les guerriers au visage mongolien. Il se félicite, il s'enivre de « la beauté indemne » de cette nature. « Je n'aime pas les sentiers battus », nous prévenait-il en Amazonie, et il fut sans doute le seul Blanc à contempler jamais cette femme tatouée des chevilles à l'occiput et qui se livra pour lui à une danse dionysiaque. Comme il fut encore l'un des rares à prendre en portrait cet enfant vissé à sa mère par un amour glouton...

Mais, au retour, n'arrive-t-il pas qu'on doute de tout ce qu'on a vécu ? A-t-on vraiment approché ces hommes brachycéphales qui mangeaient leur enfant mort pour le faire renaître ? Qui bouchaient l'anus de leurs prisonniers avant de les échauder et de recueillir leur cervelle ? Qui copulaient en chantant au bain, et riaient de volupté ? Les a-t-on mieux connus que les conquistadores espagnols fourvoyés dans la selve, à bout de forces et de ressources, et qui finirent par mastiquer leurs ceinturons et la selle de leurs chevaux après les avoir fait bouillir ? Et le fleuve immense – encore lui ! – l'a-t-on vraiment descendu ou remonté, tandis qu'à chaque instant le regard se cognait contre les îlots et s'engloutissait dans une bouillie d'épinards, ou s'engluait au fond du ciel boueux ? On se souvient seulement alors que tout cela, en somme, était bien triste, empruntait à la couleur d'un très vieux chagrin, et qu'on ne savait même plus lequel...

Il fut, jusqu'à son terme, ce grand vulgarisateur peu loquace qu'on pouvait affecter de ne pas prendre au sérieux, puisque au fond il ne pouvait que deviner l'Autre...

Il resta jusqu'au bout ce jeune homme blanchi sous le harnais, au corps musclé – « un très bel animal », me dit avec respect quelqu'un qui l'accompagna lors d'une chasse aux tortues géantes, à Panama : « Il pouvait se battre ainsi, nu, durant des heures, avec des bêtes monstrueuses, avec les éléments – tout, quoi ! –, sans espoir, absolument sans espoir que cela ait même un sens, ni qu'on le comprenne... Ce ne devait pas être uniquement pour accomplir un exploit sportif, si vous voyez ce que je veux dire. »

Bien sûr, même sur ce terrain, il conservait encore quelques privilèges. Ainsi que dans sa propre patrie : n'avait-on pas modifié certains axes du réseau routier, autour de sa résidence de Ciergnon, pour qu'il pût y rouler à tombeau ouvert au volant de sa Bugatti ? « Il avait compté, le savez-vous, parmi ses amis le génial constructeur de prototypes portant ce nom ; à la veille de la guerre, il a pensé, sachant ce dernier à la dérive, l'aider en tant que mécène à relancer son industrie : il s'en est fallu de peu que celle-ci ne vienne s'installer en Belgique ! »

Mais ce luxe, ces privilèges de vieil enfant gâté, on eût dit qu'il souhaitait les compenser par des missions généreuses ou d'intérêt général. Émerveillé par les séquoias du Yosemite Park, en Californie, ou tombant en arrêt, au Surinam, devant un anaconda déroulant ses anneaux « d'or et de feu », passionné par la pisciculture ou les biotopes, c'est quand même toujours parmi les hommes qu'il s'est trouvé le plus à l'aise – tels ces lépreux de l'île de Molokai, qu'on a voulu éloigner de lui lors de sa visite, mais qu'il laisse approcher du sien leur visage déchiré et l'étreindre dans leurs bras qui partent en lambeaux... Après, dans l'avion du retour, l'émotion le laisse sans voix. Mais il est ainsi fait : sa solidarité ne se manifeste jamais avec autant de ferveur qu'à l'égard des hommes lointains, des races maudites, des peuples en voie d'extinction. Faut-il lui en faire grief ou l'en féliciter ?

Après d'ultimes voyages au milieu des années septante – en Indonésie et aux îles Andaman –, il ne se déplace plus guère. Non que l'envie lui en soit passée. Du reste, il a encore des projets. Par exemple, il aimerait bien se rendre, pour quelque temps au besoin, dans une station de biologie marine sur la minuscule île de Laing, dans l'archipel Bismarck, en Papouasie : une espèce d'atoll, un micro-îlot entouré d'une barrière volcanique, et qui appartenait à l'église anglicane. On y recueillait l'eau dans des toiles et on s'éclairait au moyen de groupes électrogènes : il n'eût été promis qu'à un splendide isolement... On a trouvé un prétexte pour ne pas le laisser venir. Il n'a pas été dupe. Il n'a pas insisté.

Il se doute bien que, le temps passant, celui des *terrae incognitae* est désormais révolu. Qu'il lui fut donné d'être un des derniers arpenteurs d'espaces inexplorés. Que la forêt d'Amazonie elle-même brûle dans les hauts fourneaux à charbon végétal, que rien ne pourra plus sauver ce colosse qu'on incinère. Il se rappelle que, la dernière fois qu'il s'est rendu en Amazonie équatorienne, on voyait les jeunes filles des écoles à missionnaires passer sur les rives en robes blanches plissées, les pieds dans la boue... Chaque jour, la forêt reculait : était-ce réellement une victoire ?

Il s'était laissé dire que, depuis qu'un alpiniste anglais avait conquis l'Everest – en rejetant à quelques mètres le *sherpa* qui avait assuré son exploit –, la montagne s'était, selon les calculs, accrue de quatre-vingts mètres, ou qu'au rebours elle n'en comptait plus que 8 246, tandis que ses versants se couvraient de détritus comme le sol d'un terrain de camping... À quand la première bouteille vide de Seven-Up aux côtés du gonfalon rappelant la performance des conquérants ?

Il avait appris, avec amusement cette fois, qu'à la fin des années cinquante les responsables de l'expédition de Gerlache (de Guerre Lasse ?) en Antarctique avaient baptisé « Roi Léopold » une certaine baie à proximité du pôle Sud : par malheur, la falaise altière qui lui tenait lieu de porte s'effondra, et la baie s'engloutit en elle-même.

Tout foutait le camp. Entre l'Eldorado qu'avait vu Balboa et celui qui reçut la visite de Léopold, il y avait peut-être moins de différence qu'entre ce dernier et le décor qu'il nous serait donné de rencontrer avant demain...

La rumeur court qu'à la fin le seigneur au Rolleiflex ne se lassait plus, à l'aube ou au crépuscule, de photographier le vol des aigles à Hinterriss, au cœur d'une Autriche à la portée de la main. Qu'il connaissait le bonheur. Et qu'il convenait volontiers que ce qu'il avait contemplé de plus beau en toute sa vie, c'était la très accessible « vallée des merveilles » dans le parc national du Mercantour et de Fontanalbe, derrière Tende et le pays niçois : il pouvait y passer plusieurs jours et nuits, allant de refuge en refuge, pour admirer à l'envi les milliers de gravures rupestres datant de l'âge du bronze.

Plaqué qu'il fut par son pays comme d'autres par une donzelle, le Roi avait voulu revenir à la contrée de toutes les origines.

Mais telle la plus belle femme du monde, le monde lui-même ne peut donner que ce qu'il a...

Il aurait voulu vivre ce retour sur le mode d'une éclatante revanche. Ou d'un rebond providentiel au cœur de sa propre destinée. Ou considérer, au moins, qu'il y allait d'une façon assez « majestueuse » de tourner la page.

Qu'est-ce qui l'empêcha de ressentir ainsi sa conversion ? C'est qu'autant il pouvait, de la sorte, avoir vécu deux vies différentes, autant la seconde ne vengeait en rien la première, ne la réparait pas.

Il avait seulement bénéficié d'une autre chance. Mais c'était bien le même homme qui avait éprouvé les deux situations, et l'une ne consolait pas de l'autre. Le lui aurait-on fait observer, il n'aurait pas nié. Il aurait souri tristement en pensant que son propre peuple, il ne l'avait finalement pas connu, qu'il n'avait pas été l'ethnologue de son propre pays. Il aurait aimé se persuader que ce n'était la faute de personne, sinon... ; mais quoi, c'était peut-être celle de tous ! La tentative d'évasion hors du labyrinthe local avait avorté à demi. Il y avait déjà de l'Icare en ce Dédale.

Seules les images qu'il avait traquées, lorsqu'il les revoyait, le persuadaient qu'il n'avait pas rêvé tout cela. Des milliers de photos en noir et blanc, quatorze mille diapositives en couleurs et huit films thésaurisent l'éblouissante opacité des régions prospectées et entretiennent leur inextinguible mystère. Combien de fois tous ces clichés sont-ils repassés devant ses yeux sans qu'il parvînt à en épuiser la profondeur ! Il éprouvait moins de regret pour les aventures qu'il avait vécues là-bas que pour le paysage même qui en avait été le décor, et qu'on devait avoir, depuis lors, saccagé : plus un désert qui ne fût balisé, aucune jungle qui ne fût prête pour les ébats de quelque Club Méditerranée ; on avait désormais droit à l'Amazonie clé sur porte et le Hoggar semblait préfabriqué ; des rallyes forçaient la virginité des sables, et de mondains safaris domestiquaient brousses et savanes.

À quoi bon voyager, dans ces conditions ? N'avait-il pas vécu l'ultime époque où il y avait encore des hommes ingénus à saluer, des sépultures à exhumer, des sylves où se perdre ?

Au fond, lançait-il parfois en boutade – mais il n'était peut-être pas si loin de la vérité –, on croise, sur terre, bien plus de « Sires » et de « Majestés » que d'authentiques voyageurs (à commencer par ce fameux Errant d'autrefois, dont on prétendait qu'il faisait l'amour en marchant...).

Sur quelques-uns se sont ouverts les battants de l'univers. Même moi, je suis à ma mesure modeste l'un de ces « héros ».

Oui, cinq ou six fois, ou bien trois ou quatre, ou plutôt deux, rien que deux, oui, j'ai vu s'ouvrir pour moi le portail du monde – où, quand était-ce donc ? – et ensuite se refermer presque aussitôt.

Le Roi que je me figure aura couru presque la moitié de son âge à la poursuite de pareils instants, comme ces milliardaires, raconte-t-on, qui ne descendent presque plus du jet qui, sans cesse, les transporte au-devant du jour.

Mais qui sait si, songeant à cela, je ne cède pas à l'attrait d'un cliché de plus, et si, ayant brisé des icônes, récusé une légende, je ne recrée pas aussitôt une autre imagerie, un nouveau mythe ? C'est si vite fait... On n'y peut rien : il faut bien rendre la vie supportable, et un peu naïve sa représentation. Sans quoi on périrait d'ennui.

Moi aussi, j'ai vu du pays. D'autres exploraient – grand bien leur fasse ! –, moi j'inspectais seulement. *Free lance*, touche-à-tout, n'approfondissant rien. Pas de périples avec *sherpas* ; mais des excursions organisées, avec billet aller-retour et réservations. J'ai cessé de prétendre que je m'en irais un jour pour de bon, à destination d'une chaude contrée qui ressemblerait à un berceau natal tellement spacieux qu'on pourrait y renaître mille fois. Je ne veux pas faire comme ce trio de sœurs d'une célèbre pièce russe, qui se promettent toujours d'aller vivre à Moscou... et mourront pour sûr sans avoir tenu parole. À Moscou, du reste, je suis bien allé ! Ne fût-ce que pour une semaine. Et aussi à Madère. À Anchorage. À Tanger, à Viña del Mar et Mérida. À Syracuse (État de New York), où j'ai bu un Manhattan. Et maintenant, un dimanche d'hiver, à Athènes, avec Rebecca, ma femme pour peu de temps encore. Une Grèce glacée nous saisissait aux chevilles. Le froid remontait jusqu'au cœur. Nous mangions un mézé à la taverne Abyssinie, place d'Abyssinie, dans le quartier de la Plakka, au milieu des brocantes et des ferrailleurs. Un marchand de cochons se moquait de deux lesbiennes américaines. Un graffiteur réclamait sur un mur la liberté pour l'île de Bali...

On aurait vraiment pu se trouver occupé à n'importe quoi d'autre, n'importe où ailleurs.

Nous avions rendu visite, sur son île de Kalymnos, à un vieux peintre, touchant prétexte à un reportage sur « l'art dans les lieux archipélasgiques » ; Stratis Kokkinos s'était proclamé « en visite dans la joie et résident de la douleur » ; il avait ajouté, de façon plus énigmatique, qu'il « lui aurait fallu peindre son départ et son retour dans le même tableau ».

Tandis que nous retraversions la place d'Abyssinie, Rebecca m'a déclaré : « Regarde Stratis ! Il est au bord de la tombe, et il chante ! À lui, il est *vraiment* arrivé quelque chose ; pour toi, le monde n'aura jamais été qu'un décor. »

À cette image fut comparable notre vie conjugale. Tel fut mon voyage.

Alors je me suis rappelé des détails de ce séjour en Iraq, où le printemps empruntait les couleurs de l'hiver, et le matin celles du crépuscule. Voir, Rebecca, ton peu d'amour pour moi décroître encore occupait toutes mes journées. Où serais-je le jour où tu ne m'aimerais plus du tout, où je penserais ne plus te haïr ? Dans quelle Bagdad vociférante et cendreuse traînerais-je, sur les boulevards, une ombre exténuée et des pas sans légende ? quel relief modèlerait les murs de cette ville désolante, où seul ton oubli de moi renverrait encore un écho ?

Fini le temps où, quand tu te penchais vers moi, mon cœur cognait contre les barreaux de sa cage, et où je me perchais sur la plus haute branche dans les jardins suspendus d'une juvénile espérance ! Où est passé le jeune tigre dont il ne reste que la faim qui l'assujettit ? Il savait bien que tu n'aurais pas de merci... Que le jour où ta vie t'aurait transportée à New Delhi, Obihiro ou Arequipa, quand je serais à Calcutta, à Osaka, à Montevideo, seule l'immensité de ce qui nous séparait nous rapprocherait encore...

Nous escaladions les spires du ziggourat de Samara tandis que des enfants, la mitraillette en bandoulière, les dévalaient à notre rencontre ; il aurait suffi que l'un d'eux nous heurtât du coude au passage pour que nous soyons précipités dans le vide : il n'y avait pas de parapet protégeant du vertige sur les flancs de cette tour de Babel, que, seules, quelques meurtrières empêchaient de s'asphyxier.

Je devais te voiler pour avoir accès aux mosquées. Les routes étaient jonchées d'autobus naufragés. Parfois, un homme seul s'asseyait, n'importe où, au milieu de l'immensité. Dans l'hôtel que nous trouvâmes non loin de Bassora, la salle de bains était si sale que nous avons pris une douche sans enlever nos chaussures...

Au fur et à mesure que nous nous rapprochions du Chatt al-Arab, du jardin d'Éden et de l'arbre d'Adam, il pleuvait toujours davantage et l'eau prenait possession du paysage, le capturait dans les mailles serrées de ses filets. La Volga louée dans la capitale est passée sur un chat et a évité de justesse un berger. Mais je n'éprouvais qu'une joie sauvage, un peu hystérique, à l'idée que le Tigre et l'Euphrate allaient bientôt se rejoindre. On avait le pressentiment du delta longtemps avant de l'apercevoir : mille et un indices annonçaient que la terre ferme allait bientôt se suspendre, qu'on devrait abandonner la voiture et poursuivre à bord d'une pirogue. À tout bout de champ, tu exigeais qu'on s'arrête et tu courais photographier ces derniers témoignages d'un soi maîtrisé par le désert et les palmeraies, et puis les signes avant-coureurs d'une irrigation généralisée. Mais déjà tout se mélangeait, et on pouvait se demander par quel moyen des troupeaux de vaches et de moutons avaient pu arriver jusqu'à sur les îlots flottants qui nous attendaient au cœur des marais... Un cheval ombrageux faisait mine de s'emballer le long du chenal que nous longions, et qui portait des navires venus d'Odessa, Bombay, Singapour ou battant pavillon panaméen. À chaque fois que tu fixais quelques images, je m'éloignais pour ne pas être surpris à l'avant-plan de ces panoramas, dont seule m'importait l'émersion hors du temps, l'immémoriale pétrification. Il suffisait parfois, cependant, de faire quelques pas entre les dattiers pour retomber sur des carrefours carrossables, des squares où, sur des bancs publics, venaient s'asseoir des vieilles vêtues de noir ou bien, à l'occasion, un arpenteur muni de ses instruments de mesure – et même un étudiant qui lisait tout haut le texte d'une matière d'examen : *James Joyce's Dubliners. An encounter : critical analysis. Escape and reality…*

Bientôt, les roselières et les bouquets de saules ou de bambous s'ouvriraient et se refermeraient sur notre embarcation ; les hérons, les foulques noires, les sarcelles, les ibis et les grues nous survoleraient, prenant possession d'un ciel immuable depuis le Déluge ; nous dériverions à la rencontre des chasseurs de loutres, des pêcheurs armés de tridents, comme si nous n'étions venus que pour eux ; et cela alors que la veille encore, à l'hôtel de Basra, nous faisions une dernière fois l'amour, avec une véhémence suspecte, une impétuosité rageuse et qu'entre tes dents tu me lançais sur un ton de menace : « Et pourquoi ne me ferais-tu pas un enfant ici, sur tous ces marécages ? »

Des enfants, du reste, tu n'as pas cessé d'en photographier, la journée qui suivit, mômes enturbannés qui accompagnaient leurs mères portant des plats de yoghourt sur la tête ou leurs pères partant à la chasse aux canards – on aurait dit un peuple marchant sur les eaux, et toujours deux par deux : un grand avec un petit –, comme si tu voulais prouver, graver sur la pellicule, que les mouflets envahissaient le monde, paradis ou enfer, et l'absolvaient, que nous laissions peut-être passer notre dernière chance d'en concevoir un, tandis que décollait sous nos yeux un faucon emportant dans les airs un long serpent qui lui pendait au travers du bec.

Lorsque nous nous sommes réveillés, le matin suivant, sous la voûte en berceau de la hutte de roseaux tressés où nous avions trouvé asile – sur cette île, disaient les guides touristiques, « qu'on ne pouvait balayer du regard qu'en perdant la raison » –, nous sommes tombés d'accord, toi et moi, chère Rebecca, pour convenir que ne s'écrivaient pas sur terre – ni sur les eaux – que des histoires d'amour jetant l'ancre, ou des histoires d'amour impossible, ou de désamour, ou d'amour-haine, mais peut-être aussi des histoires de *non-amour impossible* : autant délirantes que toutes les autres, et aussi romantiques, sinon bien davantage encore !

« Que penserais-tu, demandai-je à Rebecca, le regard rivé sur l'arche faîtière de notre petite cathédrale sur pilotis, d'un *non-amour fou* ? »

N'avions-nous pas cherché en vain à épuiser – sans y parvenir – toutes les autres solutions ?

« Tristan contre Isolde, Juliette *versus* Roméo ? Un grand sujet..., convint-elle. Aurons-nous assez de talent ? Et à qui cela importerait-il ? »

Bonne question, en effet. Car qui conviendrait de bonne grâce que cela lui fût jamais arrivé ? Qu'il restait menacé que cela lui advînt jamais ? Faudrait du cran... Du chaud aux yeux ! D'où la tentation de ce voyage ensemble, le dernier sans doute, pour de bon et pour le pire ; de ces noces rossées, désossées ; de cette lune de miel éclipsée ! Pour prendre le monde entier à témoin de certaines façons, parfois, d'avorter de lui (le périple aiguisait les aspérités de notre noire passion).

Nous nous sommes rendormis ensemble après notre discussion sur Amour et Padamour, dans la moiteur ambiante. Ce sont des pays où on se réveille facilement un peu avant l'aube, frais comme la rose, et où le lever du soleil vous assomme à nouveau.

Vers les 8 heures, j'ai ouvert les yeux et, par la trouée ogivale de l'entrée, j'ai aperçu les cigognes qui tournoyaient au-dessus de l'espace amphibie, des nuages de moustiques et des jonchaies détrempées. Cela me fit sourire, mais je ne réveillai pas aussitôt Rebecca pour qu'elle partageât mon amusement, ce moment d'ironique et ténue joie de vivre. J'eus raison car, dès qu'elle eut ouvert les yeux à son tour, elle me dit que, durant la nuit, elle avait mis au monde et dans la douleur un oiseau plumé : le gynécologue – sorcier ou vétérinaire ? –, pour la rassurer sans doute, s'était employé à lui dire que, de l'œuf de cet oiseau (enfin, une fois fécondé !) naîtrait, au bout du compte l'enfant, son enfant !

J'ai toujours trouvé les rêves de Rebecca d'une littéralité confondante, d'une vulgarité certaine. Au point que je doutais à chaque coup qu'elle ne les eût pas bêtement inventés, cousus de fil blanc. Mais ils auraient été le fruit de son imagination qu'elle les eût sophistiqués davantage... Au fond, le domaine onirique demeurait peut-être le seul où elle se mût avec simplicité, sinon prosaïsme.

Elle finit par se lever, se fit un maquillage atroce et se coupa les cheveux « comme sur un bol ».

« Pour te punir... », affirma-t-elle.

De quoi, bon Dieu ? Je n'avais sans doute que l'embarras du choix. Je ne lui donnais même pas tort. Cela ne m'empêcha pas, cependant, d'écarquiller les yeux, quelques heures de plus, devant ce labyrinthe d'eau où nous avaient portés, Rebecca – cette âme qui ne voulait pas vivre solidairement – et moi – ce haineux transi et tendre –, nos pas et nos étreintes de chavirés. J'entendis tirer des coups de feu : c'était bien tout ce qui pouvait troubler la paix d'un tel paysage. Sur quoi tirait-on ce jour-là ? Hommes ou bêtes ? On ne le saurait jamais.

Sur le chemin du retour, nous vîmes des voies ferrées enjamber des marais et des carcasses de navires déposées dans la ramure des arbres. Des radeaux transportaient, d'un archipel à l'autre, des huttes à moitié construites ou à demi débâties. Les pêcheurs prenaient dans leur nasse des oiseaux, et les oiseleurs tendaient quelquefois de gros poissons. Nous assistions à l'avènement et au règne d'un magnifique arbitraire, n'est-ce pas, Rebecca, mon amour ?

Nada, la jeune femme qui nous guida tout au long de ce séjour passé au nord et au sud de son pays – ce creuset du monde où nous fûmes mis à l'épreuve comme par une maladie, une calamité naturelle ou une tentation mystique –, nous confia au moment où nous allions nous séparer d'elle, à l'aéroport de Bagdad : « J'ai bien remarqué, vous savez, qu'à chacun de nos *déplacements* vous n'arrêtiez pas de vous dire des mots doux ! » Doux, vraiment ? C'est, ma foi, possible : terriblement doux, alors !

Nous ne nous en sommes pas moins séparés à la fin de cette équipée, n'est-ce pas, mon cher, mon terrible amour ? On ne se l'est pas encore pardonné.

Il faut dire qu'on ne se pardonnait rien. Pourvu que cela dure.

Samuel n'a guère sollicité mon aide pour se faire une idée précise de la jungle. D'emblée, il pria ses camarades de classe de « fermer les yeux, pour se représenter un lieu où seraient réunies plus d'espèces de mammifères, d'insectes, d'oiseaux et de plantes que nulle part ailleurs sur cette terre ».

Il mentionnait à peine la présence des hommes : comment lui donner vraiment tort ?

« Là-bas, commenta-t-il, tout est grand, grandiose, démesuré. Il existe une infinie variété d'oiseaux et d'insectes qui jouent un rôle essentiel dans la pollinisation. [Notes de bas de page. *Pollinisation* : Transport du pollen vers l'organe femelle d'une fleur. Celle-ci, une fois fécondée, engendrera ensuite des graines, et une nouvelle plante pourra pousser. *Pollen* : Poudre très fine, presque impalpable, que produisent les organes mâles d'une fleur.] Les arbres peuvent atteindre jusqu'à soixante mètres de hauteur : il faudrait au moins dix enfants se donnant les mains pour en faire le tour. Il existe des papillons géants qui ont une envergure de vingt-huit centimètres ; des serpents volants qui mesurent jusqu'à huit mètres de long et qui, s'ils vous tombent dessus, vous étouffent en quelques secondes. Car la vie, dans la jungle, est dangereuse, très dangereuse ! Tout ce qui la peuple, la jungle, veut y vivre ! Et, pour vivre, se bat et tue... »

Samuel avait tout compris : il n'avait effectivement nul besoin de moi, d'un guide, pour lui ouvrir les portes d'une nature où les avions ne trouvaient à se poser qu'à la cime des branches, où des arbres fantômes périssaient par leurs racines parasites, et où certaines orchidées dévoraient des insectes vivants... Mais ce monde, concluait le petit Samuel, où l'homme demeurait, au fond, le plus absent, il convenait de déplorer, haut et fort, qu'il fût « menacé de toutes parts » : on le colonisait, on le détruisait sans scrupule, alors qu'il constituait « le poumon de la terre... ». Nous devions donc « tout faire pour le protéger ! ». [Notes de bas de page. *Opposable* : Comme chez la plupart des primates, notre pouce est opposable. Il peut se replier aisément contre les autres doigts et la paume de notre main. *Prédateur* : Voir *Proie*. *Préhensile* : Une queue préhensile peut s'enrouler fermement autour d'une branche. L'animal dispose ainsi d'une main de plus. *Primate* : Mammifère intelligent, doté de membres préhensiles. Voir *Préhensile*. *Proie* : Animal chassé et mangé par un autre animal. Voir *Prédateur*. – Plus haut, dans le glossaire de Samuel, on pouvait encore lire : *Déforestation* : Destruction d'une forêt par l'homme. Destruction de l'environnement de l'Homme par l'homme. Voir *Ravage. Dévastation. Pollution. Massacre, Mort* (*Mise à*).]

« Tiens, c'est pour toi..., me dit Max Bonboire en me tendant le combiné du téléphone. Tu as Argenteuil à l'appareil.

– Qui ça ?

– Argenteuil. Le Château, pardi ! »

Je distingue une lueur d'amusement dans son regard. Mais, par discrétion sûrement, il quitte aussitôt le bureau.

« M. Pierre Raymond ? »

Je réponds « oui » et mon interlocuteur égrène alors les divers titres et coordonnées dont il croit devoir se prévaloir : j'enregistre qu'il est à la fois baron, colonel à la retraite, ancien aide de camp du roi Léopold.

« Vous deviez, je pense, déjeuner au château la semaine prochaine ? La Princesse regrette de devoir annuler le rendez-vous : une visite imprévue de la branche bavaroise de la famille.

— Je suppose, Monsieur, que ce n'est que partie remise ? Son Altesse avait évoqué la latitude qu'elle me laisserait de consulter certains papiers personnels du Roi...

— Eh bien, justement, monsieur ! Je suis heureux de vous voir aborder le sujet : j'allais y venir. C'est une question un peu délicate...

— Je n'en doute pas. Mais Son Altesse m'honore de Sa confiance, ainsi qu'elle a dû vous le signifier.

— Le problème, c'est que ces papiers, monsieur, n'existent pas, je veux dire : aucun document, tout au moins, qui n'ait déjà été publié...

— La Princesse a cependant fait plusieurs fois allusion à des documents secrets : une correspondance, je crois, qu'elle ne voulait pas mettre entre toutes les mains...

— C'est que, voyez-vous – et ceci dit avec toute la révérence que je Lui dois, et même la vénération que je Lui porte –, la Princesse commet parfois quelque confusion, Elle mélange tout ! »

Encore un peu et ce larbin allait me dire qu'elle n'avait plus toute sa tête !

« Je suis surpris, Monsieur, rétorquai-je, car je L'ai, quant à moi, toujours trouvée d'une clairvoyance sans défaut.

— Mais qui vous dit le contraire ! Je parlais seulement d'un peu de distraction... C'est si normal, avec la vie qu'elle a, l'importance et la gravité des problèmes à résoudre... Mettez-vous à Sa place !

— Je m'en garderai bien !

— Mais d'abord, puis-je savoir quel usage vous comptiez faire de ces pièces prétendument inédites, à considérer qu'elles existassent effectivement? Vous misiez sur des révélations ?

— Oh ! Monsieur le Baron, je n'ai jamais compté divulguer des secrets d'État ! Je suppose qu'ils demeurent soigneusement gardés, du reste. Plutôt, il m'aurait plu de raconter la vision qu'eut, des heures les plus tragiques de notre histoire, un enfant de ce pays, né avec la guerre... Mais très librement, vous savez, avec un rien de fantaisie, une grande subjectivité...

— De façon *romancée*, en somme ?

— Dans un sens, oui. Que faire d'autre ?

— Et vous estimiez, si je vous suis bien, qu'on pourrait envisager le roi Léopold comme un personnage de fiction ?

— Mais ce serait tout à Son honneur, Monsieur le Baron... Je me demande même si ça ne Lui aurait pas plu ?

— Et puis, dans la foulée, vous auriez ajouté à Son histoire – donc à celle de la Nation – celle de votre petite enfance ? Vous L'auriez mêlé à ça ? Vous auriez parlé de *vous* ?

— Où voyez-vous là quelque chose de répréhensible, Monsieur l'aide de camp ? Chaque citoyen de ce pays, tout sujet du Roi, n'aurait-il pas droit à sa vérité ? Qu'aurait pu penser de mal concernant tout ceci Celui dont nous nous entretenons ?

— Ce que nous avons estimé, *nous*, Monsieur, à Argenteuil, c'est que vous *n'auriez pas la plume* de ce grand sujet, et qu'il vous dépasse... »

Un instant surpris par le ton sur lequel s'était exprimé le colonel à la retraite et par l'esprit de censure qui s'y manifestait, je faillis me méprendre sur le sens du mot « plume » qu'il venait d'employer – je confondis l'objet et le symbole – et lui répliquai :

« Quant à la plume, mon Colonel, la remarque porte plutôt à faux : j'aurais écrit mon reportage avec le stylo même que la Princesse m'a fait la grâce de m'offrir, il y a peu de temps... Avouez que de devoir y renoncer pourrait apparaître paradoxal : un délit de lèse-majesté, en quelque sorte.

— Vous comprenez, Monsieur, se hâta-t-il d'ajouter, en tout il y a la façon, le *style*. Nous ne doutons aucunement de la noblesse du projet ni de la pureté de vos intentions, mais...

— L'enfer en est pavé », le coupai-je.

Ce qui mit pratiquement fin à la conversation.

Et l'idée me plaisait assez, en raccrochant, que l'enfer, en effet, pût apparaître édifié sur les ruines de ma propre enfance : ce ne devait pas être mal vu, après tout. Juste avant que je prisse congé, mon interlocuteur, comme pour m'offrir une ultime fiche de consolation, trouva cependant le moyen de glisser, sans cette fois que je parvienne à l'interrompre :

« Vous savez, M. Raymond, il reste toujours possible de poser à la Princesse des questions très *ponctuelles*, *ciblées* si possible, du genre : "Quel était le peintre favori du Roi ? Le fait militaire qu'Il admirait le plus ? Le genre de trait d'esprit qui L'amusait ? Ses héros dans l'Histoire ? Sa couleur préférée ? Le trait principal de Son caractère ?" Etc. »

Une envie maligne et irrépressible me poussa à enchaîner :

« Mais voyons, mon Colonel ! Et peut-être aussi : "Quel était l'alcool dur pour lequel Il avait une predilection ? Était-Il supporter d'une équipe de foot ? Préférait-Il les aspics ou les anguilles au vert aux œufs de tortue ? Ou les chansons de Piaf au théâtre d'Ibsen ? Et quelle était Son héroïne préférée, dans la vie réelle, hormis, bien entendu, Son épouse elle-même ?" »

Je ne voulus pas humilier l'aide de camp – de quel camp, désormais ? – en lui apprenant ce que je savais déjà : Que ce qu'abhorrait le Roi, par-dessus tout, à part l'ananas, c'était le mensonge et l'hypocrisie. qu'il eût apprécié de devenir botaniste. Que la réforme qu'Il admirait le plus, c'était « le socialisme à ses débuts ». Que l'initiative dont Il était l'auteur et le plus fier, c'était l'invitation au gouvernement de faire sien un projet de loi sur les congés payés (ce qui, chez un futur voyageur, ne manquait pas de générosité...). Que « l'état présent de Son esprit », peu avant de mourir, c'était le désabusement. Qu'il savourait les crèmes glacées au chocolat et le *waterzooi* de volaille à la gantoise. qu'il avait adopté comme devise : « Pour vivre heureux, vivons caché. » J'en aurais sans doute appris, au zélé serviteur. Mais à quoi bon ?

Ainsi, j'étais déjà tombé en disgrâce. Il ne s'agissait pas vraiment d'un coup de théâtre : n'était-ce pas une des lois du genre ? Il était logique, en effet, de supposer que je ne devais ce revirement, cette volte-face, qu'à une princière saute d'humeur. Je me souvins qu'à plusieurs reprises, souvent à l'instant où elle prenait congé sur le perron du château, mon hôtesse m'avait dit et répété : « Il faudrait tout de même que vous parcouriez ces feuillets écrits de la main du Roi, qui disent tout, qui rétablissent la réalité des faits... » Mais chaque fois elle retardait l'échéance. Je ne m'en étonnais pas vraiment : elle a été tant de fois insultée, me disais-je, qu'elle ne peut durablement conserver sa confiance en quelqu'un ; alors elle rapproche et éloigne tour à tour ses visiteurs. C'est naturellement un jeu épuisant et vain, surtout pour elle-même, mais comment y renoncerait-elle ? Ses secrétaires, ses conseillers – si ce n'étaient sa demoiselle d'honneur ou son fils cadet – devaient la reprendre en main, l'engager à la prudence, la dissuader de jouer sur un aussi pauvre cheval... Coupée du monde réel, mais dans le même temps, au sein de son huis clos, juchée sur un piédestal par une cohorte d'imbéciles profiteurs, souvent porteurs d'uniformes militaires, elle se soumettait de guerre lasse à l'influence de ceux-là mêmes qu'elle méprisait ouvertement : tour à tour en liberté conditionnelle et en résidence surveillée. Parmi ses gardiens, on devait trouver des sbires, des espions à la petite semaine, qui renseignaient le nouveau Roi, son gendre, sur ses agissements, ses allées et venues, ses fréquentations... Et au nombre de ces dernières, même celle – pourtant peu compromettante – d'un rédacteur du *Monde est à vous*... Comment ne se serait-elle pas méfiée ? Elle ne devait avoir la tentation d'une bonne écoute que pour aussitôt s'en garder. Alors, dans son chef, les promesses non tenues, cela devait constituer l'ordinaire. Et la règle d'or : une triste absence de transparence, une morne opacité.

C'était la même qui, à l'avance, n'était que morgue vis-à-vis d'un secrétaire dont, à sa table d'hôtesse, elle disait le plus grand tort : « Rendez-vous compte avec qui je dois traiter, avec qui je dois vivre ! », pour vous l'envoyer ensuite dans les pattes afin de faire barrage : « La Princesse vous aurait dit, promis cela ? Vous devez vous être mépris : Elle n'a rien pu vous dire de pareil... Vérifier ? Mais vérifier quoi, cher Monsieur ? Sa famille de Bavière L'occupe pour l'heure tout entière, comprenez-vous... Plus tard ? Mais Elle ne changera pas d'avis, nous en répondons pour Elle... Allons, Monsieur ! Soyez donc raisonnable : qui, de vous ou d'Elle, se trouve le mieux placé pour en juger ? »

C'était vrai. Ne me souvenais-je pas également d'avoir entendu la Princesse assurer lors d'une promenade, à propos de son garde-chasse, qu'il pouvait impunément, dans le parc, tirer n'importe quel gibier, pour dire plus tard au salon : « Je suis bien à plaindre : on m'a affublée d'un boucanier sanguinaire et sans honneur... » ?

Ce qui devait avoir, comme le Roi, perdu la femme de Celui-ci, c'était cet entourage de mielleux courtisans dont le Royaume regorge et dont ce fut toujours le seul souci, l'unique gloire, d'entraver un certain cheminement vers la vérité... Quand, avec eux-mêmes – ne serait-ce que pour se les ménager –, on arrachait une entrevue, alors qu'au téléphone ils se rengorgeaient en annonçant encore de prometteuses confidences, le jour du rendez-vous arrivé, ils prenaient des airs de conspirateurs pleins de sous-entendus pour justifier une nécessaire dérobade au nom de « l'intérêt supérieur de la Nation » ou autres balivernes. Ils s'étaient donc ressaisis, ils se retranchaient dans un mutisme bavard ou ne relataient que d'insignifiantes anecdotes, mais intarissablement... Ils avaient oublié entre-temps leur promesse de m'éclairer, ne voyaient pas, mais vraiment pas de quoi il pouvait bien s'agir ! (« Ce que nous n'avons pas encore révélé, vous pensez bien, cher Monsieur, que nous n'allons pas l'exprimer à présent... » Peut-être avaient-ils fait l'objet de pressions, ou une influence occulte s'était-elle exercée sur eux ?)

Et pourtant, chaque fois, j'éprouvais le bizarre sentiment que j'apprenais d'eux, et malgré eux, quelque chose. À leur insu, ils me livraient l'une ou l'autre clé. La rétention d'information devenait, elle-même, une information. Et je me surprenais à dresser une oreille exercée à l'audition d'une mélodie du refus, de la fin de non-recevoir.

Je pouvais toujours me convaincre qu'après tout ils avaient peut-être raison, les paladins et les laquais qui officiaient dans son sillage, et que, depuis belle lurette, la Princesse rêvassait sur des palimpsestes, des apocryphes ou des écrits posthumes de son royal époux qui ne présentaient plus le moindre intérêt ou n'existaient encore que dans son imagination. Dissimulait-elle des documents probatoires, ou les avait-elle inventés ? En manœuvrant avec plus d'adresse, je n'aurais sans doute accédé, *in fine*, qu'à des secrets de Polichinelle...

J'avais fréquenté, un temps, les corridors et les salons d'un palais qui n'abritait plus que des enfants ridés et blanchis sous le harnais, jouant encore à faire l'Histoire. Je m'étais bien amusé, au fond, en divertissant au passage l'altière et roide hôtesse de ces lieux, tel l'un de ces bouffons qui, dans les contes de fées, s'efforcent de faire rire l'une ou l'autre patricienne malade de tristesse.

Version moderne de la fable de la Reine et du Manant : au terme d'une nuit de réception à la Cour, lors de laquelle il aurait festoyé, dansé la valse, étreint à satiété de gracieuses ombres, il se cognerait à un brutal réveil. Et ne se souviendrait de rien.

À moins que je n'aie joué moi-même le rôle de la « Reine d'un jour » : celle qui, le temps d'un *quiz* dans une fête de patronage en province, voit exaucés ses rêves les plus secrets, depuis l'excursion gratuite aux châteaux de la Loire jusqu'à l'acquisition d'une nipponne machine à laver, en ce compris le tambour d'argent où nettoyer à sec ses robes de bal et son âme défraîchie ?

Quand je Vous suggérais, Princesse, qu'autour de tout cela nous n'aurions pu, Vous et moi, concevoir qu'un roman ! Tout autre registre ne se fût-il pas nécessairement avéré indigne de l'aventure ? Pourquoi Son Altesse pense-t-Elle donc qu'en obéissant à l'étiquette on ne peut Lui adresser la parole qu'à la troisième personne ? Concession au genre romanesque, ma chère, bien sûr ! Ni plus, ni moins.

J'avais offert la dernière, l'unique, la modeste chance que, pour une fois, on tînt un autre langage sur ce qui Vous était arrivé. Ce n'est pas bien grave... Il n'importe : cette chance ne se représentera pas ! D'ordinaire, ceux qui se souviennent de Vous – le Roi et Vous, veux-je dire – ne sont que des misérables et obséquieux processionnaires. Moi qui n'ai pas réussi à devenir le guide de ma propre histoire, moi, ce petit homme que ses navrants souvenirs familiaux répudient (n'est-ce pas ce qu'ils ont de mieux à faire ? C'est tout juste, Majestés, si ma mémoire veut bien encore de moi...), j'aurais pu me faire le collectionneur excentrique et maniaque de Votre renommée kitsch, de Votre fausse gloire blessée... Qui prendra encore le risque de dire cela, pensez-Vous ? Personne. Dommage pour nous : nous n'aurions pas vécu tout à fait en vain, Vous et moi.

On n'aura donc pas saisi la chance que tout cela soit raconté comme par un gamin espiègle et triste. Pourtant, n'eût-il pas traduit, épelé ainsi l'Histoire, au moyen de quelques mots peut-être justes ? Les pays nains ne s'embarrassent pas de nuances. N'était-ce pas l'ultime occasion qu'enfin nous soyons délestés de la lourdeur des mensonges contradictoires et du péremptoire fanatisme de l'Histoire officielle ? Soit : décrétons que cela, décidément, n'intéresse plus personne.

Vous me signifiez mon congé, Altesse. Au fond, Vous me rendez ma liberté. Voudrais-je Vous réhabiliter, désormais, je devrais le faire malgré Vous, à partir de sources que Vous contestez, de témoins que Vous avez pris bien soin de récuser... Cette défaite de la dernière minute, en somme, nous n'irons pas la dramatiser.

Je Vous regarde Vous éloigner. Vous retournez à Vos parties de golf, à Vos chasses, Diane vouée, adonnée à Son propre déclin. Comme Vous finirez seule ! Était-ce indispensable ?

Ainsi, je n'écrirai pas mon reportage sur cette grandiose petite affaire gorgée de ses secrets misérables : le poison des pauvres.

Les portes du minuscule théâtre s'étaient seulement entre-bâillées. On n'apprendrait peut-être plus rien de neuf sur le souverain à l'ondulante chevelure, à la silhouette brouillée, lequel avait épousé avec maladresse une petite Nation qui ne s'aimait guère elle-même ; qu'il avait peut-être aimée, lui, à sa façon, sans doute trahie parfois. On ne savait pas. On ne voulait pas savoir, en fait. Trop fatigante, la recherche de l'authenticité ! Pas une bonne affaire pour les gens d'ici. Ne s'y sont jamais vraiment consacrés. Épais amateurs de leurres et rumeurs.

On pourrait encore se consoler en songeant que *ne rien retrouver* d'un tel homme, c'était en somme bon signe. Qu'il était tout par lui-même, qu'il s'était vraiment dissous, qu'il n'avait plus voulu soudain peser sur les choses, ni laisser de traces, ni nous grever d'un regret, ni porter de l'ombre. À qui, à quoi ? À personne, à rien.

N'importe ! Je ne pouvais m'interdire de penser que Lui, au moins, mon livre (enfin : celui dont j'avais rêvé pour Lui, pour moi, pour nous), Il l'aurait laissé faire, et qu'Il l'aurait même encouragé, sinon aimé. Oui, plus j'y réfléchis, plus je crois que ça Lui aurait plu, au fond, cette partie de colin-maillard où des enfants soi-disant puérils, prétendument frappés de cécité et aussi terrorisés qu'allègres, cherchaient à toucher, ne serait-ce qu'une seule fois, à effleurer, dans l'arène circulaire et blanche de soleil, le spectre de la vérité sur cette affaire, et riaient et s'esclaffaient tellement qu'ils en oubliaient tout bonnement de regarder...

J'ai voulu revoir le site de W. Cela n'avait évidemment aucune espèce de sens : bien placé, le guide touristique, pour savoir que le retour sur les lieux de sa propre aventure et le pèlerinage intime se pratiquent sans illusion ! On va voir pour voir qu'on ne revoit rien. On vérifie un anéantissement. Un évanouissement de tout. Du temps, du lieu où ma grand-mère m'accueillait dans sa caravane – comme si, pour moi, alors, toute l'hospitalité que le monde saurait encore me témoigner s'était repliée sur quelques acres de terrain « là-bas », et ici par accident –, il n'y aurait bien entendu rien à retrouver. Et même : on savait que ce serait mieux ainsi. Le pire ne serait-ce pas quand on redécouvre à moitié, qu'on devine, çà et là, en filigrane des choses, une ombre jadis côtoyée ? Alors on peut vraiment se morfondre. Et prendre la mesure du délabrement qu'on doit vraisemblablement abriter, quelque part en soi, pour que les choses aient à ce point changé : tellement et si peu !

Avant de m'embarquer pour W., je fis donc le plein de souvenirs. Je me rappelais une mer de courtes broussailles dans laquelle on entrait pieds nus et qui vous picotait délicieusement la peau ; une paysanne qui coltinait des fagots sur son dos courbé comme si c'était une forêt entière ; ce vieil homme que je sentis mourir, assis sur une chaise au bord de la route, alors que j'avais le sentiment d'être déjà trop vivant. Je traversais des voies ferrées qui ne menaient à rien, avec de magnifiques allures de criminel qu'on rechercherait en vain. Un avion traçait des marges blanches sur la page d'écolier d'un ciel inaltérable. Un épouvantail, tremblant au milieu d'un champ, comme pris de boisson, me saluait au passage. Un coq aiguisait le fer de son chant sur la rauque meule du ciel. Des noyaux de cerise avaient coagulé comme des caillots de sang sur la cendrée des chemins. On tombait, au détour de l'un d'eux, sur des élevages de chevaux aussi secrets qu'un temple hindou. Le vent se levait. La grêle crépitait sur les graminées. Des pétales de fleurs de pommier s'accrochaient aux cheveux comme les confettis d'un carnaval impromptu. Les pluies tombaient obliquement. Un ivrogne mâchait une pivoine. On ramassait un oisillon tombé du nid et on le rejetait vers le soleil. On visitait la ménagerie dérisoire d'un cirque « vieux de cent ans ».

Ma grand-mère, dont le chagrin s'aggravait, se plaignait le soir venu : « J'ai eu une enfance insouciante : mon père veillait à tout ; quand donc rencontrera-t-on un homme de cette trempe ?... La réconciliation avec les miens ne se fera jamais, jamais, tu entends ?, ou en tout cas elle sera imparfaite... Regarde-toi donc : tu es sale comme un peigne !... Je vais bientôt revendre mon chien, je n'ai plus l'âge de m'en occuper, et je retournerai à Bruxelles... » Je regardais le fond de mon bol jaune à pois bleus, et disais les yeux ailleurs, tant je me sentais gêné : « Mais non : il ne faut pas... » Je ne parlais que pour moi évidemment, dans mon seul intérêt... (Elle finirait cependant par liquider un jour sa roulotte, et alors l'enfance serait trahie pour la seconde fois. Quand elle aurait pris sa décision, je serais sans pitié, la nuit, à son égard, quand elle rêverait encore tout haut et pleurnicherait dans son sommeil : « Ça suffit, maintenant ! lui dirais-je. Sans blague ! Cesse ta comédie ! » Je la secouerais pour la réveiller.) Elle ne savourait plus que les sucreries ; elle se sentait abandonnée par tout de ce monde, sauf par les douceurs pâtissières et, je ne sais pas au juste pourquoi, cela avait le don de m'énerver. Je rudoyais sans ménagement sa tristesse – alors qu'elle m'avait si généreusement consolé, un temps, de la mienne ! – me préparant à mariner dans une soupe de remords inutiles.

Je me souvins encore que l'idiot du village s'habillait toujours en rose aux enterrements.

On m'avait pourtant prévenu : à quoi bon retourner là-bas, nourrir des réminiscences qui ne pourraient plus s'accrocher à aucun souvenir tangible ? Il ne restait rien, forcément. Pas un verger que des lotissements ou quelques vignes nabotes n'aient remplacé. (Tout de même, cela m'amusait que le souffreteux vin belge ait surgi dans un pays de riches laiteries.) On n'apercevait que des chalets préfabriqués, surmontés, à l'occasion, d'une cigogne de plâtre. Des girafes et des zèbres de stuc accueillaient le visiteur dans des potagers nains. Marchant au pas cadencé, au coup de sifflet, des meutes de scouts défilaient sur des routes bitumées. Où étaient passées les bruyères aux reflets bleus de queues de paon et les roulottes débarrassées de leurs roues comme dans des camps de saisonniers cueilleurs de pommes en Oklahoma ?

Joy a décidé qu'il fallait en avoir le cœur net. « Crevons l'abcès ! » décréta-t-elle. En fait, la colline devait avoir encore changé d'apparence. Les lotissements s'étaient embourgeoisés jusqu'à l'opulence. Des rideaux d'arbres étaient tombés partout sur le paysage, brisant les perspectives : la rivière, qui miroitait naguère au fond du décor vallonné, n'était plus visible de nulle part ; peupliers, bouleaux, sorbiers avaient trouvé le temps de pousser, en quarante ans !, de décoller vers le ciel et de l'assombrir.

Nous suivions – moi comme copilote avec une carte routière sur les genoux (que je repliai, par superstition, lorsque je me souvins de l'accident du Roi et de sa première épouse, en Suisse) – des avenues spacieuses et uniformes que je feignais parfois, pour ne pas décevoir Joy, de reconnaître vaguement... Nous roulions au pas, comme si nous avions suivi un enterrement dans les allées d'un cimetière. Nous aurions pu être n'importe où ailleurs qu'à W. Je me dis que, dans un espace aussi cossu, paisible, peu accidenté, toute collision, et même toute rencontre eût été inconcevable.

Et si j'avais rêvé ma rencontre avec Léopold ici même, près d'un demi-siècle plus tôt ?

« Que dirais-tu de pousser jusqu'à Anvers ? » demanda Joy, qui redoutait sans doute que je savoure l'arrière-goût de ces retrouvailles manquées. C'était une femme généreuse : toujours prête à partager le passé des autres. Connaît-on plus sûr témoignage d'amour ?

Il me parut que le port, depuis que j'avais grandi en âge, avait quitté la ville, qu'il avait pris la mer. Nous aperçûmes une maquette de la cité, exposée dans une vitrine. J'admirai que ni le quartier juif, ni les bordels n'y fussent représentés : on ne pouvait se montrer plus minimaliste...

Puis je découvris une autre maquette, celle du *Baudouinville* entrant dans le port, que l'effigie d'un roi, lui-même à l'échelle, brandissait d'une seule main.

Dans un long aquarium reposant sur un axe décentré, oscillait, s'enroulait et se déroulait sur elle-même une torsade d'un liquide huileux, bleuté, déferlant sur soi : la représentation miniaturisée d'une vague. « Sa turbulence, nous expliqua-t-on, n'est ni prévisible ni reproductible. Elle n'est même pas descriptible au moyen des équations différentielles classiques... »

Je me demandai à quoi ressemblerait la réduction du mouvement d'une de nos vies, de la vie même.

J'avais offert un soir à Joy une pierre ambrée que m'avait donnée ma grand-mère quand j'étais encore enfant, avec l'instruction de n'en faire présent « qu'à une femme dont je serais absolument sûr ». Je ne voulus pas quitter la métropole sans la faire expertiser chez un diamantaire juif de la Pelikaanstraat. Nous apprîmes, mi-figue mi-raisin, qu'elle ne valait pas un clou. Je ris jaune. « Surtout, n'y voir aucun symbole ! » me redisais-je en roulant vers Bruxelles. C'est ce que nous nous disons quand le mal est déjà fait et qu'un frisson nous a parcouru l'échine.

Je ne pouvais que me remémorer ce navire à bord duquel, bébé, je ne m'étais embarqué qu'au mouillage et qui n'avait jamais gagné la haute mer pour d'autres cieux. Il est donné aux uns de gagner le large et aux autres de perdre jusqu'à l'étroit. Du départ manqué du *Baudouinville*, en 1940, à Bordeaux, je fus ramené au retour réussi du brise-glace norvégien qui, au printemps 1959, au bout de dix-sept mois d'expédition et un âpre hivernage, rapatria à Ostende Nathan Husseini et rendit à ma mère son amant de légende. Je ne sais ce qui me valut d'être du voyage (je veux dire : de Bruxelles à Ostende...) pour assister, aux premières loges, à l'entrée en rade du vaillant glaciologue. J'étais de ces rares privilégiés qui devaient occuper leur place sur l'estacade ouest avant 10 heures 30, un matin d'avril, tandis qu'une fanfare militaire tapait du pied sur la digue, guettant, sur la ligne d'horizon, les deux bâtiments qui, à quatorze mille kilomètres d'ici, avaient affronté la nuit antarctique et la polaire belle saison vociférante de blizzard. Ah ! cette longue attente d'une foule retenant son souffle, dans le silence du port, et puis ces frémissements, cette explosion d'enthousiasme, l'ovation en *crescendo*, lorsqu'on distingua enfin les proues des deux navires qu'escortait la sarabande des mouettes !

Encore dûmes-nous attendre, ma mère et moi, pour récupérer le héros, que le Roi-Son-Fils fût monté à bord afin de se faire présenter les valeureux membres des équipages et féliciter ceux-ci au nom de la nation tout entière. (À la dernière minute, le service du Protocole exigea que des képis fussent distribués aux aventuriers pour uniformiser leur héroïsme, et des chapeaux aux dames qui les accueillaient, pour des raisons cette fois de décence.)

Ma mère portant couvre-chef ! Je n'avais plus vu cela depuis que j'avais perdu l'habitude de feuilleter l'album de famille où se laissait déchiffrer ma préhistoire : pré-fiançailles, fiançailles officielles, mariage avec mon père – cet autre navigateur à sa façon, ce voyageur-loin-de-moi-son-fils, ce séduisant disparu, cet exquis rescapé de mon histoire, cet adorable revenant occasionnel...

Il fallait bien payer son prix la reconquête du pôle Sud par un brin de mondanité. Les exploits perdraient beaucoup de leur saveur et de leur pittoresque si, en bout de course, on ne les ramenait pas aux proportions d'une festivité salonnarde. Je me rappelai soudain l'effroyable duel que s'étaient livrés, pour la conquête dudit pôle, Scott, tirant à la fin ses propres chiens sur son traîneau, par amour des bêtes, et Amundsen abandonnant cinquante des siens tout au long de sa route pour les retrouver et les bouffer au retour... On pouvait, à partir de là, deviner sans mal l'issue du combat !

Je plaignis maman, forcée de porter ici un bibi orné d'un nœud de soie feuilleté pour mériter des retrouvailles qu'elle eût souhaitées, sans nul doute, plus intimes et plus ardentes. Je me retournai : j'aperçus des familles entières rassemblées sur les balcons des hôtels de la côte, et jusque sur le toit des dispensaires de curistes. D'affriolants mannequins défilaient dans des décapotables rose saumon et jaune moutarde. J'eus pitié aussi de Nathan Husseini qu'il eût dû, durant un an et demi, récolter des échantillons de roche et des carottes de glace, échapper au piège tendu par les crevasses, et se soit aventuré, transi, sur de friables ponts de neige, pour finalement retrouver sa maîtresse déguisée en salutiste ou en hôtesse de congrès et un orphéon de village enrichi de deux xylophonistes affublés d'instruments géants. Sans lui donner d'explication, j'ai planté là maman, j'ai abandonné la cérémonie ; je me suis souvenu qu'il y avait à Ostende des filles en vitrine ; j'en ai retrouvé une : ce fut presque consolant, si j'ose ainsi dire. J'offris, en prime, à la putain mon laissez-passer pour les festivités de l'après-midi ; elle éclata de rire et me dit que l'idée de se faire un client qui n'avait pas approché une femme depuis dix-sept mois aurait pu l'exciter s'il ne sortait pas d'un frigo naturel ! En sortant du bordel, je me suis demandé, ô Nathan Husseini, mon frère malgré soi, si on pouvait éprouver la nostalgie d'un pôle glaciaire comme on ressent celle d'une traversée du désert ou la contemplation d'une nuée ardente sur les pentes d'un volcan : en fait de sensations fortes, lesquelles paraissaient donc les plus exotiques et les plus mémorables ?

Le soir, je ne voulus pas manquer le banquet en présence du bourgmestre du port. Je ne me rappelle pas s'il y eut ou non un feu d'artifice. Pourtant, cela devait s'imposer. Pour compenser tant de nuit polaire accumulée, rivaliser avec autant d'incandescences boréales... Sur le chemin qui m'amenait du boxon au *Kursaal* d'Ostende, ô Nathan, toi qui avais volé ma mère comme si elle t'appartenait à toi seul, et qui avais piétiné mon enfance comme si je n'avais même pas eu le droit d'être l'enfant de cette mère-là (et sans doute elle se laissa convaincre), je me demandai si, rentré des glaces, tu m'adresserais au moins enfin la parole...

Je fus presque comblé. Le hasard – ou un plan de table maladroitement conçu – nous mit au dîner quasiment face à face. Cela, « en famille », ne nous était jamais arrivé.

Reconnaissons-le : tu n'as jamais été un beau parleur ; mais ton laconisme ne manquait pas d'éloquence. Et alors ici, brusquement, le miracle : entre la poire et le fromage, tu te tournas soudain vers moi comme si tu me découvrais tout à coup et comme si, te retrouvant face aux dix-huit ans d'un jeune homme fou d'admiration pour toi, tu renonçais, enfin, à haïr l'enfance en lui – toi qui t'étais pourtant porté jusqu'à moins quarante degrés Celsius, au-devant, n'est-ce pas, de l'enfance de la planète ? – ; et tu m'interpellas, tu me parlas *à moi*, pour la première fois, et tu me dis textuellement ceci : « Rends-toi compte, Pierrot... (Si, si, tu m'as appelé « Pierrot » : *rends-toi compte*, toi aussi...), quand on s'enferme ainsi ensemble, pour quelque temps, au sein d'une communauté d'hommes, au pied des murs de glace, on finit par mieux se comprendre, mieux se connaître qu'on ne connaîtrait une femme aux côtés de laquelle on aurait vécu durant vingt années... N'est-ce pas étrange ? »

Ce devait être étrange, en effet. Je me tournai vers ma mère, qui fit celle qui n'avait pas écouté, rien entendu. Vieille habitude.

Je crois que je me tournai même vers le Roi-Son-Fils, qui, à bonne distance, présidait comme il se doit ces agapes... J'imagine que je voulais prendre à témoin le monde entier de ce que je venais d'ouïr (mais, en particulier, le Roi-Son-Fils, qu'il m'était donné de revoir *au bout de tant d'années d'absence...*).

Je me rappelais l'homme-qui-plaisait-aux-femmes qu'avait été l'homme-de-ma-mère du temps où il ne s'évadait pas, dans les lieux glaciaires ou torrides, pour échapper un temps à leur emprise... et je n'en revenais pas.

Il devait être un peu gris.

J'eus encore le temps de me dire : si, en ce bas monde, on ne part pas à la recherche d'une femme – ma mère, par exemple –, quel territoire inconnu prétendrait-on conquérir avec bravoure et dans « l'intérêt de la science » ?

J'eus certes pitié, encore une fois, du glaciologue. De sa solitude. (Que faire d'autre ?) J'eus même légèrement pitié de mon enfance aussi, sacrifiée un peu pour rien. (Comment faire autrement ?) Mais quant à éprouver de la pitié pour toi, ma mère, il était trop tard, il n'en était même plus question. La pitié ne serait-elle pas un *hobby*, un sport favori à la portée du premier venu, et surtout des nouveaux riches en matière d'états d'âme ou des enfants prolongés auxquels j'avais une fâcheuse tendance à ressembler ?

Soudain, pour toi, je n'éprouvais plus que de l'amour – celui qui m'avait toujours manqué, que je tenais, malgré moi, en réserve. Je posai sur cet homme, Nathan Husseini, le regard que tu avais posé sur lui à l'origine : celui de la folie amoureuse. Cela ne dura pas une seconde. Cela fut. Cela a suffi. Nous n'y reviendrons jamais plus.

Merci, maman : même pour moi, cela redevint enfin une belle histoire.

Tout de même, on avait eu chaud ! *Happy end* provisoire !... mais quel *casting* !

Plus tard, je lus dans les Mémoires qu'écrivit le capitaine dirigeant l'expédition que l'équipage t'avait trouvé, Nathan, tout au long de celle-ci, un « si charmant camarade, dont les bons mots et les reparties avaient le don d'égayer dans les moments difficiles et de réchauffer l'atmosphère »...

Un jour, tu leur avais fait une conférence magistrale sur l'âge de la Terre : quatre milliards et demi d'années, au bas mot !

J'appris, un peu plus tard encore (quelques années seulement après votre mémorable exploit, mais beaucoup d'eau avait coulé sous les calottes glaciaires), que tous les calculs géologiques auxquels, à si grand-peine, tu avais dû te livrer, au risque de t'égarer sur la blanche étendue, s'effectuaient aujourd'hui, et même depuis longtemps, par avion ou satellite géodésique. On n'avait plus à enfiler le moindre bout de botte pour aller voir sur la banquise ce qui s'y passe: on survole maintenant la question...

Les sondages radioélectriques avaient permis de se faire une idée bien plus précise de la topographie. L'internationalisation de la conquête vous avait rejetés, toi et tes compagnons, presque au rang de ces glorieux « conquérants de l'inutile », tels les Scott, Shackleton et autres Larsen de jadis... Le grand continent immaculé, que sa blancheur défendait, ne recelait plus d'énigme. C'était certes ennoblissant pour vous-mêmes et les pionniers dont vous aviez recueilli l'héritage, mais aussi vous frappait de caducité. Par la même occasion, c'était un peu ma prime jeunesse qui se couvrait de rides.

Où sont donc passées, Nathan mon frère, les neiges d'antan ?

Je me suis senti vieillir d'un seul coup.

Il a fini par s'éloigner de maman. Même pas pour repartir en voyage : il professait qu'il avait tout vu, déjà, au moins une fois ; que cela n'eût plus eu de sens d'encore se déplacer. Il s'est sédentarisé d'un coup, Nathan Husseini.

Je l'apercevais, à l'occasion, assis seul à une table chez un célèbre glacier italien du quartier de l'Université ; il savourait les sorbets aux framboises, les *granitas di caffè*, les dames-blanches nappées de leur chocolat chaud... Cela me faisait sourire que, glaciologue, il eût conservé le goût des glaces. Ce devait au fond être un obsessionnel banal : il s'était reconverti, il avait transporté ses idées fixes sur un terrain alimentaire. Je me l'imaginais cramponné à la rambarde du brise-glace engagé au cœur d'un pack serré ou dans un couloir d'icebergs aux proportions de cathédrales. Quand on allait à la rencontre des splendeurs mêmes du monde pour fuir le monde, et notamment les femmes et les enfants, quelle sorte d'exaltation vous animait ? Et revenait-on guéri, et de quoi ?

Je me souvins que, dans un de ces rares moments d'enthousiasme sec ou de ferveur froide qu'il lui arriva de manifester devant moi, il raconta : « Une arche de glace qui s'élève au milieu de la mer, c'est à la lettre indescriptible puisque ça ne ressemble à rien d'autre, ne rappelle rien de connu : donc, *ça ne se compare pas.* » Peut-être faudrait-il toujours se méfier de qui prétend au caractère incomparable des phénomènes : ne serait-ce pas, la plupart du temps, pour revendiquer, non sans arrogance, l'unicité de leur expérience et s'isoler en elle, s'y réfugier agressivement en ne tentant rien pour la communiquer ?

N'empêche qu'il ne trouva de gîte pour les carottes de glace qu'il avait recueillies sur son chemin – ceci afin de pouvoir en analyser la teneur, et relever des indications relatives à l'écoulement glaciaire et à la présence de fragments rocheux sur leur contour – que dans les réfrigérateurs géants des abattoirs où on entreposait aussi des têtes de cochons et des carcasses de bovidés...

Même au cours d'une quête de l'Unique, à quels dédoublements on s'expose... et quelles contradictions ne rencontre-t-on pas! Cela me le rend plus proche, Nathan Husseini. Quel dommage qu'il n'ait jamais cru bon d'en discuter parfois avec moi, que nous ne nous soyons pas compris.

Tandis que, sans me faire voir, je l'observe qui déguste d'un air absent son dessert de prédilection, je me demande quels halos, quelles troublantes illusions d'optique, quels mirages polaires dus à l'ascension rapide des températures lorsqu'on prend de l'altitude, et qui là-bas émouvaient la raison autant qu'ils tourmentaient la perception des choses, viennent aujourd'hui hanter ses songes de navigateur depuis longtemps rentré au port ?

Mais j'évoque ici Nathan Husseini... Ce n'est pas parce que ma vie *avec* Nathan s'est terminée, un jour, avant d'avoir jamais pu commencer – il m'a à la longue adressé la parole, il a dit des phrases, j'en ai cité une ou deux, sans doute trois : cependant, il n'y eut pas « échange de répliques » –, que, pour autant, ma vie cessa tout à fait d'être *occupée* par celle de Nathan Husseini, ou son entourage.

Il y a quelque temps, je me suis rendu à Cologne pour y paraphraser un docu sur les conséquences désastreuses pour la planète du mode de vie des populations du Mato Grosso. (Eh oui ! mon petit Samuel, il n'y a pas que toi, il n'y eut pas qu'un roi de chez nous, que cela préoccupa : vivre, c'est reconnaître les coïncidences.) Cela se passait à l'opéra, et je fus assez diverti qu'aujourd'hui les convictions, les professions de foi se proclament si souvent dans des lieux où l'on chante, plutôt que dans des auditoriums où l'on est censé réfléchir.

Une réception suivit. Un verre de *sekt* à la main, je vis venir à moi une femme que je reconnus presque aussitôt, non à ses traits mais à son allure et plus encore à son parfum. Une forte odeur d'eucalyptus – comme si, durant plus de trente ans, je ne l'avais plus respirée nulle part, hormis à proximité, justement, de cet arbre lors d'un voyage en Afrique et dans certains jardins botaniques... Mais sur aucune peau de femme, à tout le moins.

Dolorès parut stupéfaite et heureuse que je la remette aussitôt.

« Pourquoi hésiterais-je une seconde ? Vous aviez fort troublé le petit garçon que j'étais à l'époque de notre première rencontre.

– Mais, dans un sens, j'étais troublée moi aussi... », convint-elle.

Je la revis comme si c'était hier émerger à moitié nue de mon lit d'enfant. J'avais imaginé qu'elle avait « eu une affaire » avec un homme ou l'autre (il en circulait encore tant à l'époque !) passant par cet appartement ; et cela, jusque sous ma couette, peut-être... Je crus même tomber sur des photos d'elle, au fond d'un tiroir, cette fois tout à fait nue.

« Tu as dû rêver tout cela, non ?, et broder allégrement sur ce que tu as vu, ou cru voir... Je me trompe ? » Sans attendre la réponse, elle enchaîna : « Mais c'était peu de temps après la guerre. On se voulait très libre, à ce moment... Tout le monde couchait un peu avec tout le monde... »

Je pensai que ma mère s'était voulue très « libre », elle aussi, mais qu'elle ne s'était guère reconnu que la liberté d'aimer Nathan Husseini.

« J'étais fort jaloux..., fis-je.

– Et de qui donc ? Si tu avais fait un geste vers moi, qui te dit que je ne serais pas retournée au lit avec toi ?

— Vous aviez paru tellement à l'écoute de mes petits secrets... Vous ne pouviez qu'être bonne : ç'aurait été formidable de se faire dépuceler par vous ! Pourquoi n'être pas devenue la maîtresse du petit lecteur de *Winnetou* que vous étiez si surprise de rencontrer dans sa propre chambre ?

— Ces choses-là n'arrivent que dans les fantasmes d'hommes restés un peu enfant, tu le sais aussi bien que moi. »

Rentré ce soir-là à l'hôtel, je me dis que nous ne passerions même pas la nuit suivante à réparer ensemble les incongruités du passé. L'idée ne me traversa pas que Dolorès ne devait pas être tellement moins âgée que ma mère : je refusais les évidences de la chronologie, et que si c'était vraiment trop tôt, Dolorès, quand je te rencontrai enfant, il était beaucoup trop tard lorsque je te revis à Cologne ; du reste, quel âge t'aurais-je, dans une occurrence comme dans l'autre, bien *donné* ?

On ne se méfie pas assez de la vie : elle va trop au cinéma. La mienne ressemblait de plus en plus à ces télé-feuilletons américains où toute péripétie ne se fonde que sur une bienheureuse ou malencontreuse coïncidence ; elle m'apparaissait plus cousue de fil blanc – ou noir – que le script le plus roublardement ficelé. (C'était tout juste si mes déboires ou mes bévues n'étaient pas accompagnés en chœur *off* par ces rires en cascade qui indiquent obligeamment aux téléspectateurs les moments où il convient qu'ils rient, sans quoi ils seraient bien capables de les laisser passer sans réaction...)

Le Temps est une plaie qui n'en finit pas de se cicatriser car, à toute heure, quelque chose ou quelqu'un peut rouvrir le stigmate.

Je parlais de mes retrouvailles avec Dolorès, la femme-eucalypte... Il est des moments où les bilans se dressent d'eux-mêmes, tombent comme des heures d'or ou des volets de fer, où

le monteur du film d'une vie excelle à simplifier le scénario...
Où Dieu Lui-même affecte de vouloir faciliter la compréhension
du lecteur.

Cette même année, Max Bonboire m'a demandé d'occuper le
stand Touristes sans frontières à la Foire du livre. Une après-midi
où je vantais les mérites de notre agence auprès d'un bon nombre
de candidates-voyageuses – à croire que les femmes voyagent
plus, comme elles lisent plus volontiers que les hommes –, j'en
avisai une qui attendait patiemment à l'écart. On était à quelques
instants de l'heure de fermeture quand elle me tendit un exemplaire du *Monde est à vous*.

« Vous m'accorderiez une dédicace, maître, s'il vous plaît ? »
Je la regardai avec surprise.

« Que voulez-vous donc que je signe ?

– Mais, n'importe quoi..., répondit-elle. Au petit bonheur la
chance : une chronique choisie au hasard, même une de vous si
cela se trouve... Tu ne me reconnais pas, n'est-ce pas ? »

À cet instant précis, je la reconnus. Je me dis, textuellement :
Mon Dieu, comme elle a embelli ! Oui, soudain, je songeais :
Qu'est-ce qu'elle était donc devenue belle, Danielle O. !
Comme si elle ne l'avait pas toujours été... ! Comment, pourquoi ne m'en étais-je jamais avisé ? Pourquoi le sale gosse qui
la dédaignait férocement au square du Bois-Profond, lorsqu'ils
avaient dix ans, convenait aussi volontiers qu'elle avait toujours
été splendide ? Mais aussi, ne serait-elle restée que splendide,
l'eût-il reconnue ? Au lieu qu'il l'identifiât à cet éclat tragique qui
luisait dans son regard, et qui lui rappela l'enfance, *leur* enfance ;
et grâce auquel il l'eût reconnue, cette fois, même abîmée,
défigurée, « méconnaissable ». Ah ! l'inaltérable, l'inconsciente
avidité de ce visage ! Une folle mais généreuse âpreté. Ne sachant
pas ce qu'il demande, à quoi il en appelle – ignorant même qu'il
exige quelque chose : rien, en fait, de particulier –, tel celui d'une
aveugle enragée croyant encore voir quelque chose.

Qui sait si, dans un sens, je n'avais pas aimé qu'elle ?

« Un jour, chez ma coiffeuse, dit-elle, je suis tombée sur un numéro du *Monde est à vous*, et je me suis délectée d'un article qui décrivait le quartier de notre jeunesse. Qui prétendait au moins l'évoquer... À la fois si méticuleux et si incorrect que je reconnus, grâce à cette équivoque, l'identité du chroniqueur, même – et surtout – s'il recourait à un pseudonyme. Ne parlait-il pas, sans aucun ménagement, de la petite fille à la chevelure « couleur soufre » qui habitait, naguère, en face de chez lui ? Que de choses vraies, miraculeusement conservées, on trouvait ici, et que de criantes inexactitudes ! Petit garçon, tu étais encore là tout entier : à te lire, on eût pensé que la guerre s'était prolongée au-delà de 1950... Mais que tu étais mûr pour ton âge, dès 1943 ! La cour que tu prétends avoir faite « durant les hostilités » à une petite fille – « pourtant peu gâtée par la nature », ainsi que tu disais –, ne fut-ce pas beaucoup plus tard, à l'âge de la puberté, que tu la lui fis – ou plutôt ne la lui fis pas ? Mais surtout : les terrains vagues, les vaches et les chèvres, les peupliers d'Italie, les potagers..., tout cela a-t-il, comme tu l'assures, survécu à la guerre ? N'as-tu pas cédé à la tentation séduisante de l'anachronisme, de l'embellissement ? Enfant, tu voulais – je me le rappelle – devenir chirurgien, mais par bonheur tu as changé d'idée. Que serait-il donc arrivé, sous tes bistouris fantaisistes et tes scalpels distraits, à tes malheureux patients ? Au fond, tu les aurais traités comme moi : sans indulgence... Je veux dire : sans tendresse. Pourtant, n'as-tu pas oublié que, certains soirs, nous nous déshabillions à la même heure, dans les loggias des salons respectifs de nos appartements, pour être aperçus l'un de l'autre ? Certes, ce n'était sûrement pas le grand amour... »

Mais cela en tenait lieu, pensai-je. Savons-nous même ce qui a vraiment eu lieu ? Qui ne s'y tromperait ? N'avais-je pas rêvé, enfant, que *je n'aimais pas* Danielle O. ?

Elle s'éloignait déjà... Elle s'arrêta, cependant, indécise, puis revint vers moi.

« Tout de même, il faut que je te dise : ce n'était pas aussi grave que ça...

– Quoi ça ?

– Les horreurs que tu sous-entends dans ton reportage. Ce qui s'est passé, quoi... »

Ce qui ne s'est pas passé, pensai-je. Ce manque d'amour.

« Je te le dis, ajouta-t-elle, au cas où ça te tourmenterait encore... »

Je ne manquai pas de présence d'esprit : nous échangeâmes nos numéros de téléphone et convînmes de nous revoir un de ces jours. Alors, elle s'en alla.

Je me décidai à l'appeler deux semaines après. Elle me proposa de la retrouver chez elle, à l'ouest de la ville, pour l'apéritif, et de là nous irions à pied jusqu'à un restaurant proche.

Je crois même que je lui ai apporté un bouquet de fleurs. Elle vivait seule avec sa fille dans un appartement encombré des meubles de ses parents – morts tous deux – et que, lorsque j'étais petit, je trouvais déjà si lourds, si tristes. Un dressoir en chêne massif. Un scriban disgracieux. Une table où on pouvait manger, où une enfant pouvait faire ses devoirs. Une toile un peu misérabiliste de Paulus : un terril en perdition dans la Wallonie profonde.

Elle parlait de sa vie de façon très posée, très sage. Sans détresse apparente. Pourtant, elle relatait un divorce d'avec un homme d'affaires de Düsseldorf. Cette fille à éduquer seule. Et maintenant la décision d'aller vivre peut-être à Montréal, dans le quartier grec, où son ami portugais voulait ouvrir un drugstore.

Elle expliquait cela sur un ton un peu résigné, un peu las, un peu ennuyé. Entre cette existence si bien rangée et ce projet si anarchique, elle semblait ne pas apercevoir d'hiatus, de solution de continuité. Ce qui était arrivé et ce qui devait advenir semblait procéder d'une même planification remplie de bon sens.

« Eh bien dis-je incongrûment en me levant, allons donc fêter ça ! »

Elle me regarda légèrement étonnée, comme si elle pensait qu'il n'y avait vraiment rien à fêter.

Dans la rue elle marchait lentement, comme si elle avait promené un invisible chien.

Une fois au restaurant, elle redemanda le même vermouth qu'elle nous avait offert chez elle, mais refusa le vin que je me disposais à commander et ne but plus que de l'eau jusqu'à la fin du repas. Elle me questionna mollement sur moi ; rien ne paraissait la surprendre ; elle « comprenait », disait-elle à tout bout de champ : c'est-à-dire qu'elle voulait « comprendre » toutes les errances, les désordres que je lui décrivais, les drames, et puis maintenant cette absence de voyage un peu désespérée... Cela l'étonnait si peu que, vexé, j'en aurais volontiers remis.

Elle mangeait sans passion, sans curiosité. Elle hochait parfois la tête. Par moments, elle ressemblait à cette actrice américaine qui avait joué autrefois avec James Dean dans le film culte de ces années-là sur le mal de vivre de la jeunesse. Mais Nathalie Wood m'avait touché encore davantage dans un film de Kazan qui racontait une histoire d'amour dérapant, bêtement, sur un malentendu. Warren Beatty jouait le rôle de l'homme. À la fin, la petite Wood le retrouvait, après avoir fait une dépression nerveuse ou une tentative de suicide, je ne sais plus, mais il s'était marié entre-temps avec une Mexicaine, dont il avait un enfant... Au dénouement, elle avait les larmes aux yeux, la malheureuse fille, tandis qu'elle s'extasiait sur la beauté de ce gosse...

Danielle O. ne sembla pas surprise que, machinalement, je me sois mis à raconter ce film sur le même ton que je lui avais exposé toute ma vie. Je ne lui avouai pas qu'elle ressemblait à l'actrice principale : je m'étais rappelé soudainement que Nathalie Wood était morte quelque temps plus tôt, en mer, dans des circonstances mystérieuses, et je ne voulais pas assombrir mon interlocutrice.

Mais je me dis : c'est sans doute à cause de cette mort de Nathalie Wood que je lui trouve, à Danielle O., un si beau regard de noyée. Je me demandai enfin pourquoi, adolescent, j'aurais aimé abattre Danielle O., la dépiter à mort. Et déjà mortifier l'espace de ma vie. Faire un carnage, quoi.

Elle consentit à se laisser inviter « pour cette fois, mais à charge de revanche », et me proposa de prendre un pousse-café chez elle. Elle ressortit du dressoir, de nouveau, le même Carpano que celui que nous avions bu ici même, puis au restaurant. Ensuite, elle alla chercher un album de famille et, avant de l'ouvrir, m'expliqua que j'avais, dans mon « pittoresque reportage pour touristes », exagéré les « avanies que j'avais fait subir à ma petite voisine d'en face ».

« Vois comme la vie est drôle s'exclama-t-elle, et ce fut la première fois que je la vis esquisser un sourire. À l'époque que tu décris, je retrouvais souvent un autre garçon à qui j'en faisais d'ailleurs voir de toutes les couleurs ! Le pauvre… Je pense l'avoir, en réalité, beaucoup plus persécuté que tu ne te permis jamais de le faire avec moi ! Regarde : il est ici… »

Et, ayant ouvert l'album de photos, elle me désigna plusieurs de celles-ci où figurait un garçon joufflu et costaud, au regard vaguement sournois, ou traqué… « Tiens, là, c'est toi… », continua-t-elle en montrant une petite photo d'identité perdue parmi les nombreuses autres où surgissait ce garçon inconnu, avec toujours cette même expression fourbe ou craintive.

« C'est étrange, observa-t-elle. Je crois bien que vous ne vous êtes jamais rencontrés. »

Je racontai à Danielle O. que j'étais récemment passé devant l'appartement qu'elle occupait autrefois, et que j'y avais vu une pancarte « À louer ».

Désirant faire preuve de galanterie – et comme pour lui montrer qu'aujourd'hui, enfin, j'étais sensible à son charme, j'éprouvai le besoin d'ajouter : « *À louer*, tu comprends,

Danielle, il faudrait l'entendre dans le sens de "digne de toutes les louanges"... »

– Je ne suis ni à louer ni à vendre... », répondit-elle tristement.

On en arriverait à douter d'à peu près tout et à s'attribuer une mémoire malicieusement portée à la mystification. En fin de compte, Danielle O., que j'avais supposée si fanatiquement éprise, avait-elle jamais jeté un regard énamouré sur moi ?

Dans un de ces journaux intimes que je tenais, adolescent, ceci au hasard : « Je songe à cette nuit où je ne parvenais pas à m'endormir et où ma mère me dit tendrement : "Tu grognes comme un petit grizzli..." » Tendrement ? Aurais-je donc continûment affabulé sur son manque d'affection ? Me serais-je fabriqué, pour me rendre intéressant, une image dégradée de mon enfance ? Aurais-je diffamé ma génitrice ? J'aurais dû savoir que mettre en doute l'amour d'une mère est le plus souvent une vaine et suspecte entreprise. Elle ressemble à la rancœur de ces anciens colonisés qui, longtemps après avoir accédé à leur indépendance, continuent de rendre la métropole responsable de tous leurs maux...

Et mon père, alors ? Je remets la main sur un disque qu'il a gravé lui-même. Plutôt, il a coulé de la résine dans les sillons d'un disque d'André Claveau et il nous a enregistrés, lui et moi ; il a superposé un dialogue de nous aux roucoulades du chanteur de charme. Un palimpseste, en somme. (Il avait créé, en ces années-là, un petit studio d'enregistrement, estimant que « si l'époque n'était plus sensible aux livres, elle le deviendrait à la voix humaine »... Mais, comme je l'ai dit, il ne devait pas tarder à faire faillite.)

Avait-il, ce disque, été trop écouté déjà ? Ou mon père l'avait-il gravé de façon trop rudimentaire ? L'enregistrement n'était guère audible. De multiples griffures, à des moments capitaux, hypothéquaient la compréhension. Et une quinte de toux paternelle couvrait, en outre, certains de mes balbutiements. On entendait malgré tout sans équivoque le ton d'un petit garçon qui ne voulait pas aller dormir. Qui refusait de donner un baiser à son père. Qui ne prétendait pas lui chanter une chanson. Il campait sur le terrain du refus, ce petit homme. « Pas sommeil », « Pas méchant », « Pas-pa »... Mais à un moment donné, il s'expliquait : « Chan... Une chan... pour papa ? Non ! Si je donne une chanson, *je n'en aurai plus* ! »

Mon Dieu ! Allais-je découvrir, sur le tard, que j'avais eu des parents aimants ? Et que moi seul je refusais mon affection ?

Le père Raymond avait, de justesse, évité la prison pour fraude fiscale en émigrant en Allemagne. Il envoyait de loin en loin une carte postale, de Stuttgart, de Fribourg-en-Brisgau, où il ne racontait pas grand-chose : « La pluie tombe au fond du jardin sur une vieille casserole. Je suis triste parce que tu ne m'écris jamais, parce que tu m'oublies : est-ce vrai ? Cet été, ne bois pas l'eau du robinet ! Tu dois savoir que ta maman t'aime le mieux qu'on puisse t'aimer ; elle est seulement très fatiguée ; sois donc bien gentil avec elle. »

Oui, mais à la même époque, maman, de son côté, me demandait : « Tu vas continuer comme cela ? (Continuer quoi ? Je l'ai oublié.) Est-ce ainsi que tu comptes réussir plus tard ? (Réussir quoi ? Je ne me souviens plus.) Vois ton père : tu ne voudrais tout de même pas devenir comme lui ? Dans son *genre* ? Il n'a tenu aucune de ses promesses. (Qu'avait-il donc promis ? Je n'ai pas pu le découvrir.) Il n'a jamais été à la hauteur. (À la hauteur de quoi, de qui, de quelles circonstances ? Comment savoir ?) Mais je ne vais pas t'enlever les illusions que tu nourris à son sujet... Ah ! j'en ai plus qu'assez de t'élever toute seule ! Je ne suis pas ta servante. À l'occasion, dis-lui donc ce que tu me coûtes ! » Et encore : « N'oublie jamais que c'est *pour toi* qu'à trois reprises je me suis fait avorter. Je n'entendais pas t'imposer un demi-frère ou une demi-sœur que tu n'aurais pas désiré…

— Tu aurais pu me demander au moins mon avis sur la question…

— Mais tu étais trop petit pour avoir un avis sur quoi que ce soit ! »

On avait procédé aux opérations, m'expliqua-t-elle, dans l'appartement même, clandestinement. À la cuisine. Est-ce l'idée de clandestinité qui me suggéra aussitôt comme un prolongement de la guerre, avec ses couvre-feux et ses opérations de *sabotage* ? De résistance. Cette fois, contre l'intrusion d'une vie non souhaitée.

Le dimanche matin, quand ma mère et son amant faisaient la grasse matinée, il flottait, dans le corridor qui menait à leur chambre à coucher, une odeur de sang et de sommeil rance.

« Allons ! Tu ne connais pas ta chance. Considère plutôt ma jeunesse à moi… J'ai tort, sans doute, de me montrer si modeste avec toi ! Ne parle pas toujours de sujets auxquels tu n'entends rien ! Secoue-toi, bon Dieu ! Chacun a ses problèmes. À certains moments, tu mériterais des claques. Et pas d'hystérie, s'il te plaît, sinon tu voles dans ta chambre ! Quand donc seras-tu *spontané* ? »

Un soir j'entends, à travers la porte de la salle à manger, Nathan Husseini dire à ma mère : « Parfois, je te plains vraiment d'avoir un fils aussi difficile… » Elle ne rétorque pas.

Alors, ce qui aurait pu produire un bon souvenir. Maman retrouve, en faisant de menus rangements, la flûte de bois de mes dix ans. Elle sourit. Mais elle soupire aussitôt : « Dommage tout de même que tu n'aies jamais appris à en jouer… » Qu'on n'ait jamais voulu m'apprendre serait plus juste.

Dans les glaces du Pôle, bien sûr, elle n'a pu accompagner Nathan. Mais que de voyages n'ont-ils pas entrepris ensemble, de l'Égypte au Népal, de la Finlande à la Sicile ! Je me demande si ce n'est pas cela qui a fait naître ma vocation de guide.

Soudain, elle se tient devant moi. Elle a les larmes aux yeux. Elle a l'air bouleversée.

« Cette année, dit-elle, je reste avec toi pour les vacances ! » Et elle ajoute : « Tu sais, n'est-ce pas, que tu seras toujours le préféré ? »

Quand, plus tard, il l'eut quittée, j'ai parfois imaginé que je me réconciliais avec Nathan. Que je le rencontrais en cachette ! Que nous trahissions ma mère ensemble !

« Tu grognes comme un petit grizzli », avait-elle dit... Où était-elle donc allée chercher cela ? Que connaissait-elle aux mœurs et aux habitudes des ours ?

Moi qui n'ai jamais vu un ours de ma vie, même au jardin zoologique, j'en sais un bout sur les grizzlis grâce aux livres que m'a apportés avec régularité, le jour de mon anniversaire, ma petite voisine, Danielle O.

Mais, subitement, c'est l'image d'un singe qui s'impose à moi : il ressemble à s'y méprendre à celui, en peluche, que m'offrit autrefois ma grand-mère, dans sa roulotte... Mais celui-ci que je vois à présent est bien vivant. D'où sort-il donc ?

« J'ai reçu une étrange lettre, me dit ma mère. » (Cela se passe bien des années après les événements qui viennent d'être rapportés.) « Elle émane d'un généalogiste. Tu sais, un de ces détectives privés qui, lorsque quelqu'un meurt intestat et qu'on ne lui connaît pas de parent proche, se met en quête d'un héritier plus lointain ; qu'il en découvre un, et il le rend riche si le défunt détenait quelque bien… ; Lui-même s'y retrouve en percevant une commission. Alors, voilà : il résulterait des recherches effectuées par les services de ce monsieur que je détiendrais des droits sur la succession d'une cousine germaine, Klasima Jakob, née à Rotterdam et décédée à Anvers après avoir vécu longtemps en Indonésie… Néanmoins, je ne me reconnais aucun droit de palper l'argent que laisse cette femme.

– Et pourquoi donc ?

– Mais parce que je me suis autrefois éloignée d'elle alors qu'elle était sans doute dans le besoin… Toi, tu n'as pas à nourrir un tel scrupule… »

De fil en aiguille, ma mère m'apprit que « ma tante Klasima » était, dans sa jeunesse, traitée un peu comme une brebis galeuse au sein de la famille parce qu'elle s'était « vaguement prostituée » à Djakarta – jusqu'à cette nuit où, dans une crise de jalousie, elle avait revolvérisé son gigolo dans une maison de passe… Elle avait dû purger une assez longue peine de prison en Indonésie, avant de refaire sa vie à Anvers.

« Et tu crains que l'argent laissé par elle aujourd'hui n'ait été gagné que dans des conditions que la morale réprouve ? » devinais-je.

Ma mère rougit un peu.

« Surtout, elle était devenue une inconnue pour moi. Du reste, on ne connaît personne… Toi-même, tu m'as souvent mal jugée. Mais *que sais-tu de moi* ? »

J'appréhendais toujours ces moments où ma mère annonçait, sur un ton qui laissait présager le conditionnel, de possibles révélations époustouflantes…, qu'à la fin elle renonçait chaque fois à faire. Tandis qu'à la longue nous avions appris à nous parler, il semblait cependant que certains secrets douloureux dussent rester enfouis au fond d'un puits d'où il eût été trop pénible de les remonter. Maman ne se doutait pas de l'énorme – et à mon sens injuste – frustration qu'ainsi, à chaque coup, elle créait en moi. « Ah ! C'était une période vraiment *extraordinaire*.

(La sienne, pas la nôtre, celle qui m'avait précédé.) C'était *toute une époque*. (Comme si celle que j'avais vécue ne se révélerait que partielle, fragmentaire, amputée.) Je t'en dirais volontiers *des masses*... » (Mais elle n'en livrerait rien, ou presque.) Me punissait-elle encore ainsi, inconsciemment, de quelque chose ?

« Toi, mon chéri, ça ne t'embarrasserait pas trop, je crois, de palper cette galette un peu...

– Douteuse ? Mais au contraire ! Cela m'enchanterait d'hériter, à la fois, de la légende d'une tante exotique et du bas de laine d'une pute ! »

Je pressai donc le généalogiste d'entreprendre son enquête. Au bout d'un temps, il me reçut pour m'annoncer d'un air contrit qu'à l'examen l'actif de la succession laissé par ma tante Klasima se révélait très inférieur à nos espérances, au point que le seul règlement de ses frais excéderait le bénéfice à percevoir... Je surpris quelque peu le chasseur d'héritiers en lui demandant si, en dehors de toutes considérations matérielles, une enquête complémentaire serait à même de révéler quel fut *le destin* de ma tante Klasima en Indonésie ?

« Cela outrepasse mes compétences..., convint l'homme. Je n'aurais pu m'enquérir que de pièces officielles : extrait de l'état civil, actes notariés, etc., qui ne vous apprendraient rien. Et même cela... Vous devez savoir qu'au moment de la guerre civile et de la chute du régime Soekarno beaucoup de registres et de dossiers ont flambé ou disparu... Désolé ! »

Mais à l'instant où, sur le seuil de son bureau, il allait prendre congé, il ajouta : « Tout de même, je puis vous répéter ce qu'on m'a dit à Anvers au sujet de cette dame... Depuis quelques années, elle était devenue musicienne des rues, baladant un orgue de Barbarie et accompagnée d'un singe qui, pour elle, faisait la manche. Tous les gens du quartier l'aimaient beaucoup... »

J'espérai que ce ne fût pas qu'un pieux mensonge.

Du Roi-Son-Père, lorsqu'il disparut, aurait-on pu en dire autant ? Pas sûr. Le troisième quart du siècle se trouvait déjà bien entamé, et on ne parlait plus guère de lui. Certes, on évoquait de loin en loin l'homme des voyages – mais un peu comme s'il s'agissait d'un autre.

S'est-il souvenu, en mourant, de la confiance que tout un peuple avait mise sur sa personne au moment de son avènement, et du peu qu'il en restait à la fin ? A-t-il compris sur quoi cela s'était joué – et pouvait-il le comprendre ? Eut-il la naïveté de croire que l'Histoire lui rendrait tout à fait justice – alors qu'il arrive qu'elle ne soit pas rendue à des peuples tout entiers, ni au fond à personne, hormis par ses propres caprices ? Lorsque « l'affaire » éclata, elle passa sur le pays comme un cyclone, et lorsqu'elle se conclut, on eût pu croire quelquefois que rien ne s'était passé. Oh ! certes, certains se brouillèrent longtemps encore à cause d'elle, « parce qu'ils en avaient parlé », au cours de l'une ou l'autre partie de bridge dans le beau monde : quelques-uns échangèrent des gifles, et ne se réconcilièrent jamais.

Et puis, quand la dépouille fut exposée au Salon du Penseur qu'abritait le palais de Bruxelles, beaucoup vinrent défiler devant elle. Mais était-ce lui que l'on pleurait, ou lui mort, ou la Mort elle-même, si courtisée dans ce pays, ou la fin d'une époque ambiguë ? Pour laisser passer le cercueil d'acajou jusqu'à destination, il ne fut pas nécessaire d'entraver outre mesure la circulation, et certains passants, étonnés, demandant ce qui se passait, écoutèrent un instant, émus malgré eux, l'air de « La mort d'Aase », dans *Peer Gynt*, qui tombait d'un haut-parleur. La famille parut, le temps d'un service religieux, à nouveau réunie ; chacuns, chacunes, reprirent ensuite le chemin de leurs palais respectifs.

Pourtant, lui-même ne s'était pas déplacé pour les funérailles de son frère, mort quelques mois avant lui. C'était comme si la maladie de l'irréconciliation avait mangé tous les cœurs. Dans un sens, on ne pouvait mieux attester qu'en famille, comme sans famille, les rois sont des gens très ordinaires et « assez mal élevés », ainsi que disait ma grand-mère. Moi, pour une raison personnelle, ça me plaisait plutôt de le vérifier : prendrait-on un seigneur au sérieux s'il ne faisait montre, à l'occasion, d'un sale caractère ?

Néanmoins, Sire, je Vous en voulus, à l'époque, de mourir. Je ne m'avisai de l'enfantine envie, de la puérile certitude que j'avais eues de Vous rencontrer – de Vous revoir un jour – que lorsque Vous tirâtes ainsi votre révérence sans sommation. Oh ! non pas le Pierre Raymond devenu adulte, assurément ! mais celui resté enfant, comme si Votre mort avait arrêté pour lui les horloges… Mon vif dépit de Vous voir Vous éclipser ainsi pour de bon ne comptait donc qu'un peu plus de dix ans d'âge ; et il n'était pas appelé à vieillir.

Même si je n'avais jamais manifesté jusqu'alors le dessein d'en faire un sujet d'étude, je n'avais pas caché mon intérêt pour la destinée singulière du roi vagabondant…

L'agent déjà grisonnant de Touristes sans frontières eut beau, le jour des funérailles, hausser les épaules en murmurant comme pour lui-même : « Oh ! Aurait-il manifesté Sa souveraine intention de me voir, moi je n'aurais même pas souhaité cette rencontre plus que cela, et j'aurais sans doute décliné l'invitation. » Cela ne convainquit personne (je veux dire en l'occurrence : moi seul…), car les raisins n'étaient pas trop verts pour tout le monde, et en tout cas pas pour le petit Pierre Raymond encore bien en vie…

Un jour que je parlais de Lui, lors d'un cocktail à l'agence, quelqu'un me dit : « Mais il est vraiment dommage que vous ne L'ayez pas connu : Il vous aurait sûrement inspiré votre meilleur reportage…

– Vous pensez vraiment ? » relevai-je, avec un brin de coquetterie. Et j'observai avec surprise que cette flatteuse remarque me causait moins de plaisir que de regret.

Bref, Sire, ne faisons pas semblant : j'aurais apprécié d'entendre raconter Votre histoire de Votre bouche ; après tout, c'est la moindre des choses : enfin écouter Votre version des faits. Depuis le temps qu'on ne peut guère ouïr que celle de tous les autres, et du premier venu... Cela va donc nous manquer. Il paraît que les rois ne peuvent pas simplement « causer », même *post mortem*. Preuve définitive, s'il en était encore besoin, qu'il y a comme un vice dans le système.

« Sire, Lui aurais-je dit, quel curieux chemin pour Vous rejoindre... Bien sûr, je ne suis rien pour Vous. Mais, en quelque sorte, Vous n'êtes rien pour moi non plus... C'est, dans le fond, ça qui est si intéressant ! »

Eh bien, non ! C'était fichu ! On ne se serait croisés qu'une seule fois. On eût dit une fable intitulée : « Le Roi, le Vélo et le Petit Raymond... » Et puis voilà, c'était comme pour tout le reste : cela avait à peine eu lieu, cela s'était donné à peine le temps de commencer, que c'était déjà fini ! Pire que la perte d'un ami qu'on n'aurait même pas eu le temps de se faire. (Et rien n'est plus commode que de pleurer quelqu'un qu'on n'aurait pas eu le loisir d'approcher...) J'ai fait chou blanc. Ah ! Roi, Tu m'as posé un fameux lapin !

Souvent, durant toutes ces années, j'ai pensé : « Nous aurions eu tant à nous dire ! »

Et cela se serait passé comment ? direz-Vous. Eh bien, voilà ! : je serais allé à Vous, sur la route de W., par exemple, je me serais arrêté à Votre hauteur et je Vous aurais dit : « Bonjour, Sire... » Et Vous m'auriez seulement répondu : « Bonjour, Monsieur... Bonjour, mon petit garçon... » Et après, ça se serait déjà compliqué ; il aurait fallu enchaîner assez vite. (On parle volontiers de l'atavique timidité des membres de Votre famille : rien à côté de la mienne !) Alors, tout à trac, je Vous aurais parlé de la bicyclette. De mon destrier brisé. (Surprenante entrée en matière, n'est-ce pas ? Je suis pourtant sûr que Vous auriez apprécié.) Dans l'espoir, enfin, d'un remboursement des dégâts causés au biclo ? Nenni ! Aussi sec, j'aurais invoqué la figure de l'Empereur d'Herentals et je Vous aurais lancé, l'air de ne pas y toucher : « C'est bien l'un de nos amis communs, n'est-ce pas ? » Et voilà ! La conversation eût été mise sur rail. Ce n'eût plus été alors qu'un jeu d'enfant de parler du reste. Le règne, la puissance et la gloire. La vérité et les mensonges. Le pauvre petit pays et le grand monde. Les voyages et l'immobilité.

Mais je m'excite tant sur *la perspective* de cette seconde entrevue qui n'advint pas –, qu'on finirait par douter, je présume, que la première arriva… On croirait encore que j'ai tout inventé. Que, pour me consoler de tant d'inexistence, j'aurais échafaudé de toutes pièces cette histoire de naguère, et jusqu'aux moindres misères d'une enfance lamentable. Il y a un révisionnisme toujours tentant de notre histoire privée. Et on pourrait céder à l'attrait du malheur comme à une noire féerie. Par chance, dans un cas comme dans l'autre, il existe des preuves et des vestiges !

Récemment, j'ai remis la main sur un album de photos de moi prises dans les premières années, et je dois admettre qu'elles me montrent heureux, presque hilare… Aurais-je imaginé ma détresse, comme d'autres se façonneraient plutôt un bonheur ? Nullement, car très tôt, quasi du jour au lendemain, on ne prit plus de moi le moindre portrait. Et pour cause ! « Cela » s'était arrêté. De l'instant où mes parents rompirent, la rupture se consomma en plein milieu de moi ; ils me rompirent aussi, comme un pain, ou une paix, ou un silence, le silence qui doit régner au paradis, et emportèrent avec eux, chacun de son côté, les négatifs de photos qu'ils ne prendraient plus… Tout alla désormais par deux, même l'absence. À preuve : nous eûmes droit, dans le pays, à deux rois à la place d'un seul !

Mais alors, justement, la rencontre avec les Rois… ? Heureusement, là, il y a une trace cette lettre reçue d'Eux et qui ne me quitta plus. Reste que l'accident dont, pour les raisons que j'ai dites, il n'est pas fait mention pourrait n'être bien que folle élucubration… Pour une fois, me croira-t-on sur parole ? Ma parole contre celle des Rois ? Non que les Rois aient menti sur ma chute : Ils n'ont pas mesuré sa matérielle gravité, ni ses conséquences… Au moins, Sire, moi, je n'aurais pas minimisé la Vôtre ! D'ailleurs, plus j'y pense, plus je crois que Vous n'auriez pas eu à regretter notre rendez-vous manqué : nous n'aurions pas eu une conversation d'adultes. Il y a eu, le jour de la chute (de la mienne), un arrêt sur image ; et, pour ce qui en est de nous, j'en suis toujours resté là.

Quel grand poète décrit, quelque part, un manant, un moins-que-rien, jalousant un monarque ?

Être jaloux d'un roi n'a guère de sens, et c'est absolument sans espoir. Vous étiez bien placé pour le savoir : régner n'est rien, c'est à la portée du premier venu. Ou bien c'est une mission impossible, ou bien c'est une erreur… La seule que Vous commîtes vraiment. Par exemple, un roi n'a qu'à peine droit au malheur ; or Vous avez vu s'abattre sur Vous les tragédies personnelles et les drames de famille, et la déveine ne Vous a jamais épargné. (Pendant la guerre, souvenez-Vous, ce message de l'amiral anglais à Churchill, qui fut mal compris ; et son dossier qui ne parvint pas à temps chez Eden ; et le général Gort qui n'arriva pas à temps à Bruges, à la « Nuit des états-majors » ; etc., etc. Ça n'a pas arrêté ! On ne peut être souverain et *à ce point* malchanceux.)

Votre père, que la Nation adulait, Vous conseilla. Vous suivîtes ses conseils, et on Vous répudia. Vous Vous étiez donné les meilleurs modèles, ceux qui formulaient les plus justes principes, Vous les avez écoutés, leur avez obéi, et Vous avez échoué en tout. Vous avez ainsi, sans le savoir, démontré l'inanité de la fonction royale.

Ne croit-on pas en Dieu parce que, parmi d'autres privilèges, il détiendrait celui – précieux entre tous – de *déposer* les rois ?

Faisons ici une exception pour les rois fous – qui dilapident le trésor public en servant de mécènes à des artistes de génie

414

(Louis II, dans ses châteaux de nougat, pour ne citer que lui), les rois qui se déconsidèrent par passion pour une femme, ou même pour une amourette (il y a suffisamment d'exemples : ainsi en Russie, Autriche, Hongrie, Angleterre…), ou simplement ceux qui se ruinent, perdent leur palais d'hiver comme leur résidence d'été…

Tout à coup, cela rend un lustre et des couleurs, un pittoresque, aux titulaires !

Enfin, redevenons sérieux ! Ou presque…

Sire, je fus follement jaloux de Vous.

Non de Votre règne, bien sûr : qui Vous l'envierait ? Mais de Votre abdication.

Régner n'est rien, comme je viens de le dire c'est advenu par hasard à tant de paltoquets ! Des roitelets qui font carrière, on en trouve à foison, et des candidats repris sur des listes d'attente. Abdiquer, en revanche, ne fut donné qu'à quelques-uns, dont Vous fûtes. L'homme qui ne voulait plus être roi, comment ne pas désirer être à sa place ?

Oui, je n'ai envié, Majesté, que Votre façon de casser Votre trône, d'éloigner de Votre front Votre couronne, et de prendre le large (vers des contrées où ceux qui régnaient jadis, les conquérants de chez nous les ont tous – ou quasi tous – massacrés). Tout était perdu, fors l'honneur d'avoir au moins fait cela.

Laissons un instant de côté ces quelques historiens grincheux qui, jusqu'au bout, n'en démordront pas et prétendront qu'en fait Vous dissimuliez, derrière Votre arrogance, une faiblesse qui Vous rendait inapte à la fonction, un pendable manque de souplesse et de discernement, un pathétique entêtement dans la *bévue*. Que ce n'est qu'en de rares circonstances que le rôle que vous jouiez parut transcender votre propension à accumuler les gaffes, et à ne vouloir réparer celles d'hier que par celles que vous commettiez le jour même…

On ne prête qu'aux rois – même le pire.

Seul moi, Pierre Raymond – ex-guide assermenté, reporter à ses heures –, je me serai peut-être douté de l'aventure magnifique que ce dut être de Vous réveiller un matin délesté de la royauté. Vous l'aviez échappé belle ! Quelle délivrance ! Une heure d'extase ! Comme un couronnement, oui, mais un vrai, qui ne serait venu que de soi. Un adoubement de soi par soi-même.

Ce ne fut qu'en abdiquant que le roi devint roi de quelque chose, du monde, en somme – de rien et du monde à la fois. S'il avait su, il l'aurait fait bien plus tôt. Que de temps perdu ! Et que d'occasions manquées !

Allons ! Ils durent, ceux qui ne voulaient plus de Vous, Vous haïr aussi pour cela, surtout pour cela, lorsqu'ils pressentirent Votre secrète et scandaleuse jubilation.

Comme j'aurais apprécié de vivre pareil instant... Ah ! l'heureux débarras ! Peut-on se figurer plus enivrante ambition que celle du seigneur consentant à déchoir ? Réellement, qu'est-ce que j'aurais aimé régner, toute une matinée, pour renoncer au trône sur le coup de midi ! Profitant de l'heure de table des larbins, de la sieste des conseillers... Aussitôt dit, aussitôt fait ! Vite et bien défait ! Retour définitif à la minuscule initiale ! Quel repos !

Et, en chacun de nous, n'y a-t-il pas un roi découronné ? Mais qui le sait ? On était encore un enfant. On régnait, à sa façon, sur quelque chose – mais quoi ? On n'a pas eu vraiment le temps de le découvrir. On s'est réveillé un jour démis... Ça s'est passé en douce. C'est la vie même qui a fait le travail.

Maintenant je comprends enfin l'émotion de ma grand-mère lorsqu'elle m'a vu revenir vers elle, le cadre brisé de ma bécane à la main, et qu'elle apprit les circonstances de l'accident. J'avais mis ça sur le compte de ses sentiments républicains ; alors que ce qu'elle a aperçu en un instant, encadrée par la porte ogivale de son camping-car, c'était plutôt ceci : cette chute n'est qu'une chute parmi d'autres, ni la première ni la dernière d'une longue série, mais elle risque de déterminer toute sa vie ! Oui : elle a dû voir que cette chute-là, du fait d'un Roi, se répercuterait en moi de façon emblématique et que je n'aurais, sans doute, pas assez de toute ma vie pour m'en relever…

On tombe de l'enfance comme tombe une pierre. Et puis ça ne s'arrête plus. Le petit Samuel nous raconte, à sa mère et à moi, au retour de l'école « Le mari de l'institutrice, il est tombé de sa femme. » J'en ai le frisson. J'assiste en direct au *salto mortale* de l'époux en rupture de conjugalité, je me voile les yeux pour ne pas assister à l'atterrissage d'infortune… Au moins, était-il muni d'un parachute, et celui-ci s'est-il ouvert à temps ?

Ici, c'est donc Pierre Raymond qui vous parle, de radio Chute-Libre ; le disc-jockey des ondes qui ne tombe jamais de sa monture ! Il n'est tombé que de sa mère, au début, pour tomber aussi de son père – ainsi que le fit, paraît-il, le roi Œdipe ; de Danielle O., sa copine d'enfance, qu'il aima comme l'ortie aime l'ortie ; il tomba aussi de Rebecca, sa femme, laquelle tomba aussi de lui – car, entre eux deux, la partie se jouait avec des culbutes, des rebonds, des ricochets, si bien qu'on ne savait plus qui tombait de qui, c'était toujours à refaire, n'est-ce pas, Rebecca ?, souviens-toi, ma pauvre Rebecca, et pauvre aussi de moi…

Mon Dieu, j'y pense ! Comment m'y prendrai-je pour ne pas tomber aussi de Joy ? J'ai acquis de si mauvaises habitudes, et il est si dangereux de se pencher au-dehors !

Que penser, à la fin, d'un guide assermenté qui serait incapable, sans doute, de se guider dans sa propre vie ? D'un perdant ne perdant pas la mémoire – surtout pas celle des autres ? Et qui aurait, seulement, perdu un peu de son temps à s'inquiéter des mésaventures d'un monarque en disgrâce, d'un hidalgo disqualifié – ce qui a un peu mangé sa propre vie –, au lieu de s'occuper de régner sur lui-même, et sur celle-ci ?

Aussi, cher Roi, si, à l'avenir, je m'occupe encore un peu de Toi, ne nous y trompons point, ce sera surtout pour me

soucier de moi ! Mon règne pour une scintillante petite reine !
Le Roi est mort, vive moi ! Je n'ai plus que faire d'un Sur-Roi.

Lancé comme je l'étais dans les retrouvailles et les retours
sur les lieux, Je me demandai tout à coup ce qu'était devenue
Yvonne, la charmante invalide qui, tout un dimanche, sous le
toit de mon père, me fit honte, à moi qui ne souffrais que d'un
mental malaise d'exister. Avait-elle pu garder, à travers tout, ces
yeux rieurs, cette mine éclatante, cette insolente gaieté, cette
pétulance de qui aurait férocement surmonté l'épreuve que le
destin avait préparé pour elle ?
   Comment savoir ? Si elle fut, l'espace d'un jour, « La petite
protégée » de mon père et de sa deuxième épouse, on ne peut pas
dire qu'ils l'adoptèrent pour autant : on ne la revit jamais plus.
Elle fut une fugitive Miss Bonheur…, comme si elle n'avait servi
qu'à la démonstration.
   C'était peu, mais bien assez pour qu'un temps – pour
toujours ? –, je n'apparusse plus, dans la distribution de l'opéra
qu'on jouait chaque dimanche dans ma famille *bis*, que dans le
rôle du jaloux, du mauvais perdant, du traître. Plus tard, quand
j'irais au théâtre lyrique écouter du Wagner ou du Verdi, ou des
opéras russes, je serais toujours sensible aux voix sombres, à la
limite de la raucité, qu'aurait étouffées un hoquet de sang noir…
Iago, « *il Falsoletto* », entubant son maître Othello ; Hagen, lâche
assassin de Siegfried ; Boris, mentant à tout un peuple…, quand
les héros positifs sont le plus souvent incarnés par des ténors
mièvres, à la voix fade ou sirupeuse. (Ah ! ce pauvre Ottavio,
dans *Don Giovanni*, le larynx engorgé par les loukoums de la
bienséance !)

Max Bonboire n'en a pas moins perçu très tôt mon penchant
pour « les nobles causes ». N'est-ce pas à ma demande expresse

qu'il a ouvert, dans *Le monde est à vous*, une rubrique consacrée aux injustices de tous ordres, aux génocides, à la torture, aux répressions diverses, rubrique qui fait un peu tache dans un périodique incitant au voyage dans une multitude de contrées mal famées ? Je n'en ai pas largué pour autant l'ombre un peu lourde que je trimballe partout avec moi et qui, si je m'en débarrasse à midi, me rattrape à la tombée du soir.

Or je parais, à mes heures, si bon vivant que, pour un peu, on crierait à l'imposture. Ma fascination pour les réprouvés – y compris la part réprouvée que je persiste à porter en moi – ne relèverait-elle que d'une pose d'esthète ? Trop vite considéré ! J'étais si sûr, au départ, que je tournerais mal, que je ne saurais bien finir... Alors, ces photos récentes – c'est toi, Joy, qui les as toutes réalisées, bien sûr – où on me voit m'esclaffer, je ne dois qu'à elles de découvrir que, Dieu seul sait pourquoi, j'ai dû prendre goût à l'aventure... Mais en vertu de quel miracle ? Cela reste un mystère.

Car celui pour qui l'enfance fut un gué pollué par les poisons, un maquis semé d'embûches et planté d'herbes amères, un de ces sentiers de jungle où des épines, des pointes de flèche fichées dans le sol, peuvent infliger une piqûre mortelle, ne l'oubliera jamais : il aurait aussitôt l'impression de la trahir, comme un être vivant, indépendant de lui-même, une créature déshéritée, qui n'aurait plus que lui pour la défendre... Mon enfance peut donc compter sur moi : je ne la lâcherai pas. Je te vengerai, Pierre Raymond, comme si je ne réglais aucun compte personnel – et d'ailleurs ce n'est qu'à moitié faux.

Et même si je retourne, inlassablement, sur le territoire de mon initiale disgrâce – le square du Bois-Profond, la route de W., les quais de gare qui menaient de ma mère absente à mon père indifférent, ou *vice versa*, les quais portuaires où on acclamait celui qui partait, celui qui s'en revenait –, je pourrais me demander à quoi cela rime, maintenant que j'ai fait ma vie ; ou que je l'ai gâchée, mais qu'est-ce que cela change ?

On n'est jamais à l'abri d'une rechute : une rechute d'enfance, veux-je dire, lorsque l'enfance ne fut qu'une maladie d'enfance.

Faut-il, toute sa vie, macérer dans son jus comme dans un bain de vinaigre ou une saumure qui rallumerait les plaies, les entretiendrait, pour peut-être les guérir ? Pourquoi mariner dans les eaux usées de la mémoire, les eaux croupies et jamais renouvelées du souvenir irréparable ?

J'observe que c'est souvent lorsque je suis en voyage – hier, en Égypte, en Iraq ou en Grèce, aujourd'hui en Sicile, en Bavière – que cette modeste préhistoire revient me hanter. Au moment, pourtant, où je découvre de nouveaux paysages, un univers inédit, ne devrais-je pas être ébranlé seulement par un désir d'exploration ?

Eh bien, non ! Le Nil vert, le lac de Côme, la mer Égée ne me présentent qu'un miroir où je vois trembler des images d'autrefois, oubliées souvent depuis longtemps, et qui réactualisent ma vie d'alors ; et ce n'est qu'enfin réconcilié avec elles que je deviens propriétaire d'hier et d'aujourd'hui.

Un soir, j'emmène Joy et son fils dans un restaurant proche de la Grand-Place, qui a beaucoup compté quant à l'histoire de notre couple. (Premiers aveux, premières ambiguïtés, la vibration d'un jour d'été autour de soi, le soleil qui inondait la galerie marchande, le passage baudelairien, tandis que la salle éclairée *a giorno* reluisait de tous ses cuivres.) Les garçons nous ont aujourd'hui adoptés et se disputent le plaisir de nous servir. Nous voyons l'un ou l'autre ami, qui vient nous saluer, la main tendue, le sourire aux lèvres. Tout baigne dans une cordialité unanime. Comme si la vie venait pour elle-même d'apprendre une bonne nouvelle…

Samuel jubile d'être mêlé à une fête qu'il devine riche de réminiscences, il est ravi de s'y associer, d'en devenir le complice

420

privilégié. Nous sommes assis près de la fenêtre et, tandis qu'on apporte le premier plat, l'enfant se divertit du spectacle de la galerie. Soudain, il se rejette dans les bras de sa mère, il blêmit. Nous suivons son regard : un visage se décompose contre la vitre, un nez s'y épate, une bouche s'y colle comme une ventouse ; puis une langue, rousse et pâle, lèche la buée qui vient de s'y déposer. Le clodo – l'ivrogne ? le fou ? – qui fixe le petit garçon avec une tendresse infinie, mais comme venue d'un autre monde, lui adresse des signes simiesques, son visage se tord sur une grimace, ses mains applaudissent... Il est hideux. Déjà un serveur se précipite pour chasser l'importun. Je veux m'interposer, mais le vagabond n'a pas demandé son reste. Il ne subsiste que la buée, la trace de ses doigts, de ses lèvres, de sa langue, et je crois voir celle de ses dents, comme si l'homme avait mordu le carreau...

Samuel a parfaitement compris : « Il avait faim », dit-il. Et puis : « Pourquoi on l'a chassé ? Il n'était pas méchant... » Mais il a pris peur tout de même. Et, la nuit suivante, il en rêvera ; il rêvera que l'étrange passant voulait l'arracher à sa mère, l'emmener avec lui... Depuis quelque temps, il se mêle en effet à ses cauchemars des images de cambrioleurs : quelqu'un a essayé de forcer la porte de l'appartement, durant que nous étions en vacances, et, depuis ce jour, Samuel redoute d'être enlevé. Les cambrioleurs ne volent pas tant l'argent et les bijoux que les petits garçons comme lui : c'est ce qu'il croit, il n'en démord pas.

L'homme avait faim, le petit garçon ne s'y est pas trompé, et il a même eu le temps de voir que cet homme était animé des meilleurs sentiments. Reste l'épouvante que son incursion a déposée en lui et qu'un rêve, quelques heures plus tard, ranimera.

Il serait difficile d'écarter le voile de tristesse poisseuse que l'incident avait tiré entre le monde et nous. C'était comme un rappel à l'ordre. Par quelque bout qu'on se racontât l'histoire – la frayeur de Samuel ou la misère de l'homme –, elle nous navrait et nous laissait un arrière-goût de cendre. Elle cristallisait, elle tirait la synthèse de plusieurs chagrins en une seule tribulation : c'était une histoire à laquelle on n'échappait pas, elle s'était refermée sur nous comme un piège.

Cela ressemblait ici encore à une fable, mais opaque, qui concluait sur une morale fausse. Personne dans l'histoire n'était bon ni mauvais et, face à ce pauvre, Samuel ne figurait pas un petit garçon riche – si ce n'est relativement… L'homme n'avait pas été brutal, et Samuel n'était pas peureux. En bonne logique, ils auraient pu se parler, partager la salade, jouer ensemble. Cela n'avait tenu qu'à un fil ; mais ce fil nouait le monde à l'étrangler, comme une ficelle ligote un rôti.

Je repensai à nouveau à la petite Yvonne. Dans un sens, elle m'avait *saisi*, elle aussi. Mais par sa grâce insolite, sa scandaleuse lumière. Celui-ci avait jeté de l'ombre, et l'autre de la clarté : Samuel avait eu peur, et j'avais eu honte. Mais, en toute hypothèse, la conclusion était la même : le monde était mal fait, et c'était irrévocable. Comment avions-nous donc imaginé que nous ne devrions pas vivre la *gorge serrée* ?

La nuit qui suivit, quand Samuel fut endormi, j'attirai contre le mien le corps de ma compagne.

« Tu as envie ? me demanda-t-elle.

– J'ai envie de te consoler…, dis-je.

– De quoi ? demanda-t-elle.

– Je ne sais plus », dis-je. Et c'était vrai.

Je pensai à l'incendie qui avait ravagé le chalet Robinson sur l'île du bois de la Cambre. Nous aurons trouvé tout juste le temps de nous y rendre deux ou trois fois et de déjeuner à la terrasse, ou à l'intérieur, dans une lumière glauque, mousse, que réverbéraient les nénuphars au pied de la berge, devant la grande baie vitrée. Nous devisions à cinq cents mètres de la ville, mais nous étions aussi perdus, aussi retranchés que dans un lieu de plaisir au cœur d'une colonie oubliée… À qui ce petit désastre de l'incendie du chalet fera-t-il durablement de la peine ? Sûrement pas aux joggers ventripotents ou aux promeneuses de clebs qui continuent de tourner en rond, dans les allées du bois, ce point du monde dont je découvre seulement aujourd'hui qu'il ne fut sans doute jamais doté que d'une modeste magie !

N'importe : d'apercevoir, encore aujourd'hui, et à nouveau *de loin*, des rives où nous sommes définitivement revenus, ces poutrelles calcinées, ces charpentes effondrées, ce toit crevé, comme si les saisons avaient passé là-dessus avec la brutalité d'une guerre, je me dis que, dans cette ville inamicale, on ne reconstruit jamais ce qui a été détruit, on ne rêve jamais d'aucune résurrection, on laisse s'éteindre les échos des fêtes d'autrefois, on ne fait pas d'enfant au dieu de l'allégresse ; et personne ne se souviendra qu'ici, d'aventure, nous fûmes heureux. Seule la mort, quand elle meurt ici, est encore sûre de se succéder à elle-même…

Je considère le banc public sur lequel, si souvent, je me suis assis en face de l'île, et je lis – c'est gravé dans le bois dur du dossier qu'il s'agit d'un « banc de conversation » : « *Nouons un dialogue ! Let's talk ! Laat ons spreken met elkaar !* »

L'incendie s'était déclaré de nuit. Paraît que les pompiers ont dû enfourcher des pédalos pour amener les lances d'arrosage. Mais il était déjà trop tard.

Là, autrefois, un cygne se réveillait en sursaut. Une jeune fille tombait à la renverse, en riant, au fond d'une barquette. Le regard d'un paralytique agrippait le mien au passage. Un enfant pensait qu'il pourrait courir sur l'eau. Un autre n'apprenait qu'à marcher. Un flic tenait en laisse un molosse, que sa muselière empêchait de dévorer, sur-le-champ, un criminel de rencontre. Pelouses très vertes. Parasols pris de folie, qui tournaient dans les bourrasques du vent. Les fougères, les graminées, les herbes se brisaient comme des lames sur la carène du restaurant.

Le matin, les chaises de jardin ruisselantes de rosée. Sur le coin d'une table, un verre de bière éventée, que le garçon a oublié d'emporter sur son plateau. Des photos de patineuses accroupies, punaisées sur une paroi (on peut rêver que les flammes les ont, par miracle, épargnées). C'était dans une autre vie. Non ! C'était plutôt comme de bons souvenirs d'avant soi, d'avant sa naissance, que nous auraient transmis un parent, avec assez d'émotion pour que nous puissions penser les avoir vécus nous-mêmes...

Chaque restaurant qui disparaît – La Laiterie du Bois, La Scala, Le Crusoë : « la solitude des gourmets », Le Göteborg : « couscous sur réservation », L'Orchidée Thaïlandaise : « la fine cuisine du pays du sourire », Le Petit Coq : « le tea-room des amateurs de bon vin » –, n'est-ce pas un peu de nous, le bilan qu'il dépose, la faillite qu'il déclare ?

Où sont passés les rires sur lesquels il a refermé ses portes, et ces larmes furtives, et ces genoux qui se cognaient doucement sous les tables, et ces moitiés d'aveux qu'un verre de vin encourageait, et ces messages griffonnés sur le coin d'une nappe en papier, et ces serments dont le patron devenait le complice amusé ? Ah ! chères choses inachevées !

Et il y avait aussi les cinémas. Je me souvins d'un cinoche de village où je tombais et retombais amoureux le dimanche... Mais voyons, qu'est-ce que je raconte ? Tu parles d'un village ! C'était presque au centre de la ville ! En fin d'après-midi, nous nous mettions en route, à pied, souviens-toi, Rebecca, toi entre autres, sans même nous être concertés, comme des automates drogués d'avance, heureux. Nous allions au Sélect ou à l'Excelsior ou à l'Eldorado. Comme pour relancer, avec les images des autres, en technicolor, l'ivresse de nos propres images plus noires que blanches. Nous nous portions au-devant d'elles avec des éclats de voix qui faisaient se retourner les gens sur notre passage.

Un landau venait à notre rencontre, en dévalant les marches du grand escalier d'Odessa. Une boule de verre, remplie de neige artificielle, se fracassait à nos pieds. Un chat pleurait dans une rue de Vienne, et une blonde platinée se recueillait sur une tombe à San Francisco. À Long Island, un homme, blanc comme un Pierrot, désespérait de se faire aimer. On volait une bicyclette dans un faubourg de Milan. Un âne mourait sur une banquise de laine immaculée. Tous ces malheurs nous paraissaient magnifiques. Nous retrouvions le goût des larmes. Deux heures après, nous récupérions au vestiaire quelque chose comme notre ombre. Nous rentrions à la maison songeurs, presque sur la pointe des pieds, pour ne réveiller aucun fantôme. Nous étions apaisés : nous avions de nouveau autant d'images en nous qu'autour de nous ; nous n'étions plus pris d'un vertige causé par le déséquilibre.

Il y a peu, mes pas m'ont ramené au Sélect. À la place, on avait bâti un « complexe culturel ». Le mot « complexe » m'a arraché un sourire amer. Un avis proclamait : « Réouverture prochaine après transformations indispensables ». Le village lui-même, allais-je dire, n'existait plus. Ce n'était pas un village : c'était la banlieue d'un monde abandonné. L'amour s'était perdu, lui aussi, avec le reste. Un naufrage sec.

Que je parcoure la chronique des faits divers ou, encore, les nécrologies, je ne sais plus, au bout d'un temps, ce qui m'ébahit ou me consterne le plus : la disparition de certains êtres qui me furent proches ou la révélation de leur déchéance, ou bien le décès d'inconnus dans des conditions sordides, à moins que ce ne soit plutôt celui de stars qui firent trembler ou chanter ma jeunesse. La mort de Betty Grable, qui fut la reine des *pin-up girls*, ou la chute fatidique de mon ami, l'avocat Adrien W., au Guatemala, alors qu'il s'adonnait à sa passion pour la randonnée en montagne… Le procureur du roi Charles de Kooning, qui fut un si bon client de l'agence où je travaille et qui m'étonnait par la dureté de ses réquisitoires, s'est retrouvé convaincu d'attentat à la pudeur. Le compositeur de *Rock around the clock* s'est éteint à Harlington où il vivait en reclus depuis une dizaine d'années : la police l'avait trouvé, à plusieurs reprises, vagabondant sur des chemins perdus de la vallée du Rio Grande, sans savoir où il allait, d'où il venait. On a découvert le corps – en état de momification avancée – d'une septuagénaire morte depuis au moins trois ans : personne ne s'était inquiété d'elle durant cette période, des employés communaux avaient à plusieurs reprises relevé les compteurs de gaz et d'électricité sans se rendre compte de rien d'anormal, et elle avait été cambriolée plusieurs fois à titre posthume ; ce sont du reste les voleurs qui auraient pudiquement recouvert sa dépouille d'un plaid avant de la dévaliser… Mais disparu aussi le chirurgien qui m'a opéré avec succès durant la guerre, alors qu'on me pensait perdu : pourquoi la mort de quelqu'un qui vous a sauvé la vie vous donne-t-elle un peu froid dans le dos ? Volatilisée, la secrétaire de l'ambassade d'Irak que son inadaptation à l'Occident avait rendue schizophrène et qui convoquait, à tout bout de champ, les journalistes pour leur annoncer le déclenchement d'un coup d'État pour le dimanche suivant ; rappelée à Bagdad, elle m'adressa un télex sibyllin : « Ai renoncé yoga et magie blanche. Cessé de croire esprit. Aurais mieux fait passer jeunesse dans instituts beauté. Regarde télévision d'État à longueur journée. » Veronika Lake avait prêté sa coiffure légendaire à toute une génération de femmes (il fallut, un temps, empêcher les ouvrières d'usine de copier sa mèche, car leurs cheveux s'emmêlaient dans les rouages des machines) ; arrêtée souvent en état d'ivresse sur la voie publique, elle est morte, seule et sans le sou, à Burlington (dans le Vermont) : elle avait cinquante et un ans. Hommage funèbre à Idel Ianchelevici, né à Leova (Bessarabie), qui devint sculpteur et graveur en Belgique : « Son œuvre exalte l'homme au sommet de ses moyens, la femme, l'enfant, le déporté. Son monument à la Résistance se dresse comme une figure de proue à l'entrée du sanctuaire dédié aux martyrs du camp de Breendonck. » (Enfant, je l'ai vu, sur le chemin de l'école, jour après jour, escalader ce colosse dans un atelier en forme de tour de guet. Cela me frappait surtout que le Titan représenté fut agenouillé pour affronter ainsi, de l'ennemi, la verticale barbarie. Le petit sculpteur s'agrippait à la statue du géant comme s'il pelotait, dans le bonheur, Dieu en personne.) Ray Robinson, qui fut welter, moyen et mi-lourd, et qu'on surnomma « Sugar » à cause de sa boxe en taille-douce, ciselée par un orfèvre, a succombé à Culver City (Californie), des suites d'une maladie d'Alzheimer, à l'âge de soixante-huit ans ; quand on lui demandait pourquoi il concluait si souvent ses matches par un KO rapide, il répondait, en boutade : « Par horreur des coups. » Pour un rien, il me plairait ici de revenir sur l'incendie du chalet du bois de la Cambre en prononçant à l'anglaise, comme Joy le faisait, le mot *Robinson*...

Il y a quelques jours à peine, nous avons reçu la visite, à l'agence, de Stéphane de Faranghi qui souhaitait tirer notre portrait à tous. Je lui ai demandé s'il était le fils d'Aliocha. Son visage s'est éclairé : « Oui, a-t-il dit, c'était mon père, en effet ! » Je m'informai de l'origine de leur nom, qui m'avait toujours fortement intrigué sans que j'ose interroger Aliocha ; il rit : « Je vais vous expliquer. Nous n'avions, en fait, aucun droit à la particule. Nous sommes grecs de Saint-Pétersbourg. Nous nous appelions à l'origine "Faranghis", mais notre nom a été italianisé par la suite. Par ailleurs, ma grand-mère maternelle était chinoise... Vous voyez, c'est assez compliqué !

– Je suis tombé, par hasard, sur la nécro de votre père dans un journal du soir... »

J'avais découvert que ce grand ami et diable d'homme, cet enfant de putain – cette putain d'enfant ? – était « décédé inopinément dans sa cinquantième année ». On l'avait incinéré un matin à 11 h 15, avenue du Silence, dans la plus stricte intimité. L'avis précisait que les cendres seraient dispersées ultérieurement dans la baie de Cannes, « conformément à la volonté du défunt ». Sacré Aliocha : la baie des Anges, cela lui allait comme un gant !

« Personne, dans la famille, dit Stéphane, n'a compris à quoi répondait ce vœu. Cela restera un mystère... Les derniers temps, il s'était éloigné de tous. On l'a retrouvé dans sa salle de bains plusieurs jours après qu'il avait rendu l'âme… Vous savez, il n'avait pas d'autres passions, dans la vie, que la lutte avec les hommes, l'amour avec les femmes, l'alcool avec Dieu… Donc aussi : la fuite devant les hommes, le divorce d'avec les femmes, l'oubli de Dieu dans l'alcool… Bref, c'était un homme généreux. Je suis content, M. Raymond, que vous l'ayez connu. »

Je me suis demandé combien de mes petits contemporains de jadis avaient ainsi, à mon insu, passé l'arme à gauche. Comme s'éteignent les bougies d'un gâteau d'anniversaire. Je me suis même dit, incongrûment, qu'aux enfants qui naissent avec les guerres, qui la voient sans la voir, qui la font sans la faire, qui la côtoient sans lui adresser la parole, qui apprennent à parler en même temps qu'à se taire, il n'était sans doute pas souvent donné de faire de vieux os… Qu'on leur avait enseigné, une fois pour toutes, à ne pas se montrer *exigeants*.

Pure divagation, bien entendu. Les statistiques sur l'espérance de vie m'auraient sûrement donné tort.

Les chroniques sur Léopold, qui avaient paru tout au long de l'année dans *Le monde est à vous*, avaient suscité auprès de nos lecteurs – ainsi qu'il fallait le prévoir – bien plus de réactions irritées qu'approbatrices. Soit on déplorait mon indulgence, soit mon absence de longanimité à l'égard des faits et gestes du Roi sur lesquels la Nation s'était naguère divisée. Mais tous s'entendaient presque pour blâmer la puérile désinvolture avec laquelle j'avais abordé mon sujet ; et ce rapprochement avec un champion cycliste ! Quelle faute de goût !… Bon prince, Max n'émit aucun commentaire sur un courrier des lecteurs dont il n'avait pas à se féliciter.

Mais la publication de mes articles entraîna une autre conséquence, plus inattendue : voyant en moi je ne sais quel « ombudsman » soucieux de réhabiliter les outragés, les mésestimés, les victimes d'erreurs historiques, quantité de candidats en mal de réparation m'invitèrent à prendre fait et cause pour eux en me racontant leur histoire… Je mesurai à cette occasion combien était répandu, un peu partout, le sentiment cuisant d'avoir souffert d'une grave injustice. Et si quelques missives émanaient, à l'évidence, de fous atteints d'un délire de persécution, on ne pouvait pas toujours déterminer où commençait et où s'interrompait la paranoïa… Divertissant et pathétique à la fois m'apparut, par exemple, cet appel à « éliminer de la surface du globe tous les produits toxiques afin que la terre et l'eau fussent à nouveau en ordre aux yeux de Dieu et que nous puissions recouvrer notre joie de vivre… ». C'était assez raisonnable, au fond.

Plus alarmant, par contre, ce message d'une femme se prétendant obligée de déménager sans cesse car, dans tous ses logements successifs, on la torturait régulièrement à l'électricité : « On s'en est pris particulièrement à mes seins pour m'empêcher d'avoir mes règles »… Elle avait épuisé en vain tous les recours légaux et me suppliait d'intervenir, faute de quoi « elle demanderait un flingue au Père Noël ».

Un autodidacte barbu avait mis dix ans à construire de ses mains un « insubmersible » de treize mètres de long à bord duquel il comptait, en compagnie de sa chienne, se rendre de la côte frisonne jusqu'à Palavas-les-Flots « afin que le Bien triomphe définitivement du Mal ». Il attestait, copies de lettres jointes, avoir reçu des félicitations du président de la République française et de deux de ses ministres, mais il regrettait de n'avoir été gratifié d'aucun soutien réel pour assurer le succès de sa croisade. Il doutait que, lui refuserions-nous notre appui, Touristes sans frontières méritât encore son nom…

Mais alors, que fallait-il penser de ce psycho-ethnologue qui sollicitait mon intervention auprès du Fonds national de la recherche scientifique pour le dépôt d'une thèse sur son « expérimentation personnelle d'un retour du Néant en termes de psychologie empirique, avec tentative d'auto-reconstruction d'une personnalité mobile à la faveur d'une anamnèse prenant appui sur la mort de la Mère (l'Archétype le disputant ici au micro-événement), l'aspect diachronique tendant à se fondre dans une simultanéité aux intensités variables » ?

Un autre homme de science, en chômage technique, me demandait d'approuver la table des matières de l'ouvrage qu'il se promettait d'écrire sur l'*homo communicans*, projet qui impliquait une démarche empruntée à la biologie cellulaire pour résoudre « tous les conflits quels qu'ils soient et de quelque nature qu'ils se révèlent ». Il se désolait de ne rencontrer dans les milieux universitaires que dédain et incompréhension… La communication, on le voit, commençait plutôt mal !

Un détenu dans un quartier de haute sécurité, condamné à mort par trois fois pour dix-sept crimes qu'il niait en bloc avoir commis, me conjurait de le tirer de là, « au nom des inhumaines conditions d'incarcération qu'il devait supporter ». Il joignait un épais dossier, dont la lecture me parut si convaincante que, pour un rien, j'aurais remué ciel et terre afin d'obtenir sa remise en liberté immédiate !

L'expression de toutes ces souffrances, l'enragement de toutes ces solitudes, la confusion de tous ces esprits me laissaient pantois. Tout cela me forçait à reconsidérer ce que je pensais avoir écrit dans une apparente innocence. Comment ces naïves chroniques sur les années de formation d'un citoyen de cette ville à propos du chef suprême de la Nation avaient-elles déchaîné ces explosions de désespoir avide, ces récriminations hystériques, ces mystérieux appels au secours ?

Que certains de ces messages émanent de déments ne me rassurait pas tout à fait ; car même les lettres de lecteurs « sensés » trahissaient souvent leur incompréhension. Je me dis : à peu près personne ne lit personne. C'est là que le malentendu commence, et c'est aussi là qu'il finit. Dans l'interstice de ces mauvaises lectures, ce que nous appelons « l'Histoire » vient s'engouffrer, se déchirer, tomber en lambeaux.

Il n'est pas jusqu'au concierge de l'immeuble – où je persistais à résider alors que je rejoignais tous les jours de ma vie Joy Strassberg – qui ne soit venu me prévenir que le conseil de gérance, mécontent de ses services, le renvoyait. Et de me demander si on ne pourrait pas déclencher une campagne de presse à son sujet ? Tout à trac, il se mit à me raconter sa vie. Lui qui, hier encore, lorsque nous échangions quelques formules de politesse dans le parking, se plaignait du vide, de la vanité de celle-ci, il s'étonne lui-même, tout à coup, de la trouver si bien remplie : son passé de mineur dans le Borinage, la silicose qui lui a noyé les poumons, le coup de grisou qui, par miracle, ne lui a emporté qu'un mollet, la fermeture des charbonnages dans toute la région, le départ forcé pour la capitale, l'apprentissage de ce nouveau métier qu'il n'a jamais prisé. Lui si mutique d'habitude, le voici intarissable, ne distinguant pas l'essentiel de l'accessoire, tant le moindre détail lui paraît soudain important, peut-être la clé du reportage que je vais, croit-il, sûrement lui consacrer. J'ai de la peine à lui dissimuler mon impatience. Peu à peu, cependant, je me pique au jeu et l'écoute avec plus d'attention. Ici et là, et tout en s'affirmant « socialisse », il glisse une incise contre les étrangers, les homosexuels, les couples illégitimes et les femmes entretenues, cela en m'observant du coin de l'œil pour guetter une éventuelle désapprobation de ma part.

« Tiens, à propos, vous savez que le nouveau concierge, il paraît que c'est un Portugais ? Je lui souhaite bonne chance ! »

Je comprends mal l'élan qui me pousse, malgré moi, vers ce gros homme antipathique et rempli de préjugés – sinon que son histoire se résume à celle de ses humiliations. Subitement je me demande ce qui m'empêcherait, en effet, de lui consacrer une chronique dans les colonnes du *Monde est à vous* ; le sujet vaudrait bien, après tout, ceux que je viens de boucler : les aléas d'un règne, la gloire des champions d'autrefois. Déjà, je me vois surgir dans le bureau de Max Bonboire et lui annoncer : « Patron, je tiens le thème d'une nouvelle série. » Et lui (devenu méfiant) : « Ah ! oui ? » Et moi : « La fin…

– La faim… Quoi ? la faim dans le monde ? Superbe sujet dans un périodique destiné aux touristes !

– Non : la fin *des choses*… Toutes les fins, si vous voulez… Comment tout finit dans cette ville. Une ville où les choses chavirent et ne sont pas remplacées… Un théâtre… Des cinémas de quartier… Une taverne qui flambe et qu'on ne reconstruit pas… Et puis, le portrait d'un concierge éconduit, et qu'on ne reverra jamais… On pourrait conclure par la fin du pays lui-même, ce pays où tout fout le camp… Vous voyez ?

– Très bien ! Tout à fait passionnant ! Et si opportun, aussi ! D'une remarquable urgence ! »

« Vous m'écoutez toujours ? s'enquiert le gros homme.

– Oui, oui ! » Mais je sens une profonde lassitude me gagner. Je sais que je ne mènerai aucune campagne en faveur de l'obèse arbitrairement jeté. Que je ne lui consacrerai pas la moindre ligne dans aucune de mes chroniques. Que c'est injuste, bien sûr. Mais je me contenterai de cet unique dialogue avec Monsieur D. Je lui demande encore de passer me voir, un de ces jours, pour que je puisse lui remettre les étrennes que je lui aurais offertes au Nouvel An, s'il était resté en fonction jusque-là.

Quelques jours plus tard, mon appartement fut cambriolé. Sans nul doute, le départ brutal de Monsieur D., avant que le nouveau concierge puisse occuper la loge, avait-il facilité la tâche des voleurs.

La vision, au sortir de l'ascenseur, de la porte dévergondée, fracturée, me laissa un instant incrédule. Mais ma voisine de palier avait, elle aussi, reçu les mêmes visiteurs que moi. Il n'en allait donc pas d'une calamité naturelle : un pied-de-biche avait parfaitement fait l'affaire.

Pourtant, une tornade semblait avoir traversé mon living-room. J'eus encore le temps de penser : « Ici l'herbe ne repoussera plus. » Idiotement.

Ce qui me frappa le plus, c'était l'extraordinaire silence qui régnait dans ce lieu saccagé. L'image qu'il présentait d'une intolérable violence, mais comme si cela s'était passé il y avait longtemps déjà. Peut-être qu'en dressant l'oreille j'aurais perçu la rumeur de cette tempête ancienne ? Ce qui arrivait à mon tympan n'était toutefois que celle du sang qui battait contre mes tempes.

À ce moment, le téléphone retentit et je sursautai de saisissement. Au bout du fil, j'entendis un ancien chef de cabinet du Roi-Son-Fils qui souhaitait confirmer le rendez-vous pris entre nous pour l'après-midi même. Sur un ton uni, détaché, je lui dis qu'un imprévu, un empêchement de dernière minute avait surgi, que je me disposais justement à l'appeler pour lui proposer l'annulation de cette rencontre, mais que je ne serais, cela allait de soi, que trop heureux s'il voulait bien m'accorder une autre chance… Tandis que, comme en rêve, j'en remettais sur la cautèle, soucieux surtout de ne pas perdre contenance, j'embrassais du regard la pièce, évaluant les dégâts, enregistrant les pertes, les places vides, dénombrant les objets manquants… La prolongation de cette conversation m'était un supplice supplémentaire, et je sentis que j'allais me mettre à trembler d'exaspération mal contenue.

En raccrochant enfin, je compris aussitôt que je ne reprendrais, sans doute, plus jamais contact avec cet homme – et, du même coup, mes recherches sur le Roi-Son-Père me parurent définitivement frappées de caducité, de l'histoire ancienne.

Je détestai ce lieu où j'avais passé au moins dix années de ma vie. Il m'avait trahi. À moins que je ne l'eusse moi-même renié ? Mais qu'est-ce que cela changeait ? Nous n'avions plus rien à faire ensemble. Pourquoi, depuis que je partageais l'existence de Joy, ne m'en étais-je pas débarrassé ? Par souci de garder un peu d'indépendance ? Non. Peut-être parce que j'envisageais mal de transporter chez elle tout le paquetage, le barda de mon histoire passée et, entre autres, mes lourds albums d'hommage à la famille royale, mes pesantes monographies sur la monarchie parlementaire, mes encyclopédies sur le sport cycliste, sans parler de mes propres albums de photos, ainsi que mes collections de diapositives sur les pays que j'avais traversés et mes vitrines d'objets précieux : marionnettes indonésiennes, karageuz d'Anatolie, masques bantous et polynésiens, peaux de panthères, samovars sibériens et narguilés hachémites..., bref, toutes ces choses locales « insolites » que j'avais ramenées des quatre coins du monde : j'aurais débarqué chez elle avec le contenu d'un véritable musée et la famille nombreuse de mes conjugaux ou célibataires souvenirs de périples…

Cependant, je dus à mes indésirables hôtes d'un jour de décider que je déménagerais. Si j'avais pu, j'aurais vidé les lieux sur-le-champ, et à tout jamais, laissant derrière moi la porte ouverte et défoncée.

Ma voisine (elle dirigeait une agence d'import-export travaillant avec le Brésil) avait été avertie de son propre sinistre et était arrivée à son tour. Elle surgit tout à coup, une bouteille de chivas et deux verres à la main : « Allons ! Buvons donc à notre commune infortune ! dit-elle. Tout le monde a été cambriolé au moins une fois… » J'admirai son flegme et, pour renchérir sur ses accents de sagesse populaire, je convins : « Oui, cela n'arrive pas qu'aux autres…

– Moi, ce n'est que la troisième fois… Aussi, aujourd'hui, n'ont-ils plus rien trouvé : ils auraient dû enlever les meubles eux-mêmes… Par dépit, ces voyous ont craché sur le parquet du salon. Il paraît que, parfois, ils défèquent aussi… Mais, il y a sept ans, ils ont fait main basse sur des souvenirs de toute une vie, des choses romanesques, vous savez : cela me déchire encore le cœur, rien que d'y repenser. Par exemple, une broche que m'avait offerte mon cher mari au cours d'un voyage d'où il ne devait pas rentrer vivant...

Elle se mit à dresser la liste des coupables possibles : « Des romanichels venus des pays de l'Est ? Les Africains du douzième étage ? Un faux médecin ? Des témoins de Jéhovah (faux ou authentiques) ? Des *junkies* ? Un serrurier, qui ne tarderait donc pas à proposer ses services pour la réparation ? »

Elle partit enfin, me laissant la bouteille de chivas : « Ça vous remontera ! À charge de revanche... »

Je me mis à établir l'inventaire de ce qui manquait. Démarche contre nature que celle qui consiste à répertorier ainsi le vide ! Avait disparu, bien sûr, l'enveloppe remplie de liquidités où j'avais inscrit, comme pour aider les malfaiteurs dans leur tâche : « Pécule destiné aux vacances »... Qu'est-ce qu'ils ont dû se marrer ! D'autant qu'à côté de celle-ci, dans le scriban à volet, j'avais classé au fil du temps, parmi diverses réclames pour l'achat de porto en fût de dix ans d'âge, ou un club de rencontres pour personnes d'âge mûr, un solarium, des objets lumineux en pâte de verre, etc., une masse de dépliants publicitaires qui vantaient les vertus de quelques modèles de portes blindées, coffres domiciliaires et signaux d'alarme divers : « La fatalité n'existe pas ! assuraient-ils. La seule façon de recevoir un cambrioleur, c'est de se préparer à sa visite... »

En s'esquivant, les importuns avaient eu l'obligeance extrême d'étaler ces cartons-réclames sur la moquette du salon. À l'heure qu'il est, ils en rigolent encore !

Mais ce qui m'étonnait encore le plus, c'est ce qu'ils avaient laissé. La collection entière des enregistrements de Kathleen Ferrier, une édition originale d'*Un barbare en Asie*, une épée de mise à mort autographiée par Dominguin, une belle reproduction – à tirage limité – de *La Route*, de Nicolas de Staël, mon passeport, et aussi et surtout cette série de photographies de Joy en monokini, prises dans les calanques de Cassis. (Merde, alors ! Moi, à leur place, à ces salauds, je les aurais emportées, ces photos ; ils étaient aveugles ou quoi ? Ils ne travaillaient qu'au toucher ? En même temps, rien que l'idée qu'ils eussent pu laisser traîner leurs sales pattes dessus, comme disait ma voisine, me faisait bouillir le sang dans les veines… Ils auraient dû craindre pour eux, ces malfrats : je ne suis pas seulement bon photographe, à l'occasion, j'ai aussi le mauvais œil ! Que je les repère, et ils sont comme déjà morts.)

Encore une chance que les choix retenus par ceux qui nous dévalisent nous paraissent si souvent biscornus ou insensés : en n'adoptant pas les mêmes critères de valeur que nous, ou en ne leur accordant pas le même prix – tels ces conquérants européens qui ne s'intéressaient qu'à l'or dans les contrées qu'ils sillonnaient et négligeaient les chefs-d'œuvre de l'art indigène –, ils ne nous portent pas les plus cruelles blessures !

Mais cela peut donner aussi lieu à de mémorables méprises : telle celle-ci dont je me souviens, que commit un jeune drogué en Floride, en ayant dérobé dans une villa un sachet de cellophane contenant une poudre grisâtre qu'il prit pour de la cocaïne, alors qu'il n'avait acquis que les cendres de la sœur du locataire tout fraîchement incinérée… *Good trip !*

Ils ont tout de même mis la main sur la montre de marine Patek-Philip de mon grand-père Vidalie. Pauvre ! Voler à un mort le temps qui lui survit, c'est moche, tout de même ! Lui qui avait gardé la nostalgie des mers qui lui furent inaccessibles, au point de transformer à Anvers sa chambre à coucher en cabine de bord, avec hublots donnant sur les terrains vagues du quartier juif, on se sera acharné jusqu'au bout à effacer toute trace de son passage sur des eaux imaginaires. Lorsqu'il est mort, son gendre, l'oncle Édouard, petit collabo gavé de morale, n'est-il pas tombé malencontreusement sur une collection de femmes nues, d'autant plus affriolantes qu'elles portaient des queues de sirènes ? Il s'est hâté de les brûler pour que ses enfants ne se forgent pas une mauvaise opinion de leur grand-père… Ah ! si seulement elles m'eussent été par bonheur échues, moi je les aurais conservées pieusement !

À force de recherches et de vérifications, quelquefois on retombe sur des correspondances, des photos, des coupures de presse, des programmes imprimés pour un concert de gala, des livres pour enfants (*Histoires comme ça, Ferdinand le taureau, Le Canard et la Panthère*…) qu'on pensait avoir perdus ou qu'on avait oubliés. Grâce à cette exhumation, le cambrioleur vous donne quelque chose de précieux en compensation de ce qu'il vous a pris et, pour un peu, vous lui en seriez reconnaissant. En vous délestant, il contribue à vous rafraîchir la mémoire…

La certitude me hanta néanmoins longtemps qu'on m'avait, en la circonstance, dépouillé d'un objet essentiel – quelque irremplaçable trésor – mais qu'étrangement je ne parvenais pas à identifier… À force de me casser la tête, je finis bien par repérer telle ou telle relique personnelle qui « n'y était pas, ou n'y était plus », mais dont il était déraisonnable de penser qu'on eût pu me la dérober… Chaque jour, ainsi, je m'appauvrissais un peu davantage. Les pièces qui ne répondaient pas à l'appel étaient les suivantes :

1°/ un résumé d'une vingtaine de pages analysant la fameuse « bataille du charbon » sous le gouvernement Van Acker, au lendemain de la guerre ;

2°/ une bande dessinée contant, sous la forme d'une fable animalière, la Seconde Guerre mondiale ;

3°/ la description des cures thermales à Karlovy-Vary ;

4°/ une cassette où Rebecca, prise d'une incroyable lubie et s'étant prêtée à un traitement parapsychiatrique « pour voir comment cela se passait » (elle croyait en ce temps « devenir folle »), avait enregistré ses impressions ;

5°/ les feuillets d'un agenda de l'année 1973, où je relatais comment je m'étais senti *perdument* amoureux de toi, Rebecca ;

6°/ une Ferrari noir anthracite miniaturisée, de la marque Dinky Toys…

Rien de plus.

À bien considérer cette liste, je devais convenir que mes « envahisseurs », comme je les appelais désormais, eussent été fous d'emporter pareil butin… Dans un sens, c'était dommage. Il eût été rassurant, quoique inquiétant, que de temps à autre certains malandrins ne volent que ce qu'on ne vole jamais et ne présente le moindre intérêt qu'aux yeux de la victime du rapt. Un ours en peluche, un très vieux soixante-dix-huit tours tout griffé, le calepin où un homme aurait noté, dans un code connu de lui seul sans doute, la magie passagère d'une heure espagnole…

Avant de quitter l'immeuble dans l'idée de bientôt le fuir à jamais, je parcourus les avis affichés dans les ascenseurs, puis les périodiques qui, au-dessus des boîtes aux lettres, rendaient compte de la vie municipale. J'appris avec satisfaction qu'on déclenchait dans la résidence une lutte anti-fourmis *monomorium pharaonis*, mais que par ailleurs on allait procéder à une opération de ramassage des chiens et des chats errants, de même qu'on devait bientôt – dans la foulée sans doute – créer au sein de la commune une section de l'organisation Animaux sans frontières. Ma foi, tout se passait bien, sous les meilleurs auspices tout n'allait-il pas, autour de moi, pour le mieux, et dans le meilleur des mondes ?

« Cher ami, dit Max Bonboire, j'ai une grande nouvelle à vous annoncer ! »

Il ne m'a pas encore proposé de m'asseoir. Va-t-il m'accorder une augmentation ? Non, cela ne doit pas être ça : il n'y a vraiment pas de raison… Et puis, il prendrait un air détaché, il ne ménagerait pas ses effets, il n'adopterait pas cet air triomphant…

« Allons ! Je ne vais pas vous faire languir : le grand maréchal de la Cour nous a avisés que le Roi souhaitait recevoir en audience une délégation de Touristes sans frontières. »

Pris de cours, je faillis demander : Le Roi ? Quel Roi ?

« Alors, mon cher Pierre, j'ai réfléchi à toute allure… Comme vous le savez, un tel entretien ne se décline pas. Mais j'avais mon idée et j'y suis allé avec aplomb : j'ai laissé entendre au grand maréchal que l'agence comptait dans ses rangs un véritable spécialiste des questions…, des questions touchant à la dynastie, et que Sa Majesté préférerait, sans nul doute, s'entretenir plutôt avec…, avec cet expert, en colloque singulier. J'ai ajouté très vite, pour prévenir toute objection, que celui-ci s'exprimerait en notre nom à tous, et que sur nous tous rejaillirait l'honneur ainsi fait à notre organisme… De vous à moi, les rois, vraiment, ce n'est pas mon fort : je préfère les saisons aux châteaux, si vous voyez ce que je veux dire ! Et surtout, j'ai pensé que vous n'aimeriez pas partager avec d'autres une pareille aubaine… Quoi qu'il en soit, mon bluff a réussi : un instant déconcerté, mon interlocuteur s'est rangé à mon avis, dont il a bien voulu reconnaître la pertinence. Je viens d'avoir au bout du fil le chef de cabinet qui m'a confirmé que vous seriez reçu seul. »

Et puis, après tant de bénévolence, le coup de pied de l'âne : « Cela vous permettra, sans doute, de conclure votre petit feuilleton monarchique par une *coda* en prise directe avec l'actualité… »

Bien vu, tout de même, mon cher directeur, que je n'aurais guère apprécié l'excursion collective au Palais ! Je voyais déjà ça d'ici : un mot à chacun, remise d'une médaille pour services rendus à la Cause du tourisme international… Très peu pour moi ! Je pense même que je me serais arrangé pour ne pas en être : je me serais fait porter pâle…

Je savourai qu'après avoir été snobé ou éconduit par tant de ses conseillers je sois finalement convoqué par leur patron (rien de tel que de s'adresser sans succès à ses saints pour être reçu par Dieu

Soi-même !) ; et pour me retrouver en tête-à-tête avec lui, après qu'il eut, comme en d'autres circonstances, serré rapidement la pince aux membres de l'équipe de lutte qui nous auraient représentés aux jeux olympiques, ou aux éboueurs et balayeurs de la capitale, à moins que ce ne fût à quelques « vrais pauvres » ou à une poignée de « jeunes exclus », avant de boucler la matinée en recevant l'un ou l'autre président de parti, ce qui serait assurément moins drôle… Cela me traversa qu'il aurait pu recevoir, le même jour, l'Empereur d'Herentals, en raison du glorieux passé de celui-ci : au besoin, nous serions venus ensemble !

En même temps – je dois avoir l'esprit chagrin –, je ne regrettais que davantage d'avoir laissé bêtement mourir le père sans avoir rien tenté pour le rencontrer ; et qu'à présent j'allais voir le fils, à qui je n'aurais peut-être rien à dire…

En réalité, l'invitation m'embarrassait : ne venait-elle pas bien tard, ou encore trop tôt ? Je ne l'attendais pas, je ne l'espérais pas non plus.

La date fixée par le maître de cérémonie de la Cour ne me convenait pas du tout, je ne sais plus pourquoi. Je sollicitai une remise, quoique je n'ignorasse point qu'il en allait d'une sérieuse entorse au protocole. Et cependant, cela me fut accordé sans chichis (on devait, malgré tout, se dire à la Cour que ces « touristes sans frontières » ne manquaient pas d'air) ; au fond, le souverain devait être la simplicité même.

« Tâche au moins de ne pas te pointer en retard ! » me fit Max, que ma désinvolture commençait sans doute d'agacer.

« Non, et je tâcherai même de ne pas me tromper d'adresse ! »

Le jour vint, tout au début de l'été de cette année-là. Naturellement, j'étais selon mon habitude arrivé beaucoup trop tôt. Je garai ma voiture le long des grilles du parc qui fait face au Palais. Je décidai d'en parcourir les allées jusqu'au kiosque à musique, regardai sans les voir les fontaines et les vasques… La cafétéria était encore fermée, et clos ses volets de bois verts, écaillés par les pluies.

Comme toujours…, pensai-je. Pourtant, je ne devais plus avoir mis les pieds dans ce jardin depuis une vingtaine d'années. Je m'étais senti amoureux, ici même, autrefois, au milieu d'un des carrefours, au point que je m'étais arrêté de marcher, que j'étais demeuré longtemps immobile, afin de mieux y penser. De qui, amoureux ? Je ne pourrais absolument plus le dire ; à l'époque, ce ne devait pourtant être que de Rebecca…

Je me retournai. Pour la première fois, je contemplai sérieusement le Palais. Le drapeau tricolore se mettait en torche : il paraissait en berne. Justement, on relevait la garde ; des touristes japonais mitraillaient les sentinelles qui se croisaient, entre les guérites, sur le pavé sonore.

Le ciel s'était couvert. J'avais la gueule de bois. J'avais fêté, la veille au soir, les résultats scolaires de Samuel et j'avais arrosé ça, jusque tard dans la nuit, avec sa mère qui trouvait que, pour picoler, décidément, j'abusais un peu du prétexte. (Et cela me tentait toujours à la veille d'un rendez-vous important : comme si je voulais risquer de le compromettre ?) C'eût été un comble, m'amusai-je, d'arriver ici en titubant ! Aurais-je encore toute ma présence d'esprit, mon pouvoir de concentration ? (Pourvu que je n'aie pas envie de pisser durant l'entrevue…) Mais je recevrais sûrement une coupe de champagne : cela me remettrait le cerveau en équilibre.

Je répétai mentalement les formules de politesse prévues par le cérémonial : « J'ai l'honneur d'être, Sire, de Votre Majesté, le très respectueux et humble serviteur » ou « Daigne, Sa Majesté, agréer l'hommage de mon plus profond respect », me demandant celle qui avait ma préférence et redoutant, en dernière minute, de les mélanger. Au moins, on pouvait s'adresser à Lui à la deuxième personne du pluriel, doublement majestative. Cela me changerait de ces moments, à Argenteuil, où je m'étais astreint à ne parler qu'à la troisième personne du singulier, et où j'avais éprouvé cet artifice jusqu'à la douleur… Je repensai aussi à cette époque – pas si lointaine où les courtisans ne sortaient du cabinet du Roi (l'arrière-grand-oncle du souverain actuel) qu'à reculons… (Je devrais sans doute essayer ?)

J'avais surtout peur de L'ennuyer. De m'ennuyer, aussi. Et que ça se remarque.

Je me remis au volant et traversai la place. Au corps de garde, on m'a assuré qu'il devait y avoir erreur, que je n'étais pas attendu. J'insistai, je faillis m'énerver. Et si je m'étais, après tout, trompé de jour ? S'ensuivit un long conciliabule au *walkie-talkie* entre les gardiens postés derrière la grille et ceux qui se tenaient devant le porche, à cent mètres derrière eux. À la fin, on me fit tout de même signe d'entrer et de parquer ma voiture dans le jardin. Le portail me parut très étroit et je craignis de heurter l'une des deux bornes au passage. On m'introduisit dans un salon et on me fit savoir très poliment que l'audience précédente – avec des économistes étrangers – se prolongerait au-delà de l'heure prévue. Sur des consoles traînaient des albums de photographies dont les thèmes étaient les *Gens de chez nous* et les *Mœurs locales*, et aussi les *Fêtes d'autrefois et de maintenant*. Au bout d'un temps, un officier en uniforme vint me tenir compagnie et me faire un brin de causette.

Je m'avisai soudain qu'on n'avait même pas pris la peine de me fouiller. Cela, rétroactivement, me scandalisa. Et si, d'aventure, j'avais décidé d'entrer dans l'Histoire par la voie du régicide ? Paraissais-je donc à ce point inoffensif ? Peut-être me vexais-je pour rien, mais je frémis pour une patrie qui me semblait prendre des risques bien superflus…

On m'avait prévenu de ce que, par un louable souci d'économie, le souverain portait souvent des costumes usagés. Je me promis de vérifier. Je dois dire que cela m'aurait bien arrangé :

j'aurais eu moins honte de mon propre accoutrement, que je craignais de n'être pas « dans la note ».

Il est venu me chercher sur le seuil de son cabinet de travail.

« Nous nous sommes déjà vus, n'est-ce pas ?... a-t-il demandé. À plusieurs occasions, me semble-t-il ? »

« Jamais, Sire », aurais-je dû répondre, mais, pris de court, je dis : « Oui, sans doute… », ce qui aurait pu passer pour de la goujaterie. Il y eut un silence.

« Mes respects, Sire, ajoutai-je résolument. Je me réjouis de ce qu'à l'évidence le Roi se porte mieux. » Pourquoi ce mensonge ? (On m'avait bien assuré : il va beaucoup mieux, mais ses douleurs lombaires ne le laissent guère en repos.)

Il eut un sourire triste. Puis il y eut à nouveau un silence ; on eût dit qu'il ne savait par où commencer. Je compris que nos propos seraient un peu décousus. J'ai tout de suite vu qu'il était exténué.

Nous nous sommes fort peu entretenus de tourisme. Je crois, si j'ose l'insinuer, que, tout comme moi, il n'en avait rien à cirer.

Nous avons parlé du sacrifice de la jeune Chinoise sur la place T'ien an Men. De l'espoir de la jeunesse palestinienne dans les territoires occupés par Israël. De l'aveuglement de la jeunesse iranienne face à l'intégrisme chi'ite. De l'avenir ambigu des jeunesses d'Europe centrale. Des difficultés de la jeunesse belge face à la crise et au déclin des valeurs morales.

Il y avait, ouvert devant lui sur son sous-main, un cahier rouge, à spirales, glissières et feuillets perforés tel celui que j'employais à l'école primaire pour mes devoirs de sciences naturelles. Ce détail, entre autres, m'a touché.

Il y jetait parfois une note ou deux. Pour quoi faire ? Je n'ânonnais, me semblait-il, que des platitudes. À un moment, la conversation a même dévié – par ma faute, sans doute – sur la perversion qu'entraînait l'usage du téléphone dans le dialogue amoureux. « Si on ne s'écrit plus, on ne s'engage plus », m'a fait observer Sa Majesté. Comment n'en aurais-je pas convenu ?

Mais on eût dit que le poids de toutes ces destinées historiques et collectives que nous avions suggérées au fil de l'entretien était retombé en avalanche sur ses épaules. Il rectifiait sans cesse sa position au fond de son fauteuil, tant son dos le faisait souffrir, et parfois son sourire un peu forcé culminait en une très légère grimace.

Les journaux le disaient encore fragile après les interventions qu'il avait subies à l'étranger, mais cela pouvait passer pour si abstrait à la simple lecture des articles, pourtant circonstanciés : je découvrais, avec une stupeur naïve, que les douleurs d'un roi peuvent être visibles du commun des mortels… Penché maintenant vers l'avant comme pour mieux contenir son malaise, les coudes posés sur la tablette, le torse devenu concave, il avait pris une expression navrée : il retournait son épuisement en affliction.

Je me demandai s'il n'était pas en mon pouvoir d'abréger un entretien qui risquait ainsi de le mettre au supplice. Il était impensable pourtant de prendre congé…

Et puis, j'imaginais qu'il me retiendrait peut-être à déjeuner – sans que cela me parût toutefois une perspective particulièrement enviable : mauvaises langues et fins becs insinuaient qu'on mangeait mal au Palais, souvent des côtelettes avec des petits choux de Bruxelles… Et on ne m'avait pas offert d'apéritif. Pas même un verre d'eau. Pas un biscuit. Cette austérité presque fanatique en imposait.

« Celui qui tient une plume dans ce pays devrait la mettre au service de la jeunesse… », laissa-t-il tomber avec conviction.

Convoquer qui l'on veut pour qu'il vous écoute, n'était-ce pas le luxe suprême ? me dis-je. Tenir alors des propos presque futiles redevenait extraordinaire. J'eus l'idée de lui répondre que, là où j'étais placé, il était fort malaisé d'aider personne à vivre… Mais je compris que son extrême fatigue m'avait gagné à mon tour, comme une maladie ; qu'elle nous débordait tous deux.

Il n'avait pas détourné, un instant, son regard du mien. Je m'en étonnais d'autant plus que c'était un regard blessé, qu'aurait effleuré le fil d'un rasoir. Comme d'un homme-enfant qui n'aurait pas eu le temps de vivre, sinon d'emblée l'Histoire – l'Histoire de cette petite patrie inextricable.

On racontait dans son entourage que, la nuit où son père avait décidé d'abdiquer en sa faveur, il n'avait d'abord pas prétendu quitter sa chambre, son lit, parce qu'il se sentait déjà si fourbu. Il voulait peut-être se reposer pour la dernière fois.

Lorsqu'il s'était rendu au Congo en 1955, on avait remarqué qu'il s'animait, que son sourire se décrispait. Son père lui fit porter un message sur le terrain d'aviation, à son retour, lui enjoignant de « ne jamais redevenir le petit garçon triste qu'il était auparavant »…

J'avisai le portrait de Léopold qu'il avait déposé sur le coin gauche de son bureau.

« Sire, vous n'êtes pas sans savoir que j'ai consacré à Votre Père une série de chroniques dans notre journal…

– Ah ? On ne me l'a pas précisé, non. Mais, dites-moi, vous l'avez donc connu ?

– À vrai dire, Sire, je n'ai jamais eu la chance de Le rencontrer… »

Je ne pouvais tout de même pas – à présent que l'entretien touchait presque à sa fin - lui raconter l'histoire de la bicyclette, bien qu'il y eût lui-même participé… Comment s'en serait-il souvenu ? (Et toutefois, pourquoi ne pas profiter de cette ultime occasion de vérifier si une mémoire royale avait pu fixer un souvenir aussi anodin ? C'était à ce moment-là ou jamais… Ce serait jamais.)

« Ma rage, monsieur, devant l'injustice faite à mon père, c'est que, tout d'abord, celle-ci m'a volé ma jeunesse. Et puis…, peut-on imaginer situation plus absurde que de succéder, dans sa juvénile inexpérience, à un homme aussi compétent ? Or c'est ce qui m'est arrivé. Je l'ai ressenti comme si j'avais usurpé son titre et ses fonctions… Vous savez, je ne l'ai accompagné dans aucun de ses grands voyages ! Mon unique consolation fut de voir que tous ses ennemis se sont réconciliés ultérieurement avec lui – sauf M. Pierlot, mort sans doute trop tôt pour cela… Non, je vous parle ici des ministres socialistes, qui m'ont par la suite beaucoup aidé dans ma tâche : tous furent loyaux… »

Soudain, il avait l'air apaisé, presque détendu. Il ne m'avait pas confié de secret d'État : tout au plus, l'un ou l'autre détail plus intime. Qu'il me serait interdit d'évoquer et que je m'empresserais d'oublier… (Depuis lors, il m'est arrivé de m'en souvenir ; je me suis dépêché d'en prendre note, puis d'oublier à nouveau…) Savait-il même que j'avais, un temps, fréquenté Argenteuil ? Cela ne l'avait pas empêché, alors, de me recevoir ni de faire comme si de rien n'était… Ce qu'il avait à confier se déroulait en deçà de toute « anecdote familiale ».

J'avais découvert ceci, qu'on ne devrait pas surestimer ce qui vous distingue d'un roi mais plutôt apprendre ce qui vous en rapproche. J'étais venu ici dans la conviction que nous n'avions pas respiré le même air. Que, surtout, nos peurs, nos angoisses, n'avaient guère dû se ressembler. Or qu'avais-je trouvé ? Rien qu'un homme qui avait à peine connu sa mère, puis vu son père discrédité, et qu'on avait brutalement arraché à son enfance. Il fut un temps où il ne pouvait jouer avec des garçons de son âge – hormis des scouts catholiques… Toujours enfermé entre les murs d'un château ou d'un parc (et suivi alors, entre les pelouses, par un gendarme en civil, à pied ou à bicyclette…). Sur un film d'amateur, on le voit escaladant un arbre : se juchant modestement à califourchon sur la branche la plus basse.

Un vieil aristocrate, plus accueillant que les autres, m'avait confié quelques jours avant l'entretien : « Il aurait tant voulu, parfois, être *un enfant d'en face*, comme il disait. Et pouvoir ne fût-ce qu'une fois entrer seul dans un grand magasin. Il aimait faire des photos mais, la plupart du temps, il ne pouvait photographier que des photographes ! Ah ! il avait commencé fort tôt, l'impossible incognito ! Des années plus tard, il rêvera de revoir, en cachette, ses rares amis d'enfance : cela n'eut jamais lieu… »

Au fond, ce matin, durant l'audience, quand il nous arriva enfin de parler de lui, il n'évoqua guère que ce qui lui avait manqué. Des biographes attendris le décrivaient cherchant, à Pâques, des œufs peints au milieu des fleurs équatoriales dans une serre du jardin de Laeken. Ou alors, ils évoquaient le fameux petit vélo rouge que sa mère avait encore eu tout juste le temps de lui offrir, presque à titre posthume. J'espère pour vous, Sire, qu'au moins personne ne vous l'a jamais brisé, mis en pièces. Un accident est si vite arrivé !

Mais l'heure était venue pour moi de conclure : je fus forcé de constater que nous ne nous étions livrés qu'à des considérations très générales, que nous avions devisé de tout et de rien, à bâtons rompus. Qu'il ne s'était rien passé. Et pourtant… J'aurais volontiers, en prenant congé, commencé de dire : « Sire, quel curieux chemin j'ai suivi pour venir jusqu'à vous… » Et puis, non, Sire : rien ; ce n'était que ce que je rêvais autrefois de dire à votre père, si cela s'était trouvé.

Peut-être n'avons-nous, Roi et sujet, durant une petite heure, échangé que nos fatigues. Et cela, au moins, ne fut pas banal.

Une photo que j'ai découpée dans un journal vous montre à trois ans, en costume marin, aux chantiers navals de Hoboken, tranchant au moyen d'une hachette d'or l'amarre d'un bateau qui porte votre nom ; mais ce n'est pas celui à bord duquel j'ai bien failli partir pour l'Afrique, alors que j'étais encore plus petit que vous ; rien qu'un bateau homonyme, une modeste malle du type « Ostende-Douvres ».

Vous m'avez reconduit jusqu'à la porte de votre cabinet. Vous souriiez presque gaiement, à ce moment-là. Bon Dieu, vous aviez l'air en pleine forme, tout à coup…

J'assiste à la distribution des prix à l'école du petit Samuel. Depuis combien de temps n'ai-je plus mis les pieds dans un bahut (sinon pour voter, les jours d'élections communales) ? Pourtant, rien ne me dépayse : règne toujours, comme dans ma propre enfance, cette fade odeur de craie mouillée, d'éponge sèche, de rhubarbe et d'aigre transpiration, qui me donne un peu la nausée. Je me pose cependant une autre question : pourquoi l'enfant de Joy paraît-il ici, au milieu de ses camarades, plus petit qu'à la maison et, pour la première fois, intimidé ? Parce qu'il arrive premier de sa classe, cette année, et qu'il ne l'a pas fait exprès. « Au fond, ça m'embête, m'a-t-il avoué, parce que Vanessa, ma copine, n'est que deuxième, et qu'elle va peut-être m'en vouloir… » Nous avons un rapide aparté, d'où il ressort que les hiérarchies, lui, ça ne lui importe que dans les affaires de cœur. Il m'explique : « Je mets Vanessa en premier, Maïté en second, et puis en troisième Aïcha, et enfin Aurore en quatrième… Mais ça change parfois… » J'ai même remarqué que cela pouvait changer plusieurs fois dans le courant de la même journée ! J'admire qu'à l'âge de dix ans il puisse déjà se ménager un réservoir de copines, où il ira puiser en cas de besoin. Craint-il que cela me choque légèrement ? Il ajoute : « Tous les garçons de la classe font ça !

— Et les filles ?

— Les filles aussi.

— Et les classements des filles et des garçons correspondent ?

— Rarement… », reconnaît-il, l'air désabusé.

L'illogique des sentiments n'attend pas le nombre des années.

Samuel est tout heureux de me présenter « son premier papa et la future fiancée de son premier papa ». Il exige même, avec un rien d'inquiétude, que nous nous serrions la main. (Le gagnant et le perdant ?)

L'avantage des mésententes conjugales, ne serait-ce pas qu'on multiplie par deux le nombre de ses admirateurs aux distributions des prix ? Le père de Samuel a un visage poupin et une loquacité *matter of fact* d'homme d'affaires surdoué. Il parle de « gestion des relations affectives », de « mise au crédit de sa femme que… ». (Sa femme, c'est Joy – puisqu'ils ne sont pas encore légalement divorcés : il ne doit pas répugner à me le rappeler au passage…) Il se réjouit d'une « négociation matrimoniale qui se déroule dans un climat serein ».

Je devrais abhorrer qu'il traite de la procédure en cours avec ce lexique de secrétaire d'État aux affaires économiques. Mais je n'arrive pas à haïr un homme qui n'est pas parvenu à se débarrasser de sa bouille de gosse. D'ailleurs, je me suis vite découvert des affinités avec lui. Et tout d'abord, ne sommes-nous pas tous deux supporters du Sporting Club d'Anderlecht, lequel, la saison prochaine, va sûrement remporter, encore une fois, le championnat de Belgique ? (Cette victoire, nous nous la promettons solennellement.) En regard de cela, qui est essentiel, que pèseront encore nos dissensions et nos rivalités éventuelles ? Pas lourd…

Il n'empêche : ce divorce qui n'avance pas – qui, certains jours, reculerait plutôt –, ces comparutions reportées on ne sait trop pourquoi, ces pièces et ces attestations qui se seraient perdues comme par enchantement, tout cela n'est pas du tout de mon goût ; et je ne sais ce qui me retient d'aborder tout de go le sujet avec le « futur ex-conjoint », là, avant la lecture du palmarès, puisque j'ai le bonhomme sous la main…

« Raoul, m'explique Joy, répugne à faire son deuil de quoi que ce soit… Il exècre le changement…

C'est, je trouve, assez vite dit. Le deuil, ça n'a jamais été mon fort, à moi non plus ; mais, au besoin, je me force un peu.

Au début, Samuel devait s'accommoder des divers épisodes de cette petite comédie, il s'en divertissait même de façon ouverte : cela lui rappelait sûrement ces feuilletons familiaux américains dont il suivait les rebondissements à la télévision. Dormir un peu partout dans sa famille (et aussi chez les grands-parents) lui permettait de se vanter à l'école de posséder « au moins quatre maisons », et du coup de faire état d'« un emploi du temps chargé ». (J'identifiai, cette fois, le vocabulaire paternel.) « Ah ! Ce n'est pas facile, soupirait-il, d'avoir une vraie maman et une fausse, un papa entier et un demi-papa… » ; mais on eût dit qu'il jouait un rôle, et non sans plaisir. (J'admirais son flegme, me souvenant qu'à son âge je me vouais à dramatiser une pièce – d'un répertoire moins léger, il est vrai.)

Parfois, il aurait trouvé plus pratique que je « me mette avec » la maîtresse de son père et que celui-ci revienne à sa maman… Il aurait apprécié que nous vivions, au reste, tout les quatre ensemble.

Un jour, il me suggéra : « Tombe donc amoureux de toutes les autres femmes, alors ma mère retournera chez mon papa. » (Ce devait être un jour où je ne lui bottais pas.) Parfois aussi, il exhibait des photos « du passé de sa mère » où on la voyait accompagnée d'autres hommes – comme pour m'inciter à relativiser le rôle que je jouais dans sa vie. (Ne serais-je pas un hôte de passage, un parmi d'autres ?)

Mais il vint un moment où l'évidence du couple Maman + Pierre Raymond (« mon second papa ») se substitua à celle de « mes vrais parents » ; alors, il se fit doucement provocateur : « Vous êtes amoureux, n'est-ce pas ? Quand donc vous mariez-vous ? »

« Mais, fais attention ! me recommandait-il avec sérieux. Tu n'es pas au bout de tes peines en ce qui concerne maman ; enfin, je veux dire en ce qui concerne *la connaissance* de maman. Oui, oui : tu sais une partie, mais tu ne sauras peut-être jamais le reste ou la totalité. Mon papa, lui non plus, n'a pas compris grand-chose ; la preuve : il dit qu'il veut divorcer, et il n'y parvient même pas ! »

Je proposai à Raoul Renard : « Après l'été, on pourrait peut-être aller voir ensemble un match au parc Astrid et discuter un peu ? » Il eut l'air étonné et me dit : « Mais je ne vais jamais assister aux matches ! Je regarde le résumé le dimanche soir, à la télévision… »

Samuel voulut aussi me présenter son institutrice, dont Joy m'avertit « qu'elle avait eu des malheurs » durant l'année…
« En quoi ça consiste, pour toi, *avoir des malheurs* ? demandé-je.
— Oh ! Son mari l'a quittée.
— N'est-ce pas parfois une bonne chose ? ironisai-je. Dis-lui que nous pourrions lui conseiller un excellent avocat pour son divorce…
— Lequel ? Le mien ?
— Non, mais celui de ton mari : il sabote et ralentit les procédures à volonté, sur simple demande… »

Tout abandonnée qu'elle fût, Mme Gaillard paraissait radieuse ; nous échangeâmes quelques mots de circonstance, tandis que je jetais, négligemment, un coup d'œil autour de moi ; d'une manière générale, je fus frappé par la beauté de tant de femmes qui se pressaient ici, ce jour d'été, pour acclamer les mieux doués et consoler les cancres.
« Tu me présenteras aussi Vanessa ? » demandai-je à Samuel. Il rougit.
« Ça, pour rien au monde ! déclara-t-il.
— Et pourquoi ?
— Elle est bien trop jolie… »

Le préfet fit, dans le brouhaha, un discours un brin confus d'où émergeaient quelques slogans : « Voici venue l'heure des bilans… Le classement importe peu, mais il faut bien en faire un, n'est-ce pas ?… Tous ont sûrement donné le meilleur d'eux-mêmes ; enfin, presque tous… Les mieux classés doivent, à présent, faire mieux encore… Pour créer une émulation… Plus tard, mes enfants, vous devrez toujours vous surpasser… Parfois au détriment des autres… C'est ainsi : la loi de la vie… Le monde futur attend cela de vous… »

Il était sans nul doute très bien intentionné, mais je ne voyais pas exactement où il voulait en venir. Je regardai Samuel et j'eus le cœur étreint : il avait la tête d'un gagnant qui viendrait de tout perdre.

Je ne restai pas pour l'interprétation de *L'Hymne à la joie* entonné par l'ensemble des élèves et allai attendre la mère et son fils dans la cour de récréation. Je me dis que j'étais heureux de l'avoir rencontré, Samuel, mais je ressentais une mélancolie exaspérée.

Lorsque un quart d'heure plus tard Raoul Renard me salua : « Content de vous connaître… », je lâchai d'un ton vaguement rogue : « À l'année prochaine, même jour, même heure ? »

L'été 1993 commençait de danser sur des airs un peu tristes. Le jour de la fête nationale, Samuel entendrait le début du message royal à la radio : « Chers compatriotes… ». « Compatriote toi-même ! » répliquerait-il, sombrement.

Après quoi, on partirait en vacances dans un pays de soleil. On jouerait au badminton, et des libellules, se méprenant, poursuivraient le volant jusque dans le crépuscule, de part et d'autre du filet. Samuel, qui veut devenir romancier, commencerait d'écrire une histoire : « Parti à la rencontre de l'été, Samuel passe entre les oliviers. En cours de route, il tombe sur un figuier. "Voilà donc l'arbre que je cherchais depuis si longtemps !" s'écrie-t-il. Ce sont de belles vac……… » Au moment du départ, il confirmerait :

« C'étaient de belles vacances. J'espère que, quand nous serons rentrés, personne ne sera mort. »

Pourquoi cela me revient-il à présent ? Il y a quelques années, un jour de printemps, à l'orée du bois – donc, encore une fois, à un jet de pierre du square du Bois-Profond –, un petit garçon a surgi de derrière un bosquet ; il a traversé comme un trait l'avenue et a failli se jeter sous les roues de mon vélo ; je me suis écarté, l'évitant de justesse, et j'ai fait la culbute par-dessus mon guidon… Un instant pétrifié, le garçonnet s'est enfui. Me ramassant à grand-peine, le genou droit et le coude gauche ouverts jusqu'à l'os, je l'ai vu, de loin, se réfugier à l'ambassade du Danemark (j'ai pensé plus tard : comme s'il allait réclamer l'asile diplomatique !). Je suis allé, en clopinant, ma bicyclette à la main, pousser sur la sonnette « Service » de la résidence ; on m'a ouvert presque aussitôt ; on m'a prié de laisser le vélo à l'extérieur ; une domestique m'a conduit à l'office. L'enfant, en me reconnaissant, a poussé un cri et est allé se pelotonner au fond d'une sorte de panier d'osier, celui du chien sans doute. Un homme jeune, aux cheveux presque blancs, une sorte d'albinos, m'a tendu la main et m'a déclaré sur un ton solennel : « Je m'appelle Andersen, je suis le concierge de l'ambassade. Cet enfant est mon fils. Nous avons tout compris : il est dans son tort, bien entendu… Vous êtes blessé, je vois… Vous devriez porter plainte, je vous y engage vivement : ça lui servirait de leçon ! Mais… je suppose qu'il y a des témoins ? Et, dites-moi, votre vélo, il roule encore ? »

Je détestai d'emblée cet homme, et je ne regardais que son fils. J'évaluais l'absurdité de la situation : en même temps qu'il accablait son moutard, qu'il affectait même de l'inculper, il me laissait apercevoir que, si j'entendais réclamer réparation, je ne pourrais rien certifier, faute de preuves… Au mieux, on confronterait ma parole à celle de l'enfant. Cet enfant que je ne quittais pas des yeux. Je me souviens qu'il tremblait comme une feuille. Je crois que je tremblais aussi. De rage, et de terreur rétrospective. Après tout, j'aurais pu l'avoir tué, ce gosse ! Mais ce qui apparemment importait à son père, c'était de l'accabler et, en même temps, de me désarmer contre lui : d'une pierre deux coups.

« Quelqu'un va soigner vos blessures, déclara le digne homme. Ce n'est pas joli, joli… Vous devriez voir un médecin… »

Je vis venir vers moi une femme au dos un peu voûté, me souriant d'un air peureux ; elle brandissait un tampon d'ouate et un flacon d'éther. Ah, mon Dieu ! que d'épouvante autour de tout cela ! Je repoussai sans brusquerie la femme.

« Vous êtes vacciné contre le tétanos ? » me questionna l'homme. Je l'aurais volontiers giflé. Je ne voulais pas sortir de là sans emporter le regard de l'enfant : c'était tout ce qui me tenait encore à cœur.

« Vous n'ignorez quand même pas, Monsieur, demandé-je au concierge de l'ambassade danoise, qu'un père est responsable des actes de son enfant mineur ? »

Il rougit, ce qui le fit apparaître, un instant, comme plus albinos encore que nature. Et je m'enquis enfin : « Comment s'appelle donc ce charmant garçon ?

– Christian, balbutia l'homme.

– Eh bien, bonne chance, Christian ! » fis-je, et je tournai les talons sans saluer personne d'autre.

Aujourd'hui que j'y repense, tiens !, je me dis que Christian ressemblait à Samuel, mais un Samuel qui n'aurait pas eu la chance de devenir Samuel Renard – celle de n'être pas condamné à l'effroi –, c'est-à-dire Samuel sans Samuel.

Je me demande si, après cela, je n'ai pas été, déjà, un peu dégoûté de la bécane… J'évite, si je puis, de repasser par cette avenue de l'orée où cela est arrivé, il y a quelques années à peine, mais comme si c'était hier, ou une éternité.

Que j'y retourne, cependant, et une étrange douleur, alors, se réveille à mon flanc, un stigmate se rouvre.

Ah ! Pauvres enfants qui tombons, ou qui faisons tomber, qui risquons à tout moment de faire l'un ou l'autre (et cela, à la fin, revient au même), quand donc et comment cela finira-t-il pour nous, si cela doit jamais finir ?

« Et où donc pars-tu cette année en vacances, m'as-tu dit ? Ah oui ! En Italie…, fait ma mère. Drôle d'idée !

– Tu n'aimes pas… Je veux dire : tu n'aimes plus l'Italie ?

– Oh ! je l'ai aimée ! Comme je l'ai aimée ! Mais, pour tout t'avouer, en fait, je ne supporte plus les pâtes… Surtout en été.

– Moi qui croyais que tu raffolais de tout ce qui était italien…

– Pourquoi dis-tu cela ?… Ah, je vois, à cause de Nathan ! Mais il n'est italien que par hasard, tu le sais bien ; et il peut se montrer très critique vis-à-vis de son propre pays. Mais toi, il faut toujours que tu le chicanes en douce. Dommage que vous n'ayez jamais réellement parlé l'un avec l'autre !

– Dommage qu'il n'ait jamais souhaité le faire, *lui* : n'oublie pas qu'il aurait pu être mon père.

– Mais il ne l'était pas, justement… Il ne se l'est pas autorisé.

– Et voilà pourquoi votre fille est muette !

– Mais bon, en Italie, tu pars avec cette jeune Anglaise ? C'est une fille adorable…

– Ah oui ?

– Oui, vraiment. Elle est adorable avec moi. Sais-tu qu'elle me téléphone tous les jours, qu'elle s'inquiète gentiment de ma santé ? Qu'elle m'apporte souvent un bouquet de tulipes jaunes (mes préférées), ou un de ces disques où un acteur connu, ou une comédienne, fait la lecture de tout un livre : *Lamiel*, *Madame Bovary*, *Les Grandes Espérances*… Depuis que ma vue a tant baissé, alors que j'aimais tellement lire, c'est fort pratique. Tâche au moins de ne pas la perdre, celle-là ! Tu es tombé sur une perle… »

J'appréciais que ma mère pensât du bien d'une femme qui partageait ma vie ; d'ordinaire, elle ne rendait hommage à mes éphémères compagnes qu'une fois qu'elles en avaient déjà disparu. (Et même Rebecca fut couverte d'éloges du jour où je la quittai.) Depuis que la vie l'a intimidée, ma mère exalte par prédilection ceux qui ne sont plus là, les absents et les morts. Peut-être pense-t-elle que ceux-ci au moins sont inoffensifs, qu'ils ne lui feront aucun mal ? Qu'ils n'offenseront pas sa terrible pudeur ? Je me réjouis en mon âme que Joy fasse exception, que ses attentions pour ma mère, sinon pour moi, la mettent hors concours.

« Ce n'est pas tout ça ! s'exclame-t-elle. Qu'est-ce que tu vas manger ? Il faut que tu te nourrisses bien… Non ; moi, je ne prendrai qu'un hors-d'œuvre, ou alors deux… Mais nous n'allons pas trop boire, n'est-ce pas, mon chéri ? »

Ainsi donc, me dis-je, nous allons devoir nous heurter à cette *anorexie de jeune fille* qu'a contractée maman depuis qu'elle vit seule. Elle se sustente le moins possible aux heures des repas, mais grignote, à l'heure de la sieste, des biscuits au gingembre. Elle ne boit, à table, que de l'eau, mais en cachette, parfois, déguste encore, dans une sorte de maussaderie, des petits verres de marc ou de blanc de blancs. Il y a dans ce comportement quelque chose d'enfantin qui devrait m'attendrir.

« Est-ce que ton père, d'après ce que tu sais, a encore toute sa lucidité ? » Elle n'a pas dit : « toute sa raison ». « Ah oui ?… Eh bien ! Vois donc la chance dont tu bénéficies : de voir survivre encore, à ton âge, des parents qui ont toute leur tête ! Du reste, il me téléphone encore chaque année, le jour de mon anniversaire… (Bel exemple de lucidité, en effet.)

« Et la Princesse, demande-t-elle, tu continues de la voir ? Tu m'as dit, n'est-ce pas, que nous avions le même âge ? Bien sûr, elle ne doit pas paraître le sien elle dispose : de moyens pour cela… »

La remarque m'étonna. Il était vrai que la Princesse, ainsi que commentent les mufles, semblait « mieux conservée » que ma mère, mais comment aurais-je pu faire la comparaison ?

« C'est exact, lui dis-je pour la taquiner : tu tiens en la Princesse une redoutable rivale... »

Je me souvins du jour où Son Altesse avait fait cueillir des fleurs pour elle dans le jardin : une attention de contemporaine ? Je songeai au passé de maman. Je passai mentalement en revue les petites photos en noir et blanc, carrées, aux bords dentelés, qui avaient fixé le début des années trente. Munich : estival et paisible. Salzbourg : une représentation en plein air de *Bastien et Bastienne*. Lever de soleil sur la lac de Königsee. Nuremberg, si hospitalier : 1934. San Giminiano, Pise, Tivoli, Pompéi, Caserta... Tiens ! L'Italie, déjà, partout !... Mais on eut besoin d'un brise-glace pour entrer à Helsinki, en 1935. Les rues désertes de Madrid, en 1936, à la chute de la République. Et puis, presque aussitôt, les photos du mariage : quelle prestance ! Elle en Astrid, lui jouant le rôle de Léopold. Aussi beaux. Car ils étaient à la mode : elle coiffée comme la Reine, lui se tenant comme le Roi n'avaient au fond rien à leur envier...

Chaque fois, ma mère, qu'il m'est arrivé de voyager dans un de ces pays que vous aviez visités avant ma naissance, ou après mais sans moi, je prenais bien garde de me munir de vos *Guides bleus* anachroniques, de vos *Baedeker* dépassés, et je cherchais – parfois désespérément – à plier mes déplacements aux exigences – déjà mortes – de ceux que vous aviez accomplis. Ainsi, il m'est arrivé de manipuler, avec une tendresse et une exaspération toutes deux croissantes, le petit *Guide bleu illustré*, édition de 1938, *d'Istanbul et ses environs*. Croirait-on que Stamboul ait tant changé, entre-temps ? Eh oui ! Les cités historiques, elles aussi, continuent de vieillir. Istanbul et ses environs... Ma mère et ses environs, elle aussi. Ma mère, pensai-je longtemps, qui fut si souvent aux environs de tout ce qu'il y avait de beau sur cette terre. Tandis que moi je n'avais pas été, tout d'abord, « aux environs de ma mère »...

« Et qu'est-ce que tu penses *des événements* ? » s'enquiert-elle de façon régulière, comme un rituel. Elle voulait dire, par exemple : le coup d'État contre Gorbatchev, la mort de Ceaucescu, la chute du Mur, l'arrivée au pouvoir de Fujimori, la division de la Tchécoslovaquie, la révolte des hémophiles contaminés par le Sida, la compromission d'un homme politique socialiste dans la triche commise par un club de football, et *tutti quanti*... « Je crains, ajoutait-elle, de ne plus être dans le coup... »

J'aurais aimé lui répondre : Tu sais, quand je regarde, à la télé, ces émissions « sur – ou pour – les jeunes », leurs fantasmes, leurs amours, leurs drogues, leurs idoles, je ne me sens « pas dans le coup » davantage, je me retrouve aussi peu « de mon époque » que toi, même si ça se voit moins...

Souvent, cela m'avait agacé qu'elle, qui avait sillonné le monde, de la Laponie à Zanzibar, du Tessin à la Birmanie, répugne à mettre encore un pied devant l'autre dans la rue... À quand remontait cet effarouchement ? Du jour où Nathan s'était éloigné d'elle ? Non, sans doute, car il lui rendait encore de fréquentes visites et ne la laissait jamais longtemps sans nouvelles.

Elle avait découragé de venir la voir jusqu'à ses amis les plus attentifs. « Je voudrais qu'ils gardent plutôt de moi des souvenirs d'autrefois, lorsque j'étais jeune. Et qu'ils me fassent savoir, seulement, qu'ils sont heureux. »

Elle redoutait tellement, lorsqu'on lui téléphonait, d'oublier de dire l'essentiel qu'elle rédigeait des « pense-bête » où les questions pratiques cohabitaient avec des préoccupations métaphysiques : « As-tu rempli ta déclaration d'impôts ? T'a-t-on prévenu que j'ai été souffrante ? (Rien d'important, rassure-toi !) Crois-tu que je sois obligée de voter ? Mon voisin est atteint de la maladie d'Alzheimer : il nous rend – à tous les locataires de l'immeuble – la vie impossible. Pourrais-tu m'apporter du Valium quand tu viendras me voir ? Et un roman peu connu de Stendhal ? Et me restituer cet enregistrement du *Choral du veilleur*, de Bach, que j'aime tant ?

....

Sache que *je vieillis*. »

Allais-je, à mon tour, me retrouver aussi timide qu'elle devant la vie ? À quoi rimait-il de vivre si dans son enfance on fut épouvanté, si à l'approche de la vieillesse on renouait avec la terreur, pour avoir connu seulement, entre ceci et cela, quelques journées de trêve, quelques heures de bon temps, et senti l'infernale étreinte de l'Univers se relâcher, les crocs du piège se desserrer, le bleu du ciel se poser un instant, amicalement, sur votre épaule, et la lumière des choses jouer furtivement entre les poils de votre barbe ?

« Sais-tu seulement l'âge que j'ai ? m'a demandé maman, il y a peu. Après tout, *ton autre grand-mère* est déjà morte depuis longtemps... Alors, respecte au moins ma vieillesse, quand tu m'adresses des reproches.

J'ai considéré, dans l'ombre pourpre du vélum, la terrasse ensoleillée, presque aveuglante, où des vasques de béton attiraient encore des moineaux altérés.

Dans l'attente du serveur qui tardait à nous apporter des croquettes aux crevettes, maman s'agaçait les ongles dans le cœur des petits pains qu'on nous avait servis en guise d'amuse-bouche. Après quoi, du revers de la main, elle ramassait dans la paume de l'autre les miettes sur la nappe, et jetait celles-ci d'un geste brusque, presque brutal, aux oiseaux. Je me souvins que mon père, lui, évidait de leur mie les petits pains du dimanche... Au moins, ils avaient eu en commun, mon père et ma mère, ce menu geste de gratte-miche, de peigne-croûte, de grince-flûte, de peloteurs de « pistolets » ou de « baguettes »...

Qu'elle se fût donnée – sans s'en rendre compte – pour ma grand-mère me scandalisait et m'enchantait à la fois. Fallait-il que son sentiment de vieillir eût été violent pour qu'elle s'éloignât ainsi de moi d'une génération de plus ! Mais, dans cette identification à une aïeule, ne fallait-il pas lire aussi une tardive et paradoxale déclaration d'amour ?

« Tu devrais, dit-elle, parler un jour à Nathan de *tout cela*… »

Tout quoi ? Tout ce qui n'avait pas eu lieu ?

« À quoi bon ? Pour ce qui s'est passé autrefois, ce fut longtemps trop tôt… et puis ce fut soudain trop tard.

— J'ignorais qu'il y avait des montres marquant l'heure de ce genre de rendez-vous !

— Pas de montres, sans doute, ni même de calendriers ; mais les délits contre l'enfance se prescrivent vite, même si la victime s'en souvient toute sa vie. Aussi, je ne reproche vraiment à Nathan que de t'avoir à la fin abandonnée…, et d'autant plus que je l'avais prévu.

— Il n'y a que moi que cela regarde ! Je suis seule juge ! Et d'ailleurs, il demeure présent dans ma vie, et attentif au-delà de tout ce que tu pourrais te figurer… »

Elle écrase le mégot de ma cigarette qui brasillait au fond du cendrier. Elle flamboie de colère contenue. Cela lui met du rose aux joues. Au fond, elle est beaucoup plus attrayante que la princesse… Je devrais peut-être le lui dire ?

« Et ça te fait sourire ? s'indigne-t-elle.

— Excuse-moi, je pensais à autre chose… Bois ton sancerre, maman : il va tiédir, ce serait dommage.

— Il me l'avait présentée…, dit-elle rêveusement sans me regarder. J'ai tout de suite su qu'il en serait fou. Elle était incroyablement belle. On était contraint de comprendre la passion qu'elle devait inspirer : elle aurait rendu fou n'importe qui. Alors, j'ai décidé d'aller à la cuisine pour préparer le repas… Je me disais : ce sera le grand amour de sa vie.

— Tu t'es résignée en un instant ?

— Ah ! il s'agissait bien de résignation ! Après tout, je n'étais pas sa femme… Que peux-tu comprendre à cela ? As-tu jamais aimé avec violence ? À part, bien sûr, pardonne-moi, cette exquise ressortissante de l'Empire britannique… Moi, je pouvais tout comprendre : c'est la guerre, sans doute, qui m'a faite ainsi. Et c'est *indéfectible* : c'est bien comme ça qu'on dit, non ? »

On pouvait effectivement exprimer les choses de la sorte. J'admirai même la précision insolite de son vocabulaire. Elle n'y était guère accoutumée, préférant souvent, lorsqu'un sujet un peu pénible l'embarrassait, devenir évasive, se réfugier dans le flou… Mais voilà : ce sujet-ci ne la plongeait justement dans aucun embarras, c'était celui qu'elle maîtrisait le mieux, son thème favori sur toute l'étendue d'une vie ; elle trouvait tous ses mots. On eût dit qu'elle exprimait les sentiments dont elle débordait avec d'autant plus de tumultueuse assurance qu'elle les adressait à un homme qui avait éprouvé les mêmes pour une autre femme…

Cela me choquait et me bouleversait. Je la plaignais, je l'enviais aussi… Il y avait dans tout cela quelque chose de grand que je ne pouvais nier.

« Tu comprends : j'étais *partante*, ou *preneuse*, je ne sais ce qu'il faut dire…

Pauvre maman ! « Partante » convenait mieux, en l'occurrence, car comment être « preneuse » de ta propre perte, comme si tes bras se refermaient sur un fantôme, happaient le vide ? Était-ce vraiment la guerre qui avait façonné ce stoïcisme ? « La guerre » ne finirait-elle donc jamais ?

« Et puis, Irina mourut dans un accident de la route, près de Kiev, alors qu'il allait l'épouser et la faire venir en Occident. Nous ne vivions déjà plus ensemble. Il a sonné chez moi à 2 heures du matin. Il a prétendu qu'il avait vu, du dehors, une lampe encore allumée dans le salon ; il a pensé que je n'étais pas encore couchée… (C'était comme cela qu'il était arrivé chez moi la première fois.) Bien sûr, je n'avais oublié d'éteindre aucune lampe ! Mais il venait d'apprendre la nouvelle. À qui d'autre aurait-il pu en parler ?

— Mais il s'est tout de même marié après cela avec une autre femme…

— Irina avait une sœur cadette, qui cherchait aussi à gagner l'Europe. Nathan, écrasé de chagrin sur sa chaise, m'a parlé d'elle, cette nuit-là : je pense qu'il souhaitait, en épousant Tatiana, compenser si peu que ce soit l'horreur de cette mort, là-bas, à Kiev… Ça ne réparerait rien, ne ressusciterait pas Irina, mais cela ressemblerait à un pied de nez fait à un régime qui discriminait les juifs. "Si tu veux rester fidèle à tes principes, à ton élan initial, lui ai-je dit, tu dois l'épouser. Réglons cela séance tenante : je suis tout à fait acquise…"

— Mais ce ne fut pas un mariage blanc, que je sache ?

— Et pourquoi eût-il dû l'être ? Tout, pour toi, doit-il être toujours blanc ou noir ? Ils n'ont pas tardé à se séparer… Maintenant, tu peux le constater, nous nous revoyons souvent, Nathan et moi : dans un sens, nous ne nous sommes jamais aussi bien entendus que depuis une rupture qui n'en devint jamais une sur le plan…, sur le plan vital. »

Vital ? Était-ce, cette fois encore, le terme juste ? Sans doute, mais j'en étais déjà moins sûr. Je me levai, je dis à maman que j'allais aux toilettes, et que je commandais au garçon une autre bouteille de sancerre. Je commençais à me sentir légèrement mal à l'aise. J'avais peur que maman n'en dise trop, et ne le regrette ensuite, ou qu'alors sa parole ne finisse par s'embrouiller, pour sa propre confusion… Qu'elle perde devant moi, en un mot, sa fierté, cette sorte d'intégrité que je lui découvrais. En même temps, je craignais qu'en interrompant le flux de ses confidences je ne compromette ainsi la magie de cet instant, que je ne mette fin à l'état de grâce… Ou que l'orage, qui grondait au loin, ne les conclue sur une note dramatique.

Quand je fus de retour et me rassis en face d'elle sous la tente solaire, elle attaqua : « Je suis sûre que tu es allé aux toilettes pour noter tout ce que je t'ai dit sur un calepin ou une serviette en papier… J'ai raison, n'est-ce pas ? Ne prends plus cette peine !

462

Tu peux écrire devant moi, je préfère… Cela ne me gêne plus. Et comme ça, tu pourras relire de temps à autre ces notes, et mieux me comprendre… Échapper aussi à ce ressassement du passé qui t'a fait vieillir dans l'amertume. Tu peux tout raconter, ça m'est égal désormais. Tu imagines quel beau sujet de reportage cela ferait pour *Le monde est à vous* ? "Voyage sentimental au pays de ma mère" ? Ou : "Une histoire d'amour sans commencement ni fin" ? Ou encore : "Ma mère avait un cœur. Essai de réhabilitation" ? Qu'est-ce que tu penses de ça ! »

Je ris un peu jaune.

Était-ce chez elle l'effet du vin, ou l'ironique euphorie où la plongeait le fait de s'être délestée de ce lourd récit ? Ces traits d'humour noir ne lui étaient guère coutumiers.

« Tu sais, reprit-elle sur un tout autre ton, j'ai beau n'avoir aimé qu'un seul homme dans ma vie, il paraît pourtant que j'étais douée pour l'amour… Enfin, tu me comprends. Récemment encore, mon gynécologue, au terme d'un examen de routine, m'a félicitée.

— Et de quoi donc ?

— Eh bien ! D'avoir, à mon âge, conservé une sensibilité particulière, quoi… Je ne dois pas te faire un dessin ? J'avais donc des dispositions, semble-t-il. Mais en fait la chose ne m'intéressait plus guère dès que la mécanique se mettait en branle… »

Étonnant ! pensai-je. Elle, d'ordinaire si pudibonde, se permet aujourd'hui des crudités, des impudeurs de grande bourgeoise anglaise. (Joy, tu aurais raffolé de ces audaces !) Et puis, cette façon de révéler, tout ensemble, un tempérament certain et la tentation d'une forme de frigidité…

« Mon petit, me dit-elle alors — et son ton avait à nouveau changé —, tu ne dois pas croire : je ne me suis jamais tout à fait pardonné d'avoir oublié, dans ma chambre d'hôtel, à Montevideo, les lettres que tu m'avais écrites là-bas, il y a… vingt-cinq ? trente-cinq ans ? oui : trente-cinq ans déjà ! Tu vois, je m'en souviens parfaitement. Et j'imagine volontiers la peine que tu as dû ressentir. Mais tu dois comprendre : elles devaient se trouver sur la table de nuit ; on a téléphoné de la réception que le taxi m'attendait en bas pour me conduire à l'aéroport ; j'étais fébrile… Je repense souvent à cet oubli malencontreux. Du reste, n'es-tu pas venu me chercher à l'aéroport de Bruxelles, cette fois-là ? Si, n'est-ce pas ? Tu avais tout juste appris à conduire… Je sais que cela t'a affecté, à l'époque, quand je t'ai avoué le drame. Si, si, ne dis pas le contraire. Tu avais dix-huit ans, ou dix-sept : c'est l'âge où ces choses-là comptent énormément… J'y songe : il faudra tantôt demander au maître d'hôtel si on n'aurait pas retrouvé ce châle indien que Joy et toi m'avez offert et que j'ai perdu, ici même, sans doute sur cette terrasse, il y a deux mois… Tu sais, tu es tellement gentil, aujourd'hui. »

O God ! M'étais-je vraiment montré si gentil ? Je ne devais donc pas l'être souvent… Et combien de fois, en tout et pour tout, étais-je allé la conduire ou la rechercher à l'aéroport, au long de ma vie ? Et combien de cadeaux lui avais-je faits durant la même période ? Le dernier en date, c'était une canne, parce qu'elle se déplaçait plus difficilement. Et je compris que ce présent-là ne lui faisait pas trop plaisir… Me serais-je montré indélicat ? Non : elle finit par l'apprécier.

Je sentais que nous glissions ensemble sur une pente savonneuse, celle où nous allions échanger nos remords, nos occasions de repentir : où cela nous mènerait-il ? Cet amour que me donnait ma mère sur le tard, il me tordait le cœur. Ce repentir de l'avoir, en retour, quelque peu négligée m'apparaissait pour ce qu'il était bel et bien : un luxe.

Ce jour-là, j'ai exigé de payer l'addition, alors qu'elle tenait toujours à m'inviter.

Merde ! ai-je pensé en me levant de table et en lui tendant le bras pour l'acheminer vers la sortie du restaurant, je ne vais absolument pas supporter sa mort. Chaque fois qu'elle évoque cette perspective, je sue d'angoisse. Et à l'idée même de cette mort, je déclare une guerre totale. «Tu es mon seul héritier, n'est-ce pas ? » me rappelle-t-elle souvent, depuis peu. Pourquoi le répète-t-elle ainsi ? Parole de reine… Ne le dites plus, maman : j'ai peur de votre mort. J'ai mort de votre peur. Pourvu qu'elle attende encore longtemps !

Une idée me traversa, dont je ne mesurai qu'après coup le caractère saugrenu mais néanmoins chargé de sens : qui sait si je n'avais pas eu avec ma mère, sur cette terrasse, au début de cet été, la sorte de conversation que j'avais rêvé d'avoir avec la veuve du roi découronné ? Mais comme si c'était celle-ci que je cherchais vainement à nouer depuis tant d'années, alors que l'autre ne l'eût masquée qu'à l'ombre d'une métaphore… Que de détours, encore une fois, mais ici décisifs, pour me rendre là où je voulais vraiment aller ! Je m'étais rapproché, en traçant des cercles concentriques au diamètre de plus en plus étroit, d'un point focal de la dimension d'une tête d'épingle.

Allons ! Nous revenions de loin.

Pour les vacances, nous n'avions pas eu l'embarras du choix. Mon collègue italien, Cesare Goisco, représentant en Italie de Touristes sans frontières, m'avait proposé de nous céder en juillet sa villa de Capalbio, à cent cinquante kilomètres au nord de Rome. La douceur impérieuse d'un paysage franciscain, une colline dominant la mer Tyrrhénienne, les vestiges d'une enceinte médiévale, la perspective d'excursions à Argentario ou l'île d'Elbe, la promesse de manger du sanglier arrosé de Brunello di Montalcino : on se serait laissé tenter à moins !

Le propriétaire était censé nous laisser les clés de la villa emmaillotées dans un sac de plastique, au pied d'un olivier.

Pourtant, lorsque nous arrivâmes, il nous attendait en personne sur le seuil. Je craignis qu'il y eût eu méprise et qu'il eût prévu de cohabiter avec nous… Il n'en était rien : il y avait seulement un contretemps, ainsi qu'il se mit à nous l'expliquer dès les premières congratulations échangées.

D'une avalanche de propos volubiles et vaguement bilingues, il ressortit bientôt qu'avant de nous abandonner les lieux il convenait de « *svuotare lo scarico di una latrina* ». Et Cesare de nous amener, Joy, Samuel et moi, avant même que nous ayons débarqué nos bagages, contempler la fosse septique qu'il s'agissait de purger…

« C'est *stupido*, nous dit-il, il y a plus de vingt ans qu'on ne l'a pas vidée ! Toute une partie de ma vie… Je n'y ai plus pensé, voilà tout ; et maintenant elle est, *come se dice ?*, saturée. »

Un ouvrier, ganté jusqu'aux coudes, chaussé d'immenses cuissardes de caoutchouc, descendait précautionneusement dans le puits de ciment pour amorcer la pompe.

« *Alfredo, vai pure !* lança Cesare à l'homme qui semblait partir pour une expédition spéléologique… *Puoi entrarci e metterci le mani senza paura ! Erano delle vere amiche…* »

Puis, se tournant vers nous, il traduisit : « Je lui dis qu'il peut y mettre la main franchement : ceux, celles qui ont chié là étaient des personnes amies…

Il paraissait ému. Fut-ce à cause de son trouble, il poursuivit en italien :

« *Vedi questa merda ? Oltre la mia è quella delle donne che ho amato qui, durante queste estati… Sono gli stronzi dolle mie donne. Non ho rimpianti. È stato davvero magnifico, e anche la loro merda m'era cosi cara[1] !* »

---

1. « Tu vois cette merde ? En plus de la mienne, c'est celle des femmes que j'ai aimées ici, en été, durant tant d'années. Ce sont les déjections de mes femmes. Je n'ai aucun regret. Toutes étaient magnifiques, et je chéris leur caca. »

Comme du pétrole dans les tubulures d'un pipe-line, la merde s'écoulait, fluviale, dans un long tuyau translucide relié à la citerne ventrue d'un camion.

Samuel éclata d'un rire joyeux, presque triomphant. J'observai que Joy, pas plus que moi, ne pouvait détacher son regard du flux coprologique. Mais le plus fasciné de tous restait Cesare… Que mesurait-il donc ainsi, notre Barbe-Bleue ? Le mélange, la fusion ultime, la réconciliation dernière des fèces de celles qu'il avait successivement chéries et qu'il pouvait enfin ne plus dissocier dans sa mémoire ? Ou alors la vertigineuse, quoique si prosaïque, fuite du temps ? Il y aurait eu matière à tout relativiser dans un spectacle qui comportait une aussi fantastique leçon de modestie ! (Ah ! ça, on pouvait le dire ! Nous étions donc si peu de chose !…, etc.) Et pourtant, en lui, je voyais bien que c'était la tendresse qui l'emportait et, ô immense paradoxe : une sorte de fierté… En contemplant, côte à côte, cette synthèse d'une vie : le temps passé, les femmes perdues et tout ce qu'il en restait hélas de palpable, que les bactéries n'avaient pas bouffé, on se laissait gagner par une obscure camaraderie. Et je me surpris à admirer la dignité de cet homme qu'une telle image du réel, loin d'humilier, grandissait.

Il continuait de commenter l'événement dans sa langue, et je ne comprenais pas grand-chose de ce qu'il disait, mais je devinais que, du moindre étron de l'une de celles qui avaient été siennes, il parlait comme si c'était de l'or ; dans sa bouche, le caca se transsubstantiait en métal précieux : il étincelait.

Je n'avais nulle envie d'en rire.

L'étrange noblesse de Cesare dans sa fonction d'éliminateur de déchets attestait que rien de pur ni d'impur n'existait sans une vision qui lui prête sa vertu ou son vice. On pouvait manipuler des œuvres d'art avec un regard sale, qui eût souillé et corrompu tout ce qu'il voyait. Et, aussi bien, pomper de la merde en grand seigneur.

Je me disais, avec presque de l'envie, que c'était de cette façon qu'il fallait aimer.

Et vivre l'imprégnation du Temps, la lumière des femmes – mais aussi l'écoulement de la merde : quand celle-ci cessait, par miracle, d'être vécue comme la dérision de tout le reste, n'était-ce pas qu'on avait bien vécu ?

On devrait aussi pouvoir relater, pensai-je, l'existence d'un homme à partir de ses moindres déchets, de son rebut, et considérer alors ce qu'il en restait. On apprécierait, à cet instant, vraiment ce qu'il valait. Sa dignité survivrait à tout, si toute vulgarité se décèlerait. Et chaque roi, chaque prince ou grand de ce monde devrait être soumis à pareille épreuve.

La vidange de la fosse n'était pas encore terminée que Samuel ressentit un besoin urgent. Cesare l'invita à se soulager au pied d'un buisson. Cela enchanta le petit garçon, qui se promit de raconter l'incident, à la rentrée des classes, à sa meilleure copine.

L'image inaugurale de ce séjour en Italie devait pourtant peser sur celui-ci tout du long et le tirer du côté de la mélancolie. Nous nous montrons d'ailleurs tous trois étrangement casaniers. Nous renonçons, sans même en parler, à nos projets de descendre sur Rome ou de remonter jusqu'à Florence. Nous n'irons pas visiter l'île d'Elbe. Tout au plus nous rendrons-nous, deux ou trois fois, à Argentario. Pour le reste, nous nous prélasserons dans l'enceinte de la propriété. Je répare un vieux vélo qui traîne dans une remise, puis renonce même à l'utiliser. Samuel organise, sous une tente que le vent secoue, des mariages de poupées. Joy écoute le chant d'une bergère qui passe sur la route et me demande si nous assisterons, à cette époque de l'année, à la transhumance d'un troupeau de moutons. Je pense que la bergère, un peu folle, ne garde plus depuis longtemps qu'elle-même... Nous nous intéressons vaguement à la vie de famille de nos voisins : en fin d'après-midi, le fiancé de la fille aînée vient la chercher, la juche en amazone sur la Lambretta et demande au père : « *A che ora la devo accompagnare a casa ?* »

Ainsi passent les jours, tandis que s'abat sur la région une nuée de guêpes, paraît-il sans précédent. Nous devons placer des pièges : des cloches de plastique qu'on remplit de bière sucrée et dotées d'un orifice par où s'exhalent les vapeurs de l'alcool chauffé au soleil. Les insectes, aspirés par ce goulot, se retrouvent captifs de la nasse transparente, aux parois de laquelle ils se heurtent en vain, ne trouvant plus jamais l'issue, s'enivrant alors et s'épuisant jusqu'à tomber dans le liquide où ils se noient. Le spectacle qu'offre leur asphyxie pourrait inspirer une campagne de propagande contre les méfaits de l'alcoolisme. « *Attrazione irresistibile, uscita impossibile* », souligne sans pitié le mode d'emploi de ces machines infernales. Tournoiement panique sous la coupole que frappent les rayons de midi. Les petites prisonnières gravitent autour de l'axe d'un carrousel invisible et titubent en plein vol, parfois se heurtent : les moins fortes, les plus saoules, sont vouées à un naufrage halluciné.

Mais c'est quand tout l'alcool s'est presque évaporé que l'appareil marche à plein rendement. On dirait que c'est l'agonie des insectes englués dans le sirop mordoré de leur agglutinement, au fond de la sphère, qui fascine alors de nouveaux candidats au suicide. Que c'est l'haleine sucrée de leur mort au travail qui attire vers le goulot fatal leurs congénères enchantés par la saveur funèbre. Il faut voir comme les hyménoptères nécrophiles se piétinent les uns les autres, en grésillant, s'escaladent mutuellement, s'utilisent comme porte-avions, dans l'espoir de ne pas être bus par le charnier caramélisé où ils s'enlisent. Désespérément, les guêpes pourfendent de leur dard le thorax de celles qui les étreignent dans l'espoir de s'arracher à cette infernale gadoue. Les moins ivres gagnent quelques secondes de survie en assassinant celles que l'overdose menace.

« Comment peux-tu supporter un tel spectacle ? » questionne Joy, avec un peu d'inquiétude. Et j'observe que c'est pour la première fois, sans doute, qu'elle trahit à mon égard un tel trouble.

« Ne m'as-tu pas dit que Samuel était allergique aux piqûres d'insectes ?

– Oui, mais ne pourrait-on pas imaginer d'autres moyens de parer au danger ? »

Nous nous embarquons alors dans une polémique absurde, d'où il ressort qu'on ne peut faire aux insectes une guerre artisanale, au coup par coup…

« D'accord, mais de là à les asphyxier lentement… »

Il arrive que, par miracle ou par hasard, une guêpe retrouve la sortie du labyrinthe ; on la voit alors chalouper sur le cailloutis et on s'efforce d'imaginer, anthropomorphiquement, son soulagement ou sa gueule de bois ! On hésite entre l'achever tout de suite ou récompenser sa si grande volonté de vivre en l'épargnant…

« Et si, par mégarde, elle pique Samuel dans cet état, ne pourrait-on supposer que le venin qu'elle sécrétera soit encore attisé par l'ivresse ? » Nous finissons par l'écraser pour abréger son agonie…, mais être certains aussi, définitivement, qu'elle ne nuira plus à personne.

On touche au comble de la hideur lorsque, d'aventure, une sauterelle, ou pire, un papillon sphinx s'égare et s'engage dans le piège qui ne lui est pas destiné. (Et quand les papillons s'abandonnent à la parade amoureuse, c'est *par couple*s qu'ils viennent y tomber…) Alors Joy n'y tient plus : elle soulève, à ses risques et périls, le couvercle de la nasse et libère d'un coup tous les insectes encore survivants. Elle a bien de la chance si une escouade de guêpes enragées ne lui saute pas au visage ! Malgré moi, je me demande : En ferait-elle autant pour moi ? Celle qui sauve le moindre papillon assurera-t-elle ma propre sauvegarde ? On formule de ces questions, quelquefois.

Ensuite vinrent les souris, les mulots, peut-être des rats. Sans doute investissaient-ils le grenier en vue de l'hibernation. Mon Dieu, serait-ce, déjà, la fin de l'été ? Mais non…

« Je me doutais qu'il devait y avoir des rongeurs, commenta Joy : ils se sont même attaqués à des segments entiers du fil du téléphone… »

Elle paraissait désemparée. Peut-être pensait-elle : « Dommage ! Ce sont les premières vacances que nous passons ensemble : pourquoi faut-il que toutes ces bestioles nous les abîment ? » Mais elle n'exprima rien de pareil.

On ne dresse jamais de bestiaire menaçant qu'à l'image emblématique de ce qu'on est occupé à vivre. Je ne voulus pas laisser la bride un jour de trop à nos états d'âme : je plaçai partout, dans des soucoupes, des appâts contenant du Coumatêtralyl, de nature à provoquer « *una emorragia interna, mortale in tutti i raditori*[2] ». Ils présentaient en outre l'avantage d'amener les bêtes qui les avaient ingérés à « *morire lontano dai luoghi di sterminio*[3] ». Au moins Joy n'aurait-elle pas à subir la vue de leur implosion. « *La morte dei topi o dei surmolotti appariva poco a poco, e sembrave cosi naturale che non suscitava nessuna diffidenza nei loro simili*[4]. »

J'admirai que les stratèges qui avaient conçu cette arme chimique affichent aussi volontiers leur cynisme : sans doute présumaient-ils que leurs clients, exaspérés par les tumultueux ébats des intempestifs muridés, n'auraient de plaisir à les exterminer qu'en n'éveillant pas leur inquiétude ?

Plus j'organisais ainsi la défense du fortin où nous étions censés passer un séjour harmonieux, plus je sentais croître chez

---

2. Une hémorragie interne, mortelle chez tous les rongeurs.
3. Mourir à l'écart du lieu d'appâtage.
4. La mort des taupes et des surmolots apparaissait progressivement et semblait quasi naturelle, si bien qu'elle n'éveillait aucune méfiance chez leur congénères.

Joy une anxiété confuse et comme le soupçon informulé qu'elle voyait un tueur, sous ses yeux, dévoiler sa vraie nature…

Pourtant, elle put aussi m'observer écoutant avec une oreille de Sioux pacifié les échos d'une manducation, par un ver à bois, de la table sur laquelle nous déposions du matin au soir les viandes, les légumes, les fruits que nous savourions ; sans se lasser, il grignotait le réceptacle de nos modestes victuailles. Je me prenais à rêver qu'un jour ou l'autre la tablette, évidée de l'intérieur, se fendrait en deux, entre les tréteaux qui la supportaient, entraînant dans sa chute plateaux, casseroles, poêles et couverts en un nuage de sciure légère, vaporeuse… Je me figurais omnivores les mandibules carnassières, et je prenais la mesure de ma contradiction devant elles, je n'aurais pas lutté, je n'aurais interposé nul piège ; non : je me serais plutôt résigné… Le travail du ver apparaissait-il, à long terme, moins destructeur que celui des souris et des frelons ? Sa douce ténacité, pourquoi inspirait-elle donc moins de crainte ? N'était-elle pas plus redoutable, de sembler aussi têtue qu'inoffensive ? Le ver travaillait, je m'en étais avisé, jour et nuit : rien n'interrompait le labeur de sa minuscule scie. Pourquoi son activité me rassurait-elle plutôt ? Et m'inspirait un respect tout au plus chargé d'un peu de vague à l'âme ? Ô Temps, femmes, insectes au boulot, merdes mêlées : que d'émotions ! Comment y voir clair ?

Un soir, le grillon a investi le grenier. Il nous a, dans un premier temps, gâché le concert du dimanche retransmis par la RAI : une *Tosca* en décors romains naturels. Mais, par compensation, il couvrait presque les échos de l'orchestre musette crétin qui s'en donnait à sans-cœur-joie dans le camping proche.

Je me suis demandé avec angoisse combien de temps cette bête dérisoire nous imposerait son pépiement inutile, son grelot de flic des graminées, ses inémouvants appels en morse ? De quelle espérance de vie bénéficiait cette importune autant qu'insignifiante créature ? Dormait-elle au moins le jour ? L'orage proche mettrait-il heureusement fin à son discours débile ? Sa voix de crécelle allait-elle bientôt s'user ? Ou bien devrions-nous nous y habituer ? Nous abrutir, peut-être, à son contact ? Le lendemain, j'ai fait du feu – en plein midi, par 35° à l'ombre –, dans l'espoir que la fumée dégagée par les branches d'olivier l'étouffe durant la sieste. Peine perdue ; le soir tombé, elle remettait ça.

À l'aube, j'ai ouvert tout grands les volets pour que le vacarme du dehors noie aussitôt la menue cacophonie qui sévissait à l'intérieur du bastidon.

Et puis... Et puis, c'est ainsi : on ne sait jamais ce qu'on veut... Au bout de trois ou quatre jours, de trois ou quatre nuits, le grillon m'a paru s'affaiblir, se réfugier dans un coin du grenier, d'où sa voix – mais pouvait-on même parler d'une voix pour désigner ce minimal appel d'élytres diaphanes, ce froissement d'ailes blessées ? – est devenue timide : il fallait y prêter volontairement attention pour l'entendre encore ; au moment même où nous allions le traquer, il a commencé de s'évanouir. Il n'aura pas pris le temps de nous horripiler vraiment que, déjà, il se mettait à nous manquer. Sa fin était-elle proche ? Nous ne savions pas. Nous ne pensions plus qu'à nous. À la fin de quelque chose entre nous : Joy, Samuel et moi. Et à notre histoire.

Et puis il nous parut – mais ce n'était sans doute vraiment là qu'une impression – qu'on préparait déjà les chiens pour la chasse. On les affamait : leurs aboiements de molosses délibérément encolérés faisaient blêmir les nuits, les raccourcissaient. Pour sûr, à l'ouverture, lorsqu'on les lâcherait dans les espaces gardés, ils iraient planter leurs crocs avides jusque dans l'écorce des arbres.

Joy, devenue insomniaque, déclara une nuit : « On se croirait dans un camp de concentration... » Elle avait beau dramatiser la situation de façon presque bouffonne, j'en eus froid dans le dos ; or il n'y avait tout de même là que nos vacances qui faisaient, au cœur d'un zoo, doucement naufrage : la curée ne s'adressait évidemment pas à nous, on ne lâchait pas les limiers sur nos traces… Pour une fois, Joy perdait son sang-froid. Où cela nous mènerai-il ?

Dans l'allée, nous vîmes, un matin, surgir deux clébards porteurs de colliers à clochettes. Et si la mort épousait cette apparence ? me demandai-je en les chassant. Cela tournait à l'aigre.

Même Samuel n'inventait plus de jeux ; n'écrivait plus la première phrase d'autant de romans futurs ; ne réfléchissait plus sur ce qu'il raconterait, au retour des vacances, à sa meilleure copine.

Nous fûmes encore invités par les voisins de Cesare à l'occasion du vingtième anniversaire de la fille aînée. Le fiancé, ce soir-là, ne demanda pas à quelle heure il devait la ramener à la maison. Même cela nous parut triste. Pour nous faire plaisir, on passa sur le tournedisque des chansons françaises : *Qu'est-ce qu'on attend pour faire la fête ?* et *Le lac Majeur.*

Nous eûmes droit à un feu d'artifice à Argentario. Il me sembla que Samuel ne s'intéressait plus à rien – c'est-à-dire qu'il ne me posait plus de questions ; j'en fus dépité comme si sa mère même me délaissait. Quand nous parlions de lui en sa présence – de son père, de ses tourments, de son avenir –, nous le faisions, sa mère et moi, en anglais pour qu'il ne nous comprenne pas ; il devinait cependant intuitivement l'objet de nos conciliabules et finissait par se retourner vers nous avec un regard chargé de rancune.

Le jour vint où l'eau ne coula plus des robinets. Joy ne put pas prendre de douche.

« La nappe aquifère doit être épuisée… », assurai-je à tout hasard.

Nous dûmes aller au village pour remplir des jerricanes de plastique à la fontaine.

Joy me prévint que, comme convenu, elle devrait rentrer deux ou trois jours avant la fin du mois pour mettre la dernière main à un programme de conférences sur *La Sicile, une île en quête d'auteur* ; elle m'en rappela le programme, qui me laissa tout rêveur : « De la Grèce à Frédéric II, en passant par Rome et la Normandie », « Après le chaos », « La grâce d'Empédocle », « Conversations à Taormina et Syracuse », « L'art et le crime », « Professeurs et sirènes », « Catacombes et lumières », « Impressions de l'hôtel Trinacria, à Palerme », « La couleur de la pieuvre », « Le pénitencier des femmes »... Je pensai, mais un peu tard, que nous aurions mieux fait de descendre sur Messine ou Cefalu que de nous arrêter au nord de Rome ; que c'était bien moi, de faire les choses à moitié – et bien Joy, de ne pas me le faire remarquer à temps. Elle me pressa de ne pas me préoccuper outre mesure : que ce n'avaient pas été, certes, des vacances très réussies, mais que nous en connaîtrions d'autres... Je ne lui fis pas observer qu'il n'y en avait, à ce jour, pas eu de précédentes. Je lui dis que j'entendais, quant à moi, aller jusqu'au bout du séjour.

Après le départ en train de la mère et de l'enfant, je me préparai toutefois à les suivre de près, mais par étapes. Je lavai les pièges à guêpes à grandes eaux : l'ethnie entière paraissait génocidée. La table de jardin fut parquée dans la remise : il ne demeura que deux tréteaux face aux chaises d'extérieur. J'écrivis des cartes postales à tous les amis que j'avais, jusque-là, négligés. Un soir, j'entendis un renard se plaindre dans la pâture d'à côté. L'odyssée du bestiaire suivait son cours.

Je repensai à Cesare, à ses femmes successives, non pas évaporées, parties en fumée, mais écoulées en fluide excrémentiel ; je songeai au langage qu'avait tenu à leur sujet l'hôte de ce lieu, comme s'il avait affirmé : « Ce sont les meilleures qui s'en vont... » Je me demandai si cet ogre bienveillant n'était pas

475

mon plus précieux ami, ou tout au moins l'incomparable compagnon de ma vie ?

Étendu, la veille de mon départ, à même la caillasse chaude qui ceinturait la villa, je me sentis entouré de bienveillants fantômes féminins ; je m'efforçai de percevoir leurs gémissements, leurs cris d'amours, leurs tendres reproches, leurs sourdes clameurs, comme si les murs de la demeure les avaient retenus en eux avec la tiédeur des étés d'autrefois. Je me dis encore que si j'avais su plus tôt comme était doux et hospitalier ce cailloutis (pourtant chauffé à blanc sur l'heure de midi), je me serais étendu là plus souvent... Pour attendre quoi ? Je n'éprouvais la nostalgie que de ce qui n'était pas advenu.

Quand je m'installai au volant de ma voiture, le dimanche 1er août 1993 – décidé à remonter sur Florence et, de là, à regagner Bruxelles sans plus m'attarder davantage –, la radio de bord annonça, dans un bulletin d'information : « *Questa notte è morto in Spagna il Re del Belgio.* »

Joy, me dis-je, quelles drôles de vacances nous venons donc de vivre ! Commencées dans le purin des femmes, bercées par la musique des bêtes, elles finissaient dans la poussière des rois.

« Eh bien, cher ami ? que pensez-vous de ça ? m'interpelle de loin Max Bonboire alors que j'entre à l'agence. Sans la crainte de vous offusquer, je dirais volontiers que ce décès tombe à pic ! Et remarquez la politesse de ce roi-ci : il a su attendre, pour mourir, la fin de vos vacances... Bien sûr, vous allez *tout couvrir* pour le journal : hommage populaire, funérailles, investiture du nouveau souverain..., vous noircirez autant de feuillets que bon vous semblera. On pourrait envisager deux numéros spéciaux, je pense, peut-être trois ; les lecteurs se les arracheront. Ah ! je le leur ai dit tantôt, à la rédaction : "Pour une fois que nous tenons un spécialiste du Gotha, on ne va pas se priver !" Cela risque d'être, si j'ose ainsi m'exprimer, le couronnement de votre carrière : vous qui aviez des états d'âme, qui passiez par une crise de doute (pour reprendre votre dernière formule en date !), voici que l'Histoire vous apporte la solution sur un plateau d'argent... Autre chose : j'ai obtenu pour vous un laissez-passer – enfin, je ne sais pas comment ils appellent ça : une carte d'accréditation, peut-être ? – pour assister à l'office religieux à Sainte-Gudule ; nous avons de la chance, car les places sont chères ! »

Son enthousiasme fait plaisir à voir. Comment lui expliquerais-je que je ne le partage en aucune façon ? Et pourquoi lui avouerais-je que, naturellement, on ne m'y verra pas, à Sainte-Gudule ? que je suivrai la cérémonie à la télé, ce qui me permettra d'ailleurs de n'en perdre pas un détail ? Il serait si déçu ! Il apprécierait tant que « son expert » figurât sur le théâtre des opérations !

Lui laisserais-je mesurer l'ampleur du malentendu ? Il ne comprendrait jamais, décidément, que je n'étais l'homme que d'un seul roi, qu'il fût bon ou mauvais, respectable ou incompétent, viril ou faible, ou même nullement à la hauteur de sa tâche – que cela suffisait amplement pour une seule vie et ne faisait pas de moi un spécialiste ès dynastie... Trop compliqué à saisir ! De quelle manière eussé-je pu faire entendre à Max *que cette mort-ci était de trop* ? Qu'il y avait saturation ? Écœuré, que j'étais, par les sucs du deuil royal ! Vous parlez d'un festin funéraire ! Gueule de bois, ou de plomb, assurée... Je n'étais ni Bossuet, ni Saint-Simon, n'est-ce pas ? : il ne fallait pas trop m'en demander.

Et puis je me disais, mauvais perdant, qu'avec tout ça, Léo, lui, allait encore reculer d'un rang ; que la mort d'un fils irréprochable achèverait de le disqualifier. Et d'abord, je voyais les documents (l'iconographie que j'avais, depuis des mois, pris tant de peine à exhumer) soudain rassemblés dans des albums d'hommage bricolés à la hâte : ils me doublaient au poteau. Je reconsidérais, pour la énième fois, les photos de famille sur lesquelles mes yeux s'étaient fatigués ; j'étais frappé par le répétitif rituel qui présidait à tous les règnes ; et, cette fois, seule sa carnavalesque vacuité me surprenait encore.

Je pouvais comprendre, à la limite, la ferveur civique de ces milliers de zélateurs qui, par cohortes, allaient déposer des gerbes sur les escaliers et les pelouses du château de Laeken ou accrocher des messages aux grilles du palais de Bruxelles « Il n'est plus… Non, ce n'est pas possible ! » déclarait l'un, interviewé à chaud, dans la rue ; « Moi, je ne veux pas voir le Roi mort… », gémissait un enfant ; « C'était un saint ! » s'écriait une vieille dame… Pour ceux-ci, le spectacle était neuf, l'événement sans précédent : ils étaient vierges. J'enviais leur infatigable chagrin de néophytes ; moi qui avais si longtemps planché sur tant de solennelles obsèques, je restais l'œil sec et ma langue ne lapait que de la cendre ; je les jalousais en vain.

Afin de retrouver un peu d'émotion, je pris intérêt aux maux qui avaient taraudé l'ultime défunt : les nomenclatures médicales m'ont toujours fait tressaillir, sinon bouleversé. Ah ! ce cancer naissant de la prostate, traité par un professeur de Baltimore ! cette ablation salutaire ! et cette plastie, pour combattre la maladie dite de Barlow ! cette adroite réparation des cordages cardiaques qui permettaient à la valvule nitrale de s'ouvrir, de se refermer ! Petit miracle de la microchirurgie post-moderne, opération réussie à cœur ouvert… Entretemps, n'oublions pas la sciatique provoquée par une malencontreuse hernie discale, et cette si tourmentante dorsalgie rhumatismale… Ni l'arythmie cardiaque, ni l'érosion des bronches, ni les douleurs lombaires n'avaient dû, ces dernières années, laisser un seul instant le monarque en repos. Les souffrances du corps n'avaient-elles pas été – allait insinuer le prélat dans son homélie – les plus fidèles compagnes qu'eut à connaître, hormis la Reine, le locataire d'un règne bien long, si la vie de l'homme fut somme toute assez courte ? Et puis cette stérilité du couple royal, qu'il avait si mal vécue (au point que le monarque, fidèle à ses principes, abdiqua durant quelques heures pour n'avoir pas à cautionner une loi dépénalisant l'avortement), c'était douleur encore ; et seuls quelques chansonniers ou des caricaturistes s'en divertirent, par déformation professionnelle : la chose était facile, peut-être un peu vulgaire, à la portée du premier amuseur venu. Mais là, soudain, je n'avais plus envie de rire ; et même : je m'y retrouvais.

Quand les corps souffrent, on se fout éperdument que, d'aventure, ils soient rois : c'est la souffrance qui règne en définitive, sans partage ni discussion.

Tiens ! Cette abdication de quelques heures de qui aurait été mis « dans l'impossibilité de régner », cette objection de conscience qu'avait invoquée le monarque pour n'avoir pas à cosigner une loi qui le heurtait pour des raisons éthiques, parlons-en un instant puisqu'elle fit se gausser ceux que la démocratie baroque de notre patrie surprendra toujours… Il ne se voyait pas cautionnant la suppression des fœtus… La personne qui m'avoua le mieux entendre son point de vue fut le sénateur socialiste auteur de la proposition de loi : au cours d'une réunion de routine des Corps constitués, le souverain s'était ouvert à lui de ses scrupules (bien sûr, aucun des deux ne convainquit l'autre mais ils se respectèrent profondément). Un point du monde où le droit à la vie, le droit à la mort sont pareillement pris en compte, s'il disparaissait, quoi qu'on eût dit, il faudrait tout de même le réinventer !

On tient le téléspectateur en haleine en rappelant quelques étapes de la carrière du disparu. Sa tristesse initiale devant le poids de la tâche à accomplir (n'avait-il pas été tenté d'entrer dans un ordre monastique ?). Et puis, la façon dont il s'était – encore timidement – déridé à l'occasion du premier voyage en Afrique. Alternance, ensuite, des joyeuses entrées dans les villes et des visites aux sinistrés lors des grandes catastrophes nationales. Il arpente les provinces. Là, il adresse, l'air penché, un salut hésitant à la foule ; ici, il traverse, botté, les rues inondées : il offre sa veste imperméable à une vieille dame « qui a tout perdu »… Il serre les mains des veuves de mineurs ensevelis, il donne l'accolade à un éboueur en larmes, à un navetteur du métropolitain, à une femme immigrée, à un jeune chômeur, tandis que son épouse embrasse un sidéen, une prostituée d'Anvers (j'y songe : cela aurait pu, aussi bien, être ma grand-tante de Djakarta !).

Il ne néglige pas de s'instruire : il inaugure le cyclotron de Louvain, il s'intéresse aux grands principes de l'astronomie ; ou de se distraire : il joue au golf et son *drive* est célèbre, il monte dans des voitures prototypes. (Ici, on aurait pu le voir croiser, sur une route déserte, un petit garçon à bicyclette…)

On le voit d'abord porter des lunettes, puis les abandonner pour des lentilles de contact, puis retourner aux lunettes d'origine. Avec toujours ce même air penché. Ainsi va sa vie. Et tout se conclut par un dernier discours à la Nation, quelques jours à peine avant sa mort en Espagne : sur fond de tournesols, il lit son texte – exaltation du sentiment familial, encouragements à la jeunesse, appel à l'unité du pays, dénonciation de la traite des femmes – avec le ton qu'adopterait un vieux scout fatigué.

Et déjà partout en ville, et au cœur de la Grand-Place, on dresse des écrans géants où la foule viendra suivre le feuilleton du funèbre cérémonial, et parfois se contempler elle-même comme en d'immenses miroirs.

Dans leurs commentaires, les gens de la télévision vantent sans attendre leurs propres mérites et les vertus de la technologie, car ce doit bien constituer une performance que de présenter à un peuple l'image de ce peuple lui-même descendu dans la rue, et d'attiser son émotion en reflétant son émotion même… Comme ici on ne résume plus rien mais qu'on respecte le temps réel de l'action, chaque reportage adopte le rythme lent, infiniment étiré, d'un cortège sans fin, l'allure évanescente et somnambulique d'un commentaire banal à crier, entrecoupé de longs silences. Sur une chaîne française, on a fait appel aux services d'un illustre et pompeux croque-mort, à la silhouette éléphantesque : il en a déjà enterré tant, des grands de ce monde ! Lui-même ne peut plus les compter ; il n'en revient pas... Que la fête commence !

Deux jours durant, la population est conviée à saluer la dépouille du défunt, exposée au Palais dans le Salon du Penseur. Il repose là, les mains croisées, recouvert d'un voile. La foule grossit tellement d'heure en heure que, pour ne pas risquer l'émeute, on décide de ne refermer les grilles qu'à 4 heures du matin. Et malgré cela, beaucoup s'en retourneront bredouilles après avoir, souvent sous la pluie, attendu plus de dix heures consécutives cette confrontation mystérieuse avec un homme qu'ils n'auraient jamais approché de son vivant, et n'auraient d'ailleurs contemplé pour la première et ultime fois qu'embaumé au fond d'une caisse, fût-elle taillée dans le bois le plus précieux... Qu'espéraient-ils de ce rendez-vous de quelques secondes avec le gisant ? Rien, hormis d'avoir été là, pour faire nombre, et d'avoir ensuite signé un registre pareil à celui où les vedettes de music-hall déposent leur autographe dans les restaurants à la mode...

On va prétendre qu'il a défilé ainsi sept mille visiteurs par heure, mais on peut croire que ceux qui les ont comptés ont cédé à un accès de mégalomanie. Cela aussi faisait partie de l'ivresse du moment. (Ah ! ce n'est pas mon Léo qui aurait eu droit à une telle orgie de chagrin.)

Des secouristes en uniforme et dotés de brassards marqués d'une croix rouge ceinturaient la place des Palais comme au lendemain d'un bombardement. C'est que, ivres de fatigue ou saturés par l'émotion, des vieillards, des femmes, de jeunes enfants pivotaient soudain sur eux-mêmes, pris de vertige, et tombaient en syncope.

Un malaise par minute ! D'abyssales chutes de tension ! Quelques présomptions d'infarctus ! Tous les hôpitaux en état d'alerte ! Appel aux pompiers ! Des évacuations en pagaille ! Ah ! le spectacle était dans la salle !...

Sur quoi s'évanouissaient-ils ? Peut-être l'abîme, visible d'eux seuls, qu'ils voyaient soudain s'ouvrir devant eux, comme si dans leur esprit le Roi seul avait empêché la fracture d'un pays prêt, à tout moment, à se rompre tel un paquebot sur un éperon de glace. Dans leurs éditoriaux, les rédacteurs en chef parlèrent d'un « séisme affectif ». Hystérie collective ? Régression populacière ? Pourquoi pas ! Mais aussi volonté de jeter ensemble un pont humain au-dessus d'un vide qu'on présumait sans pouvoir le situer.

Les plus exaltés, devenus poètes en une seule nuit, adressèrent des laisses et des quatrains à toutes les feuilles imprimées.

Aujourd'hui dans toutes les demeures / Des hommes et des femmes pleurent, écrit Corinne, de Wezembeek-Oppem, *Car dans leur cœur / S'est installé le malheur. / Notre Roi est mort. / C'était un homme de valeur / Un Roi de Cœur, / Qui nous donnait de la chaleur, / De l'espoir et du bonheur.*

Au sein du grand château, le temps s'est arrêté, lui répond C. D., à Orcq. *L'oiseau ne chante plus, et muet sur son arbre, / Contemple d'un œil rond cette tranquillité / Quand se taisent les ors, les couloirs et le marbre./ Plus jamais les sapins n'écouteront Vos pas / Dans le parc du bonheur, eux dont la haute branche, / Sous le câlin zéphyr, pour Vous s'inclinait bas / Quand, pour la Reine aimée, Vous cueilliez un' pervenche.*

Et René D., de Bruxelles, se console : *Sachez, quand Vous serez dans le ciel constellé, / Que, dans Votre pays, Vos enfants esseulés / Conserveront encor' longtemps dans leur mémoire / Ce que fut Votre actif en entrant dans l'Histoire.*

La ville entière paraît fermée comme un grand magasin. On a bouchonné les chevaux d'apparat, ravalé quelques façades, fait blinquer les cuivres, moucheté de crêpe noir sabres et lances, dispersé sur les toits des membres de la brigade antiterroriste, dessiné des itinéraires spéciaux pour les handicapés. Prévu des trains supplémentaires au départ de la province.

Mais plusieurs rouleront à vide, tant sont nombreux les gens qui ont afflué la veille, déjà, pour dormir dans des sacs de couchage au parc de Bruxelles ou sur le parvis de Sainte-Gudule. Beaucoup cependant sont arrivés encore à midi, le frigo-box en bandoulière.

Il paraît que les fabriquants de drapeaux nationaux sont en rupture de stock – et pourtant ils ont travaillé de nuit : malgré cela, ils ne peuvent répondre à toutes les demandes.

La Foire du Midi n'ouvrira pas ses portes. Des dizaines de mariages ont été annulés à la dernière minute et reportés à plus tard. Il y en a pourtant un qu'on célèbre à l'Hôtel de Ville ; les protagonistes de la noce ont l'air un peu gênés ; les passants les considèrent avec réprobation. Un joueur de cornemuse arrive à son tour, mais lui, on le regarde avec sympathie : il annonce qu'il va jouer en l'honneur du Roi.

On voit même des amoureux à une terrasse qui ne regardent qu'eux-mêmes, indifférents à tout le reste.

Quand j'ai pris le reportage en route, j'ai compris que je n'aurais jamais la patience de ie suivre en direct ; j'ai placé une cassette vidéo dans le magnétoscope et je suis allé me promener : pour une fois que la plupart des rues de Bruxelles étaient vides !

Au loin, le son du tambour. Les vingt et un coups de canon, tirés à raison d'un par minute sur l'esplanade du Cinquantenaire. Et le glas, bientôt, rebondissant par ricochets d'un clocher d'église à un autre.

Je ne m'étais pas planté devant le petit écran. Je ne marchais pas non plus à la rencontre du défilé. Funérailles buissonnières. J'avais sauté le mur. Si Max me voyait ! J'avais déambulé long-temps. Je pensais à ma vie, à quoi je l'avais, je ne l'avais pas consacrée. Je pensais à Joy, au petit Samuel. À ma mère. Si ma mère me voyait ! Si Dieu me voyait !

J'étais en deuil quand même, à ma façon. En chacun de nous meurt aussi, et renaît parfois, un roi tous les jours. Une fillette sautait à la corde sur un trottoir, même pas surprise que la cité lui appartînt ; elle fut presque effrayée en m'apercevant : elle s'habituait déjà à ce que la cité fût désertée. Je me dis que ma vieillesse ressemblerait à son enfance. Et même, je me le souhaitai.

Je pouvais, à présent, rentrer chez Joy et me rincer l'œil en différé, avec un passé récent encore chaud.

Arrêts sur image. Accélérations. Retours en arrière. Ma méthode était la bonne. Il n'y eut que les temps vraiment morts de la cérémonie que je voulus voir sans en perdre une seconde : ainsi surtout, l'attente interminable de la levée du corps par des sous-officiers du service médical marchant à petits pas, et débouchant enfin, par l'entrée du péristyle, sur l'esplanade qui reflétait, telle une nappe de papier mica, un soleil nimbé de brume, tandis que s'apprêtaient à retentir les accents de l'hymne national dans sa version funèbre, alanguie, comme prise d'une légère nausée.

Je me souviens – au moment même où cela se passait, je m'en souvenais déjà – de cette attente, oui, alors que les reporters, un homme et une femme se relayant, sans doute désespérés, ne trouvaient plus rien à dire : ils avaient lu lentement la liste des personnalités présentes, de l'Empereur du Japon au légat personnel du Pape, en passant par le Prince de Monaco, le Prince Héritier du Népal, un cheik membre de la cour de l'Émirat du Koweït, les Présidents croate, bosniaque et slovène, le Capitaine Régent de Saint-Marin, et tant d'autres ; ils s'étaient attardés comme ils pouvaient sur les détails et les arcanes du protocole, et la prime à l'ancienneté qui départageait *in fine*, dans le désordre, les chefs d'État, mais enfin le sujet n'était pas inépuisable ; ils avaient aussi énuméré les œuvres qu'on entendrait à la Collégiale : extraits de *La Passion selon saint Matthieu*, de Bach, du *Stabat Mater* de Pergolèse, un *Pater Noster* de Rimsky-Korsakov, deux *Anthems pour les funérailles de la Reine Mary*, de Purcell, un Sanctus extrait de la *Missa super osculatur me* de Roland de Lassus, etc., etc. ; cela permettait tout de même de gagner du temps – *et le corps n'arrivait pas.*

Alors, *dans les blancs de l'action*, on ne percevait plus que la nervosité des destriers forcés à l'immobilité par des cavaliers surmontés de shakos à plumets ; leur besoin de se désengourdir les jarrets : on n'entendait plus que le clapotis des sabots martelant le pavé sourd. Parfois un hennissement vite réprimé. J'aurais voulu que cette séquence, et surtout la bande-son qui la soutenait, durassent toujours. Ici la mort parlait, et pas seulement celle d'un roi, car elle s'exprimait dans sa propre langue – ne laissant à nuls commentateurs le soin de prendre la parole à sa place. (On eût pu croire qu'à bout de commentaires ils avaient abandonné le micro pour aller boire un coup au café du coin. Il n'y avait plus que ces chevaux qui encensaient.)

Mais il faut bien émerger de ce rêve plus vrai que la réalité : voilà, le lourd catafalque est déposé sur un affût de canon ; le temps pour la Reine d'Espagne d'expliquer, en gros plan, à l'Empereur nippon, hilare et ahuri, de quoi il retourne, et le cortège s'ébranle. Des avions de la Force aérienne découpent le ciel en lanières aux couleurs nationales, mais celles-ci rapidement se mélangent et culminent dans une glauque synthèse. Un blindé léger, au groin patibulaire, ouvre la marche, tractant le sarcophage ; de sa coupole émerge le visage casqué du chauffeur, comme décollé, déposé sur un plateau. Des magistrats, aussi bariolés que des rois nègres, tiennent les cordons du poêle ; l'un d'eux porte des lunettes solaires. La Reine est vêtue de blanc, couleur de l'espérance, de la Résurrection, de l'Eucharistie, comme pour mieux rejeter dans de ténébreuses oubliettes les membres du Gouvernement, habillés tels des clercs de notaires et tirant des tronches pas possibles. Il y a aussi, bien entendu, du violet qui traîne çà et là, couleur de l'ombre et de l'abîme : délicatesse d'un deuil religieux discrètement affiché, subtilité d'une douleur officiellement *catholique*… Les souverains papotent entre eux avec une convivialité d'affables collègues : Moubarak glisse une confidence à l'Impératrice Michiko-Zoom à propos des délégations les plus colorées, les plus exotiques, qui tranchent agréablement sur la grisaille des dignitaires locaux. On dirait un bal masqué où personne ne se déciderait à danser. Grondement ombrageux des moteurs Diesel. Chuintement des chenillettes. Remous des acclamations derrière les haies d'honneur. (L'émission sera retransmise jusqu'en Afrique, aux États-Unis, en Amérique latine et à Hong-Kong. Est-ce possible ? ai-je bien entendu ? pourquoi Hong-Kong ?…) Allez ! On peut donner un coup d'accélérateur sur l'arrivée à la Collégiale ; tant pis si on fait gravir à toute allure – comme dans un film d'actualités du temps du muet –, et presque à quatre pattes, les degrés du parvis à ces émirs, à ces grands-ducs, à ces princes héritiers, à ce président maltais, à ce commissaire européen, selon l'ordre des préséances : par saccades, ils s'engouffrent à l'intérieur de Sainte-Gudule avec tant de brusquerie qu'on a l'impression que, pour un rien, ils se bousculeraient, échangeraient des horions, perdraient toute dignité.

Vaclav Havel, Lech Walesa n'ont pas l'air à l'aise, surpris dans un rôle à contre-emploi. Mitterrand semble songer à sa propre mort : il ne pense qu'à lui, on dirait que les termes de l'homélie l'agacent… « Il y a des rois qui sont plus que des rois… Ils ne se contentent pas de régner, ils se dévouent jusqu'à donner leur propre vie… C'était un juste… Il aimait… Heureux le peuple de ce Roi-Berger… De cet intercesseur… Nous venons de vivre une semaine qui nous a rendus meilleurs… Baudouin était un homme consumé par le feu de sa propre charité… Il nous a quittés seul et subrepticement… », etc., etc. Et ce recours au mot « cœur », qui revient sans cesse ! Ce même « cœur » qui avait pourtant défailli. Trahi celui qui en avait tant fait usage.

Mais aussi, me suis-je moi-même demandé, que voulait-il dire, le primat de Belgique, lorsqu'il annonça, cinq minutes plus tard, que « cet homme avait un secret » et que, lorsque celui-ci serait un jour dévoilé, « la révélation frapperait tout le monde de stupeur » ? « Le secret de son règne était son cœur. » Le cœur, encore une fois. Ce cœur ubiquitaire, mais fragile, finalement épuisé.

Ce cœur dont des témoins de la société civile attestent l'existence – comme s'il fallait la vérifier : des chanteurs ; un médecin des malades atteints du Sida ; une putain née sur le trottoir à Manille, et qui pleure, n'arrive pas à parler, et dont on ne distinguera jamais le visage.

Je me demande pourtant si elle n'est pas, de toute la cérémonie, la seule dont je me souviendrai, puisque en fait elle n'y avait pas vraiment sa place. Ne l'a-t-on pas introduite ici par erreur, par effraction ? Si j'avais un peu d'aplomb, je ne parlerais que d'elle dans mon article – article que Bonboire s'empresserait alors de jeter au panier : « Vous êtes complètement cinglé, cher : le goût du paradoxe vous perdra… »

Mais j'ajouterais tout de même quelques mots sur la communion, administrée par seize évêques. (On a mis les petits plats dans les grands.) Car je m'avise soudain que les hosties sont brunâtres, qu'on ne distribue que du pain levé…

Nouvelle accélération. Rotation du sarcophage. Le Roi quitte la Collégiale les pieds par-devant. Une escorte motorisée l'emporte à une allure endiablée vers Notre-Dame de Laeken, pour les absoutes. Il y a en effet un nouveau service, comme si tous ceux qui sont là n'arrivaient plus à se séparer, comme si le défunt ne voulait pas prendre congé, comme si le catafalque devait faire le tour de la ville, et qu'à une messe ne pouvait succéder qu'une autre messe encore, mais plus triste. On traverse des quartiers populaires. Sur les trottoirs se sont massés surtout des immigrés, et beaucoup de femmes voilées. Des gamins rieurs courent derrière les barrières Nadar pour rester à hauteur de la voiture de la Reine ; ils brandissent des drapelets belges et turcs ou marocains ; certains portent des T-shirts à l'emblème du monarque ; de *leur* monarque d'ici : privilège d'exil…

Accélération finale. Aspiration de la dépouille au fond de la crypte. Vingt et un coups de canon, encore une fois. Désormais, c'est bien fini. Ouf, on y est arrivé !

Au terme des cérémonies, l'Empereur du Japon remerciera poliment la Police judiciaire belge d'avoir si bien assuré sa sécurité.

Qu'est-ce que j'allais pouvoir faire de tout ça pour ce sacré Max ? Oui, qu'est-ce que j'allais parvenir à extraire de ces images que des millions de gens, dans plusieurs pays, auraient mâchées de tous leurs yeux avec moi ? Afin qu'il ne me dise pas, comme ce n'était hélas que trop prévisible : « Vous avez troussé là le compte rendu de n'importe qui, vraiment de monsieur Tout-le-monde ! Pas l'ombre d'une impression personnelle…, pas une seule anecdote percutante… ; un tissu de lieux communs édifiants… Ah ça ! mon vieux, vous avez perdu la main, vous n'étiez pas plein – et ça se remarque – de votre sujet ! »

Comment sauverais-je la mise ? Il y avait la putain. Une putain, Max, qui n'a même pas parlé : on a dû lire son texte à sa place tant elle était émue, brisée. J'étais content pour Baudouin qu'il se fût fait, sur le tard, une semblable copine. Ça décoiffait… Votre Roi, je vais vous dire, Max, c'était un *loozer*, mais qui à la fin gagnait toujours. Le contraire de son père, en somme. Il aurait dû être parfaitement kitsch, et traverser à la nage un océan de conformisme… Eh bien, non ! à cause d'une sorte d'austérité naturelle, il n'était que magnifiquement anachronique !

Déjà on prenait du recul. Aux larmoyants versificateurs d'un jour et de la première heure répondaient à présent, à longueur de colonnes dans les quotidiens, des sociologues chevronnés, des anthropologues avertis. Compétents et charmants prédateurs. Ultimes tireurs de leçons. C'était de bonne guerre.

L'un observait avec raison que, dans les grandes circonstances, une société éprouve le besoin de se rassembler autour d'une figure symbolique, puisant ses ressources dans une sorte de religiosité, et surtout lorsque, cette figure étant pétrifiée dans la mort, son principe de légitimité n'est plus remis en question.

À force de se déchirer, de se fragmenter, de se séparer de soi-même en recourant à des procédures d'une extrême sophistication, et en prétendant encore le faire en vertu d'un consentement mutuel qui marinait dans la haine réciproque, l'État, la Nation, le pays, quel que soit le nom qu'on donnait encore à tout cela, s'était enfoncé dans une brume opaque et l'embrouillamini institutionnel. Alors, le Roi... Voilà au moins qui était relativement simple à comprendre, presque enfantin ! On pouvait donc en dernier ressort se cramponner à cette bouée ! Ultime réflexe d'autoconservation au cœur du naufrage collectif...

Un autre expert ès civilisations estimait lui qu'on était passé, en l'occurrence, « d'une certaine sacralité laïque à une transcendantalisation ». Qu'il y avait eu, en d'autres termes, « une réappropriation de l'événement par une population en mal de sortie au mois d'août, quand d'ordinaire il ne se passe rien... ». Des politologues, plus pessimistes, prévoyaient qu'après avoir tant pleuré, tant parlé, tant défilé, le bon peuple reprendrait ses activités comme si de rien n'était...

Ce qui fut fait.

Des journalistes, voulant sans doute conclure sur une note de fraîcheur, se firent l'écho de ce qu'un certain Baudouin L., filleul du Roi – car septième fils consécutif au sein d'une même famille –, avait demandé à son parrain, lorsqu'il avait six ans, un vélo pour son anniversaire. Et l'avait reçu. Mais n'avait pas voulu divulguer son identité « pour ne pas faire de jaloux ». Plus tard, les deux hommes s'étaient tout de même rencontrés. Parmi des dizaines d'autres filleuls.

J'appréciai la délicatesse de cet inconnu. Qui sait, par exemple, ce que je ressentirais, moi, si je pouvais mettre un nom sur l'heureux détenteur d'une bicyclette offerte par le Roi ?

Ce n'est pas qu'un clou chasse l'autre, mais enfin... On se préparait déjà à l'investiture du roi suivant. Et avec d'autant plus de zèle que le nom qui, à la dernière minute, était sorti du chapeau n'était pas celui qu'on attendait : celui du frère cadet du roi défunt et non celui du neveu, jugé soudain bien tendre, sinon immature, et encore célibataire... (Et cependant Baudouin, lors de son colloque singulier avec moi quelques semaines auparavant, ne m'avait-il pas répété quelle confiance il mettait « pour l'avenir dans la bonne volonté du jeune homme » ? Qui la lui avait donc retirée entretemps ?)

Il avait fallu des jours et des nuits pour prendre congé de l'ancien roi, vingt minutes suffiraient pour consacrer le nouveau. Autant la mort de l'un fut vécue au ralenti, à dessein prolongée, rendue interminable, autant le façonnement de l'autre fut rapidement expédié. Une formalité ; mais aussitôt fastidieuse. Le chemin qu'avait fait Léopold, à cheval, en 1934, Albert, son puîné, le parcourut soixante ans plus tard en voiture découverte – une Lincoln – et alors que la pluie menaçait, accompagné d'une escouade de motards qui ressemblaient à des hoplites. Les reporters de la télé eurent à peine le temps d'en brosser le portrait : né l'année même de l'intronisation de son père – pesait alors trois kilos trois cents – ; raffola vite des motos ; émotif, imprévisible, convivial, non dépourvu d'humour ; bonne connaissance des dossiers économiques, de la mer et de la Croix-Rouge... Jeune mariée, Paola lui reprochait de ne pas savoir danser, et s'autorisa quelques frasques qu'on eut la courtoisie de passer sous silence ; bientôt assagie, elle clama haut et clair son exaspération contre les *paparazzi* qui la traquaient de trop près, et – afin de prouver la modestie de ses goûts – contre les obligatoires séances à l'opéra où réellement elle s'ennuyait ferme ; elle sut oublier les charmes de sa jeunesse dorée dans la fréquentation de paroisses pures et dures – Renouveau charismatique, Communauté de l'Emmanuel – au relent de demi-sectes (il semblait que l'ombre lourde de l'Opus

Dei ne traînât pas loin de là)… Les souverains, avec leurs enfants, seraient gratifiés d'une liste civile de quelque vingt-cinq millions de francs belges. Dernier détail rapporté : on pouvait acquérir (durant un temps), chez les praliniers spécialisés, des chocolats « Baudouin et Fabiola » ou « Albert et Paola » aux noix incorporées, pour se rappeler, en douceur, les péripéties récentes…

Au Sénat, on avait restauré tout exprès le trône sans baldaquin où Albert s'assit. Il se releva pour prêter le serment constitutionnel, en tremblant un peu du chef. (« Parkinson », diagnostiqua un médecin interviewé par la presse. Un autre parla de « tremblement d'attitude » : c'était plus élégant. Un autre encore évoqua la possibilité d'une « maladie dite "de Musset" » – du nom du poète romantique ? ou de celui d'un obscur virologue ayant breveté le mal ?) Puis il sortit un petit discours de sa poche, dont on ne se rappela qu'une citation d'Alexis de Tocqueville, le replia sagement le remit en poche, se rassit, et reçut l'ovation qui montait des gradins avec un sourire un peu contraint ; son épée faillit glisser le long d'un accoudoir et l'abandonner. Un milliardaire véreux, qui se disait de gauche et que des poujadistes flamands avaient, un jour, élu député par aigreur, cria « Vive la République ! »

(Il y avait eu un précédent fameux : Baudouin avait essuyé le même affront, mais de la part d'un communiste, et cela prenait alors un tout autre sens. On assassina peu de jours après le député Lahaut, mais sans doute en se méprenant : n'était-ce pas son collègue Glineur qui avait proféré l'outrage ? Peut-être ne saurait-on jamais : comme si souvent dans ce pays, la vérité est une bouteille qui, jetée à la mer, accède rarement au rivage… L'énergumène d'aujourd'hui, qui aurait aussi bien crié « Vive le Roi ! » sur les marches de l'Élysée, à Paris, fut emmené, escamoté discrètement.)

Bon. Je suis toujours devant la télé. Que se passe-t-il à présent ? Le couple regagne la Lincoln décapotable. On dirait qu'un instant Albert ne sait plus où placer sa femme dans la voiture. On remonte vers le Palais en adressant des saluts au petit bonheur la chance. On réapparaît au balcon. Échange de bisous. Présentation de la famille.

Cette fois, ça m'a bien l'air fini. Les lampions sont éteints. Comment, chers compatriotes, nous occuperons-nous demain ?

Allons, Max, il va nous falloir trouver désormais autre chose pour remplir les colonnes du *Monde est à vous* !

Et pourtant… À quelques jours de là, tandis que je me rendais aux toilettes de l'agence, je vis mon collègue Michel David m'emboîter le pas pour ensuite s'installer résolument devant l'urinoir voisin de celui que j'élus. (Un fichu reliquat des pudeurs de l'enfance ? je n'apprécie pas trop, d'ordinaire, ce genre de promiscuité… J'avais gardé, néanmoins, de deux ou trois conversations ainsi nouées côte à côte dans des latrines publiques, un souvenir amusé : il en émanait une sorte de fraternité insolite, le charme d'une camaraderie forcément masculine…)

« Et comment avance votre enquête ? me demanda à brûle-le-pour-point Michel David. Je suppose que vous n'allez pas en rester là : tout est encore à découvrir, n'est-ce pas ? Et puis, la mort du fils ne doit pas trop vous arranger, non ? Elle risque même de déranger légèrement vos plans et de vous brouiller les idées au sujet du père… Est-ce que je me trompe ? »

Je crois que j'ai rougi. De quoi se mêlait-il, Michel David ? M'occupais-je, moi, de ses reportages en Europe centrale (reportages qui, soit dit en passant, commençaient de lui assurer une réputation flatteuse dans la maison) ? Je n'aurais guère pu lui dissimuler un certain embarras si je lui avais avoué tout de go qu'à mon point de vue l'enquête avait d'ores et déjà abouti – dans la mesure naturellement où il m'était loisible d'y mettre un point final…

« Si je vous en parle, reprit Michel David en se reboutonnant puis en se dirigeant vers les lavabos, c'est qu'il y a quelque temps vous m'avez rendu, sans le savoir, un fieffé service – lorsque je me suis rendu à Berlin, vous vous souvenez ? c'était à la veille de la petite croisière que vous avez faite avec le patron sur le Nil. Oh ! vous ne m'aviez rien appris de bien concret ! mais vous aviez un point de vue qui m'a frappé, sur la façon dont cette ville allait tenter, encore une fois, de faire oublier son passé : j'ai eu l'occasion de vérifier cela. Alors j'aimerais, à mon tour, vous refiler un tuyau concernant le personnage dont vous vous souciez. Je pourrais, voyez-vous, vous mettre en contact avec quelqu'un qui l'a approché de fort près. En fait, il y a très peu de gens qui connaissent même l'existence de cette personne... Bien sûr, ajouta-t-il en souriant, il est un peu délicat d'en parler ici ! Mais si cela vous intéresse, je vais m'efforcer de retrouver sa trace, et je vous ferai signe un de ces quatre matins. »

Comme on peut s'en douter, j'acquiesçai. Cependant, je ne venais pas d'apprendre vraiment une bonne nouvelle. En serais-je jamais quitte, de cette histoire ? Chaque fois que je pensais avoir définitivement échoué à la reconstituer, et en avoir fait mon deuil, une nouvelle occasion m'était donnée de la relancer.

Soudain, je vis Michel David retirer de sa bouche son dentier, le passer sous le jet violent du robinet d'eau froide et le remboîter à sa place initiale. En passant devant moi pour sortir du lavatory, il m'adressa un clin d'œil.

Une autre surprise m'attendait. À la fin de l'été, la Princesse me fit envoyer un bristol d'invitation : on me priait d'assister à la projection du film *Les Seigneurs de la forêt*, « en hommage à la mémoire du roi Léopold III en ce dixième anniversaire de son décès ». Ainsi donc, éloignée de la scène publique depuis la mort de son mari et absente aux funérailles de son beau-fils, la Princesse profitait de cette occurrence pour faire sa réapparition.

La projection avait lieu au musée d'Histoire naturelle ; les invités – peu nombreux – étaient reçus, entre d'énormes plantes vertes, par des indigènes de la région tropicale filmée trente-cinq ans plus tôt par Sa Majesté, tout matachés et jouant du tam-tam. Des fourgonnettes de police stationnaient devant les grilles. Le jeune bourgmestre de la commune, ceint de son écharpe maïorale, serrait des mains sur le perron d'accueil.

Dans leurs allocutions, les conférenciers soulignèrent le digne mutisme du souverain, aux heures les plus noires de son règne, laissant à l'Histoire seule le soin de le juger. Qui fut-il ? Personne ne le savait au fond, si « subir n'est pas accepter, si attendre n'est pas renoncer, si se taire n'est pas consentir »... L'heure était venue de renoncer à la légende d'un malheur définitif, d'une malédiction non traversée. Après avoir accompli « un grand dessein et un grand destin », l'homme n'avait-il pas, dans son château, aux côtés de sa loyale épouse, accédé à une forme de plénitude ? En réalité, nous avions été conviés ici pour cela, je le compris : apprendre l'excellente nouvelle de cette félicité ultime, acquise à titre rétroactif et même posthume... Je pensai, de ma place, me retourner vers Son Altesse, assise en plein milieu de la salle de projection, pour lire sur ses traits l'émotion qu'auraient pu y déposer ces paroles consolatrices, et même un tantinet triomphalistes ; je n'en eus pas le temps car, bientôt, des animaux remontés du fond des âges envahirent l'écran : okapis, ornithorynques et pangolins. Ils avaient plutôt bien vieilli sur la pellicule.

D'autres suivirent, plus ingambes encore : le potamochère n'avait pas pris une ride et les grues couronnées avaient bonne mine. La caméra n'était pas sortie de sa fascination pour l'aigle pêcheur, dont le cri blême donnait toujours le frisson. Le commentaire du nègre de service (un nègre blanc, cela va de soi !) – Max-Pol Fouchet lu par Jean Desailly – pouvait encore donner à réfléchir si, en raison de l'odyssée personnelle du cinéaste et de ses mésaventures, on voulait lui prêter, çà et là, un double sens : « L'hyène mange tout ce qui est mort, mais rien ne mange l'hyène »... Quelle était-elle donc, cette hyène ? La grande et prédatrice Histoire des hommes (des sujets de Sa Majesté) ?... Et n'était-ce pas, du reste, pour vaincre le sortilège et les maléfices de celle-ci qu'hommes et femmes de la forêt s'évertuaient à tant imiter la parure, le chant, les cris des bêtes, leurs attitudes – ramage et plumage et danse – afin de renouer avec les rythmes de la nature, de se réconcilier avec l'esprit du monde ?

Fallait-il lire au second degré ce film ethnographique ? Je me rappelais Michel Leiris me confiant, un jour de l'été 1983, dans son petit salon, quai des Grands-Augustins : « Il n'a guère écrit, votre roi, mais il a photographié parfois ce qu'aucun de nous n'avait vu avant lui… »

Au cours de la réception qui suivit – elle avait lieu dans la salle des iguanodons et des dinosaures –, la Princesse se porta soudain vers moi pour me demander ce que je pensais du film. Je ne dus pas mentir pour lui en dire du bien. Elle regretta que l'on n'eût pas plutôt passé la version où le commentaire était dit par Orson Welles : celle-ci devait être, effectivement, plus monumentale. Mais nous ne pûmes ajouter grand-chose car on nous entraîna vers le buffet ; nous y fûmes pratiquement accueillis par les monstres antédiluviens reconstitués en grandeur réelle, comme robotisés par un taxidermiste n'ayant pas le sens du kitsch. Je me demandai sur quelle base scientifique on s'était fondé pour enregistrer les hurlements gutturaux qu'ils poussaient à intervalles réguliers et qui rendaient parfois la conversation malaisée. Je m'entretins un instant avec un champion de tennis à la retraite, dont les exploits en coupe Davis, contre les Italiens et jusqu'en Australie, avaient enchanté mon adolescence dans les années cinquante ; des personnalités que je ne reconnus pas évoquaient, à deux pas de nous, « une grande entreprise biographique sur le Roi » qu'on avait mise en chantier, et ajoutaient que « la vérité, alors, exploserait enfin à la face des plus incrédules »… Depuis combien de temps certains ne pensaient-ils plus qu'à cela ? Ces gens me firent pitié : je me réjouissais presque, à présent, d'avoir échappé de peu à leur sort… Mais au nom de quoi, vraiment ? Il n'y avait pas de quoi être si fier : à quel but plus noble avais-je donc consacré ma vie (sinon à brasser mélancolie sur la dérive d'un pays en mal d'engloutissement) ?

Le lendemain matin, la Princesse m'appela à l'agence pour m'exprimer sa satisfaction de m'avoir revu. Je fus surpris qu'elle se montrât d'humeur si réconciliatrice ; il est vrai que nous n'étions pas brouillés… Je ne profitai même pas de la circonstance pour lui demander si je ne pouvais décidément pas ventiler ces bouts de correspondance royale dont elle m'avait un jour entretenu… Tout cela n'était-il pas devenu, d'un seul coup, de l'histoire très ancienne ? Il aurait fallu battre ce fer (ce père ?) quand il était encore chaud.

« Voici, me dit à quelque temps de là Michel David, qui a donc tenu parole : le Roi aimait – oh ! en tout bien, tout honneur ! – la compagnie des femmes, vous savez ! On le voyait souvent à la Cour recevant les hommages de très jolies créatures. Vous vous souvenez sûrement de cette photo où on le trouve entouré des "plus belles jeunes filles du pays" – candidates au titre de Miss Belgique ou danseuses au Bal des Débutantes, je ne sais plus ? »

J'imaginais volontiers l'Explorateur visitant, avec les réserves d'usage, l'univers féminin comme une contrée de plus. La plus précieuse. La plus gracieuse. Afin de ne pas avoir régné pour rien, sur rien. Avec une sorte de désespoir tranquille. Ainsi donc il faudrait considérer cela encore ? On n'en aurait jamais fini avec lui ? Cela devenait assommant. On n'en serait jamais débarrassé.

« Une femme a compté, dans les dernières années, plus que toute autre sans doute.

— Et même sûrement…, dis-je.

— Comment le savez-vous ?

— À la façon dont vous dites « sans doute »…

— Vous connaissez l'histoire ?

— Mais non, bien sûr. » J'ai envie d'ajouter : « D'ailleurs, je ne sais rien ; je ne connais plus rien de toute cette aventure. » Mais je ne le dis pas.

« Il l'a rencontrée un soir, à Londres, lors d'un banquet de la National Geographic Society. Jackie Mackenzie, elle s'appelait, ou Macpherson. On raconte que leur réciproque passion fut immédiate, et d'une violence extrême… Je n'en sais pas plus ; mais je suppose que cela vous intéresse, non ? Tant qu'à briser les icônes, n'est-il pas vrai ? Alors, pour connaître le fin mot de cette grandiose affaire, il faudrait que vous traversiez le Channel et rencontriez un certain John Reddaway, au Museum of Mankind. Vous l'appellerez de ma part : lui a été témoin de tout. D'autres pourraient témoigner aussi, mais ils sont, paraît-il, inquiets. Tandis que lui parlera, je m'en suis assuré… Parce qu'il s'est émerveillé de cette affaire. « *It was wonderfull*, répétait-il au téléphone. *Really marvellous*. « Aujourd'hui encore, il n'en revient pas. Et il semblait se réjouir que quelqu'un se décidât à briser l'espèce de loi du silence qui a entouré toute l'affaire. Vous devez former le numéro que voici – c'est celui de son domicile – un matin, à l'aube, pour obtenir un rendez-vous… »

Ce que je fis le lendemain même. L'interlocuteur parut moins enthousiaste qu'il n'était annoncé. Il demandait un délai pour accomplir le supplément d'enquête que nécessitait la recherche de *the Lady* : « Elle a dû déménager plusieurs fois, bouger d'un comté à l'autre… Divorcer… Elle doit s'être remariée. Sans doute a-t-elle aussi changé de nom. Rappelez-moi, le même jour, à la même heure, la semaine prochaine. »

Dont acte. En rencontrant le même accueil. Et comme cela trois semaines de suite. Jusqu'au jour où :

« Venez ! dit-il. Voyons-nous demain. Je l'ai retrouvée, je vous mettrai en contact avec elle. Mais je dois vous voir avant.

497

Nous déjeunerons ensemble, si vous êtes d'accord, au siège de la Thackeray Society, au Reform Club de Pall Mall... »

En montant dès l'aube à bord de l'*hovercraft* qui reliait Calais à Douvres, je songeai que je ne la rencontrerais peut-être jamais, cette femme tombée du ciel, mais que c'était ma dernière chance d'entendre parler du Roi en vie, et la preuve que « cela » – *tout le reste* – avait bien eu lieu. Mais je m'arrangerais pour qu'on crût que j'avais tout inventé. Et sans doute, et même sûrement inventerais-je. Comment faire autrement ?

Débarqué à Douvres, je me souvins de cet homme légendaire qui s'y était, définitivement, arrêté autrefois, qui ne voulut pas aller plus loin, pour continuer d'*imaginer* l'Angleterre : n'était-ce pas ce que j'aurais dû faire à mon tour, afin de m'épargner d'inutiles désillusions ?

Je sautai cependant dans le premier train pour Londres, où j'eus encore juste le temps de me précipiter chez Fortnum and Mason afin d'acheter certaines confitures et marmelades que j'offrirais, à mon retour, à Joy et au petit Samuel.

« C'était lors d'un banquet du Club des Explorateurs. Jackie m'assistait, à l'époque, sur un tournage au Kenya, une commande de la BBC. Elle s'était mariée, un peu par convenance, avec un avocat d'Aylesbury, dans le Buckinghamshire. Vie calme dans une banlieue chic. Massive, hanches larges : le type flamand si vous voulez... excusez-moi ! Très sportive, éclatante de santé, une vitalité qui attirait partout l'attention. Pas vraiment belle, au fond, mais la séduction même, un charme fou. Personne ne lui résistait. Un humour grandiose. Dans le cercle étroit mais cosmopolite des ethnographes, des cinéastes de terrain Kaminsky, Larsen, Aguieff, Reigenberg, Kirkpatrick, Mac Intyre, Gamba, votre serviteur aussi, et j'en passe. elle a traversé la route de tous, elle ne laissait personne indifférent.

Toute prête, déjà, à incarner une légende vivante. Le soir où elle a rencontré le Roi, ce fut fait… Nous avions réservé une salle au premier étage d'un restaurant de la Tipperary Road. À l'époque, je roulais en Bugatti ; la Ferrari du Roi m'a dépassé en trombe, non loin du lieu de rendez-vous. Nous ne nous sommes pas étonnés de nous retrouver au même endroit : il s'est extasié sur les vertus du modèle que je pilotais, il en connaissait évidemment toutes les caractéristiques. Je remarquai ensuite que des gardes en civil encadraient l'entrée du Drake's Restaurant… Peu de femmes participaient à nos réunions de baroudeurs. Sur le plan de table, nous avions prévu d'asseoir Jackie à côté de lui, un peu par hasard.

» Tous bientôt, autour de la table, devinèrent confusément que quelque chose d'essentiel se passait, les rapprochait, se tramait entre eux. On eût éteint les lustres qu'on aurait vu – je ne sais pas, moi ! – jaillir entre eux une grande flamme bleue… Ou qu'un arc électrique les reliait, les soudait l'un à l'autre, ou qu'un halo les entourait… En même temps, notre camaraderie de vieux corsaires heureux de se revoir protégeait leur intimité naissante. Déjà, ils ne parlaient plus que l'un à l'autre. On ne les regardait pas trop, pour ne pas les gêner. Du reste, ils s'en foutaient bien. C'était Paul et Virginie, quoi !, mais qui auraient été invités par erreur à un banquet d'anciens de quelque collège oxfordien portés sur la bouteille. On ne se sentait même pas de trop : ils avaient déjà pris congé, ils n'étaient plus parmi nous. De lui, je n'apercevais que le célèbre profil pour chromos, parfaitement immobile, hiératique, comme gravé dans l'espace par un effet de trompe-l'œil. Il lui parlait à mi-voix, avec un sérieux extrême – mais parfois un sourire passait sur ses lèvres –, comme si son temps était compté et qu'il eût voulu lui livrer un premier et ultime message, lui inculquer une tendre leçon, tandis qu'elle déjà ne tenait plus en place, s'animait, s'empourprait, riait de plus en plus fort, de plus en plus librement, et qu'enfin elle le faisait rire aussi…

» J'en fus content pour elle. Et, en même temps, cela me fit mal. Comme si j'avais un pressentiment et visionnais ce qui allait s'ensuivre… Déformation professionnelle.

» Au lendemain de cette soirée historique, nous avons suivi cela de plus loin ; entre camarades nous nous tenions au courant. Oh ! nous ne commérions pas ! Il n'y avait là, après tout, qu'un très grand amour qui s'était déclaré sous nos yeux, comme une guerre assez magnifique où, par hasard, nous aurions figuré en première ligne : la chose est plutôt rare, n'est-ce pas ? Quoi qu'il en soit, ça ne prêtait pas à plaisanterie. Tout à fait à la mesure, hélas, du gâchis qui en découla… »

Ici, je l'interromps, John Reddaway. Peut-être veux-je seulement différer l'annonce de la mauvaise nouvelle ? J'en ai, pour un moment, comme Baudouin enfant, un peu marre des histoires qui finissent mal.

« Mais *lui*, quelle impression vous a-t-il faite ?

– Léopold ? Il est vrai que seul lui vous intéresse… Non ? Réellement ? Ce n'est pas à ce point-là ? Moi, ce serait plutôt elle… Que vous dire ? Nous l'avons tout de suite adopté, au Club des Explorateurs : il était si affable, charmant ! Au fond, il représentait le gentilhomme et nous, autour, n'étions que d'aimables voyous : alors cette fréquentation nous amusait. Quand on découvre un autre monde, c'est toujours passionnant, n'est-ce pas ? Fait partie du métier… Vous dites ? Explorateur lui-même ? Vous pensez cela ? Oh ! Michel Leiris vous l'a dit !… Leiris avait des mansuétudes – et des cruautés – inattendues. Vous savez, le roi Léopold n'a vraiment rien découvert à proprement parler : il s'inscrivait plutôt dans la tradition, la lignée de ces aristocrates un peu vagabonds et curieux, ces grands mécènes qui vous font le tour du monde comme d'autres passent commande d'une cantate ou d'une toile de maître. (Il nous a prêté, à l'occasion, le navire-école *Mercator* pour que nous puissions réaliser une expédition archéologique à l'île de Pâques.) Vous vous souvenez du marquis de Wavrin, du vicomte de Noailles ? Du prince de Monaco, grand océanographe devant l'Éternel ? On trouvera toujours des ducs et des princesses en visite chez les Dogons ! Alors, Léopold... C'était plus émouvant. Un goût très sûr, une intuition certaine, une suprême élégance. Un Louis II de Bavière sans la folie, et sans châteaux valant le détour. Sans musiciens, non plus, pour le servir. Rien que les routes terrestres ou maritimes au bout des pieds... Un vulgarisateur de l'univers. Et, par-dessus tout, abonné à une tragique mémoire. En fait, un homme malheureux, très malheureux ; cela se voyait... Cela dit, il a dû laisser à Jackie O'Sullivan – car aujourd'hui tel est son nom – de merveilleux souvenirs de jeunesse : il ne la lui a pas volée ! Après ce qui lui était arrivé dans son pays, enfin : le vôtre, il devait avoir tellement besoin d'une confidente ! Et elle, de confidences... C'était un prêté pour un rendu. »

Je me dis que, bizarrement, cet homme, ce roi raté, qui ne lisait pas de romans, s'était forgé, de bout en bout, une destinée vouée au romanesque. Pour s'assumer ou pour se fuir ?

« Ils se montrèrent aussitôt imprudents, reprend John Reddaway. Ils ne prenaient guère de précautions. Pour ce qui en est de lui, cela indiquait au moins l'impétuosité, la profondeur de ses sentiments... Quant à elle, elle devait surtout s'ébahir de ce qui lui arrivait. Mais lui prenant de tels risques, elle aurait dû faire attention pour deux... Ils ne se cachaient pas. Une nuit, ils ont abandonné des lettres et des photos compromettantes sur la banquette arrière de la "voiture de fonction", si j'ose dire ; l'ambassadeur de Belgique a été prévenu, on a brisé une vitre du véhicule pour récupérer des documents qui auraient pu tomber dans de mauvaises mains... Je l'ai soupçonnée, elle, parfois, d'avoir sciemment flirté avec le scandale. On apprit en haut lieu que des membres de sa famille figuraient sur les listes du Parti communiste. Des émissaires de Bruxelles ont mené leur enquête... Cendrillon n'a pas su gérer sa passion, maîtriser son conte de fées ; en choisissant ses pantoufles de vair, elle s'est trompée de pointure. Puisque lui-même, a-t-elle dû se dire, ne veillait pas au grain, pourquoi aurait-elle dû se gêner ? Elle n'est pas restée une maîtresse secrète ; elle n'a pas respecté les règles de la clandestinité. Cela devait la divertir de semer le désordre à la Cour de Belgique !... Un jour, des inconnus auraient pénétré dans son appartement de Clapham, fracturé un secrétaire, récupéré une partie de la correspondance et même, a-t-on prétendu, provoqué un début d'incendie... mais que ne dit-on pas ? C'est miracle que la presse n'ait pas eu vent de l'affaire, ou ait choisi de garder le silence : inconcevable aujourd'hui ! Mais encore celle-ci a-t-elle commencé de faire circuler des rumeurs de divorce, du côté d'Argenteuil...

» Finalement, le scandale n'a pas éclaté. Tant mieux, n'est-ce pas ? Qu'aurait-on gagné à un désordre de plus ? La rupture avec Jackie fut inévitable ; notre belle aventurière avait raté son coup... Une vraie excentrique : trop libre, trop sincère ! Des journaux à scandale l'avaient approchée dans l'espoir d'arracher quelques lettres : à quoi cela rimait-il donc ? Nous, ses copains, n'avons pas eu de peine à la convaincre que ce serait une honte de ravaler ainsi ce qui avait dû être si beau pour elle, si important. Pourtant, elle aurait aimé que tout le monde *sache* ; vous voyez cela d'ici !... Ce que sont devenues les lettres en question ? Je l'ignore ; sans doute traînent-elles quelque part ; il ne serait pas exclu que Jackie vous les confie ; peut-être. Peut-être a-t-elle refait sa vie ?

– Vous l'avez complètement perdue de vue ?

– Oui ! Mais j'ai encore appris qu'elle s'était tournée, après cela, vers les milieux de la course automobile. Vous savez : la génération de Stirling Moss. Elle a dû assister aux débuts de Mansell. Elle était devenue la maîtresse de Christopher Garnett, celui qui a failli, une année, remporter les Vingt-quatre Heures du Mans, sur Lotus, aux côtés du Belge Olivier de Kooning... Et puis, toujours cette façon bien à elle de jouer avec le feu, de se brûler les ailes à la lampe ; un accident de voiture, un dimanche, à Ripe, dans le Sussex, au volant d'un cabriolet Aston-Martin ;

des vertèbres cervicales brisées, port d'une minerve durant des mois. Avait trop valsé avec les belles voitures, après avoir connu le bonheur aux côtés d'un roi déchu… Toujours ce châtiment par où l'on a péché : chez elle, ce devait être un principe ! Elle est restée longtemps paralysée, puis a ouvert un haras de poneys irlandais au Pays-de-Galles. A fait faillite. Est passée alors de l'Aston-Martin aux taxis du dimanche, dans un bourg pourri : finis les chevaux, plus de superbes chevaux-vapeur… Où est-elle aujourd'hui ? Je serais incapable de vous le dire, mais j'ai retrouvé un plongeur de l'équipe de Cousteau, du temps où ce dernier naviguait en terre Adélie : l'homme en question s'est blessé dans le Triangle d'Or et a dû renoncer à la plongée, il vit maintenant à Monte-Carlo. Lui a gardé le contact ; voici ses coordonnées… Mon cher monsieur, mon rôle s'arrêtera là. Retrouvez-la donc ; faites-lui savoir qu'elle nous manque, que nous la regrettons : une comète qui serait tombée dans nos parages immédiats… Elle avait la grâce. Elle a illuminé notre jeunesse… »

Eh bien, voilà ! il y est tout de même arrivé ! Cela fait un bout de temps que je me dis qu'il allait ainsi conclure.

« Serait-ce donc ce que vous avez connu de meilleur ? lui demandé-je en riant.

– Mais oui… », répond-il avec simplicité. Et, un peu étonné : « Comment le savez-vous ? »

Je songe à part moi qu'il a dû au moins gamberger un peu sur cette histoire, car c'est la sienne en partie, celle de son passé enfoui dans les dédales du Museum of Mankind. Oui : il a dû sûrement en rajouter. Ne s'était-il pas embrouillé parfois dans son récit, et çà et là contredit ? Je réalise aussi, soudainement, que c'est sans doute de peur que je découvre ce qu'il y a tout de même de vrai dans cette incroyable aventure qu'on m'a peu à peu, dans l'entourage de la Princesse, distrait, éloigné…

Je me dis encore que si, par mégarde, l'idée me prenait d'écrire tout cela, j'aurais grand intérêt à qualifier ce récit de pures élucubrations mythomaniaques… Ou de le transposer dans l'espace d'un royaume voisin… Mais pour alors ajouter aussitôt que, si ces choses étaient réellement arrivées *à un autre*, on aurait comme une envie d'attribuer au Roi, à mon Roi, ces amours extravagantes, bien sûr aberrantes et folles !

Ne prête-t-on pas qu'aux rois ?

À croire qu'il avait deviné ma pensée, John Reddaway lança encore pour conclure : « Racontez cela tel quel ! La vérité dépasse tellement, ici, toute fiction ! Et puis, planquez le manuscrit dans un coffre à la banque, jusqu'à ce qu'il soit possible de le publier !… Et prenez garde à vous ! »

« Elle s'est repliée sur le Devonshire, me dit au téléphone Jean-Yves Baratier. Elle a refait sa vie dans un bled magnifique : Honiton… Il faudra que vous vous pointiez jusque-là. Elle vous accordera deux ou trois heures d'entretien, pas plus, l'après-midi, dans une taverne appelée The Mercy. Elle pense que ce dialogue ne devrait pas se répéter, qu'une seule rencontre devrait suffire… Cela pourrait se passer encore ce mois-ci, le 19 octobre, ou bien le 5 novembre, ou le 26 novembre, ou alors le 6 décembre. Elle portera un anorak vert pomme et aura le supplément littéraire du *Times* sous le bras… Il a fallu désarmer sa méfiance, vous vous en doutez certainement : elle est si surprise que quelqu'un s'intéresse encore à son histoire ! De l'argent ? Vous n'y pensez pas ! Elle a toujours été si fière… Et on dirait qu'elle a trouvé le bonheur aux côtés du docteur O'Sullivan ; elle pense seulement que ses enfants devraient, un jour ou l'autre, avoir accès à la vérité sur son passé… »

Dès que je voulus entrer en contact avec Jackie O'Sullivan, cela redevint aussitôt difficile. Jean-Yves Baratier m'avait-il refilé un faux numéro ? La régie britannique des PTT, *via* un message préenregistré, m'affirma que celui que j'avais formé n'était pas attribué et, une autre fois, qu'il n'était plus utilisé. Au troisième essai, un répondeur m'apprit que les O'Sullivan étaient, au demeurant, *not at home at this moment* et qu'il convenait *to call again later on.*

Puis vint un jour où la ligne fut tout du long occupée. Le lendemain, je tombai enfin sur mon interlocutrice. Elle s'inquiéta tout à trac, et à la fois avec une courtoisie bien anglaise, de savoir dans quelle sorte d'hôtel je souhaitais descendre. Elle me demanda ce que j'espérais apprendre d'elle, et quel intérêt cela présenterait pour moi. « Enfin, on peut au moins se voir, n'est-ce pas ? » convint-elle.

Et elle ajouta, presque aussitôt : « Je ne suis plus toute jeune, vous devez vous en rendre compte. C'est si loin, tout ça... Je crois que Baratier vous a dit comment me reconnaître, mais nous n'allons pas jouer au film d'espionnage ! Je suis plutôt rousse, et on me dit souriante... Quant à vous, ce sera simple : vous aurez l'air étranger ! Il n'y en aura pas d'autres, ce jour-là, au Mercy... »

Elle m'émut, d'autant plus que sa voix était claire, fraîche, exubérante. La certitude m'en vint d'un seul coup : c'est cela – il y a vingt-cinq, trente ans ? – qui a dû *le* bouleverser. Cette pétulance. Cette brutale simplicité. Cette insouciance. Il a dû se dire : « C'est maintenant ou jamais. Je ne vais pas laisser passer ça... »

Je partis pour l'Angleterre sans en prévenir Bonboire. Je prendrais les frais à ma charge, tant pis ! Je soupçonnais qu'il ne croirait pas à cette équipée de la dernière heure, et qu'il camouflerait sa légitime crainte de l'esclandre en invoquant la dérision probable de quelque douteux secret d'alcôve.

Elle surgit devant moi emmitouflée dans son anorak vert pomme, avec son supplément littéraire du *Times* en main. Je faillis, un instant, trouver disgracieux son visage, et ses traits un peu lourds. Je n'avais pas encore découvert le sourire qui l'éclairait : vorace, inusable. Après coup, je ne me souviendrais peut-être de rien, hormis ce sourire, dont le rappel me convaincrait que je n'ai pas rêvé.

Dans le cours de l'entretien, elle me glisse une photo d'identité, prise à l'époque où *il* l'aima et où je découvre combien *elle lui ressemble* : même front haut, même chevelure bouclée, même sourire sensuel... Personne ne me l'avait dit ; je trouvai cela étonnant : pour moi, cela crevait les yeux. Au point d'y voir une pièce à conviction...

Il me semble que j'ai tant attendu cet instant que je ne puis vraiment y croire. Mais quelles questions vais-je bien pouvoir poser ? Je m'aperçois que je n'ai pas consacré une minute à préparer cet entretien.

« Vous n'avez pas d'accent..., s'étonne-t-elle.

– Quel accent ?

– L'accent belge... »

Comment une Anglaise peut-elle le savoir ?

« Normal : je suis le moins belge des vrais Belges... Et lui, il avait l'accent ? »

Elle convient, avec toujours le même sourire, qu'elle n'en sait rien, qu'elle ne se souvient pas.

« Avez-vous un magnétophone ? » demande-t-elle soudain.

Se méfierait-elle ?

« Ce serait plus pratique..., m'explique-t-elle. Et je pourrais parler plus vite... Et puis, je crains un peu la sécheresse des résumés... Vous savez, enchaîne-t-elle aussitôt, il me racontait tout, il avait en moi une confiance totale. »

Me demande-t-elle de lui en témoigner autant, ou s'interroge-t-elle sur celle qu'elle peut fonder en moi ?

« Que voulez-vous apprendre au juste ? »

Elle pourrait ajouter : Que vous ne sachiez déjà ? Qui aurait de l'intérêt pour vous ? Qui rectifie, si peu que ce fût, l'idée qu'on se faisait de lui ? Qui vous fasse rire ? Qui vous émeuve ? Dont vous ne pourrez faire aucun usage ?

Je considère la photo qu'elle m'a remise.

« Vous devez vous dire que j'ai beaucoup changé, n'est-ce pas ? »

Non, ce n'est pas du tout cela qui me frappe. Mais plutôt ceci : qu'elle m'a offert une photo d'elle – comme si celle-ci suffisait, au fond, à tout expliquer – plutôt qu'une photo d'eux, ou au moins de lui prise par elle, à cette époque…

Comme si elle avait, si peu que ce soit, percé à jour ma pensée, elle dit : « La reine Élisabeth de Belgique aimait, le temps que cela a duré, nous photographier ensemble…

— Vous aviez de bons rapports avec elle ?

— Je crois qu'elle appréciait que, je donne de la joie à son fils. Elle aimait me raconter ses voyages en Égypte, en Chine… Ou alors, elle m'interrogeait sur le Mexique, que pour ma part je connaissais bien.

— Que pensez-vous avoir apporté au Roi ?

— Sans doute une dédramatisation de tout ce qui était arrivé. J'étais si étrangère aux noires passions qui prévalaient à la Cour : ambition, rivalités, préséances ! Vous savez, il était d'autant plus écrasé par le sens du devoir qu'on le lui avait dénié… J'étais si prête, moi, à ne le prendre que pour ce qu'il était en réalité : un homme pacifique. Je l'éloignais de tout ce qui lui rappelait l'opprobre qui pesait sur lui ; d'avoir été tenu pour lâche, ou presque, par tant de gens à la fois, de bords différents. Je me souviens, nous avons marché des heures durant sur une plage, en Espagne, et puis sur une autre, et il reprenait toujours le même récit… Hanté, inconsolable : cette félonie qu'on lui avait attribuée ! Et cet orgueil du désespoir où il se cabrait, ce refus de condescendre à s'expliquer…

— Mais a-t-on le droit, ou de bonnes raisons, de se sentir si mécompris quand on répugne tant à se défendre ?

— Il pensait que c'est en faisant l'effort de détromper ses détracteurs qu'il aurait prêté un fondement à leurs soupçons. »

Par instants, Jackie O'Sullivan glissait des regards de biais vers les tables voisines, comme si elle avait à s'inquiéter que ses propos soient perçus par des oreilles indiscrètes. Elle avait l'air traquée. Qu'avait-elle pourtant à craindre ? Elle n'émettait guère que des généralités, et si loin du lieu et de l'époque où le drame s'était noué…

Je jetais des notes au vol sur le coin de la nappe en papier. Cela aussi, je le sentais, l'alarmait un peu. Pourquoi donc ? Jusqu'ici, elle ne livrait aucun secret personnel… Son anxiété me gagna-t-elle ? Au moment où je lui demandais s'*il* avait jamais réussi à faire table rase de son passé, et que, d'un geste de la main, je soulignais mon propos, je heurtai malencontreusement le verre de stout que j'avais commandé et dont le contenu se répandit sur la nappe. Était-ce ce qu'on appelle un acte manqué ? Le désir inconscient d'une autocensure ? Comme si je mesurais seulement alors l'impasse où les confidences de Jackie allaient m'enfoncer… J'avais peut-être bu également trop de bières brunes au Mercy, en attendant l'heure du rendez-vous : ne me préparais-je pas, ainsi, à me souvenir le moins possible de ce qui s'y serait dit ?

« Vous-même, vous n'avez jamais songé à consigner par écrit vos souvenirs

– Oh oui !… Mais pour moi-même. Pour mes proches, aussi. Qu'ils comprennent mieux ce qui m'est arrivé. »

« Bien sûr, il ne pouvait s'agir aujourd'hui que d'une prise de contact…, me dit-elle alors qu'au-dehors la nuit commençait de s'amonceler. Il faudra nous revoir… Peut-être à la belle saison ? Les Cornouailles alors resplendissent… »

Elle me fixait là une étrange échéance, Mrs. O'Sullivan : l'intérêt d'autres rencontres dépendrait-il donc du climat ?

Je crus qu'elle me signifiait plutôt, de cette façon courtoise, un congé définitif, un discret adieu…

En venant ici, j'avais pensé qu'elle ne me confierait rien que d'insignifiant, ou au contraire de si lourdes révélations qu'elles en deviendraient inutilisables. Mais cela ne serait-il pas revenu au même ? Et, à considérer que Bonboire acceptât de les reproduire – au risque de voir saisir son journal –, les aurait-on forcément crues sur parole ?

Au lieu de cela, elle n'avait fait passer qu'un unique message, mais qui devait lui importer plus que tout : qu'elle avait sans doute, durant quelque temps, illuminé le chemin de celui qu'elle avait ainsi rencontré, et que, grâce à cet accident dionysiaque, il s'était senti devenir l'humble sujet (aux deux sens du terme) de sa propre vie. Dommage évidemment que cela se fût mal terminé.

Mais *le bien n'était-il pas fait*, comme on le dit si volontiers du mal ? Et la joie n'avait-elle pas été, un temps, irrémédiable ?

Vers la fin de la même année, il est sorti de presse un livre sur le Roi-Son-Père, gros volume de plus de mille pages – et en petits caractères – censé faire « toute la lumière » (encore une fois) sur un destin « controversé », et cela, non sans une « rigueur exemplaire » ; il était dû à deux universitaires flamands très minutieux, qui auraient eu accès à des « archives nouvellement disponibles ».

L'ouvrage fut peu parcouru mais énormément commenté. À lire les comptes rendus des journalistes, on aurait pu croire qu'il ne s'agissait pas deux fois de la même somme. L'un prétendit qu'on y voyait enfin Léopold tel qu'en lui-même, pactisant avec l'idée de la victoire allemande en 40-45, et heureux d'y souscrire ; garant d'un « Ordre nouveau » qu'aurait dicté la Germanie, et se consolant sans peine du nazisme ; contempteur des faiblesses de la démocratie et bafouant le parlementarisme ; aveuglé par un anticommunisme primaire ; ennemi déclaré des juifs et des francs-maçons, et même anglophobe…

Un autre aperçut, au contraire, qu'on rendait enfin justice à un fils fidèle aux valeurs de son père, et soucieux avant tout d'épargner à son peuple les tentations pernicieuses de la politique du pire ; déclarant aux ploutocrates et à l'*establishment* financier une belligérance que ceux-ci ne lui avaient jamais pardonnée ; recevant avec ferveur les futurs auteurs de la tentative d'attentat contre Hitler ; entretenant des rapports secrets avec la résistance allemande, et naïvement convaincu que la victoire de la Wehrmacht sur l'Union soviétique lui aurait permis, dans la foulée, de s'en enorgueillir pour éliminer, au retour, le parti national-socialiste...

Un troisième distingua que les grands financiers surent distraire les socialistes de l'envie de nationaliser à outrance, en agitant la muleta d'une « question royale » fabriquée de toutes pièces et cousue de fil prétendument rouge.

Un autre encore sut discerner que ce qui manquerait toujours à ce dossier où on reconstituait ce que le Roi avait vécu, dit ou fait, c'était le Roi lui-même, ce perpétuel et grand absent de son propre destin interprété par les autres, un Hamlet qui n'aurait eu droit à aucun Shakespeare pour le comprendre, l'analyser, le rêver, l'expliquer, le condamner, l'acquitter, le désavouer, le répudier... ; enfin, entre autres, l'aimer...

Je fus soudain sûr – une révélation – que des milliers et des milliers de pages s'écriraient et s'imprimeraient encore à propos de cette mince et effroyable affaire ; et qu'on affirmerait tout et son contraire, et n'importe quoi, aussi longtemps qu'à propos d'un homme et de sa vérité – qui n'intéressaient plus grand monde depuis longtemps (sinon ses plus chauds partisans, ses plus acharnés détracteurs) – on pourrait affecter de croire que le sort des rois nous implique... ou ne nous concerne pas, ce qui revient dans le fond au même.

Inutile d'ajouter que je fus, à la fois, effaré et soulagé de découvrir cette banalité élémentaire.

Plus tard parut encore le livre d'un prélat, d'un cardinal, ancien archevêque de Malines-Bruxelles, « révélant » le secret du roi Baudouin : une rencontre providentielle, à l'âge de dix-huit ans, avec la fondatrice irlandaise de la Légion de Marie, Veronica O'Brien, laquelle avait orienté son destin religieux ; tout, y compris la rencontre du prince avec sa future femme, avait été fomenté par cette dernière lors d'un pèlerinage à Lourdes… Cette divulgation d'un pot aux roses, dont on assura, à la Cour même, qu'on n'en avait pas eu connaissance, dissuada un autre auteur de publier un ouvrage (déjà sous presse) qui présentait le souverain comme un symbole du Renouveau charismatique…

Parallèlement, une « repentie » de l'Opus Dei réfuta que cette sorte de KGB vaticanesque eût l'oreille de la famille royale belge. On avait eu chaud !

Je me dis que, décidément, cette histoire ne pouvait avoir de fin tant que les rois n'en restaient que le prétexte…

Ailleurs, on fit accroire que le gouvernement belge en exil à Londres, durant la guerre, avait sciemment sous-estimé la déportation des juifs à destination des camps de la mort.

D'après la rumeur la plus récente, le domaine d'Argenteuil serait classé comme « site » en raison de son intérêt scientifique (zoologique, botanique, écologique) et, accessoirement, historique et esthétique.

Jusqu'à nouvel ordre la nature, ici, s'en tirait mieux que les hommes.

Depuis quelque temps, j'avais tendance à rentrer de plus en plus tard, le soir, au square du Bois-Profond. Qu'est-ce qui pouvait bien expliquer ce noctambulisme ? J'amusais moins que naguère le petit Samuel. Je m'éloignais un peu de sa mère, par crainte de la décevoir, sinon de l'avoir déjà déçue. Bref, je sortais en ville pour me changer les idées. Or si je cédais au charme des rencontres de hasard, à La fleur en papier doré, rue des Alexiens, ou au Falstaff, à côté de la Bourse, ou au Grand Amour, rue Haute, j'arrivais rarement au terme de mon escapade nocturne sans avoir fait, une fois de plus, à mes compagnons de bordée pour un seul soir, le récit de ma rencontre avec les Rois lorsque j'étais enfant. J'y voyais sans doute, à tort ou à raison, la clé de ma vie. Bien sûr, je brodais un peu et proposais à mes interlocuteurs des versions différentes de l'événement – comme le boxeur qui aurait connu jadis son heure de gloire et ne se lasse pas de relater dans quelles conditions il perdit son titre de champion, en tissant sur ce thème dramatique de subtiles variations... Si le récit divertissait de temps à autre quelques contemporains, il n'amusait les jeunes gens que par son caractère suranné, d'un autre âge, et souvent ceux-ci l'interrompaient avant que je l'aie mené à son terme. Je me demandais alors si ce n'était pas pour épargner à Joy mon radotage que j'allais, si souvent, l'imposer à des inconnus. Ne l'horripilais-je pas par mon obstination monomane à demeurer prisonnier d'une unique légende ?

D'aventure, je sortis même avec le dirlo, qui me demanda quels seraient mes sujets de reportage et mes centres d'intérêt pour les mois à venir. J'improvisai dans le désordre : le déboisement de l'Amazonie, le révisionnisme, les suicides collectifs de cétacés à cause de la pollution sous-marine, les plus beaux KO de l'histoire de la boxe en catégorie poids lourds, etc. Il fit la moue et, d'un air un peu compatissant, laissa tomber : « Toujours le crépuscule, n'est-ce pas ? Ne pouvez-vous vous sentir vivre qu'entre chien et loup ? Le Seigneur ne dispense-t-il pas de plus belle lumière à d'autres heures de la journée ? »

Je lui donnai raison. J'en eus le froid dans le dos. Tout semblait avoir soudain moins d'avenir que de passé ! Peut-on encore nourrir la moindre ambition quand c'est de futur que l'on vient à manquer ?

Et alors, cette scène. Je rentre une nuit, autour de 3 heures du matin, au square du Bois-Profond. Je me demande si, quand j'ouvrirai la porte de l'appartement, Joy sera encore éveillée. Ou si elle se réveillera, m'adressant un tendre ou amer reproche. Je tournerai la clé dans la serrure avec une appréhension d'ivrogne surpris en flagrant délit... Je n'ai pas tellement bu ce soir-là, mais, dans l'état où je me trouve, je me saoulerais de n'importe quoi : du sourire d'une fille dans un café ou d'une mauvaise nouvelle lue dans le journal. Je m'abonne au vertige. Tout pourrait faire raisin au pressoir.

Le square est désert. Des merles chantent. En cette saison ? Quelle saison ? Je ne sais plus. Il fait doux. Mais ce pourrait être encore l'hiver. Le pays où cela se passe – où cela se passait – peut grelotter en été et s'abandonner au redoux à la veille de Noël.

Je viens de parquer ma voiture. Un vieil homme émerge de l'aubette, trottine droit sur moi, sans regarder ni à droite ni à gauche ; traverse ainsi le square, Joy, comme tu le fis naguère, mais toi en pleine clarté et avec une tout autre allure… (Ce serait peut-être cela, vieillir, après tout : on resterait au même endroit alors que ceux qui viendraient à vous ne seraient plus les mêmes, et que la lumière aurait changé, puis disparu ?)

« Blanc, m'apostrophe-t-il, je m'appelle Blanc… Considérez ce qui m'arrive… »

Il s'appelle Blanc, Joy : il faut le faire ! Autrefois, c'était bien toi, n'est-ce pas, qui venais ainsi vers moi, toute blanche, ici même ? Ah ! *l'eau a coulé sous les ponts !*

Sans attendre aucun encouragement de ma part, le vieil homme s'explique : « Vous m'accordez quelque attention, Monsieur ? Vous êtes bien le premier, le seul… »

Il doit y avoir plusieurs heures, sans doute, que personne n'a traversé le square du Bois-Profond. Dormez, braves gens, tout est calme. Seul M. Blanc tempête, pour lui seul, sous l'auvent de l'aubette.

« Considérez ce qui m'arrive… Voyez donc cette maison (et il m'indique le numéro 34 du square), elle a été construite par mon grand-père, j'y suis né, j'ai passé là mon enfance et, à présent des gens y habitent, qui portent mon nom. N'est-ce pas étrange ? »

J'en conviens volontiers. Je *considère* – puisque le mot est cher à M. Blanc – la « maison à bel étage » (comme on dit dans notre pays) qui se dresse, toute blafarde, dans la ligne de mire de son doigt pointé. De construction récente (on ne bâtit aussi laid, dans cette ville, que depuis un bon quart de siècle). À vue de nez, M. Blanc doit avoir plus de soixante-cinq ans ; alors, son grand-père avait certainement déjà quitté ce monde lorsque fut conçu ce musée étriqué de la hideur citadine ordinaire ; et l'enfance de M. Blanc a dû, à l'évidence, et pour le meilleur, se passer loin d'ici…

Il a l'air très malheureux.

« Vous devriez rentrer chez vous, à présent…, lui dis-je. Mais vous ne trouverez plus ni tramway ni taxi avant quelques heures… Voulez-vous que je vous reconduise ?

– J'aimerais bien…, me dit-il, l'air rêveur et presque reconnaissant. Mais… je ne sais pas où je vis. »

C'est donc ça.

« Venez donc là, lui dis-je, en désignant l'aubette. C'est bien éclairé, et vous pourrez… Voudriez-vous me montrer votre carte d'identité ?

– Vous êtes flic, ou quoi ? demande M. Blanc, l'air soupçonneux. Ou pickpocket ? Vous n'allez pas me voler, au moins ?

– Mais non, M. Blanc… C'est pour retrouver votre adresse ! »

Il me tend, après un moment d'hésitation, une carte rigide et plastifiée – de celles qu'on n'a mises en circulation que depuis moins de dix ans : elle ne peut donc mentionner une adresse ancienne.

« Voilà, M. Blanc : il est indiqué ici que vous habitez effectivement au 34, square du Bois-Profond. Vous êtes donc devant chez vous…

– Mais puisque je vous dis que c'est mon lieu de naissance…

– Vos papiers indiquent que vous êtes né à La Condamine, principauté de Monaco…

– Mais je suis bien d'ici ! s'écrie-t-il. Cela se voit, non ? »

À quoi, bon Dieu, cela se verrait-il ? Néanmoins, je ne pipe mot : je ne veux pas heurter ses convictions patriotiques.

« Et si nous allions interroger les concierges du 34 ? lui demandé-je prudemment. Peut-être se souviendront-ils que vous êtes né sous leur toit, et connaissent-ils votre histoire ?

— Ils doivent être fort vieux, alors…, observe-t-il non sans à-propos. Et puis, on ne réveille pas les gens comme ça, pour un oui ou pour un non ; on ne sonne pas, au milieu de la nuit, chez des inconnus !

— Les concierges, affirmé-je contre toute évidence, c'est différent : ils sont faits pour cela ; ils savent tout ! »

Une femme en peignoir vient nous ouvrir aussitôt, qui n'a même pas l'air surprise.

« Alors, M. Blanc ? Où étiez-vous encore passé ? Enfin, tout va bien : vous êtes rentré ! Merci, monsieur, de nous l'avoir ramené… Oui, oui, bien sûr : il habite ici depuis plus de vingt ans… Amnésique, dites-vous ? Non, non, monsieur : dans sa tête, il n'y a pas un trou de mémoire ; rien que de la démence. »

Je me dis, incongrûment : le trou de mémoire, ne serait-ce donc pas la plus juste des folies ? Moi, au square du Bois-Profond, il y a quelque temps, n'y étais-je pas revenu pour la retrouver, la mémoire, justement ?

Même qu'à M. Blanc en plein délire, pour le tenir en haleine, pour le rassurer, lui rendre les lieux plus familiers, j'avais dit : « Vous voyez, monsieur, là-bas, en face ? C'est là que je suis né… Et puis ici, tout près de la maison qu'a bâtie votre grand-père – c'est ce que vous m'avez dit, n'est-ce pas ? – vit la femme que j'aime, qui doit m'attendre à l'heure qu'il est…

Ah ! il s'en foutait bien, M. Blanc ! Il répétait seulement : « Je dois rentrer chez moi… Je dois absolument rentrer chez moi… Sans doute un chauffeur de taxi saura-t-il m'y conduire, sans même que j'aie à lui indiquer une adresse ? Il devinera : n'est-ce pas son métier ? »

La concierge, il la reconnut tout de suite. En l'apercevant, il comprit qu'il avait retrouvé son domicile. Il mesura même sa méprise, il s'en excusa aussitôt : « Je t'ai donné bien du mal et de la peine, ma pauvre ! », et il lui baisa la main. « Peux-tu me reconduire à l'appartement ? A-t-on seulement préparé notre chambre ? » Il se dirigea vers l'ascenseur.

« Avec lui, nous ne savons jamais, monsieur, à quoi nous attendre, m'expliqua la concierge. Il y a les jours, les nuits où il se rappelle qu'il a une voiture : il se met au volant, fait le tour du square, et revient la parquer dans le garage… Il y a les matins où il sonne chez nous pour qu'on lui rappelle l'heure de la messe – alors qu'il n'est plus allé à l'église depuis soixante ans ! Et puis les moments comme celui-ci où il se prend pour mon fiancé… "Qu'est-ce que mon mari va penser, M. Blanc ?" dois-je lui dire. Alors il se confond en excuses… Il n'a pas d'enfant ; seulement une nièce qui ne se résout pas à le placer sous tutelle… Parfois, quand j'en ai marre, je le conduis à l'hosto, mais il est coquet : alors il s'en échappe pour aller à la banque, retirer de l'argent, se payer des habits neufs ; ensuite, il rentre ici et me dit : « Ma chère, je vous ai causé, encore une fois, bien du désagrément… Pouvez-vous me conduire jusqu'à ma chambre ? » Sans mentir, il y aurait tout un roman à écrire là-dessus, monsieur…

Mais M. Blanc attend, docilement, dans l'ascenseur. Alors que la concierge l'y rejoint et que je vais m'en aller, il me dit encore : « Considérez, monsieur, ce qui m'arrive…

Cette nuit-là, je rentre chez Joy guéri de je ne sais quelle anxiété. J'ai enfin une chose à lui raconter – cette histoire de l'amnésique du square – qui diffère de moi, de mon inexistence, et du roi, de moi-même avec le roi. Cela soulage Joy : il y a tant de temps que ce n'était plus arrivé !

Nous faisons l'amour comme nous ne l'avons plus fait depuis belle lurette. J'ai envie de dire : comme jamais. J'ai l'impression que je reconquiers Joy. Que je vais regagner Samuel.

Vers 5 heures du matin, l'avertisseur antivol d'une voiture parquée dans le square se déclenche. Personne n'a l'air de s'en préoccuper. Joy craint que son fils ne se réveille. De fait, Samuel fait un cauchemar, ouvre les yeux. Nous prévenons la police. Je vais vers les fenêtres du salon, mon regard se porte vers ma maison natale : le brouillard est tombé tout autour. Je me dis que ma vie s'est déroulée dans une enceinte étroite, et oblongue comme un stade de football ; cela m'agace au plus haut point je ne me suis vraiment jamais éloigné d'ici !... Une fourgonnette de police, finalement, survient ; deux hommes en descendent, qui étranglent le signal d'alarme du véhicule mugissant. Joy m'invite à regagner notre lit. Elle se rendort. Moi pas : l'aube est trop proche. Alors que celle-ci va poindre, les pleurs d'un enfant se font entendre dans l'appartement voisin ; un instant, je me demande si ce ne sont pas les miens, qui me tireraient d'un demi-sommeil où je serais occupé à sombrer. Autrefois, me dis-je, je n'étais jamais réveillé, la nuit, que par mes propres plaintes ; des gémissements dont, une fois réveillé, je ne comprenais jamais l'objet. Je me rappelle que le spectacle des enfants heureux me fut longtemps insupportable ; sauf sur un écran de cinéma, où de les voir renvoyés à la fiction me tirait des larmes. La seule idée d'un arbre de Noël me nouait la gorge et me donnait envie de vomir... Je me convaincs que, partout où j'ai bourlingué dans le monde, la fatalité a voulu que j'aie été incommodé par les cris d'un môme braillard dans une chambre voisine. Peut-être pour me rappeler que je ne serais jamais un père – ou alors, un mauvais père –, comme je n'avais pas été un bon fils. Les vagissements de cet enfant-ci, cet enfant d'à côté, empliraient bientôt la ville entière. On nous lançait évidemment un appel, Joy ! Mais toi, tu t'étais rendormie. Et moi, je ne voulais pas entendre. Ce ne seraient jamais là que les cris d'un enfant que nous aurions pu concevoir, que nous aurions pu avoir envie de faire ensemble, que nous n'aurions pas eu... Les merles avaient cessé de chanter. Mais je vais écrire : « Ils chantaient de plus belle. »

4

Retour au delta

Nous aurions dû y prendre garde. Les avertissements n'avaient pas manqué. Des signaux clignotaient dans la brume. L'air était saturé de pressentiments. C'est toujours la même chose : on ne veut pas y croire. Comme on s'obstine à ne pas entendre, la veille d'une invasion, les bruits de bottes aux frontières du pays. Ou comme on ne voulut pas percevoir ces craquements d'icebergs qui préfigurèrent la déchirure du *Titanic*.

Un employé du ministère des Finances me révéla un jour que la dette de l'État belge se montait à dix mille milliards de francs, qu'elle excédait presque celle d'un grand pays voisin, quatre-vingt fois grand comme le nôtre et qui ne se portait pas bien. Que cela donnait le vertige, n'est-ce pas ? (Il rit.) Et que ce n'était sans doute qu'un début : bientôt, on battrait le record du Brésil... Nous ne pouvions même pas prétendre, songeais-je en prêtant oreille à ces explications, que nous n'étions pas au courant, puisque nos déclarations d'impôts avertissaient chaque citoyen, si seulement il voulait bien prendre connaissance du texte explicatif, qu'on le sommait de combler, dans la mesure de ses moyens, cet incroyable gouffre.

Le pays s'était, sans qu'on y prêtât vraiment attention, mué en abîme.

Or, un trou, il faut que cela se remplisse, si on ne veut pas qu'il se creuse toujours davantage... Voici à quoi nous n'avions pas même songé.

Le procès-verbal d'une « assemblée générale ordinaire des copropriétaires d'appartements sis au 30 square du Bois-Profond » rédigé à cette époque – à deux ou trois encablures de l'an 2000 – relève que l'encombrement et/ou l'obstruction des crépines de terrasses de l'immeuble doivent être à l'origine des remontées et infiltrations d'eau, ainsi que des taches d'humidité dans murs et plafonds.

J'omets de spécifier qu'entre-temps le square susdit avait été débaptisé et se dénommait déjà square au Bois-Dormant, en hommage à un échevin local de la culture qui était décédé dans les environs et avait commis un unique recueil de poèmes portant ce titre.

Je me souviens aussi que, dans ces années-là, un égoutier de la ville disparut, emporté par un *coup d'eau*, pendant un violent orage, alors qu'il prospectait un conduit sous la rue de la Paille. Deux ou trois journaux en profitèrent pour faire connaître, en quelques lignes, à leurs lecteurs distraits l'existence d'une petite population souterraine et recroquevillée, sillonnant des galeries insalubres, sept heures par jour, à cinq mètres de profondeur sous les chaussées urbaines, dans le but de les curer de leur boue et de leurs eaux usées. Peut-être le cadavre de la victime avait-il été emporté à la dérive par la Senne, la Dyle, l'Escaut, ou même jusqu'au large, en mer du Nord. (Durant ce temps-là, l'ouragan baptisé Gilbert poursuivait sa course vers les côtes du Texas, où il allait bientôt sévir. Le cyclone Gordon avait semé la désolation dans tout l'univers caraïbe. Avant cela, Andrew, Hugo ou David avaient, au fil du temps, aspiré au cœur de leurs maelström des milliers de victimes. Turbulences et tumultes à l'aune des nations : pour ceux-ci, emportement d'apocalypse dans l'océan, pour celui-là – un des nôtres – ultime rendez-vous avec les rats… Mais pourquoi la fatalité s'en tiendrait-elle toujours à cela ? N'y avait-il pas eu des précédents, déjà, qui bousculaient les proportions ?)

Vers la même époque encore, je payai volontiers une carte de participation au bal des pompiers de la commune. J'observai avec plaisir que, si je souhaitais m'affilier en tant que membre effectif ou pensionné de leur corps, on m'offrirait, en retour, une prime de mariage, une prime de naissance au nom de l'enfant (disponible à sa majorité) ou une contribution à une assurance-décès. J'appréciai qu'aucun de ces cas de figure ne fût oublié. Signe des temps...

Je pensai, en vue d'un reportage, m'intéresser à l'hydrologie. Je me décourageai lorsque j'appris que, sur notre sol, la nappe phréatique s'épuisait, en dépit de précipitations plus qu'abondantes, dans la mesure où, en vue de l'irrigation, on la pompait jusqu'à plus soif... Plus il pleuvait, plus sous nos pieds cela se désertifiait donc ? Qui l'eût cru ? Il n'y avait décidément que nous pour produire de tels paradoxes !

Je m'interrogeai, quelques semaines durant – mais ce n'était plus en vue d'écrire quoi que ce fût pour la revue : ce pauvre Bonboire, au nom prédestiné, en eût péri d'un œdème généralisé ! –, sur la logique contradictoire des déferlements aqueux dans le monde, dans nos corps, dans nos âmes. Lustrale purification par ici, enténébrante et délétère griserie par là : pauvres de nous – même si nous étions de riches capitaines –, appareillant et gouvernant à vue sur des flots à ce point démontés par la suprême aberration, celle qui voulait que l'eau donnât la vie jusqu'à la prêter à la mort même ! Ah ! vous parlez d'un bercement de galère, d'un délire de nef ! Dès que l'esprit se mettait à chalouper, il n'y avait pas de meilleure et pire ivresse qu'hydrique ! Quelle baptismale et funèbre bordée ! Mon Dieu, maman, si tu me voyais ! Et si tu consentais à me baigner comme au premier jour, à me nettoyer, à me blanchir !

J'ai bientôt la tête farcie de récits diluviaux. Pas de mythe plus ancestral ni plus tenace, plus répandu, plus universel que celui de l'anéantissement des hommes pour leur propre bien et en vue d'assurer leur régénérescence… Tablettes sumériennes, épopée de Gilgamesh, versions indiennes du Satapatha Brahmana et du Bhagavata Purana, exportation jusqu'en Iran et en Grèce, dans toutes les Amériques et en Australie, incursion aussi chez les Négrito de Malacca et les Guarani du Mato Grosso, et chez les Cherokee : il n'y avait pas qu'en Babylonie ou au sein du monde hébraïque que s'étaient déroulés les anneaux d'une rêverie ininterrompue, tout à la fois prophétie chargée de menace et folle espérance. Les narrations ne butaient que sur un seul dilemme : le Déluge avait-il eu lieu – comme on le pensait, par exemple, en Mésopotamie – ou était-il encore à venir, et alors où et quand ? À moins qu'il ne se fût produit déjà plusieurs fois, de façon cyclique et récurrente et qu'on ne fût bientôt appelé, à l'approche du deuxième millénaire, à le revivre à nouveau ?

Saluant le concierge dans sa loge, ou apercevant le facteur des postes en train d'effectuer sa tournée, ou scrutant ces étudiants en duffel-coat sur la plate-forme du tramway 94, ou surprenant ce chien levant sans vergogne la patte au pied d'un réverbère du square au Bois-Dormant, ou contemplant la dérive éreintée de ce pigeon lâché, à l'aube d'un dimanche, par un lointain convoyeur de campagne, on pouvait se demander, parier, supputer : ceux-là seront-ils sélectionnés, sauvés ? Seront-ils du prochain voyage ? De quels spécimens sera constituée la ménagerie élue ?

J'écoutais d'une autre oreille qu'à l'ordinaire les témoins de Jéhovah lorsqu'ils venaient, en fin de semaine et *en couple* – comme par hasard –, m'inviter à réfléchir sur l'avenir du monde et les fins dernières, à partir d'une lecture revue et corrigée du texte biblique. Leurs prédictions ne me faisaient plus sourire.

Je fus captivé un mois par une série d'émissions, à la radio, qui portaient sur le thème : « Avez-vous réussi votre vie ? Que feriez-vous si c'était à refaire ? Quelle revanche auriez-vous à prendre sur le destin ? », etc.

J'entendais déjà, comme au creux d'une conque, la rumeur de houle qui accompagnait l'énoncé de pareilles interrogations.

Quelles revanches aurais-je donc à savourer ? Curieuse question. Aucune, hormis toutes. Je me sentais une fois encore comme le « petit navire » de la chanson, celui, vous savez bien, qui-n'avait-jamais-navigué, et auquel on aurait soudain offert d'appareiller vers la Terre promise. Et aussi à « Maman, les p'tits bateaux... ont-ils des jambes ? » : ils marcheraient peut-être vers le salut, s'ils en avaient...

Considérant une mappemonde ou un planisphère, ou parcourant dans l'ordre alphabétique les noms de tous les pays et de toutes les villes du globe, je me demandais où pourrait se trouver ma seconde patrie, le lieu d'élection duquel réclamer l'asile et où solliciter une naturalisation décisive : Babel, Babylone, Bagdad, Bahamas, Bélouchistan, Bermudes, Biélorussie, Bochum, Borobudur ? Chaque étape de cet itinéraire endiablé rameutait une fantastique imagerie. J'appelais à la rescousse clichés, idées reçues, réminiscences scolaires, souvenirs de lectures, descriptifs de *Baedeker*, qui soient de nature à guider mon choix. M'avisant que les cartes que j'utilisais étaient déjà anciennes, périmées, je me ruais sur des mises à jour – Bangla Desh, Slovénie, Lubumbashi, Namibie...

Je reconstruisais le monde comme un enfant.

Antioche ? Ararat ? Atlantide ?
Et pourquoi pas Belgique ? Bruxelles ? Bois-Dormant ?

Je me souvins que, lorsqu'on envisageait encore la possibilité d'un conflit nucléaire entre les superpuissances, les experts des deux camps s'accordaient à redouter surtout ses conséquences géophysiques : l'astre solaire serait voilé par des centaines de millions de poussières, un terrible hiver s'abattrait sur la Terre, et l'humanité disparaîtrait de sa surface en quelques semaines ; seuls subsisteraient les organismes vivants les plus primitifs.

« Sais-tu, me questionna Michel David, le 29 mars 1976, que depuis minuit nous sommes quatre milliards d'êtres humains sur le globe ? » (C'était le genre d'informations qui l'enthousiasmaient le plus, et mon cher collègue avait l'enthousiasme communicatif : aussi consignai-je celle-ci, sans attendre, dans mon agenda.)

« Je me demande, lui dis-je en refermant mon stylo, si cela diminuera ou accroîtra les chances de rencontres essentielles ? »

Bien plus tard, un matin pluvieux où nous n'avions pas grand-chose à faire, il m'apprit : « Les étoiles vont d'ordinaire par couples. » Ainsi, il pourrait y avoir un second soleil. Jupiter, par exemple, est un soleil raté, un brouillon du nôtre : la combustion ne s'est pas réalisée… D'autre part, il est prévu que le Soleil et la Terre vivront en tout une dizaine de milliards d'années ; nous devons être à mi-chemin… »

Je ne sus pas si cela devait m'apparaître long ou absurdement bref. Cela dépendrait des jours, sans doute. Quand je te connus, Joy, je pensai qu'*aujourd'hui* brûlerait si fort que la seule idée d'un lendemain éloigné m'eût semblé ridicule.

Te souviens-tu, Joy, de notre voyage au delta ? Mais non, ce n'était pas toi : où avais-je la tête ? Et comment puis-je un instant confondre ? D'ailleurs, nous avons tellement peu voyagé… Tu avais si peur de l'avion ! Je prenais, Rebecca, ta main gauche dans ma main droite : la tienne était froide, au bord du Tigre ; elle était froide encore au bord de l'Euphrate. Lorsque j'avais saisi, déjà, ta main dans la mienne, au moment de nos désastreuses noces, et qu'elle m'apparut glacée, j'ai compris, en un éclair, que les jours de notre union seraient comptés, que nous n'irions pas loin ensemble. Mais au delta du Tigre et de l'Euphrate, en dépit du désamour qui s'emparait de nous, chaque heure un peu plus, jusqu'à la fascination, jusqu'à une sorte d'envoûtement réciproque, je ne sais pas pourquoi, je me suis dit – cette fois-là, cette unique fois, et pas une autre – avec une sorte de véhémence : une femme dont il faut réchauffer la main au bord des fleuves (*Super flumina Babylonis !*), on ne saurait la quitter, on la gardera toujours auprès de soi. C'était faux, bien sûr. Mais je ne pouvais pas savoir à quel point la vie est capable de mettre à mal la meilleure des volontés, la plus pure des intentions, le projet le plus noble, la plus humaine des entreprises. Dieu sait si j'eusse aimé alors, pourtant, tenir le coup ! Rien que pour la beauté du geste, pour la chaleur de la main.

L'histoire des hommes de là-bas, de cet endroit entre tous, avait commencé cinq mille ans avant Jésus-Christ. Puis, deux mille ans plus tard, les eaux recouvrirent la terre pour longtemps. Puis les hommes réapparurent, puis d'autres vinrent qui les vainquirent, puis d'autres encore qui chassèrent ceux-ci, puis d'autres qui remplacèrent ces derniers, et ainsi de suite. À chacune des étapes de ces disparitions, de ces mutations, de ces résurrections, l'eau avait joué son rôle, soit en fécondant, soit en annihilant, soit en se donnant, soit en se refusant. Mais au bord des deux fleuves, sous le joug des cieux et le ventre ambré des nuages que la lumière harponnait, je réchauffais ta main dans la mienne, Rebecca – cette fois-là, cette unique fois. Tu sais, nous n'aurions peut-être plus dû bouger de ce delta ?

À ce même endroit, au cours de l'hiver 1953-1954, les eaux avaient monté et les régions riveraines furent inondées. Bagdad parut un instant menacée. On vit des autos partir à la dérive sur la route de Bassora, des chiens errants et du bétail se réfugier jusque sur les toits des maisons. De violents orages faisaient bouillir comme une marmite l'étendue des marais au sud du pays. Tirant profit de cette crue désastreuse, les habitants des îlots flottants firent des chasses miraculeuses, et on ne compte pas le nombre de sangliers, de bufflons ou de pélicans qu'ils purent piéger et abattre. Mais, de temps à autre, des grêlons gros comme des œufs d'autruche assommaient ou fendaient le crâne des braconniers imprudents… Après la décrue, les pistes qui sillonnaient les terres du Chatt al-'Arab furent calcinées par une vague de sécheresse et retournèrent au désert ; le fleuve, que l'on se remettait à peine d'avoir vu si emporté, s'englua dans l'aridité de son lit, torréfié par le soleil.

Or, au début de la même année 1953, un raz de marée n'avait-il pas balayé à 150 kilomètres à l'heure le littoral de notre propre pays, emportant sur son passage des dunes de sable fin d'une vingtaine de mètres de hauteur ? Des vagues énormes, cabrées à la verticale, se ruèrent sur les digues en déchirant les balustrades. La mer s'engouffra dans la ville basse d'Ostende et jusque dans les salles de bal des hôtels et du Casino, où les sauveteurs durent porter secours à des fêtards en costume de soirée…

À l'estuaire de l'Escaut, et surtout en Zélande, des milliers d'hectares de polders sombrèrent au milieu d'eux-mêmes comme au fond d'un abysse. On eût dit que, partout, l'eau était devenue la norme et la terre l'exception, qu'on allait devoir apprendre un nouveau mode de vie dans un univers rendu à l'aquatique. L'œil ne se lassait pas de contempler ces paysages où seuls les clochers, les têtes de grues, les pignons et les tuiles faîtières des toits, qui émergeaient, çà et là, de l'eau unanime, rappelaient qu'on avait naguère connu en ce lieu une existence terrestre. Des bateaux semblaient voguer sur place dans la ramure des arbres. Il se dégageait de ces images une poésie insensée les frappant d'irréalité, une poésie née du bouleversement de toutes choses : comment croire une seconde à ces mirages d'engloutissements, que leur terrifiante beauté ne rendait plus plausibles ?

Seule l'expression hagarde et les yeux agrandis par l'épouvante des rescapés tendaient au cataclysme un miroir où se reflétait l'horreur.

Cela – ces regards traqués d'hommes, de femmes, d'enfants saisis par la calamité – me souffla de suggérer à Bonboire une série sur les catastrophes naturelles du premier demi-siècle dans notre pays : inondations, séismes, tremblements de terre…

« Du *premier* demi-siècle, hein ? Vous ne changerez jamais ! Vous pourriez au moins embrasser le siècle entier… Mais peut-être est-ce trop présumer de vos forces, et manqueriez-vous réellement de souffle ? Ou d'ambition, alors ? Non ! Je sais ce qu'il y a : vous êtes un passéiste, tout bêtement ; bientôt, en remontant, vous vous arrêterez au péché originel, et il n'y aura plus moyen de vous en faire démordre… Néanmoins, il y a une nouveauté, pas de quoi cependant se réjouir : votre nostalgie perpétuelle, vous l'accrochez à présent aux fléaux collectifs. Vous allez sans doute nous annoncer prochainement la fin du monde ? L'avenir noir, c'est parfaitement dans votre style… Et puis aussi, franchement, cette manie de ne jamais dépasser nos frontières ! Le monde est grand, vous savez. Vous pourriez peut-être universaliser un peu votre propos, donner une certaine envergure à vos récits ? »

Il avait raison, évidemment. Mais c'était bien lui, aussi, de m'imaginer toujours cédant à une subtile forme de spleen et dans l'attente d'une préretraite confortable, faute de je ne savais quel recyclage accéléré sur le seuil désormais atteint de mon incompétence !

Je craignais surtout que cette analyse ne rejoignît par trop celle que Joy était, aujourd'hui, tentée de formuler à mon endroit. Et cela, à cause de certain goût de la catastrophe, d'une fréquentation assidue et gourmande du désastre, dont elle croyait devoir m'inculper, me reprochant aussi un morbide penchant à la rétrovision. Comme si je désirais toujours sauver ou gratifier le passé aux dépens du présent. Ou comme si la vérité des choses, aussi, ne me suffisait pas et que je voulusse toujours y ajouter de la mythologie.

« Même notre histoire, regrettait-elle, il faut que tu la tournes en fiction ! Ne serait-ce pas insulter la simple réalité ? Alors que, pour moi, celle-ci fut tellement plus belle, à l'origine, que tes inventions soi-disant mirifiques et ces enjolivements qui sophistiquent tout, qui n'embellissent absolument rien... »

J'avais compris que cet amour de la fiction, précisément, qu'elle m'imputait à délit de révisionnisme, avait avec le temps creusé un désaccord entre nous. Avait rongé tel un acide notre lieu d'élection. Et l'avait fait plus sûrement qu'un divorce idéologique ou qu'une divergence portant sur des valeurs ou des principes. À ses yeux, il y avait eu, de ma part, détournement de fonds, dilapidation d'un trésor.

« Tes rêveries duplices, loin d'ennoblir notre aventure, l'auraient plutôt frappée d'inauthenticité... »

Bref, elle n'aimait pas la façon dont je racontais les choses : c'était rédhibitoire. N'étais-je pas devenu, à ses côtés, au fil des jours, une sorte de redoutable mythomane ?

Cela nous mettait à distance l'un de l'autre, même si nous vivions encore ensemble, sous le même toit. J'avais l'impression de me recroqueviller dans un abri, de me faire tout petit, d'occuper le moins de place possible. Je n'avais déçu ma compagne que par le regard que je portais sur notre vie commune et le langage que je tenais à son propos, même quand celui-ci tournait au dithyrambe... Pour Joy, cela devait constituer, cependant, plus qu'un adultère : une sorte de trahison sur l'essentiel. Je trouvais cela très injuste, un affreux malentendu, mais je me découvrais impuissant contre le chagrin qui la consumait.

Je lui proposai de m'éloigner, de vider les lieux. « Cela n'a aucun sens, dit-elle, puisque *le mal est fait*. Tu n'ajouterais qu'un malheur à un autre... »

Elle pensait aussi que le jeune – qui deviendrait bientôt le grand – Samuel avait encore, de loin en loin, besoin de moi.

« Pour lui inculquer l'emploi du participe passé et celui du subjonctif imparfait, pour lui parler des dinosaures et des ptérodactyles ; de Java, de Bornéo, de l'épiglotte, de la luette, du péritoine, des artères coronaires, du quaternaire, du néolithique, et de la dynastie... Pour lui raconter aussi ces histoires qui l'enchantent lorsqu'il se met, le soir, au lit... »

J'appris donc, et je savourai, que Joy ne répugnât pas à me voir rester auprès de son fils pour les raisons mêmes qui l'avaient éloignée de moi, et déçue... Rien n'était simple décidément, et je ne vivais pas cette situation sans une tendre ironie.

J'initiai Samuel au souvenir et à la symbolique des cités englouties. J'eus beaucoup de peine à lui expliquer que certaines d'entre elles avaient été vraiment submergées par des mers en folie, mais que d'autres ne l'avaient été que dans l'imagination des hommes. Que, pour d'autres encore, la légende le disputait à la réalité du naufrage. Il ne comprenait pas pourquoi, ni comment, on pouvait passer son temps à broder sur des trucs pareils... En d'autres termes, à quoi cela rimait-il de fabriquer des cauchemars ? (En cela, Samuel était tout de même bien le fils de sa mère...)

C'était chaque fois à cause d'un péché, lui dis-je : la ville était maudite parce qu'elle devait expier. Samuel trouvait qu'une ville entière ne pouvait pas être coupable.

Ys précipitée au fond de la baie de Douarnenez ; Tyr plongeant dans les abysses ; Cesarée, Ciudad de los Reyes, Éléphantine... Quelquefois, on se figurait que les cloches des cathédrales retentissaient encore sous les vagues et que les citadins continuaient de vaquer, comme en rêve, à leurs occupations dans l'attente qu'on les délivre d'un charme maléfique : somnambules aquatiques, fantômes amphibies, couverts d'algues et de mousses, implorant une improbable miséricorde.

Samuel prit l'air distrait. Il s'ennuyait ferme.

« Ces histoires de péché et de pardon, ce n'est pas pour les enfants…, décréta-t-il. Et puis d'ailleurs, maintenant c'est fini, on ne va plus jamais voir ça, tu le sais bien ! »

Pourquoi effrayer Samuel en lui révélant que, au rebours, rien ne serait sans doute appelé à se répéter comme la submersion des cités coupables – et des villes innocentes, aussi ? À quoi bon annoncer aux lecteurs du *Monde est à vous* que rien ne menaçait autant que le naufrage du monde ? Ne serais-je qu'une Cassandre de café-concert ?

« Sauver Venise ! » avait proclamé l'Unesco lorsque l'*Acqua alta* s'était mise, en novembre 1966, à déferler sur la place Saint-Marc. Engrossée par le vent d'est, la marée avait bondi dans les canaux, corrodé les façades des palais, envasé le port dans sa propre lagune. Et, depuis lors, la cité des Doges n'avait pas sombré, uniquement parce qu'elle ressemblait trop à un songe et que les songes ne se noient pas.

Florence, à la même heure, fut récurée comme une lessive le serait par une armée de lavandières. Des automobiles, retournées sur le toit tels des scarabées, cabotaient sur les eaux miroitantes. La Bibliothèque nationale fut embourbée par un torrent de merde : près d'un million et demi de livres subirent l'outrage. Des toiles d'Uccello et de Cimabue se retrouvèrent éclaboussées, et des bas-reliefs mazoutés. Les lampadaires du Pont-Vieux furent tordus ou étêtés. Il n'y avait plus de corps de pompiers, car tous les habitants de la ville l'étaient devenus, même de maigres clercs de notaires qui portaient cravates et lunettes noires. Des salons entiers partirent à la dérive, des mappemondes, des horloges, des chevaux à bascule, au milieu du cheptel crevé.

« Nous avons tout perdu ! » clamaient les uns. « On aurait pu tout sauvegarder… », commentaient les autres. Mais ils se croyaient, au fond, les uns comme les autres, victimes d'un mirage collectif. Vu d'hélicoptère, cela vous avait seulement l'air d'un paysage naïf dont l'innocence aurait été surprise, meurtrie, bafouée. Les égouts dégorgeaient tels des geysers, pour retourner vers le ciel ce qui était venu de lui ; après, le calme succédant au fléau frappait l'étendue de stupeur.

Bien sûr, je me suis dit : cela ne fait jamais autant impression et scandale que si la chose ou l'événement advient au cœur d'une « ville historique », et que des chefs-d'œuvre sont mis en péril. À Florence, les marbres de Michel-Ange, la *Madeleine* de Donatello, les bas-reliefs de Ghiberti et, çà ou là, un Botticelli, un Veneziano... À Venise, des Tiepolo, la *Vénus* du Titien, à la Cà d'Oro, *La Tempête* de Giorgione et, comme si cela procédait d'une foncière logique, le groupe de *Noé ivre avec ses fils*, attribué à Raverti : mille autres beautés se trouvant menacées en l'espace d'une seule nuit... Alors que durant les guerres, les bombes épargnent encore, le plus souvent, les sanctuaires de l'art... L'eau, dans ses débordements, pourquoi aurait-elle ce souci, ce scrupule ? Elle est plus aveugle que la Terreur ! Elle dévergonde, sans y penser, les lourdes portes des baptistères, asperge les feuillets des livres sacrés, saute jusqu'au plafond des opéras, décroche les icônes, s'engouffre dans les patios décorés, balaie ou traverse les œuvres des hommes : elle ne respecte rien. Pourquoi se gênerait-elle ?

Athènes en 1977, en 1982, en 1994... Mais on l'avait déjà tellement enfermée dans un coffre de béton, les pluies acides avaient si bien érodé les colonnes doriques de son Parthénon, pompé comme des vampires le sang de marbre de ses caryatides, que l'eau céleste et le cyclone ne trouvèrent plus guère à emporter que des hommes, dans leurs voitures, au large de Phaleron ou dans la baie d'Éleusis.

Le torrent que les pluies gonflèrent à Vaison-la-Romaine, en 1992, balaya surtout des campings, fracassa des caravanes hollandaises contre l'arche des ponts, s'installa dans les cafétérias, mais par miracle épargna ce qui s'était passé de notable dans les siècles antérieurs : pourtant on ne considérait plus la cité ancienne qu'avec une sorte d'incrédulité.

« Fini, Vaison ! » clamait un graffiti. Et cela avait l'air presque vrai, tant le champ de ruines entre lesquelles serpentait le cours à l'étiage d'une rivière domptée paraissait aujourd'hui plongé dans une paix mortelle.

On pouvait penser, non sans amertume : au moins, chez nous, pas de péril en la demeure ! Plus de rivière qui coule au centre de la ville, puisqu'on l'a emmurée, même pas vive, déjà à moitié croupie, empoisonnée, abasourdie, hébétée par les pestilences. Et, tout compte fait, qu'y aurait-il donc eu de beau encore à casser dans ce lieu qu'urbanistes, architectes, promoteurs immobiliers et échevins des Travaux publics ont déjà allégrement mis à mal ? Ceux-ci ont fait une partie du boulot !

Oui, mais si, tout de même, sonnait l'heure de la fin des fins ? De la grande estocade ? Du dépècement de la carcasse grisée par l'annonce, par l'approche de sa propre, de sa sale, de sa vilaine mort ? Allons ! Tout confirme que nous sommes en danger.

Par exemple : je garde encore dans l'oreille ces exclamations inquiètes de réfugiés d'Europe centrale – originaires d'un pays qui n'avait pas accès à un littoral – à l'idée qu'ils allaient devoir vivre désormais dans un territoire bordé par la mer... Et si, un jour, prenant trop d'élan, celle-ci bondissait jusque dans les rues de la capitale ? Bonne question. Que répondre ?

Il était une fois une rivière mal aimée. À une voyelle près – remplacée par une consonne –, elle eût été l'homonyme de celle qui traverse la Ville Lumière. Ça l'a marquée, pour sûr. La Senne fut victime et responsable de certains maux : on les lui attribua tous. Cours d'eau émissaire, il payerait pour d'autres… (On ne prête qu'aux voix royales, aux voies fluviales.) On confondit la cause et la conséquence, la proie et le bourreau, la malade avec sa maladie.

Le choléra fait, en ville et à la périphérie, plus de trois mille morts en 1866. On se croirait au Maroc ou au moins en Italie ! lance-t-on, pour conclure aussitôt : C'est la faute à la Senne ! Engorgements, inondations du nord au sud de la ville : encore elle ! De plus en plus de gens campent sur ses rives et l'industrie colonise celles-ci, mais les entretient mal : tanneries, teintureries, écorcheries, brasseries la traitent comme une pute – une putterie –, un égout naturel : elles y rejettent et abandonnent en vrac, sans vergogne, matières organiques, boues chimiques, débris d'animaux, poutrelles pourries, fonds de poubelles… Après cela, on criera vertueusement à l'insalubrité des berges mangées par « une lèpre mortelle ». On invoquera même le mal-être du prolétariat riverain ! la pâleur des enfants, couverts de moisissures indélébiles ! le déguenillement d'une population littéralement jetée au ruisseau ! On accuse les eaux noires, empuanties, de stagner, de dormir… Que feraient-elles d'autre, écrasées sous tant d'opprobre ? Elles auraient comme honte de couler encore ; il ne leur reste qu'à raser les murs, qu'on les accuse de souiller au passage…

Pour lutter contre la misère et les miasmes – dont la rivière elle-même serait coupable, ainsi que d'un mauvais rêve –, il va donc falloir réagir, hygiéniser, eugéniser, assainir ! Pour le bien des malheureux indigènes qu'il importe d'urgence d'évacuer de leurs masures insalubres, au fond des culs-de-sac où ils blêmissent ! N'importerait-il pas de les arracher au cloaque où ils s'enlisent, au besoin malgré eux ? Vaste programme ! Que ce serait noble en effet d'affranchir ces esclaves de la boue qui les recouvre sans que, parfois, ils s'en rendent compte eux-mêmes ?

On pourrait d'abord, c'est entendu, ne pas envisager de solution extrême. Ne pas tuer l'eau qui coule aux pieds des hommes, leur rendant encore de menus services et prêtant un résidu d'âme à la ville qui guerroie déjà suffisamment contre elle-même… Et, entre autres, ne pas raser le temple des Augustins, qui a si fière allure, ni le quartier de Notre-Dame-aux-Neiges, au si joli nom, et qui mériterait quelque considération, n'étant pas que ce dédale d'impasses taudisardes et corrompues auquel on serait tenté de le réduire.

On pourrait parfaitement épurer la Senne, laver ses eaux, la blanchir de ses péchés, ou encore la détourner des quartiers du centre, où elle se gâte en raison d'un débit ralenti, insuffisant. Installer des collecteurs d'eau dans son lit. Se contenter de rectifier son cours, de l'élargir, en la laissant couler dans des pertuis : ainsi, on pourrait encore éponger les crues. On condamnerait le mal qui réside non en elle mais dans les égouts de cette ville. Bref, on donnerait à la rivière une chance…

(On ne resterait pas avec tous ces quais qui ne sont plus quais, aujourd'hui, que de nom, là où il y avait dans le temps le marché matinal : quai aux Fleurs, quai au Foin, quai au Bois-à-Brûler ou au Bois-de-Construction, quai aux Barques, quai aux Pierres-de-Taille…, dans le quartier qui va de Sainte-Catherine au Théâtre flamand et à l'allée Verte.)

Ah ! il s'agit bien de cela : d'immuniser l'eau ou ceux qui vivent à côté d'elle ! On met sur pied un concours d'architecture…, mais en réalité les jeux sont déjà faits. « Le maintien d'une rivière qui mérite à peine son nom, succombant sous la nuée des gaz mortifères dégagés par les immondices qu'elle charrie, n'est que celui d'un scandale à ciel ouvert ! » proclament les adversaires de tout compromis.

Il faut être « de son temps » !

On va donc voûter la Senne – l'envoûter ?

Et sous prétexte de faire le salut des sous-prolos les pieds dans la gadoue – ils ont bon dos –, on les déporte au nombre de dix mille… On ne sait pas trop, de mémoire de citadin, où on a bien pu les reloger. Sinon dans des banlieues douteuses et sans doute aussi sordides que les quartiers d'où ils venaient.

Mais on se souviendra que l'opération fut rentable ; juteuse, même. Spéculative. Les affairistes regagnèrent le centre de la ville, désertifiée à grands frais. On put nourrir, grâce aux expropriations, des rêves aux dimensions haussmanniennes.

Ce n'était qu'un début. Durant près d'un siècle, la rivière fut encore traquée, dut reculer, céder du terrain. De 1869 à 1957, on lui mène la vie dure, on la chasse définitivement de la cité, pensant qu'elle ne se réveillerait pas, qu'elle ne pourrait, un jour, se venger. Elle parut disparaître à jamais sous les boulevards extérieurs. Elle se fit oublier. On la crut *usée* jusqu'à la corde. Oh ! on disait bien qu'elle refaisait, çà et là, surface : à Soignies, Ath, Ruisbroeck ! que certains l'avaient aperçue à Lot et Drogenbos ! qu'elle se convulsait dans la campagne halloise, se momifiait sous la capitale dans un sarcophage de béton, pour mieux s'évader de ses liens et rejaillir en Flandre… D'aucuns prétendaient qu'il y avait à nouveau danger, qu'elle se polluait dans le toluène que lui inoculaient des usines de production chimique ; que cette substance toxique pourrait s'emparer du système nerveux des habitants des villages voisins, l'emballer ; que les écologistes avaient fait, de la lutte contre ce phénomène, un cheval de bataille dans d'autres pays… Mais les gens sérieux ne croyaient plus guère à tout cela… Les esprits inquiets affirmaient encore qu'elle pouvait grossir, là où elle resurgissait, de trois mètres cinquante en quelques heures. Néanmoins, on dit tant de choses… Si on devait accorder crédit à la moindre rumeur ! Et puis, il y a maintenant d'autres chats à fouetter, car c'est la ville entière, entre-temps, qui a subi de graves outrages : qui s'en irait encore pleurnicher sur le sort d'une petite rivière malade quand c'est toute la cité qui, depuis lors, s'est gangrenée ?

Ah ! il en faudrait de la mémoire ! Et, plus que n'importe quelle autre, la mémoire des crues (puisque dans ces parages on s'obstine, comme nulle part ailleurs, j'en suis sûr, à bâtir de préférence sur des espaces inondables). D'un autre côté, les gens d'ici ne pratiquent guère l'anamnèse ; ils ne courtisent au mieux que la mémopsychose ou l'amnésie... Si encore on pouvait les aider à s'oublier eux-mêmes ! Il n'y a que leur pesanteur de piétons qu'ils n'oublient pas lorsqu'elle résonne sur le pavé des rues. Pauvres gens ! Ils ont des maladresses de cosmonautes fourvoyés qui auraient aluni sur la terre. S'ils savaient ! Tout les menace, et ils l'ignorent complètement.

De façon soudaine, je m'avise que je ne rêve jamais qu'à propos des pays ou villes où je ne suis jamais allé : le Honduras, Pointe-à-Pitre, Honolulu, Madagascar, Canberra, Mandalay, Rouxinol, la Tchétchénie...

Alors qu'allait advenir le printemps 1993, le chanteur Prince n'a pu donner un récital, bloqué qu'il fut par la tempête dans l'aéroport d'Atlanta, en Géorgie. Au Connecticut, les évêques ont relevé les fidèles de l'obligation d'assister à l'office dominical. L'air froid venu du Canada s'est engouffré dans une dépression creusée à Cuba ; le vent soufflait à 180 kilomètres à l'heure, poussant devant lui une neige dévastatrice : on n'avait pas vu cela depuis la fin du XIXᵉ siècle ! En Floride, deux millions de personnes sont privées d'électricité. L'eau, un peu partout, a déterré et emporté des centaines de cercueils qui s'en vont cahin-caha et, parfois, se heurtent comme des autos tamponneuses. Laissez les morts déterrer leurs morts !

D'autre part, plus les fleuves montent dans le New Jersey, le Maryland, la Virginie, plus l'eau potable vient à manquer. Telle est l'ironie suprême des cataclysmes. Le Mississippi n'a pas été en reste : la cabane de Jesse James, le bandit de grand chemin, le Robin des Bois du Midwest, a été emportée sur la crête du mascaret, elle a dansé quelque temps sur l'ourlet des vagues, elle s'est juchée sur la cime d'une montagne d'eau, avant de disparaître – ce qui lui laisse l'espoir de mieux survivre dans le souvenir des faux témoins qui ne croient qu'aux légendes... Il n'est d'apocalypse que pour qu'on puisse au moins hériter, de temps à autre, de la minceur d'une anecdote ; il n'y a de monde dans le monde, de terre sur la Terre, qu'afin qu'on ait, au bout du compte, quelque chose à raconter ; sans inondations, on aurait déjà péri depuis longtemps d'ennui. À la télévision, des reporters cravatés ne commentent plus les nouvelles du jour qu'à l'avant-plan d'autoroutes ou de champs submergés : on les a bottés de cuissardes en caoutchouc, uniquement pour les rendre crédibles, et un peu émouvants. Dès que le niveau des rivières aura baissé, on sommera les habitants de ne pas laver leurs voitures, de ne pas arroser leurs jardins stigmatisés par la boue, de crainte que les réservoirs ne soient vidés en très peu d'heures.

Quelques mois après, la terre tremble à Los Angeles. Le séisme pourrait provenir d'une faille terrestre jusqu'ici non répertoriée : une sorte de Sida géologique. Sunset Boulevard n'a jamais autant mérité son nom. Le couvre-feu est décrété. Bonne nouvelle : la criminalité aurait baissé durant quelques jours à la faveur du traumatisme. Le parc d'attractions du studio de cinéma Universal a suspendu, par respect pour les victimes du séisme réel – magnitude de 6,6 sur l'échelle de Richter –, une de ses animations simulant une secousse de 8,3.

Un peu plus tard encore, la moitié de la Californie a été déclarée zone sinistrée ; l'eau l'a cambriolée, emportant dans sa fuite un butin de bretelles d'autoroutes, de champs de fraises et de plaines d'artichauts.

Souvenons-nous d'Agadir. Je veux dire par là : de la catastrophe d'Agadir. Car nous ne connaissions même pas toujours le mot Agadir avant que le lieu fût rayé de la carte. Nous fûmes nombreux à apprendre dans le même instant son existence et son effacement.

(Comme la mort d'une femme que nous aurions pu aimer.) Je ne me rappelle pas la date de l'événement. Non, je ne ferai pas de recherche. Ce dut être épouvantable. Je ne veux pas le savoir. On ne peut pas s'occuper de tout. Je ne vise tout de même pas à l'exhaustivité ?

Mais je me souviens qu'à la veille de l'été 1976 une secousse sismique ébranla Bruxelles et plusieurs villes belges, et aussi Vienne, Strasbourg et Nancy, et des villages frioulans, et Trieste (où l'on déplora des morts).

Chez nous, des portes se sont ouvertes toutes seules, des meubles ont vibré, se sont déplacés sur les planchers, des lustres ont tintinnabulé, des lampadaires ont oscillé sur les avenues, comme sous l'effet d'un exorcisme. Le phénomène ne préluda qu'à une grande sécheresse : notre sol, proverbialement spongieux, perdit quatre-vingt-dix pour cent de son humidité usuelle.

Petit exercice mnémotechnique.

Quand les pluies ont-elles tué dans l'Isère ? Je retombe sur cette photo où l'on voit le président de la République française, à la proue d'une barque, se faire expliquer l'ampleur du désastre. Il a un visage hilare ; il a l'air de s'amuser.

Quand les précipitations ont-elles donc dévasté le Piémont ? Quatre cents litres d'eau au mètre carré sur le mont Aigoual ! On a dû annuler à la dernière minute le match Torino-Juventus, un derby qui devait avoir une si grande incidence sur le classement de la première division transalpine… D'après ce qu'on sait, les maires de la région avaient été dûment avertis, auraient dû prendre leurs dispositions… L'*alluvione* avait arraché les arcades des ponts sur son passage et plié les rails des voies ferrées comme s'il s'agissait de vulgaires serpentins de carnaval. Une octogénaire n'avait pas eu le temps de récupérer son dentier, sur sa table de chevet, lorsque l'eau entra dans son lit et qu'un pompier l'en arracha. Le chef du gouvernement voulut, sur place, commenter cet « holocauste naturel » : on lui coupa immédiatement ses effets, il fut quasiment lapidé ; on parla le lendemain, à Rome, dans les couloirs, de retraite anticipée. (Mon Dieu, c'était hier... Le temps passe donc si vite ?)

Plus près de nous dans le temps, dans l'espace, plus près de Toi, Mon Dieu..., du Finistère jusqu'en Rhénanie-Westphalie, du Palatinat jusqu'en Ille-et-Vilaine, de la Sarthe jusque dans la vieille ville de Cologne, de Maastricht au Calvados, en passant par Charleville-Mézières, on en verra de toutes les couleurs. Aux Pays-Bas, on a évacué jusqu'à 250 000 habitants des polders, que les digues, à moitié rompues, risquaient de ne plus protéger : elles gémissaient, elles allaient craquer...

Mais allez savoir pourquoi les malheurs des autres, les catastrophes exotiques, nous impressionnent toujours plus que les nôtres ? Non que nous nous montrions particulièrement altruistes ; nous voulons surtout nous rassurer... On nous dit qu'ailleurs, en Espagne, en Malaisie, ce serait pire encore. Je veux bien le croire, la chose est même vraisemblable, mais sommes-nous pour autant forcés de le croire ? car on minimise si volontiers, on nie si aisément tout ce qui se passe sous les cieux censés *nous* abriter... On a vu, reproduite un peu partout, cette photo d'un vieil homme d'ici traversant à gué une avenue en portant à bout de bras la cage de son canari... Attendrissant ! Mais n'était-ce pas, encore, pour se dissimuler la gravité des événements ? Tant de petits reporters ou de touristes voyeurs se sont précipités sur les lieux du désastre, pour le filmer au caméscope, qu'ils l'ont immédiatement banalisé.

Moi, j'aurais plutôt tendance à croire que rien, ailleurs, n'approchera jamais le cataclysme qui se prépare pour nous ! Celui-ci s'identifie tellement au pays même où, n'en doutons pas, il ne tardera pas à se produire que nous ne saurons souffrir aucune comparaison !

Une pléthore d'indices atteste que, chez nous, ça ne s'est pas, comme on dit, arrangé avec le temps. Les drames hydrologiques demeurent de constante actualité. Et d'abord, les sécheresses exagérées de certains étés ont, paraît-il, « démoralisé » les arbres de la forêt de Soignes qui constituent d'ordinaire un bouclier contre les orages et les tempêtes : maints chênes ont été défoliés, les hêtres ont dépéri…

Ensuite, notre environnement est molesté tous les hivers. En 1993, peu avant Noël, la Meuse et l'Ourthe se sont prises pour le Missouri. Alerte générale. Branle-bas de combat. Mobilisation des forces de l'ordre, de la protection civile, des pompiers, des para-commandos. Convocation d'un centre de crise. Les éclusiers sont rappelés tels des permissionnaires au moment où la guerre menace. Et c'est bien d'une guerre qu'il s'agit. Mais inégale, perdue d'avance. On a beau monter au front : l'ennemi a agi sans sommations, par surprise. Les compteurs des pluviomètres se sont emballés. Le débit des affluents a monté de cinq centimètres par heure. L'eau lèche furieusement les piles des ponts. On n'aurait plus vu ça depuis 1926 ! « C'est la crue du siècle ! » Évacuation des personnes âgées, des malades, des enfants. On apprend que les assureurs ne couvriront que les dégâts provoqués par les ruptures de canalisations et les fuites de machines à laver ! Et le Fonds des Calamités n'a plus d'argent. Des trains déraillent…, mais faut-il encore incriminer les eaux ? Débordement de l'Eau d'Heure, dans le Hainaut, et du lac d'Amour à Liège. Le bord de la Semois ressemble à un immense marigot de Louisiane. La Haute-Sambre se surpasse. Le nouveau Roi se précipite au chevet de la Wallonie submergée.

Et dire qu'il n'a même pas plu au-delà des moyennes saisonnières : ce serait plutôt la fonte accélérée des neiges, dans les Fagnes, qui en aurait rajouté, engorgeant les sous-sols et ruisselant jusqu'à des profondeurs inhabituelles. Après cela, une vague de froid a verglacé les routes, paralysé le trafic.

Tiens ! On a même reparlé un peu de la Senne : elle a fait une réapparition spectaculaire dans le Brabant wallon, en menaçant plusieurs habitations de Tubize, comme si elle voulait se rappeler à notre bon souvenir et nous suggérer qu'elle n'a peut-être pas dit son dernier mot.

L'année d'après, rebelote !

Mais il semble que les reporters indigènes s'exténuent désormais à traiter le sujet sans redites. À force d'évoquer chaque hiver « la crue du siècle », leurs superlatifs s'épuisent, l'enthousiasme du désespoir s'use à constater toujours *pire*.

Moi-même je sèche, si j'ose dire, sur ma copie : bien que parlant du passé, le présent me rattrape, et le soupçon m'effleure que j'annonce peut-être déjà *mezza voce* un funeste avenir.

On ne devrait jamais écrire sur les catastrophes : on les voue déjà à se reproduire.

Et l'été, des orages, fécondés par la canicule, ont balayé à nouveau les digues et les estacades du littoral, foudroyé des trains, couché des poids lourds sur l'asphalte, coupé les lignes du téléphone, brouillé les radars. C'est la Flandre, cette fois, qui sonne l'alarme, rameute ses troupes ! Des tours de cumulo-nimbus s'effondrent sur les plages. On observe que, de plus en plus, le sol s'affaisse en deçà des dunes. On reparle à nouveau de consolider les digues. On pare au plus pressé. Les échéances électorales suscitent, à chaque fois, des promesses. Mais se prépare-t-on vraiment, c'est une autre affaire !

Chaque année, les riverains, repris au piège, assurent qu'ils n'en peuvent plus, que la mesure est comble, qu'ils vont partir… On leur garantit un dédommagement, on leur assure qu'on va construire des barrages rétenteurs des eaux : ils restent, ils y croient, ils oublient, et l'hiver suivant ils retombent dans la nasse.

Je me rappelle cette année : 1995 ? 1997 ? 1999 ? où, derechef, les rivières ont grossi jusqu'à l'extravagance. Meuse et Semois, Eau Noire et Eau Blanche, Ourthe et Lesse, Sûre et Salm… La Haine et la Trouille débordaient de leur lit. Même le Japon, en proie à ses propres apocalypses, se montra solidaire. Le niveau de la mer s'éleva de deux mètres, un jour, en quelques instants… On annonça que des navires étaient en perdition : mais qu'est-ce qui ne l'était pas ? À Dinant, les habitants encerclés par les eaux accrochaient aux corniches de leur demeure un chiffon de couleur vive pour signaler qu'ils voulaient être évacués. Des gens se noyaient dans leur cave. Je me souviens de ce vieillard de quatre-vingt-dix-neuf ans (j'ai même encore son nom en mémoire : il s'appelait Pierre Mertens) qu'on dut évacuer contre son gré d'un dortoir, dans un home à Hermeton, où il était resté seul, « comme absent », précisait un journaliste, se cramponnant à son châlit ; il ne comprit jamais ce qui lui arrivait ni pourquoi une barque l'emporta loin du lieu où, paisiblement, il s'abandonnait à une rêverie insulaire.

En ce temps-là, on cherchait encore des causes, on ne désespérait pas de trouver des solutions. On incriminait tour à tour une urbanisation sauvage, le drainage ou la suppression anarchique des zones humides, une forestation mal orientée, le mauvais aménagement des lits majeurs, l'inefficacité des barrages écrêteurs, l'effet de serre… On rêvait de faire de chaque villa riveraine un navire à l'ancre… Et de réunir pour « une étude globale de la question tous les interlocuteurs que celle-ci impliquait »… ; pourquoi pas ? d'en faire l'objet d'un référendum.

On méditait encore de formuler les termes d'un modèle mathématique qui permettrait, *via* quelques « simulations », de prévoir, de prévenir les cures du Rhin, de la Meuse. Mais on avouait ne pas pouvoir toujours se fier aux paris climatologiques ni sonder les caprices de la météo…

542

Et la Senne, en attendant ? Elle ne restait pas désœuvrée. On s'était trop vite accoutumé à ce que, dans la capitale, des voûtements successifs et des bassins de retenue aient dompté sa fougue et ses incartades. Qu'un canal artificiel ait absorbé ses surplus et ses débordements. Et qu'à la périphérie un bassin à ciel ouvert abritât des hérons inoffensifs, des cygnes gracieux, de rassurants canards… Elle n'en avait pas moins rebondi, encore une fois, à Ath ou à Rebecq, si bien qu'on se demanda s'il ne convenait pas d'à nouveau modifier son tracé, rehausser ses berges, élargir les ponts matriciels qui, tant bien que mal, l'accueillaient encore. On y pensa seulement. On ne prit pas trop au sérieux ses sautes d'humeur. On la crut inoffensive. Et qu'elle était morte… guérie.

On eut tort.

Le plus clairvoyant des prévisionnistes reconnaît qu'à long terme on ne devrait être sûr de rien. Il eût mieux valu s'en remettre aux assureurs ; au moins eux n'ignoraient pas que, dans les années à venir, la nature se déchaînerait encore davantage : le premier réassureur de la société allemande Münchener Rückversicherung affirme, dans son bilan de l'année 1994, que les quelque 580 sinistres naturels de l'année écoulée, qui auraient fait 10 145 victimes dans le monde, ne sauraient constituer qu'un prélude à une catastrophe d'une tout autre ampleur. Il convient d'imaginer Cassandre grassement salariée pour savoir de quoi elle parle. Pas d'états d'âme. Rien que des états de conscience. Et une certaine attention à l'état des choses.

*

Ainsi se sont succédé de déraisonnables saisons. Dans l'intempestivité de nos climats. Si bien qu'on s'est accoutumé. Il s'est installé une routine du désastre. Alternance des sécheresses et des déferlements. Pour une patrie qui se prétend sans histoire, ces invraisemblables désordres du ciel !

On le dit et redit depuis des années, mais personne n'écoute : en dépit même du déchaînement hivernal des précipitations, ce pays est trop sec... Bien sûr, il n'y paraît guère. C'est à notre insu, sous nos pas, qu'il se désertifie peut-être ! Malgré des pluies – trop occasionnelles –, la nappe phréatique ne se renouvelle pas assez vite. Et puis, les engrais la polluent. C'est bien de nous de masquer jusqu'à notre aridité !

Ajoutons à cela, de loin en loin, un petit tremblement de terre. Si, si ! Oh ! pas grand-chose, ce n'est pas Agadir ! Même pas quatre ou cinq degrés de magnitude, avec un épicentre à vingt kilomètres de profondeur. Mais n'importe : on ne se refuse rien ! Cela peut tout de même vous tailler un clocher d'église tel un crayon.

Un collègue californien me racontait : « Y a intérêt à ne pas se retrouver *dans la faille* ! J'ai vu cela, une fois, à bonne distance, près de San Francisco. On reste là, médusé. Tellement c'est beau... »

Dans la vieille ville, de cannibales urbicides continuent de mordre dans tous les anciens murs – quand la mérule ne les a pas devancés. On abat, on éventre, on ne reconstruit pas toujours. Ou bien on bâtit du faux vieux à la place du vrai. On humilie l'horizon. Plus même besoin d'une secousse tellurique. Il semble que Bruxelles participe, dans une morose délectation, à son propre saccage. Cité masochiste. Où sont passées les pierres d'antan ?

On a rasé les bordels de la rue dite du Progrès. Paraît que ça fait plus net. Que fera-t-on dans le futur des matelots en bordée, lorsque les flots déchaînés de la prochaine marée plus que montante les apporteront jusqu'ici ?

Aujourd'hui, surprise. Des drapeaux tricolores – noir, jaune, rouge – aux fenêtres, aux balcons. Que fête-t-on ? Qui enterre-t-on ce matin ? Pour un rien, ils auraient l'air en berne. La plupart tombent en loques.

Ce pays est un trou triangulaire. Et qui va, peu à peu, se remplir d'eau à ras bord.

Je pense à ces îles qui tantôt s'immergent et tantôt refont surface sur le fleuve Évros, à la frontière turque. Le temps qu'elles réapparaissent, des bergers helléniques et ottomans viennent se les disputer.

Et puis aussi, que devons-nous penser de ces échouages répétés, énigmatiques, de cachalots sur nos grèves, dont l'autopsie prouva qu'ils vinrent crever ici intoxiqués par du mercure et du cadmium, divers pesticides – et toute motricité compromise ? Pourvu, tout de même, que nos côtes ne deviennent pas, avec le temps, quelque cimetière idéal pour les baleines déboussolées ?

*

Cela a préludé par une tristesse qu'aurait exsudé le spectacle de la pluie elle-même tombant sur le square. Une tranquillité saumâtre, qui serrait la gorge. De la loggia, dans l'appartement de Joy, je regardais du coin de l'œil ma maison natale. (Comme si je la guettais sans me faire remarquer d'elle, au cas où elle aurait voulu tenter un mauvais coup – ou seulement se déplacer ?)

Oui : ne serait-ce pas là, au square – déjà nappé d'une eau aux reflets d'acier – que tout a commencé de ce qui nous attend ?

Pourtant on disait qu'au centre de la ville aussi bien que dans ses faubourgs les égouts débordaient.

Rue Traversière ou avenue des Pagodes. Rue de l'Arbre-Ballon et avenue des Bardanes. Et rue de l'Épiphanie, et rue du Monténégro. Et puis aussi avenue des Taxandres. Et dans le quartier du Rouge-Cloître. Dans tous les quartiers : des caves inondées. (On l'apprenait par les journaux, comme si, déjà, on ne vivait plus tous dans la même ville.)

Un jour, j'avais lu que la rupture d'une canalisation avait creusé une cavité aussi spacieuse qu'une grotte sous le revêtement de la chaussée d'Anvers et que trois personnes y avaient glissé, qu'avaient emportées des eaux torrentielles.

Ce n'était encore qu'un fait divers isolé. Mais si, demain, on assistait à la multiplication de tels accidents, et à la convergence de débordements que personne n'aurait prévus ? Venus d'où ? De nulle part et de partout.

Cela fait un certain laps de temps que les gens de cette contrée ne s'aiment plus, qu'ils ne savent qu'inventer pour se déprendre les uns des autres. Que le pays est désamouré de lui-même. Dieu, pourquoi nous y avoir fait naître ? Il n'est pas jusqu'à la vie quotidienne qui, ici, n'atteigne un certain niveau d'incompétence.

Ceux du Nord voudraient bien conquérir la capitale. Couper, ou à peu près, les autres de l'accès à la mer. (Comment la mer ne se vengerait-elle pas ?) Ils veulent sauvegarder « l'intégrité du territoire » et « purifier la langue » qu'on y parle.

Ceux du Sud aimeraient « oublier » la capitale. Se replier jalousement sur leurs provinces. Jouer la carte de l'étroite autarcie.

Nous sommes entre ceux-ci et ceux-là. Entre deux feux, entre deux eaux.

Qui sait ? Peut-être la ligne de démarcation passera-t-elle, demain, au milieu du square ? Ma maison natale d'un côté, l'appartement de Joy et Samuel de l'autre ? La nouvelle frontière linguistique tombera en travers… On pourrait même édifier là, en plein milieu de la petite pelouse et à la place des monuments qui s'y trouvent, un mur de béton : au fil du temps, on le verrait se couvrir, de part et d'autre, de graffiti colorés ; et même, ceux-ci se ressembleraient sans doute étrangement… (Cela devrait se passer en 2002, 2003, décembre 1999 ?)

Et là-dessus, la pluie ruisselle, avec une patience infinie. Funèbre. Et en attendant, l'eau monte. Ou plutôt : ce n'est pas tant l'eau qui monte que le pays qui descend.

Avenue de l'Exposition-Universelle et au chemin des Moutons, à la station de Tours et Taxis, rue du Four-à-Briques, rue de l'Écuyer, rue de la Consolation, rue du Trône et avenue de la Couronne, avenue du Bois-du-Dimanche, on a vu des résidents mettre à l'eau des canots à moteur et construire des radeaux.

Et si c'était la rivière, la rivière assassinée, oubliée, qui se réveillait tel un volcan ? Allez savoir ! La thèse semble inepte, mais comme on s'est toujours trompé sur tout… ! À la fin, les chevilles et les mollets des téméraires seront ligotés par les eaux comme par une coulée de lave.

Au square, nous n'en sommes heureusement pas là. Et même au bois proche, avenue de Flore, avenue Victoria et au carrefour des Attelages, on peut toujours passer à gué si l'on est pourvu de bottes étanches. Mais pour combien de temps ? Et qui irait encore s'aventurer là ?

Peut-être, au square, bénéficie-t-on d'un sursis dû à un micro-climat ? Ne nourrissons cependant pas d'illusions exagérées : pourquoi, somme toute, serions-nous épargnés ?

La nappe liquide, immobile, léthargique, livide sous une lumière d'éclipse, recèle sûrement une violence cachée qui attend son heure. Elle macère, croupit à toute allure : elle a la douceur de la pourriture.

Pourtant, nous savourons cette sorte de rémission ultime, ambiguë. Mais comme une vieille quiétude d'un autre âge, couverte de rides. Celle qui nous envoûterait à la visite d'un cimetière d'éléphants.

La vérité, c'est qu'il n'y aura bientôt plus de square. Rien qu'un delta. On raconte que là-bas, en Orient, le jardin d'Éden a été bombardé. qu'on l'a rayé de la carte. Peut-être que ce qui reste alors du Tigre, de l'Euphrate, va se déverser jusqu'ici pour grossir la crue qui se forme et achever le travail : celui de l'oblitération. Bien qu'il n'y ait plus grand-chose à emporter hormis un banc public, la statue d'un vieux colon et celle d'un héros de la guerre, et la terrasse d'une taverne dépareillée qui fut le théâtre, Joy, de notre première rencontre.

À la belle saison, nous y retournions toujours pour commémorer le début de nos amours, cet incident mémorable dû à quelque hasard bénéfique, en buvant un Pimm's ou un Gin-Fizz. Square au bois, réveillé par un prince qui fit ce qu'il put pour paraître rien qu'un peu charmant…

Et puis, il n'y eut plus, pour ainsi dire, de belle saison.

Je t'appelle dans la loggia, afin que tu vérifies avec moi que le niveau des eaux a encore monté. J'aimerais prendre ta main dans la mienne. Mais je crains trop qu'elle me semble froide.

On dit que la station de métro Delta, la plus proche de chez nous, à côté du cimetière, est tout à fait inondée. Le réseau du métropolitain ressemble déjà à ces galeries de grottes remplies de stalactites, que les enfants des écoles visitaient chaque été, dans le Sud du pays, au cours d'un voyage scolaire.

On signale les premières noyades rue du Bois-des-Îles, rue de la Ferme et près de Notre-Dame-du-Perpétuel-Secours. Des paniquards, ou des inventifs, ne sachant par quelle voie se soustraire au fléau, ont bricolé des aéroplanes à pédales, des vélos nautiques, des pédalos géants… (Sans perdre tout à fait le nord, ils se sont empressés, avant de les mettre à l'épreuve, de déposer des brevets, au cas où…)

D'autres, plus prévoyants, se sont hâtés de gagner les frontières et de réclamer à nos voisins l'asile politique, estimant que le cataclysme présentait un caractère idéologique et qu'il les persécutait à titre personnel. Comme si, dans les pays limitrophes du nôtre, « l'événement » n'avait pas frappé, « la chose » ne s'était pas produite ! De toute façon, il ne subsiste plus de douaniers pour constater la disparité des situations, ni leur caractère éventuellement discriminatoire.

Quant à ceux qui sont restés sur place sans réagir, on observe qu'ils ont perdu la notion des dates et des heures, comme s'ils vivaient depuis des mois enfouis au centre de la terre.

D'une manière générale, les habitants ont tendance à régresser, ils redeviennent comme des enfants, mais meurtriers, sanguinaires. Ils jouent à la guerre, mais pour de vrai. Des us et coutumes d'autres époques, des mœurs barbares, font, avec l'afflux de l'eau, leur réapparition. On ne compte plus les actes de piraterie, courses et prises, abordages divers, pillages, qu'accomplissent au cours de leur errance flottante ceux qui, ayant perdu leur pays et leur langue, leurs anciens points de repère, pensent tout recommencer sans doute à partir de rien. Mais, au bout du voyage, il n'y a que l'eau qui les attend ! Qu'en espèrent-ils donc, sinon l'enfouissement dans un songe tel qu'on peut en faire encore ici : opaque et sans couleurs ? On les entend s'interpeller d'un esquif à l'autre. Tandis que leurs ancêtres se lançaient à la recherche des épices et de l'or, ceux-ci ne sont plus en quête que d'un langage dans lequel correspondre. Ils titubent au fond de leurs coquilles de noix ; il n'y a plus que l'eau qui les saoule. Flibustiers d'une nation fantôme, boucaniers du rien, que pourront-ils devenir quand le pays entier ne sera plus lui-même qu'un *boat people* ? Et si celui-ci allait s'éperonner, se rompre, une nuit, au milieu du square, comme un géant iceberg, quel orchestre consentirait encore à jouer ?

On voit se mêler à des morts tout fraîchement enterrés, engloutis, des macchabées d'autres cimetières, d'autres villes ;

on voit flotter des troncs d'arbres exotiques, venus d'on ne sait où – il y a beau temps que les serres royales se sont effondrées, que les jardins d'acclimatation sont retournés au chaos, sinistrement labourés –, ainsi que des os, des squelettes d'animaux n'ayant jamais appartenu à aucune espèce connue.

Pourquoi donc suis-je, un jour, revenu au square ?

J'étais alors un trop vieil enfant prodigue. On ne retourne pas impunément sur les lieux de ses plus profondes détresses, de ses plus cuisantes défaites : autrement dit, sans à la fin les reconduire. À moins que ne se soit produit ici, pour moi, simplement la perte rédhibitoire de la foi de ceux qui me conçurent ? Un néant pointé, qualifié ? Une naissance avant terme, prise à la gorge par un cordon barbelé ? Une enfance noyée comme une portée de chats dans un sac ? Un mariage à couteaux tirés au fond d'un bain d'orties ? Joy, Samuel, après cela, il ne nous restait plus qu'à jouer ensemble à la trêve de Dieu.

Et avec moi le Déluge !

Là où ma mère m'apporta, la mer va donc me remporter.

(Et lorsque je m'éloignais pour un voyage dans l'espace ou dans le temps, j'avais une fâcheuse tendance à confondre l'un avec l'autre. J'ai perdu beaucoup de temps à vouloir retrouver de l'espace.)

Que de circonvolutions pour rentrer au foutu bercail ! Cercles concentriques qui se resserrent autour d'une dérive… Quand il n'y avait vraiment nul paradis à perdre : qu'il n'y avait que moi à perdre une fois encore.

Qui cède à la mythologie du retour sur les lieux du crime commis contre soi, il lui faut sans doute l'expier doublement. Hors l'exil pas de salut.

Ce retour, je ne l'avais pas accompli : je l'avais plutôt inventé, comme une formule magique, un système D… Eurêka du pauvre.

Tu me reprochais bien, Joy, de trafiquer la réalité des choses et de trop volontiers l'arranger à ma façon ?

Je me souviens seulement que, du balcon de ma maison natale, je pouvais apercevoir autrefois une petite fille que je n'ai pas assez aimée (et qui me l'a sûrement bien rendu). Et aussi des vaches, une chèvre, une brebis noire… Va encore falloir trouver un rafiot pour embarquer tout ce beau monde-là ?

Lorsque, au début de la saison des pluies, les flots du rio Madre de Dios s'élèvent de plusieurs mètres, les chercheurs d'or, les récolteurs de caoutchouc se mettent en branle d'eux-mêmes, sans dire un mot. Sous un ciel à midi noir comme du charbon, ils gagnent la hauteur des collines, en tournant le dos au cataclysme qui s'engouffre dans la vallée, déracine les arbres géants, submerge le bétail abandonné, arrache le paysage à lui-même, fait taire les paysans – quand ceux-ci sont partis trop tard – d'un bâillon de boue sur la bouche…

Joy, nous allons nous voir forcés d'agir comme si les eaux du rio Madre de Dios avaient déboulé jusqu'ici, au square au Bois-Dormant, en proie à un cauchemar dont il essaie en vain de s'éveiller ; nous allons gagner les toits par des échelles prévues pour les cas d'incendie – ô l'aimable paradoxe ! Et pourquoi faut-il, en effet, que ce ne soit pas un incendie qui vienne à bout de tout ceci : notre ville, ou Rome, ou Londres, ou Yokohama ? Au moins, on garderait les pieds et l'âme au sec, et il n'en resterait que des cendres : ce serait plus propre.

Mais non : nous allons être obligés de monter d'étage en étage pour échapper à des flammes imaginaires. Tandis que seules les eaux nous cernent. On se trompe sur la catastrophe qui va vous emporter comme on s'est trompé sur toute sa vie. Pourquoi *in extremis* cesserait-on de s'égarer au sujet de ce qui nous arrive ? De ce qui nous offusque et vient à bout de nous ? Autant appartenir jusqu'au terme à un seul et même mirage scintillant, fuligineux !

Nous qui pensions être cuits par l'incendie de l'Histoire, nous ne serions emportés que par une « crue du siècle » ! Bientôt, jetant distraitement un regard sur le delta, nous verrions à l'horizon surgir les hélicoptères : ils viendraient danser, virevolter au-dessus de nos têtes, ouvrir le bal, faire du surplace dans les airs, avant que se déroule l'échelle de corde qui arracherait au grand Samuel des « Hourra ! »... Nous serions sauvés au dernier moment, juste avant qu'une vague énorme ne passât par-dessus les toits et n'emportât tout l'édifice. Nous ne saurions pas vers quels autres cieux nous serions ainsi emportés, hélitreuillés, réhabilités, exaucés, blanchis, ressuscités.

Et puis, non.

À quoi nous avions affaire, ce n'était ni rivière surabondante, ni lac engrossé, ni mer conquérante, ni océan profus : c'était dais liquide, immensité d'eau se dressant à la verticale autant qu'elle s'étendait à l'horizontale, avalanche se liquéfiant à mesure qu'elle dévalait les pentes de quelque montagne invisible et qui, retournée un instant, se trouvait rejetée au centre de la terre de la même façon que la rivière avait été naguère enterrée. Et voici que les deux : orage du bas, étang du haut, resurgissaient dans la même conjuration, ceinturant, garrottant la ville dans une tenaille étincelante. Précipitations de neige crevant des nuages insoupçonnés, dissimulés par d'autres, et qui rencontraient, dans leur chute vertigineuse, des couloirs glaciaires, des moraines devenues hystériques ; les unes et les autres enfantant alors ensemble des abysses aériens qui inventaient leurs formes, leur profondeur insondable au fur et à mesure, et aussi les lois physiques auxquelles elles prétendaient encore obéir dans une sorte d'anarchie heureuse, endiablée. Car, décidément, de tout cela eût pu naître une sorte de capharnaüm rassurant, euphorique... Mais je me trompe, bien sûr. Il fallait que la force ainsi créée, conjuguée, se révélât séparatrice : elle passait, énorme, entre les hommes, divorçait les couples d'animaux, désolidarisait les villages les uns des autres et de leurs citoyens, mangeait leur passé, révisait, gommait leur histoire. Comme pour châtier l'esprit même de division qui les avait tentés, animés. On découvrait – trop tard – qu'on s'engloutissait parce qu'on s'était répudié soi-même.

Au fond, l'Est ne résidait plus à l'Est, ni l'Ouest en Occident, ni même le médian au milieu : suffisait d'y penser ! Au début, on eût dit une vapeur froide, seulement, qui tombait entre tous et toutes, au centre des choses, semblable à un rideau. Comme si nous avions habité un lieu qui ne méritait pas son bonheur. Et que les eaux avaient le pouvoir de séparer jusqu'à et y compris ceux qui auraient pu s'aimer là-bas.

Nous apprenions, Joy, par la radio, que notre pays se divisait au moment même, ultime, où nous aurions pu nous réunir. Qui allait donc mourir le premier, du pays ou de nous ? Les paris étaient fermés.

On n'avait jamais rêvé ici qu'au-dessous du niveau de la mer. Il était juste, à la fin, que notre micromanie fût punie. On pourrait être maudit pour moins que cela…

Ah ! la gloutonne béance, la goinfre anorexie ! Quelle boulimie du néant ! Promis : si nous devons survivre à cela, nous le raconterons là où nous irons ! S'il y a quelque part où aller, naturellement.

C'est sans conteste de la loggia de Joy qu'on bénéficie de la plus belle vue sur le moite horizon, qu'une lumière soufrée tend comme une corde. On n'entend plus les craquements, les grincements, la plainte de la ville arrachée à elle-même. Rien qu'une rumeur lasse et monotone qui raconte que cela a bien eu lieu. Et ce soupir qu'exhale la patience meurtrière de la pluie.

On mesure enfin le désordre des choses. Sous les plans d'eau boueuse et les collines de gravats ou d'éboulis, un cadastre inédit se laisse déchiffrer. Feux de la circulation que le vent a pliés et tordus, pylônes électriques qu'il a fauchés comme blés, portes qu'il a aux trois quarts sorties de leurs gonds, motocyclettes auxquelles on aurait fait subir le supplice de la roue, landaus qui durent être abandonnés en catastrophe… Tout cela vous a une innocence de jouets fracassés.

Ce ne sont quand même pas les quinze litres d'eau de pluie par mètre carré recueillis encore, hier, à l'observatoire d'Uccle, entre 6 et 16 heures, qui expliquent l'ampleur et la violence de notre submersion. Ni que l'Ourthe soit montée de deux mètres en quelques heures au sud du pays. Et que la Senne ait, encore une fois, inondé des prairies autour de Tubize… L'eau a dû venir de partout à la fois, de là même où on ne soupçonnait pas sa souterraine présence. Du reste, il pleut dans toutes les directions maintenant, sous les bourrades du vent – les averses ne se succèdent pas : elles s'entrechoquent –, tandis qu'une pâle et lente lumière se met elle aussi à ruisseler. Au loin vogue, cérémonieuse, une armada de cumuli, d'une aveuglante blancheur, la première qu'on ait aperçue depuis longtemps.

Je pressens qu'on pourrait avoir envie de pleurer un peu, de bonheur, dans cette ambiance carnavalesque.

« Quelle joie ! » s'exclamait toujours le petit Samuel quand il assistait à une scène dont il ne comprenait pas bien le sens, à un événement qui le dépassait. Cette sorte de jubilation qu'on éprouverait à se trouver réuni – aux autres, à soi ? – sous l'effet de la tempête même ?

Je regardai de côté Samuel. Il me parut qu'il avait encore grandi. Il avait l'air aux anges. Sacré Samuel ! Sacrée planète ! Allons : on n'avait pas perdu son temps ! Vite fait, bien fait, mal fait, bientôt défait : dans une sorte de gaieté. Qu'au moins cette joie-là demeure.

Te rappelles-tu, Joy, que, lors de notre première rencontre au square, il avait plu et que tu avais mouillé ta robe en t'asseyant à la table voisine de la mienne ? C'était drôle. L'époque était légère.

Lorsque tu te glissais, le soir, dans notre lit, entre les draps frais, tu gloussais de bonheur ; si un appel téléphonique d'un importun venait alors interrompre nos premières caresses, je te branlais doucement tandis que tu répondais de manière évasive aux questions : au bout du fil, on ne comprenait pas pourquoi ta voix, soudain, s'altérait.

Promets-moi que nous irons, ailleurs, dans une autre vie, construire de nouveaux, de jeunes squares !

Je me demande ce que deviennent, à l'heure présente, les habitants de l'avenue de l'Araucaria, de la rue des Obstacles, ou de la rue des Mille-Mètres, ou du boulevard du Jardin-Botanique, ceux de la rue de l'Équinoxe ou de la rue de Serbie ; et sous combien de mètres cubes d'eau coulent à pic l'avenue de Diane, la pelouse des Anglais, la drève des Enfants-Noyés…

N'aurions-nous pas pu, chère Joy, rester rois un bout d'après-midi ? Avoir beaucoup d'un seul enfant ? « Voyage de noces mouvementé *Stop* mais nef arrivée à bon port *Stop*. Vue imprenable sur haute mer et haute montagne *Stop* et jardins suspendus *Stop*. Comme autrefois *Stop* roulotte de grand-mère ! »

J'eus soudain envie de présenter, au balcon, le petit Samuel à la foule en délire. Mais il n'y avait pas de balcon, plus de « petit Samuel », pas de foule : rien que du délire. Et encore : quel délire ? Qui parle ici de délire ? Il n'y en avait hélas aucun. Est-ce délire si la réalité passe l'imagination ?

La nuit précédente, j'avais de nouveau été réveillé par les pleurs d'un enfant. On eût dit le chant d'un baleineau désespéré de ne pas être entendu.

Quand le pilote de l'hélico parvint à se poser, il nous cria qu'il ne disposait plus que de deux places dans l'habitacle. Qu'il embarquerait donc la femme et l'enfant. Qu'on reviendrait me chercher ensuite.

« Samuel, toi au moins… », pensai-je avec solennité, mais j'oubliai aussitôt, dans une rafale de vent, ce que je voulais l'inviter à faire, à ne pas faire de sa vie. Tandis qu'il s'envolait et prenait de l'altitude, j'eus encore le temps de distinguer ses sourcils froncés, son sourire de vieillard précoce, sa future barbe en fer de bêche, son air de jeune Papa-Noé, innocent, naïf, niais, désarmant. Avant qu'il ne disparût au fond du ciel.

Je ne me réjouis pas peu de n'avoir pas trouvé, pour conclure, le fin mot de toute cette incroyable histoire.

J'étais en paix.

TABLE DES MATIÈRES

Achevé d'imprimer en janvier 2006
pour le compte des **Éditions Labor**
par l'imprimerie Tournai Graphic à Tournai (Belgique).